Mathématiques pour les techniques de l'industrie

deuxième édition revue et corrigée

conforme aux cours 502, 602 et 702

Michèle Colin
Paul Lavoie

Mathématiques pour les techniques de l'industrie

deuxième édition revue et corrigée

conforme aux cours 502, 602 et 702

gaëtan morin
éditeur

Montréal □ Paris □ Casablanca

Montréal, Gaëtan Morin Éditeur ltée
171, boul. de Mortagne, Boucherville (Québec), Canada, J4B 6G4, Tél. : (514) 449-2369

Paris, Gaëtan Morin Éditeur, Europe
26, av. de l'Europe, 78141 Vélizy Cedex, France, Tél. : 16.1.34.63.33.01

Casablanca, Gaëtan Morin – Éddif, Éditeur S.A.
Rond-point des sports, angle rue Point du jour, Racine, 20 000 Casablanca, Maroc

ISBN 2-89105-313-3

Dépôt légal 3e trimestre 1987 – Bibliothèque nationale du Québec – Bibliothèque nationale du Canada

5 6 7 8 9 0 1 2 3 4   G M E 8 7   3 2 1 0 9 8 7 6 5 4

Mathématiques pour les techniques de l'industrie, 2e édition

TABLE DES MATIÈRES

AVANT-PROPOS

Cet ouvrage est consacré aux programmes des cours collégiaux 502, 602 et 702. Son but est d'aider, aussi efficacement que possible, les étudiants et les étudiantes des techniques de la chimie, des techniques industrielles, des techniques du bâtiment et du territoire. On y trouvera les contenus officiels, selon le modèle que nous avons développé dans nos deux autres ouvrages, *Mathématiques pour les techniques de la gestion* et *Mathématiques pour les techniques physiques* : une présentation graduelle des notions, accompagnée de nombreux exemples, suivie d'exercices à résoudre en classe avec l'aide du professeur, complétée par des exercices récapitulatifs où l'étudiant témoigne de sa compréhension. Nous avons fait des efforts pour nous appuyer sur la formation mathématique reçue au secondaire, aborder les notions de façon claire et simple, accompagner notre exposé d'applications concrètes.

CHEMINEMENT PROPOSÉ

Le tableau suivant indique, selon le cours, un cheminement permettant de couvrir le programme.

	502	602	702
1- FONCTIONS	facultatif		
2- FONCTIONS EXPONENTIELLES ET LOGARITHMIQUES	√	√	
3- ÉLÉMENTS DE GÉOMÉTRIE PLANE		√	
4- TRIGONOMÉTRIE 4.1 à 4.6	√	√	√
4.7 à 4.12		√	√
4.13 à 4.15			√
5- AIRES ET VOLUMES			√
6- MATRICES ET DÉTERMINANTS	√	√	√
7- SYSTÈMES D'ÉQUATIONS LINÉAIRES ET INVERSION DE MATRICES	√	√	√
8- VECTEURS GÉOMÉTRIQUES 8.1 à 8.9	√	√	√
8.10 à 8.13	√		√
8.14 à 8.16			√
9- INITIATION À LA PROGRAMMATION LINÉAIRE			√
10- GÉOMÉTRIE ANALYTIQUE : LES CONIQUES		√	
11- ANALYSE COMBINATOIRE ET PROBABILITÉS	√		
12- ERREURS ET INCERTITUDES	√		√

LES OBJECTIFS À ATTEINDRE

Autant pour faciliter la tâche du professeur dans la rédaction de son plan de cours et l'évaluation, que celle de l'étudiant que l'on doit bien informer sur ce qu'on attend de lui, il a paru utile de regrouper ici les objectifs que visent les cours pour lesquels ce livre a été rédigé.

OBJECTIFS GÉNÉRAUX

Tout en leur permettant de consolider leurs connaissances du secondaire, le cours vise à rendre les étudiantes et les étudiants aptes à manipuler efficacement certains concepts mathématiques reliés à leur orientation professionnelle. Pour y arriver, on mettra notamment l'accent autant sur la modélisation et la résolution de problèmes que sur l'interprétation des résultats.

OBJECTIFS SPÉCIFIQUES (*)

L'étudiant devra être en mesure de :

CHAPITRE 2 (502 et 602)
FONCTIONS EXPONENTIELLES ET LOGARITHMIQUES

- donner la valeur de a^0 ($a \neq 0$);
- réécrire sous forme de produit une expression de la forme a^n où $n \in \mathbb{Z}^*$, et la calculer;
- réécrire une expression de la forme $a^{p/q}$ à l'aide d'un radical (a positif, q strictement positif, a et p non nuls en même temps), et éventuellement la calculer ;
- réécrire une expression de la forme $\sqrt[q]{a^p}$ à l'aide d'une puissance (conditions usuelles), et éventuellement la calculer ;
- énoncer les lois des exposants, et les utiliser pour simplifier des expressions algébriques ou résoudre une équation ;
- donner la définition, le domaine, l'image d'une fonction exponentielle ;
- pour une base donnée $\left(\text{exemples: } \frac{1}{2}, 2, 10, e \right)$, tracer le graphe d'une fonction exponentielle et en dégager les caractéristiques (croissance ou décroissance, comportement en 0, comportement asymptotique);
- définir ce qu'est une fonction logarithmique, en donner le domaine, l'image, et notamment établir le lien entre une fonction logarithmique de base a et une fonction exponentielle de base a ;
- pour une base donnée $\left(\text{exemples: } \frac{1}{2}, 2, 10, e \right)$, tracer le graphe d'une fonction logarithmique et en dégager les caractéristiques (croissance ou décroissance, comportement en 1, comportement asymptotique);
- passer d'une forme logarithmique à une forme exponentielle, et vice versa (équivalence fondamentale) ;
- écrire sous forme $\log_a x$, avec la valeur appropriée de a, les formes conventionnelles log x, Log x, ln x, Ln x, et vice versa;

---

*   Nous n'avons pas donné d'objectifs pour le chapitre 1 : il s'agit d'un chapitre de rappels. Il contient des connaissances censées connues.

– énoncer les propriétés fondamentales des logarithmiques ($\log_a 1 = 0$, $\log_a a = 1$, $\log_a mn =$ $\log_a m + \log_a n$, $\log_a \dfrac{m}{n} = \log_a m - \log_a n$, $\log_a m^n = n \log_a m$, $\log_a m = \log_b m / \log_b a$) et les utiliser pour réécrire une expression, résoudre une équation ou une inéquation, que celles-ci apparaissent sous forme exponentielle ou logarithmique) ;

– résoudre des problèmes concrets utilisant des fonctions logarithmiques et exponentielles ou les nécessitant ;

– construire une échelle logarithmique ;

– dire en ses mots comment sont confectionnés les papiers semi-log et log-log, et quelle en est l'utilité.

CHAPITRE 3 (602)
ÉLÉMENTS DE GÉOMÉTRIE PLANE

– définir ce qu'est un angle ;

– classifier un angle (saillant, rentrant, plat, nul, droit, aigu, obtus, plein) et déterminer, selon le cas, sa mesure ou un intervalle qui la contienne ;

– mesurer un angle avec un rapporteur ;

– classifier une paire d'angles (adjacents, complémentaires, supplémentaires, opposés par le sommet) et déterminer les liens entre leurs mesures, notamment en retrouvant la mesure du supplément, du complément ou de l'angle opposé par le sommet ;

– identifier les angles égaux ou supplémentaires formés par deux parallèles coupées par une sécante, tout en utilisant le vocabulaire juste (angles internes, externes, alternes-internes, alternes-externes, correspondants) ;

– avec un compas et une règle, mener une parallèle à une droite ;

– avec un compas et une règle, diviser un segment de droite en deux parties égales ;

– avec un compas et une règle, construire un angle droit ;

– un angle étant donné, tracer sa bissectrice à l'aide d'un compas et d'une règle, de façon à diviser un angle en deux parties égales ;

– avec un compas et une règle, construire un angle de 45° ;

– définir ce qu'est un triangle et utiliser le vocabulaire approprié (sommets, côtés, bases, hauteurs, médiatrices, médianes, angles intérieurs, angles extérieurs, côté opposé ou adjacent à un angle ou à un sommet) ;

– construire un triangle dont on connaît la longueur des trois côtés, la longueur d'un côté et la mesure des deux angles qui lui sont adjacents, la mesure d'un angle et la longueur des deux côtés qui l'engendrent ;

– dire ce qu'on entend par triangles égaux ;

– vérifier si deux triangles sont égaux ;

– un triangle étant donné, trouver son orthocentre, le centre du cercle circonscrit, le centre de gravité ou le centre du cercle inscrit, et tracer le cercle circonscrit ou inscrit ;

– calculer la longueur du rayon et l'aire d'un cercle circonscrit ou inscrit à un triangle ;

– classifier un triangle (rectangle, aigu, obtus, isocèle, équilatéral, scalène) ;

– construire avec un compas et une règle l'équerre 45° et l'équerre 30°–60° ;

– dire ce qu'on entend par triangles semblables ;

– vérifier si deux triangles sont semblables, établir le rapport de similitude entre les côtés correspondants ;

– les longueurs de côtés de triangles semblables étant connues, déterminer celles manquantes.

CHAPITRE 4
TRIGONOMÉTRIE
4.1 à 4.6 (502, 602 et 702)

–   définir ce qu'est un radian ;
–   définir ce qu'est un degré ;
–   transformer en degré(°__'__'' ou sous forme décimale) la mesure en radian d'un angle, et vice versa ;
–   calculer la longueur d'un arc de cercle et l'aire d'un secteur circulaire, si l'on connaît l'angle au centre et le rayon ;
–   appliquer la formule $s = r\theta$ au calcul d'une vitesse angulaire (en t/min, en rad/s...) ;
–   donner la définition du cercle trigonométrique ;
–   pour un angle θ donné, déterminer la position du point P sur la circonférence du cercle trigonométrique tel que l'arc OP soit sous-tendu par un angle au centre θ ;
–   un angle étant donné, déterminer quel angle lui est congru (modulo 2π) entre 0 et 2π ;
–   pour un angle donné, dire comme se définit à partir du cercle trigonométrique son sinus et son cosinus ;
–   à partir du cercle trigonométrique, déterminer la valeur des angles pour lesquels le sinus ou le cosinus est négatif ou positif ;
–   expliquer pourquoi $-1 \leq \sin\theta \leq 1$ et $-1 \leq \cos\theta \leq 1$;
–   à partir du sinus et du cosinus, énoncer la définition de la tangente, de la cotangente, de la sécante, de la cosécante, et utiliser les notations correctes ;
–   définir ce qu'est, dans un triangle rectangle, le sinus, le cosinus, la tangente, la cotangente, la sécante et la cosécante d'un angle aigu ;
–   expliquer pourquoi la définition des fonctions trigonométriques est équivalente, qu'elle soit faite à partir du cercle trigonométrique ou du triangle rectangle ;
–   à l'aide d'une calculatrice, donner la valeur du sinus, du cosinus, de la tangente d'un angle donné en rad, en °__'__'' ou en ° ;
–   énoncer et appliquer le théorème de Pythagore ;
–   résoudre un triangle rectangle, en appliquant le théorème de Pythagore et à l'aide de fonctions trigonométriques, la calculatrice permettant de retrouver les valeurs des fonctions trigonométriques inverses (syn. : réciproques) ;
–   donner le sinus, le cosinus et la tangente des angles remarquables (0°, 30°, 45°, 60°, 90°... ou en radian) ;
–   énoncer la loi des sinus ;
–   énoncer la loi des cosinus ;
–   utiliser la loi des sinus et la loi des cosinus pour résoudre un triangle ;
–   identifier les mesures qu'il faut effectuer pour évaluer la distance entre deux points accessibles, mais séparés par un obstacle infranchissable ;
–   appliquer les fonctions trigonométriques dans des problèmes du métier ;

4.7 à 4.12 (602 et 702)

–   vérifier une identité trigonométrique simple à l'aide des relations trigonométriques usuelles ($\sin^2\theta + \cos^2\theta = 1$, $\tan\theta = \sin\theta / \cos\theta$...) ;
–   retrouver les relations entre les fonctions trigonométriques pour des angles opposés, des angles supplémentaires, des angles complémentaires, des angles de différence π, et notamment reconstruire le tableau

$$\sin \theta = -\sin (-\theta) = \sin (\pi - \theta) = \cos \left(\frac{1}{2} \pi - \theta \right) = -\sin (\pi + \theta)$$

$$\cos \theta = \cos (-\theta) = -\cos (\pi - \theta) = \sin \left(\frac{1}{2} \pi - \theta \right) = -\cos (\pi + \theta);$$

$$\tan \theta = -\tan (-\theta) = -\tan (\pi - \theta) = \cot \left(\frac{1}{2} \pi - \theta \right) = \tan (\pi + \theta)$$

— résoudre une équation trigonométrique à l'aide des relations entre les fonctions trigonométriques d'angles opposés, supplémentaires, complémentaires et de différence π);

— utiliser les formules usuelles d'addition d'angles ($\sin u \cos v + \sin v \cos u = \sin (u + v)$...);

— utiliser les formules usuelles des multiples d'angle ($\sin 2t = 2 \sin t \cos t$...);

— utiliser les formules usuelles permettant de transformer une somme de fonctions trigonométriques en produit $\left(\sin p + \sin q = 2 \sin \frac{1}{2} (p + q) \cos \frac{1}{2} (p - q)... \right)$;

— définir ce qu'est une période, ce qu'est l'amplitude ;

— faire le graphe des fonctions sinus, cosinus, tangente, en donnant leur période, leur amplitude, leur domaine, leur image ;

— faire le graphe de arcsin x, arccos x, arctan x, en donnant leur domaine, leur image ;

— résoudre une équation trigonométrique inverse simple ;

4.13 à 4.15 (702)

— faire l'étude d'une fonction du type $f(t) = A \sin (\omega t + \phi)$ (donner sa période, son amplitude, son domaine, son image, construire un tableau de variation de $A \sin (\omega t + \phi)$ et de $A \sin \omega t$, déterminer le déphasage, faire les graphes avec t ou ωt en abscisse).

CHAPITRE 5 (702)
AIRES ET VOLUMES

— transformer une mesure prise selon une unité en une autre, et utiliser le symbolisme du SI (longueur : km, cm, mm ; aire : m^2, km^2, ha, cm^2, mm^2, dm^2 ; volume : m^3, dm^3, cm^3, ℓ, kl, ml) ;

— évaluer différentes mesures d'une figure (longueur, aire, volume, angle) à partir des mesures correspondantes d'une figure semblable ;

— énoncer la définition d'un carré, d'un rectangle, d'un parallélogramme, d'un losange, d'un trapèze et, plus généralement, d'un quadrilatère et d'un polygone ;

— après avoir trouvé les paramètres nécessaires, déterminer l'aire d'un triangle, d'un carré, d'un rectangle, d'un parallélogramme, d'un losange, d'un trapèze ;

— déterminer l'aire d'un polygone quelconque en le décomposant en triangles et en trapèzes ;

— après avoir trouvé les paramètres nécessaires, déterminer l'aire d'un polygone régulier d'ordre n ;

— après avoir trouvé les paramètres nécessaires, déterminer l'aire d'un disque, d'un secteur circulaire, d'un segment circulaire ;

— expliquer en ses mots la méthode des trapèzes et celle de Simpson permettant d'approximer l'aire d'une surface limitée par une figure curviligne, et donner les formules ;

— approximer l'aire d'une surface par la méthode de Simpson et celle des trapèzes ;

— dire ce qu'est un polyèdre ;

– dire ce qu'est un prisme ;
– un prisme étant donné ou représenté graphiquement, situer les bases, les faces latérales, les arêtes, une hauteur, une section, une section droite ;
– distinguer prisme oblique et prisme droit ;
– dire ce qu'est un tronc de prisme ;
– avec les paramètres appropriés, donner le volume d'un prisme, en particulier le cube et le parallélé-pipède ;
– avec les paramètres appropriés, donner le volume d'un prisme triangulaire tronqué ;
– dire ce qu'est une pyramide ;
– dire ce qu'est une pyramide régulière ;
– une pyramide étant donnée ou représentée graphiquement, situer la base, les faces latérales, les arêtes, une hauteur, une section, un tronc de pyramide ;
– avec les paramètres appropriés, calculer le volume d'une pyramide ;
– avec les paramètres appropriés, calculer le volume d'un tronc de pyramide à bases parallèles ;
– avec les paramètres appropriés, calculer l'aire latérale d'un prisme, l'aire latérale d'une pyramide régulière, l'aire latérale d'un tronc de pyramide régulière à bases parallèles ;
– dire ce qu'est un polyèdre régulier ;
– dire ce qu'est un solide de révolution ;
– à l'aide des formules, calculer le volume des polyèdes réguliers et des solides de révolution usuels.

CHAPITRE 6 (502, 602 et 702)
MATRICES ET DÉTERMINANTS

– définir ce qu'est une matrice, l'illustrer à l'aide d'exemples de la vie courante et utiliser correctement le vocabulaire usuel (dimension, terme a_{ij}, ligne, colonne...) ;
– déterminer sous quelles conditions deux matrices sont égales ;
– après avoir déterminé leur compatibilité, effectuer la somme, le produit d'une matrice par un scalaire, et en donner les propriétés ;
– dire ce qu'est une matrice carrée ;
– calculer le déterminant d'une matrice d'ordre 2 ;
– calculer le déterminant d'une matrice d'ordre 3 par la règle de Sarrus ;
– calculer le déterminant d'une matrice d'ordre n, soit en développant suivant une ligne ou une colonne, soit à l'aide des propriétés du déterminant.

CHAPITRE 7 (502, 602 et 702)
SYSTÈMES D'ÉQUATIONS LINÉAIRES ET INVERSION DE MATRICES

– m et n étant donnés, fournir un exemple d'un système de m équations linéaires à n inconnues ;
– définir ce qu'est un ensemble-solution d'un système d'équations linéaires ;
– dire ce qu'on entend par systèmes d'équations équivalents ;
– construire un système d'équations équivalent au moyen de l'une ou l'autre, ou une suite, des transformations permises, tout en les codifiant ;
– expliquer le but qu'on poursuit en transformant un système d'équations en un système triangulaire équivalent ;
– résoudre un système d'équations par la méthode d'élimination-substitution ;
– résoudre un système d'équations par la méthode de Gauss ;

– donner la définition d'une matrice identité ;
– donner la définition d'une matrice inverse ;
– déduire à partir de la valeur de $|A|$ si la matrice carrée A est inversible ;
– inverser une matrice par la méthode de Gauss ;
– (facultatif) inverser une matrice par la méthode de la matrice adjointe ;
– résoudre un système d'équations par la méthode de la matrice inverse ;
– résoudre un système d'équations linéaires construit à partir d'un problème concret ;
– interpréter géométriquement, dans le cas de deux ou trois inconnues, l'ensemble-solution d'un système (plan, droite, point...).

CHAPITRE 8
VECTEURS GÉOMÉTRIQUES
8.1 à 8.9 (502, 602 et 702)

– différencier vecteur et scalaire ;
– un vecteur géométrique étant donné, indiquer à quoi correspondent sa longueur, sa direction, son sens, son orientation, son origine, son extrémité ;
– un vecteur géométrique étant donné, construire un vecteur qui lui est égal (ou équipollent) ;
– déterminer si deux vecteurs sont égaux ;
– additionner graphiquement deux vecteurs, soit par la méthode du triangle, soit par la méthode du parallélogramme ;
– donner graphiquement l'opposé d'un vecteur ;
– utiliser correctement les notations $\vec{u}$ ou $\overrightarrow{AB}$;
– dire à quoi correspond le vecteur $\vec{O}$;
– trouver graphiquement le vecteur $p\vec{u}$, p et $\vec{u}$ étant donnés ;
– établir le lien quant à la direction, au sens et à la longueur (ou module) entre $\vec{u}$ et $p\vec{u}$;
– situer dans le plan cartésien les vecteurs $\vec{i}$ et $\vec{j}$;
– situer dans le plan cartésien un vecteur $\vec{u} = (u_1, u_2)$;
– ramener à l'origine le vecteur $\overrightarrow{AB}$ si on connaît les coordonnées A (a_1, a_2) et B (b_1, b_2) de A et de B ;
– vérifier si $\vec{u} = (u_1, u_2)$ et $\vec{v} = (v_1, v_2)$ sont égaux ;
– calculer $|\overrightarrow{AB}|$, le module du vecteur $\overrightarrow{AB}$;
– situer dans l'espace les vecteurs $\vec{i}$, $\vec{j}$ et $\vec{k}$, ainsi qu'un vecteur quelconque $\vec{u} = (u_1, u_2, u_3)$;
– ramener à l'origine le vecteur $\overrightarrow{AB}$ si on connaît les coordonnées A (a_1, a_2, a_3) et B (b_1, b_2, b_3) de A et de B ;
– vérifier si $\vec{u} = (u_1, u_2, u_3)$ et $\vec{v} = (v_1, v_2, v_3)$ sont égaux ;
– calculer $|\overrightarrow{AB}|$, le module du vecteur $\overrightarrow{AB}$ de l'espace ;
– les composantes des vecteurs $\vec{u}$ et $\vec{v}$ étant données (plan ou espace), effectuer $\vec{u} + \vec{v}$, $\vec{u} - \vec{v}$, $p\vec{u}$;
– résoudre des problèmes simples utilisant des sommes, différences ou produits par un scalaire de vecteurs ;

8.10 à 8.13 (502 et 702)

– énoncer la définition du produit scalaire de deux vecteurs ;
– calculer le produit scalaire de deux vecteurs (sous l'une ou l'autre des deux formes usuelles) ;
– déterminer l'angle entre deux vecteurs ou entre deux droites à l'aide du produit scalaire ;
– en utilisant le produit scalaire, résoudre des problèmes simples de force, de déplacement, de vitesse... ;

– énoncer la définition du produit vectoriel $\vec{u} \times \vec{v}$ de deux vecteurs de l'espace ;
– les modules de $\vec{u}$ et de $\vec{v}$ étant donnés, ainsi que l'angle entre eux, déterminer la direction de $\vec{w} = \vec{u} \times \vec{v}$ (soit avec la règle de l'observateur d'Ampère, soit avec celle de la vis ou du tire-bouchon), ainsi que son module ;
– donner l'interprétation géométrique de $\left| \vec{u} \times \vec{v} \right|$;
– effectuer algébriquement le calcul de $\vec{u} \times \vec{v}$ si les composantes de $\vec{u}$ et de $\vec{v}$ sont données ;
– énoncer la définition du produit mixte de trois vecteurs de l'espace ;
– donner l'interprétation géométrique d'un produit mixte ;
– effectuer algébriquement le produit mixte de trois vecteurs dont on connaît les composantes ;
– résoudre des problèmes de physique simples nécessitant le calcul du produit vectoriel ou mixte de vecteurs de l'espace.

CHAPITRE 9 (702)
INITIATION À LA PROGRAMMATION LINÉAIRE

– déterminer la région-solution d'une inéquation linéaire à deux inconnues ;
– résoudre graphiquement un système d'inéquations linéaires à deux inconnues ;
– un problème de programmation linéaire étant donné, identifier les variables ;
– un problème de programmation linéaire étant donné, identifier la fonction à optimiser ;
– un problème de programmation linéaire étant donné, représenter les contraintes sous forme d'inéquations linéaires ;
– un problème de programmation linéaire étant donné, résoudre graphiquement le système d'inéquations ;
– un problème de programmation linéaire étant donné, déterminer les sommets du polygone convexe trouvé ;
– un problème de programmation linéaire étant donné, calculer la valeur de la fonction à optimiser en chacun des sommets du polygone trouvé ;
– un problème de programmation linéaire étant donné, choisir la valeur optimale ;
– résoudre un problème de programmation linéaire selon les étapes indiquées.

CHAPITRE 10 (602)
GÉOMÉTRIE ANALYTIQUE : LES CONIQUES

– identifier la conique obtenue par l'intersection d'un plan et la surface latérale d'un cône à deux nappes (cercle, parabole, hyperbole, point, droites) ;
– donner la définition d'un cercle en terme de lieu géométrique ;
– donner l'équation d'un cercle de centre C (h, k) et de rayon r ;
– en sachant qu'une équation donnée représente un cercle (exemple : $x^2 + 4x + y^2 - 2y + 4 = 0$), la mettre sous la forme $(x - h)^2 + (y - k)^2 = r^2$;
– trouver l'équation d'un cercle passant par trois points ;
– donner la définition d'une parabole en terme de lieu géométrique ;
– définir ce qu'est le sommet, le foyer, la droite directrice et l'axe de symétrie d'une parabole ;
– connaissant S (h, k), le sommet, et p, la distance entre le sommet et la droite directrice, donner l'équation d'une parabole d'axe de symétrie $x = h$ et orientée vers les valeurs positives de Y ;
– connaissant S (h, k), le sommet, et p, la distance entre le sommet et la droite directrice, donner

l'équation d'une parabole d'axe de symétrie $x = h$ et orientée vers les valeurs négatives de Y ;

– connaissant S (h, k), le sommet, et p, la distance entre le sommet et la droite directrice, donner l'équation d'une parabole d'axe de symétrie $y = k$ et orientée vers les valeurs positives de X ;

– connaissant S (h, k), le sommet, et p, la distance entre le sommet et la droite directrice, donner l'équation d'une parabole d'axe de symétrie $y = k$ et orientée vers les valeurs négatives de X ;

– en sachant qu'une équation donnée représente une parabole, la mettre sous la forme $(x - h)^2 = \pm 2p (y - k)$ ou $(y - k)^2 = \pm 2p (x - h)$, de façon à donner le sommet, le foyer, la droite directrice, l'axe de symétrie ;

– donner la définition d'une ellipse en terme de lieu géométrique ;

– dire ce qu'on entend par foyers, grand axe, petit axe, axes de symétrie, centre d'une ellipse ;

– connaissant le centre C (h, k), a, le demi-grand axe, et b, le demi-petit axe, donner l'équation d'une ellipse de grand axe parallèle à l'axe des X ;

– connaissant le centre C (h, k), a, le demi-grand axe, et b, le demi-petit axe, donner l'équation d'une ellipse de grand axe parallèle à l'axe des Y ;

– donner la relation qui existe entre c, la distance du centre aux foyers, et le demi-grand axe a et le demi-petit axe b d'une ellipse ;

– en sachant qu'une équation donnée représente une ellipse, la mettre sous l'une ou l'autre des formes $[(x - h)^2 / a^2] + [(y - k)^2 / b^2] = 1$ ou $[(x - h)^2 / b^2] + [(y - k)^2 / a^2] = 1$, de façon à trouver le centre, le demi-grand axe, le demi-petit axe, la distance c du centre aux foyers, et à déceler si le grand axe est parallèle à l'axe des X ou des Y ;

– donner la définition d'une hyperbole en terme de lieu géométrique ;

– dire ce qu'on entend par centre, axe de symétrie (ou principal ou focal), foyers, asymptotes d'une hyperbole ;

– sachant que l'équation d'une hyperbole d'axe principal parallèle à l'axe des X se présente sous la forme $[(x - h)^2 / a^2] - [(y - k)^2 / b^2] = 1$, indiquer avec un graphique à quoi correspondent h, k, a, b ;

– sachant que l'équation d'une parabole d'axe principal parallèle à l'axe des Y se présente sous la forme $[(y - k)^2 / a^2] - [(x - h)^2 / b^2] = 1$, indiquer avec un graphique à quoi correspondent h, k, a, b ;

– sachant qu'une équation représente une hyperbole, retrouver la forme $[(x - h)^2 / a^2] - [(y - k)^2 / b^2] = 1$ ou $[(y - k)^2 / a^2] - [(x - h)^2 / b^2] = 1$, de façon à identifier le centre de symétrie, la position de l'axe de symétrie (parallèle à l'axe des X ou des Y), la distance c entre le centre de symétrie et les foyers ($c^2 = a^2 + b^2$), les foyers et les sommets ;

– les paramètres nécessaires étant donnés, tracer une conique ;

– reconnaître la nature de la conique donnée par une équation de la forme $Ax^2 + Cy^2 + Dx + Ey + F = 0$;

– donner l'équation d'une conique obtenue après translation des axes.

CHAPITRE 11 (502)
ANALYSE COMBINATOIRE ET PROBABILITÉS

– distinguer dénombrement et énumération ;

– utiliser un diagramme de Venn pour dénombrer ;

– appliquer le principe de la multiplication ;

– appliquer le principe de l'addition ;

– calculer la factorielle d'un nombre et simplifier des expressions algébriques où cette notation apparaît ;

– appliquer le modèle des arrangements (avec et sans répétition) ;
– appliquer le modèle des permutations ;
– appliquer le modèle des combinaisons ;
– énoncer à l'aide du triangle de Pascal les règles de calcul de $\binom{n}{k}$ et les utiliser ;

– développer à l'aide de la formule du binôme de Newton la puissance n^e d'un binôme ;
– déceler quel modèle doit s'appliquer dans un problème concret d'analyse combinatoire et l'appliquer ;
– utiliser le vocabulaire élémentaire des probabilités (expérience aléatoire, ensemble fondamental, événement, événement impossible, événements incompatibles...) ;
– énoncer et appliquer les axiomes et propriétés touchant la probabilité d'événements, notamment ceux portant sur la somme des probabilités d'événements complémentaires, les valeurs limites d'une probabilité, la probabilité d'événements impossibles, la probabilité de l'union ou de l'intersection d'événements, la probabilité d'un événement dans le cas équiprobable ;
– reconnaître sous quelles conditions des événements sont indépendants ;
– définir ce qu'est une probabilité conditionnelle et la calculer ;
– résoudre des exercices simples impliquant un calcul de probabilités.

CHAPITRE 12 (502 et 702)
ERREURS ET INCERTITUDES

– déterminer le nombre de chiffres significatifs d'un nombre ;
– définir ce qu'est une erreur absolue et une erreur relative, et les calculer ;
– arrondir un nombre avec la précision requise ;
– distinguer erreur et incertitude ;
– déterminer l'incertitude relative et absolue d'une mesure expérimentale ;
– déterminer les incertitudes absolues et relatives sur une somme, une différence, un produit par un nombre exact, un produit, un quotient, une puissance ;
– appliquer le concept d'incertitude notamment aux mesures de longueur, d'aire et de volume ;
– déterminer le nombre de chiffres significatifs du résultat d'opérations usuelles sur des nombres déjà arrondis.

Les auteurs remercient d'avance les collègues qui voudront bien leur faire connaître leurs suggestions ou commentaires.

Chapitre 1
Fonctions

PRÉAMBULE

Dans la première partie de ce chapitre, nous allons aborder la notion de fonction (ou application). Il s'agit sans doute d'une des notions les plus fructueuses des mathématiques. Une fonction est un moyen de faire correspondre à chaque élément d'un ensemble un élément d'un autre ensemble. Après avoir vu les définitions et les façons de représenter les fonctions, nous aborderons les différentes opérations qui peuvent se définir sur elles. Nous étudierons ensuite la notion de proportionnalité, la fonction linéaire et la fonction quadratique. Il nous a aussi paru utile de revoir les notions de mises en facteurs qui permettent la simplification d'expressions algébriques.

1.1 PRODUIT CARTÉSIEN

Soit A et B, deux ensembles. On définit alors un nouveau type d'ensemble, noté A × B (se lit '' A croix B ''), formé des éléments de la forme (a, b) où $a \in$ A et $b \in$ B. Cet ensemble A × B s'appelle le *produit cartésien* des ensembles A et B et ses éléments s'appellent des *couples*. L'élément a s'appelle *origine* du couple (a, b), tandis que b s'appelle *extrémité*.

Exemple : Si A = $\{$ 2, 3, 4 $\}$ et B = $\{$ − 1, 2, 6 $\}$, les éléments de A × B seront (2, − 1), (2, 2), (2, 6), (3, − 1), (3, 2), (3, 6), (4, − 1), (4, 2) et (4, 6). On peut écrire
   A × B = $\{$ (2, −1), (2, 2), (2, 6), (3, −1), (3, 2), (3, 6), (4, −1), (4, 2), (4, 6) $\}$.
En général, A × B ≠ B × A. On aura dans ce cas
   B × A = $\{$ (− 1, 2), (− 1, 3), (− 1, 4), (2, 2), (2, 3), (2, 4), (6, 2), (6, 3), (6, 4) $\}$.

Voici un graphique représentant le produit cartésien des ensembles A et B de l'exemple précédent :

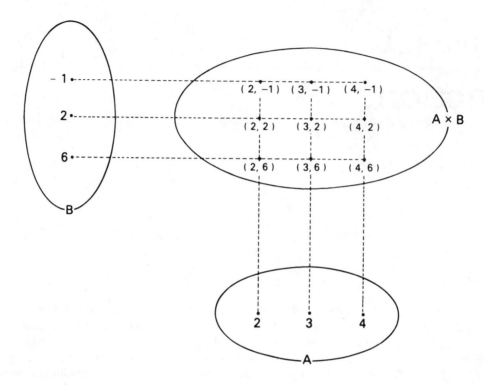

1.2   RELATION

Soit A × B, le produit cartésien de A et B. Tout sous-ensemble R de A × B est appelé *relation* de A vers B. Si $(a, b) \in$ R, on écrira aussi a R b (se lit " a est en relation avec b "). L'ensemble A s'appelle *ensemble de départ* de la relation, tandis que l'ensemble B s'appelle *ensemble d'arrivée* de la relation.

Exemple : Considérons dans l'exemple précédent diverses relations de A vers B : soit les relations
$R_1 = \{ (2, 2), (3, 2), (3, -1) \}$,
$R_2 = \{ (4, -1) \}$,
$R_3 = A \times B$,
$R_4 = \varnothing$.

Représentons-les graphiquement :

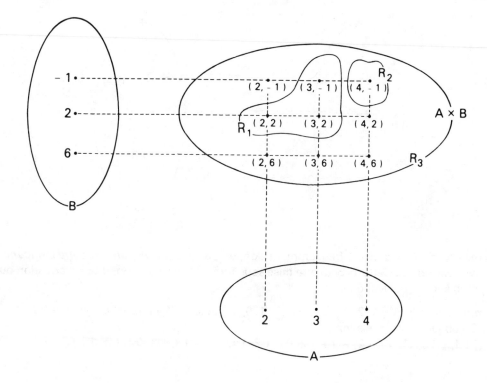

L'ensemble des origines des couples d'une relation s'appelle le *domaine de définition de la relation*. Dans l'exemple précédent, le domaine de R_1, noté Dom R_1, est l'ensemble $\{2, 3\}$. De même,

Dom $R_2 = \{4\}$,
Dom $R_3 = A$,
Dom $R_4 = \emptyset$.

L'ensemble des extrémités des couples d'une relation s'appelle l'*image de la relation*. Dans l'exemple précédent, l'image de R_1, noté Im R_1, est l'ensemble $\{2, -1\}$. De même,

Im $R_2 = \{-1\}$,
Im $R_3 = B$,
Im $R_4 = \emptyset$.

Pour représenter une relation de A vers B, on utilise souvent le *graphe sagittal* : les ensembles A et B étant représentés, on réunit par des flèches les éléments $a \in A$ aux éléments $b \in B$ si $(a, b) \in R$. Voici R_1, représentée sous forme de graphe sagittal, où

$$R_1 = \{(2, 2), (3, 2), (3, -1)\} \subset \{2, 3, 4\} \times \{-1, 2, 6\}.$$

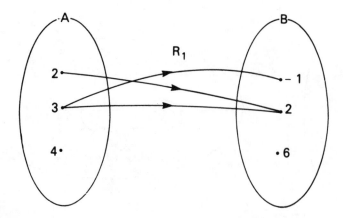

Une relation de A vers B est fréquemment donnée par une *loi mettant en correspondance* des éléments de A avec ceux de B. Cette loi peut être mise sous forme d'une équation, d'une inéquation ou, plus généralement, d'un énoncé quelconque.

Exemple : Soit A = $\{ 1, 2, 3 \}$ et B = $\{ -1, 0, 1 \}$ et la loi " $a \in$ A est en relation avec $b \in$ B pourvu que $a \neq b$ ". On obtient alors la relation
R = $\{ (1, -1), (1, 0), (2, -1), (2, 0), (2, 1), (3, -1), (3, 0), (3, 1) \}$.

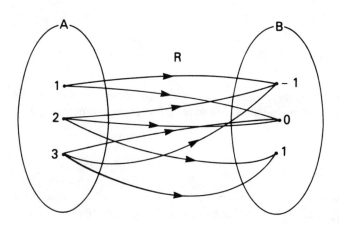

On pourrait définir d'autres relations :
    " $a \in$ A est en relation avec $b \in$ B si $a = b$ ",
    " $a \in$ A est en relation avec $b \in$ B si $a + b = 1$ ".

Si on voulait être rigoureux, on devrait distinguer la loi de correspondance établissant la relation et l'ensemble la représentant. Comme il s'agit là de deux réalités tout à fait équivalentes, on s'abstiendra de distinguer la loi de correspondance d'une relation de l'ensemble des couples qui satisfont à cette loi.

Exercices (a) : (1) Soit A = $\{ 1, 2, 3, 4, 5, 6 \}$.

        a)   Déterminer les éléments du produit cartésien A × A.

        b)   On définit la relation S de A vers A de la façon suivante : " $a \in$ A est en relation avec $b \in$ A si $a + b = 4$ ". Donner tous les éléments de S. Représenter cette relation à l'aide d'un graphe sagittal.

(2) Soit A = $\{ 0, 2, 8, 12 \}$ et B = $\{ -1, 3, 6 \}$.

        a)   Donner le produit cartésien de A et de B.

        b)   Donner le produit cartésien de B et de A.

        c)   Donner l'exemple d'une relation de A vers B contenant 3 éléments.

(3) Soit A = $\{ -1, 1 \}$. Donner toutes les relations possibles de A vers A.

1.3 FONCTION ET APPLICATION

Soit A et B, deux ensembles non vides. Soit f, une relation de A vers B, c'est-à-dire f $\subset$ A × B. Si f est telle que tout élément de A est origine d'aucun ou d'un seul couple de la relation, on dira de f qu'elle est une *fonction* de A vers B. On écrit alors f : A $\rightarrow$ B (se lit "f est une fonction de A vers B"). Si (a, b) $\in$ f, on écrit plutôt b = f (a). On appellera b *la valeur de f en a* ou, encore, l'*image de a par f*.

Exemple : Soit A = $\{ 1, 2, 4, 6, 8 \}$ et B = $\{ a, b, c, d \}$. Définissons la fonction
f = $\{ (1, a), (2, a), (4, b), (6, d) \}$.

On peut écrire que :

    A : ensemble de départ de *f* ;
    B : ensemble d'arrivée de *f* ;
    Dom *f* = $\{ 1, 2, 4, 6 \}$.
    Im *f* = $\{ a, b, d \}$.

On a alors que

    f (1) = a,
    f (2) = a,
    f (4) = b

et

    f (6) = d.

Il s'agit bien d'une fonction : de chaque élément du domaine part une seule flèche.

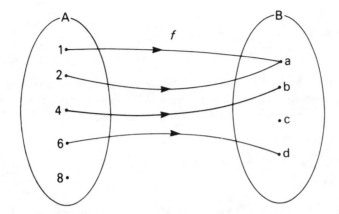

Une *application* de A vers B est une fonction de A vers B dont le domaine est égal à l'ensemble de départ. En d'autres termes, une application est un cas particulier d'une fonction où tout élément de l'ensemble de départ a une et une seule image par cette fonction. Dans la pratique courante, on confond application et fonction puisque, dans ce dernier cas, on s'intéresse habituellement au domaine de définition de la fonction. Lorsque par la suite on parlera de fonction de la forme $f : A \rightarrow B$ (c'est-à-dire f de A vers B), A représentera le *domaine de définition* de la fonction. Cette façon de faire est habituelle et a l'avantage de faire disparaître cette distinction presque inutile entre fonction et application. En écrivant $f : A \rightarrow B$, f devra être définie pour tout élément de A.

1.4 FONCTION NUMÉRIQUE

Soit $f : A \rightarrow B$, une fonction. Lorsque A et B sont des sous-ensembles de $\mathbb{R}$, on dit que f est une *fonction numérique*. Évidemment, la presque totalité des fonctions que nous traiterons ici seront numériques. Voici quelques exemples de fonctions numériques :

$f_1 : [\, 0, 1 \,] \rightarrow \mathbb{R}$ où $f_1 (x) = x$,

$f_2 : \mathbb{R} \rightarrow \mathbb{R}$ où $f_2 (x) = 2x$,

$f_3 : \mathbb{R} \rightarrow \mathbb{R}$ où $f_3 (x) = x^2 + 6$,

$f_4 : \mathbb{R}^* \rightarrow \mathbb{R}$ où $f_4 (x) = \dfrac{1}{x}$.

Exemple : Attardons-nous à la fonction f_2 donnée plus haut. Son domaine de définition est $\mathbb{R}$ et la loi établissant la relation est donnée par $f_2 (x) = 2x$. Par exemple, les couples (1, 2), (– 1, – 2), (4, 8) font partie de cette fonction, puisque $f_2 (1) = 2$, $f_2 (– 1) = – 2$, $f_2 (4) = 8$, ... Mais, beaucoup d'autres couples, une infinité en fait, font partie de la fonction f_2. Construire une représentation de f_2 à l'aide d'un graphe sagittal restera peu révélateur : en effet $\mathbb{R}$ contient une infinité de points. La représentation ne peut rester que partielle.

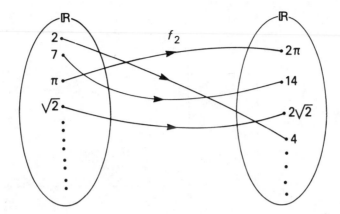

Aussi est-il préférable de représenter les fonctions numériques à l'aide d'un autre type de représentation, appelée *représentation cartésienne*. Comme chaque réel se représente sur une droite et que chaque couple d'une fonction numérique est formé de deux réels, on repère un couple à l'aide de deux droites réelles se rencontrant à angle droit :

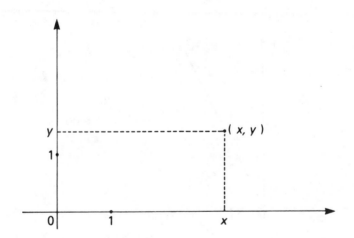

Cette représentation est familière. On rappelle que la droite réelle servant à porter l'élément x d'un couple (x, y) est appelée *axe des X* et celle servant à porter l'élément y, *axe des Y*. On dit bien " axe " pour signifier qu'il s'agit de droites réelles orientées (par convention, le 1 à droite de 0 pour l'axe des X et au-dessus de 0 pour l'axe des Y). En général, bien que cela ne soit pas absolument nécessaire, on choisit une même unité de longueur pour l'axe des X et l'axe des Y. Habituellement, on précise sur une représentation cartésienne, en plus de flèches donnant l'orientation positive, quel est l'axe des X et quel est l'axe des Y. L'élément x d'un couple (x, y) s'appelle l'*abscisse* et l'élément y, l'*ordonnée*. Par exemple, dans le cas de $f_2 : \mathbb{R} \to \mathbb{R}$ où $f_2(x) = 2x$, on représenterait aisément des couples comme $(-1, -2)$, $(2, 4) \in f_2$:

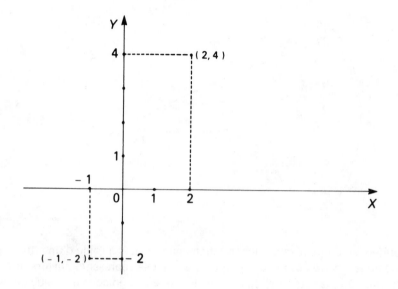

Il suffit alors de porter sur le graphique tous les points de f_2 pour obtenir une représentation de la fonction :

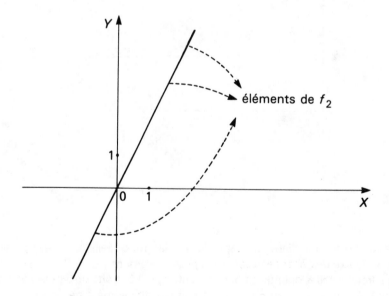

L'élément x du couple (x, y) porte aussi le nom de *variable* (ou *variable indépendante*), tandis que l'élément y porte le nom de *variable dépendante* ou de *variable liée* : on veut sous-entendre par là que y varie en même temps que x dont il dépend.

Exercices (b) : (1) Soit A = $\{2, 3, 8\}$ et B = $\{-1, 0, 2, 3\}$. Les relations suivantes sont-elles des fonctions de A vers B ?

a) $R_1 = \{(2,0), (3,0), (8,3)\}$.

b) $R_2 = \{(2,0), (2,2), (8,3)\}$.

c) $R_3 = \{(a, b) \in A \times B \mid a + b \leqslant 3\}$.

d) $R_4 = \{(a, b) \in A \times B \mid a^2 + b^2 = 4\}$.

(2) - Donner les ensembles de départ, d'arrivée, le domaine, l'image des relations numériques représentées par les graphes ci-dessous.

- Parmi les graphes, quels sont ceux qui représentent une fonction ?

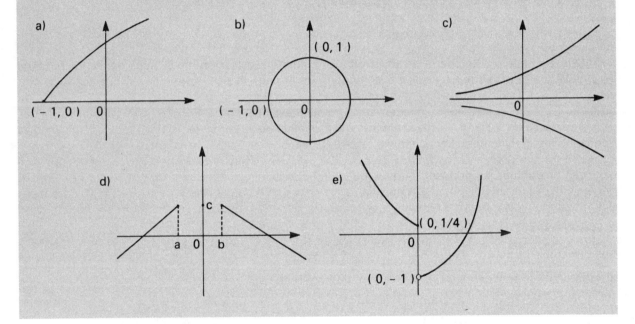

1.5 OPÉRATIONS SUR LES FONCTIONS

On définit des *opérations* sur les fonctions numériques. Soit *f* et *g*, deux fonctions numériques. Alors :

. *f* + *g* est une fonction telle que $(f + g)(x) = f(x) + g(x)$ (somme) ;

. *kf* (où *k* ∈ ℝ) est une fonction telle que $(kf)(x) = kf(x)$ (multiplication par une constante) ;

. $|f|$ est une fonction telle que $|f|(x) = |f(x)|$ (valeur absolue) ;

. *fg* est une fonction telle que $(fg)(x) = f(x) g(x)$ (produit) ;

· $\dfrac{f}{g}$ est une fonction telle que $\left(\dfrac{f}{g}\right)(x) = \dfrac{f(x)}{g(x)}$ (quotient);

(à la condition que $g(x) \neq 0$).

Le domaine des fonctions $f + g$, kf, $|f|$, fg et $\dfrac{f}{g}$ dépend du domaine de f et de g. Pour le trouver, il suffit de déterminer les sous-ensembles de $\mathbb{R}$ où ces fonctions sont bien définies.

Exemple : Soit $f : \mathbb{R} \to \mathbb{R}$ et $g : \mathbb{R} \to \mathbb{R}$ telles que $f(x) = 2x$ et $g(x) = 3x^2$. Alors :

$f + g : \mathbb{R} \to \mathbb{R}$ où $(f + g)(x) = 2x + 3x^2$;

$3f : \mathbb{R} \to \mathbb{R}$ où $(3f)(x) = 6x$;

$-g : \mathbb{R} \to \mathbb{R}$ où $(-g)(x) = -3x^2$;

$|f| : \mathbb{R} \to \mathbb{R}$ où $|f|(x) = |2x| = 2|x|$;

$\dfrac{f}{g} : \mathbb{R}^* \to \mathbb{R}$ où $\left(\dfrac{f}{g}\right)(x) = \dfrac{2x}{3x^2}$.

On pourrait profiter de cette revue des opérations sur les fonctions pour parler de *fonction polynomiale* ou *polynôme* : il s'agit d'une fonction de $\mathbb{R}$ dans $\mathbb{R}$ de la forme

$$f(x) = a_0 x^n + a_1 x^{n-1} + a_2 x^{n-2} + ... + a_{n-1} x + a_n$$

où $a_0, a_1, ..., a_{n-1}, a_n$ sont des constantes et $a_0 \neq 0$. Par exemple $f(x) = 2x^2 + x - 1$ est un polynôme. Il en est ainsi de $g(x) = x - 4$. La somme, la multiplication par une constante et le produit de polynômes donnent des polynômes. Par exemple, si $f(x) = 2x^2 + x - 1$ et $g(x) = x - 4$, alors $(f + g)(x) = 2x^2 + 2x - 5$, $(3f)(x) = 6x^2 + 3x - 3$ et $(fg)(x) = 2x^3 - 6x^2 - 5x + 4$ sont des polynômes. Le quotient de deux polynômes et la valeur absolue d'un polynôme ne donnent généralement pas un polynôme. On appelle *degré* d'un polynôme la valeur de n. Si $n = 0$, on obtient une fonction dite *constante* (exemple : $f(x) = 3$, $g(x) = -4$, etc.). Si $n = 1$, on obtient une *fonction linéaire* (exemple : $h(x) = 3x + 8$, $r(x) = \dfrac{1}{4}x - 8$, etc.). Si $n = 2$, on obtient une *fonction quadratique* (exemple : $p(x) = 4x^2 + 6x - 8$; $v(x) = 6x^2$, $q(x) = -x^2 + \dfrac{1}{4}x$, etc.). Plus loin, nous nous attarderons à la fonction linéaire et à la fonction quadratique.

Exemple : Soit $f : \mathbb{R} \to \mathbb{R}$ et $g : \mathbb{R} \to \mathbb{R}$ où $f(x) = 2x$ et $g(x) = 3x^2$.

Alors :

$fg : \mathbb{R} \to \mathbb{R}$ où $(fg)(x) = 6x^3$;

$-fg : \mathbb{R} \to \mathbb{R}$ où $(-fg)(x) = -6x^3$.

Considérons maintenant la fonction $t : \mathbb{R} \to \mathbb{R}$ où $t(x) = 4$ et $s : \,]0, 1] \to \mathbb{R}$ où $s(x) = \dfrac{1}{x}$. La fonction $t + s$ aura comme domaine de définition $]0, 1]$ puisque s n'est pas définie en dehors de cet intervalle. Alors $t + s : \,]0, 1] \to \mathbb{R}$ est telle que

$$(t + s)(x) = t(x) + s(x) = 4 + \dfrac{1}{x} .$$

Exercice (c) : Soit les fonctions $f (x) = 3x$, $g (x) = 2x + 6$ et $h (x) = \dfrac{1}{x}$.

i)   Donner le domaine de définition de *f, g* et *h*.

ii)   Déterminer les fonctions $f + g$, $f - g$, $2f$, $f + 3g$, $\dfrac{f}{g}$, $| g |$, $\dfrac{g}{h}$ et fg en précisant bien leur domaine de définition.

Il existe une autre opération sur des fonctions appelée *composition de fonctions*. Soit *f* et *g*, deux fonctions numériques. On définit une nouvelle fonction $f \circ g$ (se lit '' *f* rond *g* '') telle que $(f \circ g) (x) = f (g (x))$. Le domaine de définition de $f \circ g$ est formé de tous les *x* pour lesquels on peut effectivement calculer $(f \circ g) (x)$. Pour que $(f \circ g) (x)$ existe, il faut que *x* ait une image par *g* et que $g (x)$ ait une image par *f*.

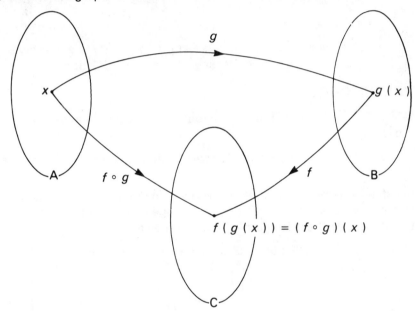

Exemple : Si $f (x) = 2x$ et si $g (x) = x^2 - 1$, alors
$$(f \circ g) (x) = f \left[g (x) \right] = f (x^2 - 1) = 2 (x^2 - 1).$$
Le domaine de $f \circ g$ est $\mathbb{R}$ car, pour tout $x \in \mathbb{R}$, on peut toujours calculer $(x^2 - 1)$ puis ensuite $2 (x^2 - 1)$.

Exemple : Si $p (x) = \dfrac{1}{x}$ et si $q (x) = x + 1$, alors

$$(p \circ q) (x) = p \left[q (x) \right] = p (x + 1) = \dfrac{1}{x + 1} \cdot$$

Le domaine de $p \circ q$ est $\mathbb{R} \setminus \{ - 1 \}$. Pour $x = - 1$, on peut calculer son image par q : $q (- 1) = 0$. Par contre, on ne peut pas calculer l'image de 0 par *p* puisque $p (0)$ n'existe pas; donc $(p \circ q) (- 1)$ n'existe pas. Alors la valeur $- 1$ n'appartient pas au domaine de $p \circ q$.

Exemple : Si $f(x) = 2x$ et si $g(x) = x^2 - 1$, alors
$$(g \circ f)(x) = g(f(x)) = g(2x) = (2x)^2 - 1 = 4x^2 - 1.$$
De plus, Dom $g \circ f = \mathbb{R}$.

Exemple : Si $f(x) = \dfrac{1}{x}$ et $g(x) = x + 1$, alors

$$(g \circ f)(x) = g[f(x)] = g\left(\frac{1}{x}\right) = \frac{1}{x} + 1.$$

On a que Dom $g \circ f = \mathbb{R}^*$.

De façon générale, $g \circ f \neq f \circ g$. Il ne faut pas confondre $g \circ f$ ou $f \circ g$ avec le produit des fonctions f et g, noté fg ou gf.

Exercices (d) : **(1)** Soit les fonctions $f(x) = 3x$, $g(x) = 2x + 6$ et $h(x) = \dfrac{1}{x}$: déterminer les fonctions $h \circ g$, $g \circ h$, $f \circ g$, $h \circ f$, en précisant leur domaine de définition.

(2) Soit les fonctions $f(x) = 3x^2$ et $g(x) = 2x + 1$: déterminer les fonctions $f \circ g$ et $g \circ f$, en précisant leur domaine de définition.

1.6 FONCTION RÉCIPROQUE

Avant de définir ce qu'est une fonction réciproque, nous allons aborder une notion qui lui est préalable, celle de bijectivité.

DÉFINITION : Une fonction f: A $\rightarrow$ B est *bijective* si chaque élément de B est image d'un et d'un seul élément de A.

On aurait pu définir autrement une fonction bijective. Une fonction f: A $\rightarrow$ B est en effet bijective si elle est à la fois *injective* (chaque élément de B est image d'aucun ou d'un seul élément de A) et *surjective* (chaque élément de B est image d'au moins un élément de A).

Exemple : Soit les fonctions k : $\mathbb{R} \rightarrow \mathbb{R}$ où $k(x) = 2x + 1$, p : $\mathbb{R} \rightarrow \mathbb{R}$ où $p(x) = x^2$ et h : $\mathbb{R} \rightarrow \mathbb{R}$ où $h(x) = x^3$:

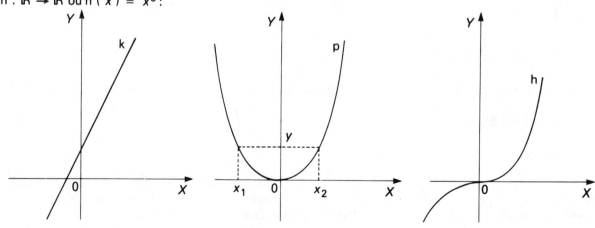

Les fonctions h et k sont bijectives. En effet, chaque élément $y \in \mathbb{R}$ est image d'un et d'un seul élément x. Pour ce qui est de la fonction p, elle n'est pas bijective : il n'y a pas d'élément $x \in \mathbb{R}$ tel que, par exemple, p $(x) = - 1$, et de plus, un élément quelconque $y > 0$ est image de deux points distincts de $\mathbb{R}$, x_1 et x_2, c'est-à-dire $f (x_1) = f (x_2) = y$ et $x_1 \neq x_2$.

Un moyen simple de savoir si une fonction f : A $\rightarrow$ B est bijective, si on connaît sa représentation cartésienne, c'est de vérifier si toute droite parallèle à l'axe des X et passant par B rencontre f une et une seule fois.

Exercice (e) :   Parmi les graphes suivants, quels sont ceux qui représentent une fonction bijective ? Justifier ses réponses.

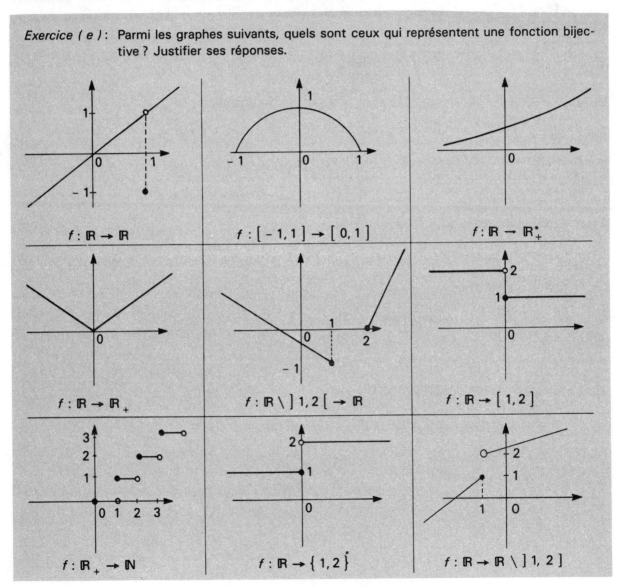

Lorsqu'une fonction est bijective, on peut alors définir sa fonction réciproque.

DÉFINITION : Soit f : A → B, une fonction bijective. Est appelée *fonction réciproque* de *f*, et notée f^{-1}, la fonction de B vers A définie par

$$f^{-1}(x) = y$$

si

$$f(y) = x.$$

Exemple : Si on considère $f(x) = 2x$, il s'agit d'une fonction bijective de ℝ dans ℝ, c'est-à-dire f : ℝ → ℝ où $f(x) = 2x$. Alors f^{-1} : ℝ → ℝ sera telle que $f^{-1}(x) = y$ si $f(y) = x$. On a alors, en vertu de la définition :

$$f^{-1}(3) = \frac{3}{2} \qquad \text{car } f\left(\frac{3}{2}\right) = 2\left(\frac{3}{2}\right) = 3,$$

$$f^{-1}(-2) = -1 \text{ car } f(-1) = 2(-1) = -2.$$

Comment définir f^{-1} ? On sait que $f^{-1}(x) = y$ si $f(y) = x$. Comme

$$f(y) = x = 2y,$$

alors

$$y = \frac{x}{2}$$

et

$$f^{-1}(x) = \frac{x}{2}.$$

D'où f^{-1} : ℝ → ℝ est telle que $f^{-1}(x) = \frac{x}{2}.$

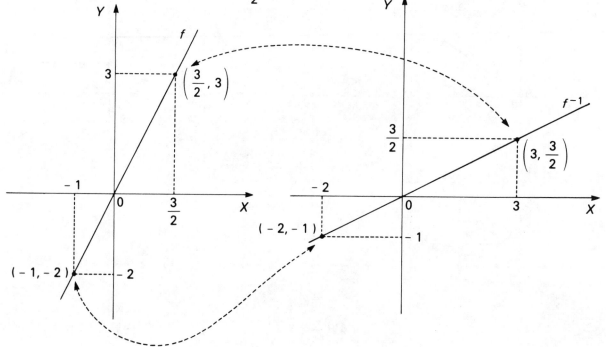

Une fonction réciproque se conçoit facilement : elle ne fait que changer l'abscisse en ordonnée et l'ordonnée en abscisse. Par exemple, si $(x , y) \in f$, alors $(y, x) \in f^{-1}$. On remarque donc qu'il y a échanges entre les domaines et les images de f et de f^{-1}.

Exemple : Soit $g : \mathbb{R} \to \mathbb{R}$ où $g (x) = 3x - 1$. C'est une bijection de $\mathbb{R}$ dans $\mathbb{R}$. Comment définir g^{-1}? On sait que g^{-1} est telle que $g^{-1}(x) = y$ si $g (y) = x$. Comme $g (x) = 3x - 1, g (y) = 3y - 1 = x$. D'où $3y = x + 1$, c'est-à-dire $y = \dfrac{x + 1}{3}$. On peut donc écrire que $g^{-1}(x) = \dfrac{x + 1}{3}$.

Ainsi, $g^{-1} : \mathbb{R} \to \mathbb{R}$ est définie par $g^{-1}(x) = \dfrac{x}{3} + \dfrac{1}{3}$.

On ne peut déterminer la réciproque d'une fonction que si elle est bijective. Pourquoi cette condition ? Prenons l'exemple de $f : \mathbb{R} \to \mathbb{R}$ définie par $f (x) = x^2$. Comme $f (2) = 4$ et $f (- 2) = 4$, dans f^{-1} on retrouverait $(4, 2)$ et $(4, - 2)$: donc, f^{-1} ne serait pas une fonction, mais, simplement, une relation.

Sur un graphe cartésien, une fonction réciproque se construit facilement. Comme la fonction réciproque change l'abscisse en ordonnée, elle est symétrique par rapport à la diagonale à la fonction initiale. Voici un graphique illustrant ce phénomène :

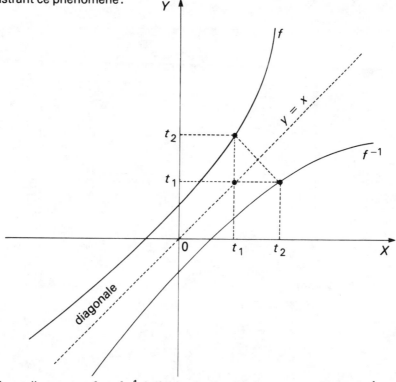

On peut établir un lien entre f et f^{-1} à l'aide de l'opération $\circ$: en effet, $(f^{-1} \circ f) (x) = x$ et $(f \circ f^{-1}) (x) = x$. Ces deux égalités découlent de la définition de fonction réciproque. On a $(f^{-1} \circ f) (x) = f^{-1}(f (x))$: si $f (x) = y$, alors $f^{-1} (y) = x$. De même, on a $(f \circ f^{-1}) (x) = f(f^{-1} (x))$: si $f^{-1} (x) = y$, alors $f(y) = x$.

Exercices (f): (1) Donner le graphe de f^{-1} :

A)

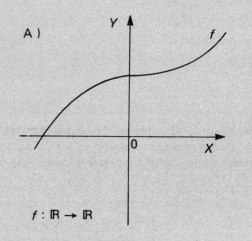

$f : \mathbb{R} \to \mathbb{R}$

B)

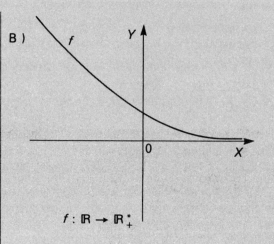

$f : \mathbb{R} \to \mathbb{R}_+^*$

C)

$f : \mathbb{R} \to \mathbb{R}$ où $f (x) = x^3$

D)

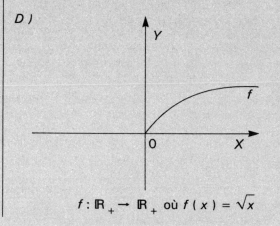

$f : \mathbb{R}_+ \to \mathbb{R}_+$ où $f (x) = \sqrt{x}$

(2) Déterminer f^{-1} si :

a) $f : \mathbb{R} \to \mathbb{R}$ où $f (x) = 6x - 15$;

b) $f : \mathbb{R}_+ \to \mathbb{R}_+$ où $f (x) = | x |$;

c) $f : [0, 1] \to [0, 2]$ où $f (x) = 2x^2$;

d) $f : \mathbb{R} \to \mathbb{R}$ où $f (x) = x^3 + 5$;

e) $f : \mathbb{R} \setminus \{ 1 \} \to \mathbb{R} \setminus \{ 2 \}$ où $f (x) = \dfrac{2x + 1}{x - 1}$.

1.7   EXERCICES RÉCAPITULATIFS (1re partie)

1. Donner le domaine de définition des fonctions f suivantes. Calculer, lorsque cela est possible, $f(-1)$, $f(0)$, $f(\sqrt{2})$, $f(2)$. Donner aussi la valeur de $f(-x)$, $f(x+k)$, $f(3x+1)$ et $f(x^2)$.

a) $f(x) = 4$;

b) $f(x) = 2x^2 - x + 6$;

c) $f(x) = |x + 2|$;

d) $f(x) = \dfrac{4}{x+2}$;

e) $f(x) = 4 + \dfrac{1}{x}$;

f) $f(x) = \dfrac{2x+3}{x-4}$;

g) $f(x) = \dfrac{1}{|x|-1}$.

2. Soit $f : [0,8] \to [1, 17]$ ou $f(x) = 2x + 1$, $g : \mathbb{R}_+^* \to \mathbb{R}$ où $g(x) = \dfrac{1}{x}$ et $h : \mathbb{R} \to \mathbb{R}$ où $h(x) = 4$.

   Déterminer, avec leur domaine, les fonctions $f + g$, $f + 3h$, $\dfrac{f}{h}$, $\dfrac{f}{g}$, $f \circ h$, $h \circ f$, $g \circ h$, $f \circ g$, fg, f^{-1}, g^{-1}, h^{-1}, $|fg|$.

3. Donner les ensembles de départ, d'arrivée, le domaine, l'image des fonctions représentées par les graphes ci-dessous. Ces fonctions sont-elles bijectives ? Justifier sa réponse. Tracer le graphe de la fonction (ou relation) réciproque.

A)

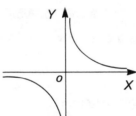

$$f : \mathbb{R}^* \to \mathbb{R} \text{ où } f(x) = \frac{1}{x}$$

B)

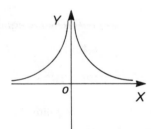

$$f : \mathbb{R}^* \to \mathbb{R}_+^* \text{ où } g(x) = \frac{1}{x^2}$$

C)

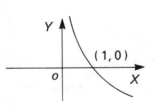

$$f : \mathbb{R}_+^* \to \mathbb{R} \text{ où } f(x) = \log_{1/2} x$$

D)

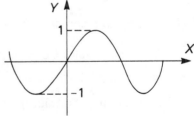

$$f : \mathbb{R} \to [-1, 1] \text{ où } f(x) = \sin x$$

4. La tension aux bornes d'une résistance variable R parcourue par un courant constant I est donnée par $V(R) = RI$. Si la résistance varie en fonction du temps selon l'expression $R(t) = t^3 + 4$, trouver l'expression de la tension en fonction du temps. Quelle est la valeur de la tension aux bornes d'une résistance parcourue par un courant de 0,5 ampère à l'instant $t = 3$ secondes ?

5. La quantité d'eau (en m^3) contenue dans un réservoir dépend de la hauteur (en m) suivant l'expression $Q(h) = 12h$. Lorsqu'on remplit le réservoir, la hauteur de l'eau dépend du temps (en min) suivant l'équation $h(t) = t^2 + 10$. Quelle sera la quantité d'eau contenue dans le réservoir au bout de 10 min de remplissage ?

6. Une voiture et un camion partent du même point. La voiture se dirige vers l'est et le camion vers l'ouest, tous deux à vitesse constante. La distance parcourue par la voiture depuis le point de départ est donnée par $d(t) = 90t$ et celle parcourue par le camion, $D(t) = 65t$. Les distances sont en kilomètre et le temps, en heure. Quelle distance les sépare au bout de 75 min ?

1.8   RAPPORTS ET PROPORTIONS

Avant d'introduire la fonction linéaire, il nous a paru nécessaire de revoir une notion de l'arithmétique courante, celle de proportion.

On appelle *rapport* le quotient de deux grandeurs de même nature. (*)

Par exemple, dans un groupe de 80 personnes contenant 20 hommes et 60 femmes, on dit qu'il y a trois fois plus de femmes que d'hommes. Les hommes se trouvent dans le rapport 20/60, obtenu par le quotient de 20 sur 60. Si on compare le nombre d'hommes à celui du groupe, le rapport est alors de 1/4, c'est-à-dire 20/80 = 1/4.

DÉFINITION : L'égalité entre deux rapports $\left(\dfrac{a}{b} \text{ et } \dfrac{c}{d} \right)$ s'appelle *proportion* : $\dfrac{a}{b} = \dfrac{c}{d}$. On désigne les termes a et d comme les extrêmes et les termes b et c, comme les moyens.

PROPRIÉTÉS : La proportion $\dfrac{a}{b} = \dfrac{c}{d}$ peut se réécrire sous diverses formes :

1) $ad = bc$ (égalité du produit des moyens et du produit des extrêmes) ;

2) $\dfrac{a}{c} = \dfrac{b}{d}$ (interversion des moyens) ;

3) $\dfrac{d}{b} = \dfrac{c}{a}$ (interversion des extrêmes) ;

4) $\dfrac{b}{a} = \dfrac{d}{c}$ (inversion des rapports).

Si deux variables x et y sont telles que leur rapport reste constant, on dit que ces deux variables sont *proportionnelles*, c'est-à-dire $\dfrac{y}{x} = k$: k est appelée *constante de proportionnalité*. Pour que le rapport $\dfrac{y}{x}$ reste constant, il faut que y et x varient dans le même sens : y et x augmentent ou diminuent en même temps. Si deux variables x et y sont telles que leur produit reste constant, on dit que ces deux variables sont *inversement proportionnelles* : on a alors $xy = k$ où k est une constante. Pour que le produit xy reste constant, il faut que x et y varient en sens inverse : lorsque x augmente, y diminue et, lorsque y augmente, x diminue.

---

* On parle aussi de *rapport* dans le cas de grandeurs de nature différente, pourvu qu'on utilise des unités de mesure appropriées. Voir le premier exemple de la page 19.

Lorsque, dans une proportion, un terme est inconnu, on peut le trouver en résolvant une équation ; c'est ce que l'on appelle populairement la *règle de trois*. Connaissant trois termes d'une proportion, on en déduit le quatrième. Sachant que $\dfrac{6}{x} = \dfrac{12}{3}$, on trouve la valeur de $x = \dfrac{18}{12} = \dfrac{3}{2}$.

Exemple : Un cylindre de 5 cm de hauteur pèse 20 g ; un cylindre de la même matière que le précédent mesure 40 cm et a un poids de 160 g. Si on compare les hauteurs, elles se trouvent dans le rapport 5/40 = 1/8. Si on compare les poids, ils se trouvent dans le même rapport : 20/160 = 1/8. On peut donc écrire :

5/40 = 20/160 = 1/8.

Ces rapports n'ont aucune unité car ils sont formés chacun de deux quantités de même nature : des hauteurs pour l'un, et des poids pour l'autre. Si, maintenant, on compare la hauteur et le poids de chaque cylindre, on a 5/20, pour le premier et 40/160, pour le deuxième. Les rapports sont encore égaux : 5/20 = 40/160 = 1/4, mais ils sont formés de quantités de nature différente : voilà pourquoi on utilise des unités, dans ce cas des cm/g (centimètre par gramme). Le rapport taille-poids est $\dfrac{1}{4}$ cm/g et le rapport poids-taille, de 4 g/cm. Si, maintenant, on veut savoir le poids d'un cylindre fait dans le même métal que celui des deux autres et qui mesure 10 cm de hauteur, il suffit de poser x pour le poids, et d'écrire que le rapport du poids et de la hauteur est égal à 4 g/cm. On obtient donc :

$x/10 = 4$ (en g/cm),

d'où

$x = 40$ (en g).

Le calcul de *pourcentage* se fait lui aussi suivant le principe de la règle de trois. Il exprime le rapport entre un nombre d'unités et 100 unités de même nature.

Exemple : Une école compte 2000 étudiants dont 1300 garçons. Si on cherche le pourcentage de garçons dans l'école, on est ramené à l'équation : $x/100 = 1300/2000$, où x représente le pourcentage. On obtient donc :

$$x = \frac{1300 \times 100}{2000}$$
$$x = 65 \text{ (en \%)}$$

Exercices (g) : (1) Dans une école de 310 élèves, le cinquième fait partie de l'harmonie. Combien cela représente-t-il d'élèves ?

(2) Au cours d'une élection, 75 % des électeurs ont enregistré leur vote. Si 5550 personnes ont voté, combien d'électeurs étaient inscrits sur la liste électorale ?

(3) Une veste est marquée au prix de 48 $. Le marchand fait une réduction de 14 %. Quel est le montant qu'on devra débourser ?

(4) On a payé 66 $ un article marqué au prix de 110 $. Quel pourcentage du montant a-t-on économisé ?

(5) 59 % d'un nombre égale 265,5. Quel est ce nombre ?

(6) Un propriétaire augmente le loyer de 8 %. Si le locataire payait 155 $, combien devra-t-il payer après l'augmentation ?

(7) Sur une carte, un rectangle de 18 cm sur 20 cm représente un terrain. Trouver l'aire de ce terrain en m^2 si l'échelle est de 3/16 cm/m.

(8) Supposons que Rd^2 est proportionnel à l. Si $R = 15$ pour $l = 90$ et $d = 0,003$, trouver R pour $l = 60$ et $d = 0,002$.

1.9   FONCTION LINÉAIRE : LA DROITE

La fonction linéaire, que l'on représente graphiquement par une droite, est sans doute l'exemple le plus simple d'une fonction numérique.

DÉFINITION : Soit m et $p \in \mathbb{R}$. La fonction f de $\mathbb{R}$ dans $\mathbb{R}$ telle que $f (x) = mx + p$ est appelée *fonction linéaire*. (*)

La fonction $f (x) = mx + p$ est représentée dans un graphe cartésien par une droite : le réel m correspond à la *pente* et p, à l'*ordonnée à l'origine*.

On peut déterminer la pente d'une droite passant par les deux points de coordonnées ($x_1, f (x_1)$) et ($x_2, f (x_2)$) de la manière suivante :

$$m = \frac{f (x_2) - f (x_1)}{x_2 - x_1} = \frac{y_2 - y_1}{x_2 - x_1};$$

$y_2 - y_1$ représente la variation de y, qu'on note aussi Δy ; $x_2 - x_1$ représente la variation de x qu'on note Δx. Nous avons donc

$$m = \frac{\Delta y}{\Delta x}.$$

Les représentations cartésiennes de différentes droites sont données ci-dessous :

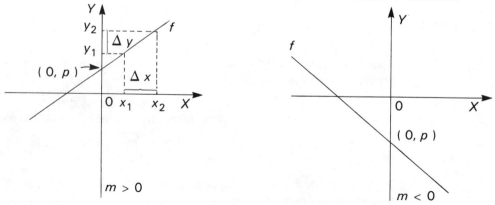

---

* Certains auteurs imposent $m \neq 0$. D'autres distinguent entre *linéaire* ($p = 0$) et *affine* ($p \neq 0$). Nous n'entrerons pas dans tous ces détails...

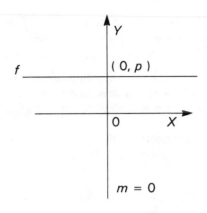 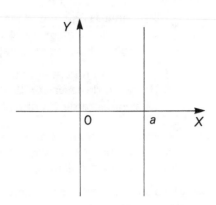

(Dans le cas d'une droite verticale, on n'a pas la forme $f(x) = mx + p$ mais plutôt $x = a$; il ne s'agit pas d'une fonction.)

Exemple : Trouvons l'équation de la droite qui passe par les points (2, –3) et (6, 5). On cherche une équation de la forme : $y = mx + p$. Il faut déterminer les valeurs de m et de p. La pente de la droite est donnée par :

$$m = \frac{y_2 - y_1}{x_2 - x_1} = \frac{5 + 3}{6 - 2} = 2.$$

L'équation devient : $y = 2x + p$. Pour trouver p, on considère que, le point (6, 5) appartenant à la droite, ses coordonnées vérifient l'équation de cette droite. On a alors :

$$5 = 2 \times 6 + p$$

d'où

$$p = -7.$$

L'équation cherchée est alors : $y = 2x - 7$.

Exercices (h) : (1) Donner la pente de la droite qui passe par les points (–3, 4) et (2, 1).

(2) Donner l'équation de la droite de pente 5 qui passe par le point (–1, 4).

(3) Donner l'équation de la droite qui passe par les points (4, 1) et (–5, 0).

(4) Donner l'équation de la droite parallèle à $y = 2x - 7$ et passant par le point (–5, 3).

(5) Donner l'équation de la droite perpendiculaire à la droite $y = 2x - 5$ et passant par le point $(2, 4)$. (Lorsque deux droites sont perpendiculaires, le produit de leurs pentes est égal à -1.)

(6) Soit la droite d'équation $y = 3x - 5$. Quelle est la variation de y lorsque x passe de la valeur 2 à la valeur 5 ? Quelle est la variation de y lorsque x augmente de 3 unités ? Que remarque-t-on à partir de ces 2 résultats ?

On utilise la droite dans nombre de problèmes concrets comportant deux quantités qui varient linéairement ou sont proportionnelles. Voyons quelques exemples dans lesquels nous donnerons une méthode de résolution de ces problèmes.

Exemple : Une collection de timbres dont la valeur augmente de 50 $ chaque année vaudra 1650 $ dans 5 ans. Quelle sera sa valeur dans 12 ans ?

--- ANALYSE ET RÉSOLUTION DU PROBLÈME ---

Nous allons d'abord identifier les informations (ou hypothèses) et la (ou les) questions et déceler les mots clefs de chacune.

1°) INFORMATION

La valeur *augmente* de *50 $* par *année*.

La valeur sera de *1650 $* dans *5 ans*.

2°) QUESTION

Quelle sera la *valeur* dans *12 ans* ?

3°) IDENTIFICATION DES VARIABLES

La question permet, la plupart du temps, d'identifier la fonction à trouver et les variables. Dans ce problème, on demande de chercher la *valeur* de la collection dans *12 ans*. Cela nous indique que la valeur dépend du temps. La valeur va être représentée par la variable liée y, tandis que le temps, par la variable indépentante x :

x représente le nombre d'années à partir de maintenant,
y représente la valeur de la collection à l'instant x.

4°) RECHERCHE DE y EN FONCTION DE x

Nous allons maintenant traduire les hypothèses à l'aide des variables. La valeur augmente de 50 $ par année : cela signifie que la variation de y est toujours de 50 $ pour une variation de x égale à une année. On a donc $\Delta y = 50$ et $\Delta x = 1$. Les variables sont liées par une fonction linéaire de la forme :

$y = mx + p.$

Nous devons trouver m et p. La pente m est donnée par

$$m = \frac{\Delta y}{\Delta x} = \frac{50}{1} = 50 \text{ (en \$ par an)},$$

et on peut trouver *p* en utilisant l'information qui nous signale que $y = 1650$ \$ lorsque $x = 5$, ce qui correspond au point (5 , 1650). Alors :

$$y = 50x + 1400.$$

5°) RÉPONSE AUX QUESTIONS

Dans le cas présent, on demande de trouver la valeur de *y* lorsque *x* est égal à 12. On obtient :

$$y = 50 \times 12 + 1400 = 2000 \text{ (en \$).}$$

Exemple : On remplit une piscine de 900 litres à taux constant. Au début de l'opération, il y avait déjà 210 litres d'eau et au bout de 10 minutes, la piscine contenait 300 litres. Au bout de combien de temps la piscine sera-t-elle pleine ?

─────────────── ANALYSE ET RÉSOLUTION DU PROBLÈME ───────────────

1°) INFORMATIONS

On remplit une piscine de *900 litres* à *taux constant*. Au *début* il y avait *300 litres*.

2°) QUESTION

Au bout de *combien* de *temps* la piscine sera-t-elle *pleine* ?

3°) IDENTIFICATION DES VARIABLES

La question met en évidence deux variables, le temps et la quantité d'eau. Cette dernière dépend du temps : c'est donc la variable liée *y*, tandis que le temps est la variable indépendante *x*. Alors,

>*x* représente le nombre de minutes écoulées depuis le début de l'opération,
>*y* représente le nombre de litres d'eau contenus dans la piscine en fonction du nombre de minutes écoulées.

4°) RECHERCHE DE *y* EN FONCTION DE *x*

Traduisons les informations à l'aide des variables. On nous parle de taux constant : cela signifie que la variation de la quantité d'eau *y* par rapport à la variation du nombre de minutes *x* est constante. Donc *x* et *y* sont liées par une fonction linéaire de la forme $y = mx + p$. Il faut déterminer *m* et *p* : pour cela, on se sert des autres hypothèses. Au début, on avait 210 litres, c'est-à-dire si $x = 0$, alors $y = 210$.

Au bout de 10 minutes il y avait 300 litres, c'est-à-dire si $x = 10$, alors $y = 300$. On a deux points : on peut donc trouver l'équation de la droite. La pente est

$$m = \frac{300 - 210}{10 - 0} = \frac{90}{10} = 9 \text{ (en l/min).}$$

L'équation devient

$$y = 9x + p.$$

Pour calculer p, il suffit de remplacer x et y par les coordonnées d'un des points et on trouve l'équation $y = 9x + 210$.

5°) RÉPONSE AUX QUESTIONS

Pour déterminer à quel moment la piscine sera remplie, il faut chercher le temps x qui correspond à $y = 900$. On a donc :

$$900 = 9x + 210$$

d'où

$$x = \frac{900 - 210}{9} = 76,\overline{6} \text{ (en min)}$$

ou encore

$$x = 1 \text{ h } 16 \text{ min } 40 \text{ s.}$$

On peut remarquer que le terme constant de l'équation, 210, représente la quantité d'eau qu'il y avait à l'instant initial.

En administration, lorsqu'on étudie l'analyse de rentabilité et l'équilibre de marché, on a recours au point d'intersection de deux courbes. Ces courbes peuvent être des droites, des paraboles ou encore d'autres fonctions. L'analyse de rentabilité est basée sur la notion de revenu et de coût.

Exemple : Un commerçant vend des calculatrices d'une certaine marque au prix de 25 $ l'unité. Il les achète 15 $ chacune et a des frais fixes de 500 $. Quel doit être le nombre minimal de calculatrices qu'il doit vendre pour commencer à avoir un profit ?

─── ANALYSE ET RÉSOLUTION DU PROBLÈME ───

1°) INFORMATIONS

Prix de vente d'une calculatrice : *25 $.*
Prix d'achat de *15 $.*
Frais fixes de *500 $.*

2°) QUESTION

Quel est le *nombre minimal* de calculatrices qui permet d'avoir un *profit* ?

3°) IDENTIFICATION DES VARIABLES

La question met en évidence deux variables qui sont le profit et le nombre de calculatrices. Le profit dépend du nombre de calculatrices vendues : c'est la variable dépendante. Alors si

x représente le nombre de calculatrices (variable indépendante),
$P(x)$ représente le profit total en fonction du nombre de calculatrices.

4°) RECHERCHE DE $P(x)$ EN FONCTION DE x

Le profit est donné par la différence entre le revenu et le coût. Si $R(x)$ et $C(x)$ représentent respectivement le revenu et le coût, tous deux dépendent du nombre de calculatrices x. Si on considère le revenu, il est obtenu en multipliant le prix de vente d'une calculatrice par le nombre de calculatrices vendues, soit

$$R(x) = 25x.$$

Si on considère le coût total, il est donné par le coût des x calculatrices ajouté au coût fixe de 500 $, soit :

$$C(x) = 15x + 500.$$

Le profit sera donné par :

$$P(x) = R(x) - C(x)$$
$$= 25x - (15x + 500)$$
$$= 10x - 500.$$

5°) RÉPONSE AUX QUESTIONS

Pour déterminer le nombre minimal de calculatrices à vendre pour faire un profit, il faut chercher la valeur de x qui correspond à un profit nul, soit :

$$P(x) = 0 = 10x - 500.$$

On trouve alors

$$x = 50.$$

Il faudra que le commerçant vende plus de 50 calculatrices pour avoir un profit. On peut représenter sur le même graphe la fonction revenu et la fonction coût.

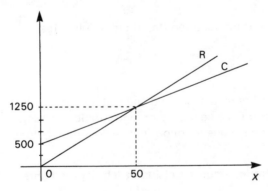

Avant le point correspondant à $x = 50$, la fonction coût étant située au dessus de la fonction revenu, le commerçant est dans une zone de déficit. Après ce point, il est dans une zone de profit.

1.10 EXERCICES RÉCAPITULATIFS (2e partie)

1. M est proportionnel à t. Si $M = 45$ lorsque $t = 25$, trouver M lorsque $t = 4$.

2. N est inversement proportionnel à d^2. Si $N = 1250$ lorsque $d = 2$, trouver N pour $d = 7$.

3. Une sphère de métal de 5 cm de rayon pèse 850 g. Combien pèserait une sphère de 3 cm de rayon, faite dans le même métal, si on considère que le poids est proportionnel au cube du rayon ?

4. La vitesse d'écoulement de l'eau dans le fond d'un réservoir est proportionnelle à la racine carrée de la hauteur d'eau restante dans le réservoir. La vitesse est de 80 litres par minutes pour une hauteur de 3 mètres. a) Trouver la vitesse d'écoulement si la hauteur est de 5 m ? b) Trouver la hauteur si la vitesse d'écoulement est de 50 l/min.

5. On découpe dans une carte le contour d'un terrain : on pèse le morceau et on obtient 20,3 g. On découpe ensuite un rectangle de 5 cm sur 3 cm dans la même carte et son poids est de 8,4 g. Si la carte est à l'échelle de 1 cm pour 100 m, trouver la surface en m^2 du terrain.

6. L'analyse d'une solution indique 46 % d'eau et 54 % de solide. L'analyse du solide révèle 15 % d'oxyde de cuivre, 61 % d'oxyde de zinc et 24 % de carbone. Quel est le pourcentage d'oxyde de cuivre dans la solution ? Quel est le pourcentage de carbone dans la solution ?

7. Le pourcentage d'alcool dans une bouteille de bière de 341 ml est de 6,2 %. a) Quelle quantité d'alcool absorbe une personne qui boit une bouteille de bière ? 6 bouteilles ? 2 litres de bière ? b) On dilue la bière dans une même quantité de boisson gazeuse. Quel est le pourcentage d'alcool contenu dans 341 ml du mélange ? dans 100 ml du mélange ? Quelle quantité d'alcool absorbe-t-on en buvant 341 ml du mélange ? 100 ml du mélange ? Quelle quantité du mélange faut-il absorber pour avoir la même quantité d'alcool que dans une bouteille de bière ?

8. Donner l'équation de la droite qui passe par les points

a) $(-3, 7)$ et $(0, 0)$;

b) $(4, 1/3)$ et $(1/2, -5)$.

9. Donner les coordonnées du point d'intersection des droites suivantes :

a) $2x + 3y = 5$ et $y = 4x - 3$;

b) $y = 5x - 2$ et $2y - 10x = 5$.

10. Une piscine se vide : au bout d'une heure la quantité d'eau restante est de 900 litres. Sachant qu'elle contenait au début 1200 litres, et qu'elle se vide avec un taux de variation constant (c'est-à-dire que $Q (t)$ la quantité restante d'eau est une fonction linéaire du temps), donner l'équation de $Q (t)$ et faire son graphe.

11. Il existe une relation linéaire entre les degrés Celsius et les degrés Fahrenheit.

a) Trouver l'équation qui lie les deux formes de température si l'eau bout à 100 °C ou 212 °F et la glace fond à 0 °C ou 32 °F.

b) Quelle température s'exprime par la même valeur dans les deux échelles ?

12. Voulant augmenter les résultats d'un test, un professeur décide de rajouter à chaque étudiant 10 % de sa note. Donner l'équation de transformation. Quelle serait la note transformée d'un étudiant qui aurait eu 55 sur 100 ?

13. La force de rappel F (en newton) d'un ressort est proportionnelle à l'élongation x (en mètre) que l'on fait subir à un ressort en tirant dessus. Trouver la constante k de proportionnalité, sachant que pour une force de 2 N, on obtient une élongation de 10 centimètres.

14. Un fabricant vend ses lampes 20 $ chacune. Le coût de production est de 8 $ par lampe et la location du local est de 480 $ par mois.

a) À partir de combien de lampes vendues par mois le fabricant aura-t-il récupéré l'argent qu'il a investi (location comprise) ?

b) Tracer sur un même graphe les fonctions revenu et coût total.

c) Déterminer l'équation du profit du fabricant en fonction du nombre de lampes vendues dans le mois.

d) Quel sera le profit ou la perte du fabricant s'il a vendu 50 lampes ? 25 lampes ?

15. Un parc d'attraction applique les tarifs suivants pour les groupes : 2,5 $ par individu si le groupe est composé de moins de 30 personnes, et 2 $ par individu si le groupe comprend 30 personnes et plus.

a) Déterminer la fonction qui exprime le montant d'argent que doit payer le groupe en fonction du nombre de personnes qui le composent. Tracer le graphe de cette fonction.

b) Combien doit débourser un groupe de 29 personnes ? de 30 personnes ? Quelle remarque peut-on faire à partir de ces deux résultats ?

16. La valeur d'une voiture diminue de façon linéaire en fonction du nombre d'années d'utilisation : on l'a payée 10 000 $ et elle ne vaut plus que 2000 $ au bout de 7 ans.

a) Exprimer la valeur de la voiture en fonction du nombre d'années d'utilisation et tracer son graphe.

b) Quelle sera la valeur de la voiture au bout de 3 ans ?

c) Dans combien de temps la voiture ne vaudra-t-elle plus que 5000 $?

17. Les frais d'administration d'un compte dans une banque sont de 7 $ par an, plus 0,05 $ par chèque. Dans une autre banque, les frais sont de 2 $ par an et 0,10 $ par chèque. Trouver un critère permettant de choisir la banque la plus avantageuse pour le client suivant le nombre de chèques qu'il fait.

1.11 FONCTION QUADRATIQUE : LA PARABOLE

Une autre fonction courante est la fonction quadratique représentée dans le plan cartésien par une parabole.

DÉFINITION : Soit a, b, $c \in \mathbb{R}$ et $a \neq 0$. La fonction de $\mathbb{R}$ dans $\mathbb{R}$ telle que $f (x) = ax^2 + bx + c$ est appelée *fonction quadratique*.

Une fonction quadratique est aussi désignée sous le nom de *polynôme de degré 2*. Pour tracer son graphe, celui d'une parabole, il faut déterminer :

- les coordonnées du sommet qui sont données par

$$x_s = \frac{-b}{2a}$$

$$y_s = \frac{-D}{4a} \text{ ou encore } y_s = f(x_s), \text{ D étant égal à } b^2 - 4ac \text{ ;}$$

et

- les points d'intersection avec les axes.

Le point d'intersection avec l'axe des Y se trouve facilement en remplaçant x par 0 dans l'équation : c'est le point $(0, f(0))$. Les points d'intersection avec l'axe des X sont obtenus en résolvant l'équation $f(x) = 0$. Cela nous conduit à calculer les racines de $ax^2 + bx + c = 0$. L'équation peut se mettre sous la forme

$$a\left(x^2 + \frac{bx}{a}\right) + c = 0 \text{ ;}$$

on complète le carré et on obtient

$$a\left[\left(x + \frac{b}{2a}\right)^2 - \frac{b^2}{4a^2}\right] + c = 0,$$

ou encore,

$$a\left(x + \frac{b}{2a}\right)^2 - \frac{b^2}{4a} + c = 0,$$

et enfin :

$$\left(x + \frac{b}{2a}\right)^2 = \frac{b^2 - 4ac}{4a^2}.$$

Comme $\left(x + \frac{b}{2a}\right)^2$ est toujours positif ou nul, et qu'il en est de même pour $4a^2$, ont doit avoir $b^2 - 4ac$ positif ou nul pour que l'équation ait des racines. On appelle $b^2 - 4ac$ le *discriminant* et on le note D. Le calcul de $D = b^2 - 4ac$ nous permet alors de déterminer s'il y a 0, 1 ou 2 racines.

$$\boxed{1°)\quad D > 0}$$

Alors $ax^2 + bx + c$ a deux racines réelles qui sont données par

$$\left(x + \frac{b}{2a}\right) = \pm\sqrt{\frac{b^2 - 4ac}{4a^2}} = \pm\frac{\sqrt{b^2 - 4ac}}{2a},$$

soit :

$$x_1 = \frac{-b + \sqrt{D}}{2a} \quad \text{et} \quad x_2 = \frac{-b - \sqrt{D}}{2a}.$$

Le polynôme peut se décomposer en facteurs du 1er degré :

$$ax^2 + bx + c = a(x - x_1)(x - x_2).$$

La parabole coupe l'axe des X en deux points, $(x_1, 0)$ et $(x_2, 0)$.

$$\boxed{2°)\quad D = 0}$$

Alors $ax^2 + bx + c$ a une racine double donnée par :

$$x_s = -\frac{b}{2a},$$

qui est également l'abscisse du sommet de la parabole. Le polynôme peut se mettre sous la forme suivante :

$$ax^2 + bx + c = a(x - x_s)^2.$$

La parabole coupe l'axe des X en un point de coordonnées $(x_s, 0)$.

$$\boxed{3°)\quad D < 0}$$

Alors $ax^2 + bx + c$ n'a aucune racine réelle, c'est-à-dire que le polynôme est toujours différent de zéro et ne peut pas être décomposé en facteurs du 1er degré. La parabole ne coupe pas l'axe des X.

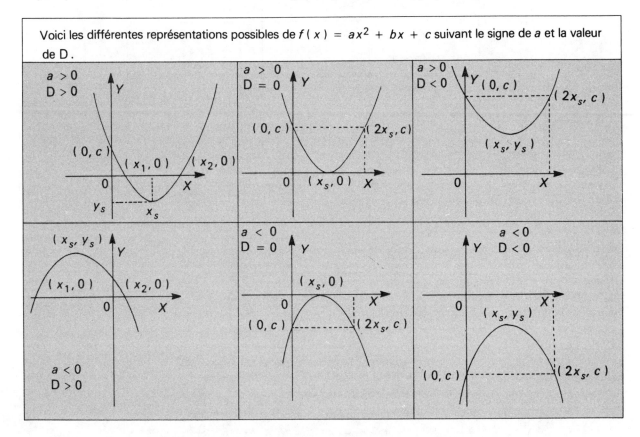

Voici les différentes représentations possibles de $f(x) = ax^2 + bx + c$ suivant le signe de a et la valeur de D.

Il est toujours intéressant de connaître dans quelle région une fonction est positive ou négative. Pour y arriver, on peut construire un tableau donnant le signe de la fonction pour différentes valeurs de x. Les trois tableaux suivants donnent le signe de $f(x) = ax^2 + bx + c$ suivant les différentes valeurs de a et de D.

D > 0

x	$-\infty$	x_1		x_2	$+\infty$
$a > 0$ $ax^2 + bx + c$	+	0	−	0	+
$a < 0$ $ax^2 + bx + c$	−	0	+	0	−

D = 0

x	$-\infty$	x_s	$+\infty$
$a > 0$ $ax^2 + bx + c$	+	0	+
$a < 0$ $ax^2 + bx + c$	−	0	−

D < 0

x	$-\infty$	$+\infty$
$a > 0$ $ax^2 + bx + c$	+	
$a < 0$ $ax^2 + bx + c$	−	

Exercices (i) :   (1)   Trouver les racines et mettre sous forme de facteurs:
$-3x^2 + x + 5 = 0$ et $5x^2 + 7x + 3 = 0$.

(2)   Tracer le graphe des fonctions
$f(x) = 7x^2 + x + 1$ et $g(x) = 3x^2 + 2x - 5$.

(3)   Donner l'intervalle-solution des inégalités suivantes :
$-3x^2 + x + 5 < 0$ et $x^2 - 2x + 7 \geqslant 0$.

La parabole est utilisée dans les problèmes concrets que l'on peut ramener à une équation du second degré. Le sommet détermine le maximum ou le minimum de la fonction.

Exemple : Quelles sont les dimensions du champ rectangulaire de plus grande aire que l'on peut entourer avec une clôture de 1200 mètres ?

─────── ANALYSE ET RÉSOLUTION DU PROBLÈME ───────

1°) INFORMATIONS

Longueur de la clôture : *1200 m*

2°) QUESTION

Quelles sont les *dimensions* du champ d'*aire maximale* ?

3°) IDENTIFICATION DES VARIABLES

Ce problème de type géométrique est grandement simplifié si on fait un schéma sur lequel on situe les valeurs connues et inconnues. La question met en évidence la fonction à optimiser (c'est-à-dire la fonction à rendre maximale) : dans le cas présent, il s'agit de l'aire du champ rectangulaire. L'aire de cette surface dépend de 2 variables, la longueur x et la largeur y du champ. On a :

$A = xy.$ (1)

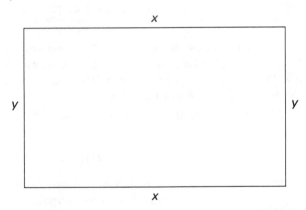

L'étape suivante consiste à exprimer A en fonction d'une seule variable.

4°) RECHERCHE DE A EN FONCTION DE x

On utilise l'information concernant la longueur de la clôture, et on trouve ainsi une équation liant les variables x et y, soit :

$2x + 2y = 1200.$ (2)

Si on veut exprimer l'aire A en fonction de x seulement, il suffit d'isoler y dans l'équation (2) et de le substituer dans l'équation (1). Cela nous donne :

$$y = \frac{1200 - 2x}{2} = 600 - x \qquad (3)$$

et

$$A(x) = x(600 - x) = -x^2 + 600x.$$

5°) RÉPONSE AUX QUESTIONS

On cherche les dimensions du champ qui a une aire maximale. Nous obtenons une équation du second degré dont le graphe est une parabole qui passe par un maximum, le sommet, dont les coordonnées sont :

$$x_s = \frac{-b}{2a} = \frac{-600}{-2} = 300 \text{ (mètres)}$$

et

$$A(x_s) = -(300)^2 + (600)(300) = 90\,000 \text{ (mètres carrés),}$$

où x_s représente la longueur du champ. $A(x_s)$ représente l'aire maximale que l'on pourrait obtenir en entourant un champ avec 1200 mètres de clôture. Le calcul de y dans l'équation (3) nous donne la valeur de la largeur du champ, soit :

$$y = 600 - x = 600 - 300 = 300 \text{ (mètres)}.$$

Le carré est donc le rectangle qui a la plus grande aire lorsqu'il est entouré par 1200 mètres de clôture.

Exemple : Le propriétaire d'une salle de réception offre les conditions suivantes pour la location : s'il y a 20 personnes ou moins, le prix d'entrée est de 10 $ par personne ; chaque personne après la vingtième fait diminuer le prix d'entrée de 0,25 $ par individu. Quel est le nombre de personnes qui permet au propriétaire d'avoir le revenu le plus élevé possible ?

ANALYSE ET RÉSOLUTION DU PROBLÈME

1°) INFORMATIONS

20 personnes ou moins payent
10 $ chacune.
1 personne de plus fait diminuer le prix de 0,25 $.

2°) QUESTION

Quel est le *nombre* de personnes qui donne un *revenu maximum* ?

3°) IDENTIFICATION DES VARIABLES

Dans la question, apparaissent deux variables, le revenu et le nombre de personnes. Le revenu dépend du nombre de personnes. Ce problème peut se résoudre de deux façons, suivant que x représente le nombre total de personnes ou seulement le nombre de personnes excédant 20. Nous allons résoudre ce problème en tenant compte des deux possibilités.

Si x représente le nombre total de personnes, alors

$R(x)$ représente le revenu du propriétaire.

4°) RECHERCHE DE $R(x)$ EN FONCTION DE x

Le revenu est donné par le produit du nombre de personnes et du prix d'entrée de chacune. Le nombre de personnes est donné par x, et le prix d'entrée par :

$$10 - 0,25 \times (\text{ nombre de diminutions de } 0,25).$$

Le nombre de diminutions correspondra à la différence entre le nombre total de personnes et 20, soit $(x - 20)$. Le prix du billet est de

$$10 - 0,25(x - 20),$$

tandis que le revenu est donné par

$$R(x) = x [10 - 0,25 (x - 20)]$$
$$= -0,25x^2 + 15x.$$

5°) RÉPONSE AUX QUESTIONS

On cherche le revenu maximal, c'est-à-dire le sommet du graphe de R. Ce dernier étant une parabole, les coordonnées du sommet sont :

$$x_s = -\frac{b}{2a} = \frac{-15}{-2 \times 0,25} = 30$$

et

$$R(x_s) = R(30) = 225 \ \$.$$

Le nombre total de personnes est 30, le revenu maximal est de 225 $.

Si on considère que x représente le nombre de personnes excédant 20, le revenu peut se trouver en faisant la simulation qui apparaît dans le tableau suivant :

Nombre de personnes	Prix de chaque billet	Revenu du propriétaire
20	10	20×10
$20 + 1$	$10 - 1 \times 0,25$	$(20 + 1)(10 - 1 \times 0,25)$
$20 + 2$	$10 - 2 \times 0,25$	$(20 + 2)(10 - 2 \times 0,25)$
$20 + 3$	$10 - 3 \times 0,25$	$(20 + 3)(10 - 3 \times 0,25)$
.	.	.
.	.	.
.	.	.

Il apparaît évident que x représente le nombre de fois où l'on diminue le prix d'entrée et aussi le nombre de personnes excédant 20. Nous obtenons :

$$20 + x \qquad\qquad 10 - 0,25x \qquad\qquad (20 + x)(10 - 0,25x)$$

et le revenu est donc donné par l'équation

$$R(x) = (20 + x)(10 - 0,25x)$$
$$= -0,25x^2 + 5x + 200.$$

Le graphe de $R(x)$ est une parabole passant par un point maximal de coordonnées

$$x_s = -\frac{b}{2a} = \frac{-5}{-2 \times 0,25} = 10$$

et

$$R(x_s) = R(10) = 225 \text{ (en \$).}$$

Le nombre de personnes excédant 20 sera donc de 10 et le revenu maximal sera de 225 \$. Ces conditions de location seront désavantageuses pour le propriétaire dès que le nombre de personnes sera supérieur à $20 + 10 = 30$. Nous retrouvons bien les mêmes résultats que précédemment.

Une étude d'équilibre de marché consiste à trouver le prix de vente unitaire d'un produit, pour que l'offre du fabricant soit égale à la demande des consommateurs. L'offre et la demande sont des fonctions qui dépendent toutes deux du prix unitaire du produit.

Exemple : Le nombre de rasoirs d'une certaine marque fournis par un fabricant est donné par la fonction offre

$$O(x) = x^2 + 20x - 300,$$

dans laquelle x représente le prix de vente d'un rasoir. Le nombre de rasoirs demandés par les consommateurs est donné par la fonction demande :

$$D(x) = -16x + 4000.$$

On veut trouver le prix de vente d'un rasoir qui amènera l'équilibre entre l'offre et la demande. Cet équilibre s'effectuera lorsque l'offre sera égale à la demande, c'est-à-dire :

$$O(x) = D(x).$$

La résolution de cette équation permettra de trouver le prix de vente d'un rasoir. On obtient donc :

$$x^2 + 20 - 300 = -16x + 4000$$

soit :

$$x^2 + 36x - 4300 = 0$$

Cette équation a deux solutions : $x = 50$ et $x = -86$. La solution $x = -86$ ne convient pas dans le contexte du problème. Le fabricant devra vendre chaque rasoir 50 \$ pour qu'il n'y ait pas de pénurie ni de surplus dans le marché.

1.12   MISE EN FACTEURS ET SIMPLIFICATION

L'étude d'un polynôme est simplifiée lorsqu'on peut le décomposer en facteurs. Voici la liste des mises en facteurs les plus courantes :

$$(a + b)^2 = a^2 + 2ab + b^2,$$

$$(a - b)^2 = a^2 - 2ab + b^2,$$

$$(a^2 - b^2) = (a - b)(a + b),$$

$$(a^3 - b^3) = (a - b)(a^2 + ab + b^2),$$

$$(a^4 - b^4) = (a^2 - b^2)(a^2 + b^2) = (a - b)(a + b)(a^2 + b^2).$$

Dans le cas où une même quantité se trouve devant tous les termes d'une somme ou différence, on peut la mettre en évidence avec l'exposant le plus petit.

Exemple : Mettons en facteurs $3x^4 - 12x^2$:

$$f(x) = 3x^4 - 12x^2$$
$$= 3x^2(x^2 - 4)$$
$$= 3x^2(x - 2)(x + 2).$$

Exemple : Mettons en facteurs $x^3 + 2x^2 + 7x$:

$$f(x) = x^3 + 2x^2 + 7x$$
$$= x(x^2 + 2x + 7).$$

On ne peut pas décomposer le deuxième facteur car le polynôme $x^2 + 2x + 7$ n'a pas de racine ($b^2 - 4ac < 0$).

Exemple : Mettons sous forme de facteurs l'expression suivante :

$$(x-4)^2(3x+1) - (x-4)(x-3)^2 + 2(x-4)^3 = (x-4)((x-4)(3x+1) - (x-3)^2 + 2(x-4)^2)$$
$$= (x-4)(4x^2 - 21x + 19).$$

Voyons si on peut décomposer en facteurs le polynôme $4x^2 - 21x + 19$.
Le calcul du discriminant nous donne :

$$D = (-21)^2 - 4(4)(19)$$
$$= 137.$$

D étant positif, le polynôme a deux racines qui sont données par

$$x_1 = \frac{21 - \sqrt{137}}{8} \simeq 1{,}16$$

et

$$x_2 = \frac{21 + \sqrt{137}}{8} \simeq 4{,}09 .$$

L'expression initiale devient alors :

$$4(x - 4)\left(x - \frac{(21 - \sqrt{137})}{8}\right)\left(x - \frac{(21 + \sqrt{137})}{8}\right) .$$

Exemple : Pour simplifier l'expression $\dfrac{x^2 - y^2}{8} \times \dfrac{6}{x - y}$, on utilise la mise en facteurs :

$$y = \frac{x^2 - y^2}{8} \times \frac{6}{(x - y)} = \frac{(x - y)(x + y)6}{8(x - y)}.$$

On simplifie par $(x - y)$ et on obtient

$$y = \frac{6(x + y)}{8} = \frac{3(x + y)}{2}.$$

Exemple : L'expression $\dfrac{x - 5}{x - 6} + \dfrac{2x - 8}{x^2 - 10x + 24}$ peut s'écrire après mise en facteurs :

$$y = \frac{x - 5}{x - 6} + \frac{2(x - 4)}{(x - 6)(x - 4)}.$$

On simplifie par $(x - 4)$ et on obtient

$$y = \frac{x - 5}{x - 6} + \frac{2}{x - 6}\ .$$

On met au même dénominateur et on obtient :

$$y = \frac{x - 5 + 2}{x - 6} = \frac{x - 3}{x - 6}.$$

On peut également trouver le domaine d'une fonction rationnelle en mettant en facteurs son dénominateur.

Exemple : Nous cherchons le domaine de la fonction f telle que $f(x) = \dfrac{2x + 4}{4x^2 - 15x + 9}$.

Le dénominateur $4x^2 - 15x + 9$ a deux racines :

$$x = \frac{15 + \sqrt{81}}{8} = 3$$

$$x = \frac{15 - \sqrt{81}}{8} = \frac{3}{4}.$$

On peut donc écrire :

$$4x^2 - 15x + 9 = 4(x - 3)\left(x - \frac{3}{4}\right) = (x - 3)(4x - 3).$$

Le domaine de la fonction f est l'ensemble de tous les réels sauf 3 et $\dfrac{3}{4}$, c'est-à-dire $\text{Dom } f = \mathbb{R} \setminus \left\{3, \dfrac{3}{4}\right\}$.

Exercices (j) : (1) Mettre en facteurs :

a) $5(2x + 1)^5 - (x - 2)(2x + 1)^4 - (x^2 + x + 1)(2x + 1)^3$;

b) $3\sqrt{2-x} + \dfrac{2(x+1)}{\sqrt{2-x}} - \sqrt{(2-x)^3}$.

(2) Simplifier :

a) $\dfrac{2-x}{x^2+x-6} - \dfrac{5}{9-x^2} - \dfrac{4-x}{x^2-7x+12}$;

b) $\dfrac{x+3y}{2a+1} \times \dfrac{1-4a^2}{x^2-9y^2}$.

1.13   EXERCICES RÉCAPITULATIFS (3ᵉ partie)

1.   Trouver les racines des équations suivantes et mettre si possible les polynômes sous forme de facteurs :

a) $-5x^2 + 10x - 5 = 0$;

b) $8x^2 + x + 1 = 0$;

c) $-2x^2 - 3x + 4 = 0$.

2.   Tracer le graphe des fonctions suivantes :

a) $f(x) = 2x^2 - 5x - 3$;

b) $f(x) = -x^2 + 3x - 4$;

c) $f(x) = 9x^2 + 6x + 1$.

3.   Donner dans chacun des cas les intervalles-solutions des inégalités suivantes :

a) $-3x^2 + 2x > -1$;

b) $-4x^2 + x - 2 \leqslant 0$;

c) $-x^2 + x - 1/4 < 0$.

4.   Trouver les coordonnées des points d'intersection de la droite $f(x) = 2x - 3$ avec la parabole $g(x) = x^2 - 2x - 5$. Tracer leur graphe.

5.   Trouver les coordonnées des points d'intersection des deux paraboles :
$$f(x) = x^2 + 4x + 2 \quad \text{et} \quad g(x) = -x^2 + x + 4.$$
Donner leur représentation dans le plan cartésien.

6.   La somme de deux nombres réels est 12. Quelle est la plus grande valeur de leur produit ? Quels sont ces nombres ?

7.   La différence entre deux nombres est 3. Quelle est la plus petite valeur atteinte par leur produit ? Quels sont ces nombres ?

8. Si on lance un objet vers le haut ou si on le laisse tomber verticalement, sa hauteur par rapport au sol, t secondes plus tard, est donnée par :

$h(t) = -4,9\,t^2 + v_o t + h_o$, où v_o et h_o sont respectivement la vitesse (en m/s) et la hauteur (en m) de l'objet à l'instant initial ($t = 0$). En se servant de cette formule, résoudre les exercices suivants :

a) On lance une balle verticalement à partir du sol ($h_o = 0$), avec une vitesse initiale $v_o = 20$ m/s. Quelle sera la hauteur atteinte par la balle 1 s après son lancement ? À quel moment atteindra-t-elle sa hauteur maximale et quelle sera alors cette hauteur ?

b) On laisse tomber une balle du haut d'un immeuble de 49 m avec une vitesse initiale nulle ($v_o = 0$). À quel moment la balle touchera-t-elle le sol ?

c) Du sommet d'un immeuble de 40 m, on lance vers le haut une balle avec une vitesse initiale de 15 m/s. À quel moment la balle atteindra-t-elle sa hauteur maximale ? Quelle sera cette hauteur ? À quel moment la balle repassera-t-elle à la hauteur du lanceur ? À quel moment la balle touchera-t-elle le sol ?

9. On dispose de 240 m de clôture pour entourer un champ rectangulaire et le partager en trois lots rectangulaires égaux en mettant deux clôtures parallèles à l'un des côtés. Quelles doivent être les dimensions du champ pour que la surface totale soit maximale ?

10. Résoudre :

a) $\dfrac{5}{x-2} - \dfrac{7}{x-3} = 3;$

b) $\dfrac{3}{x^2-4} + \dfrac{5}{x-2} = \dfrac{3}{x-1};$

c) $(x^2-16)(x^2-3) = 0;$

d) $\dfrac{2x-3}{x-6} - (4x-1) = 0;$

e) $5x^3 - 2x^2 - 3x = 0;$

f) $\dfrac{3,5}{x} - 25 = \dfrac{4}{x} - 10;$

g) $\dfrac{t}{1 - \dfrac{t}{1-t}} = 4.$

11. Après avoir déboursé 15 000 $ pour fabriquer sous licence un nouveau type de décapant, une P.M.E. des Bois-Francs est en mesure de le produire à son usine de Victoriaville au coût de 3,50 $ le litre. Une étude de marché a révélé qu'on pourra en écouler N litres selon la formule $N(x) = 12\,000 - 800x$, où x représente le prix de détail unitaire. a) Faire le graphe de $N(x)$. Pour quelle valeur de x les ventes seront-elles maximales ? minimales ? b) Soit P, le profit réalisé : établir que $P(x) = -800x^2 + 14\,800x - 57\,000$. Faire le graphe de $P(x)$. c) Montrer que le prix de détail devra être, pour que le profit de la P.M.E. soit maximal, de 9,25 $ le litre. d) Quel sera le profit total réalisé ?

12. Un libraire vend 7 $ des bandes dessinées qui lui coûtent 5 $ l'unité. À ce prix, il en vend 40 par semaine. S'il baisse le prix de vente de 0,25 $, il estime pouvoir en vendre 10 de plus par semaine. a) Donner l'équation du profit que fait le commerçant chaque semaine, en fonction du nombre x de diminutions de 0,25 $. b) Quel profit réalisera-t-il s'il vend ses livres 6 $? 6,25 $? 6,75 $ l'unité ? c) Trouver la valeur de x qui lui permettra d'avoir un profit maximal. Quel sera ce profit ? Combien vendra-t-il de livres et à quel prix ?

13. Un fabricant de jouets en plastique estime qu'à 1 $ l'article, il peut en vendre 1000 par semaine, chaque article lui coûtant 0,60 $. Il remarque que pour un rabais de 1 ¢ sur le prix de vente d'un jouet, il peut en vendre 50 de plus. Quel doit être le prix de vente d'un jouet pour que le fabricant réalise un profit maximal, en sachant que la location du magasin où il vend ses jouets lui coûte 100 $ par semaine ? Combien vendra-t-il de jouets chaque semaine ? Quel sera alors son profit maximal ?

14. Mettre en facteurs les expressions suivantes :

a) $3x^5 - 6x^3$;

b) $x^4 + 5x^3 + 4x^2$;

c) $x^3 - 1$;

d) $2x^3 - x^2 + 5x$;

e) $x^4 - 16$;

f) $3 (x + 1)^4 - 5 (x + 1)^3$;

g) $3\sqrt{(x + 2)^3} + 2\sqrt{x + 2}$·

15. Vérifier, étape par étape, qu'en simplifiant le premier membre des égalités suivantes, on obtient le second :

a) $$\dfrac{\dfrac{1}{x} - \dfrac{1}{y}}{\left(\dfrac{x + y}{y}\right)\left(\dfrac{x - y}{x}\right)} = - \dfrac{1}{x + y} ;$$

b) $$\dfrac{3}{4 - x} + \dfrac{12}{x^2 - 16} = \dfrac{3x}{16 - x^2} ;$$

c) $$\dfrac{\dfrac{3}{x} + \dfrac{2}{4x^{-1}} + \dfrac{3x}{(-2)}}{\dfrac{3}{x} - x} = 1.$$

16. Effectuer les calculs suivants, d'abord algébriquement, puis à l'aide d'une calculatrice:

a) $\left(\dfrac{1}{2} + \dfrac{1}{3}\right) \times 5$;

b) $\dfrac{1}{2} \times \left(\dfrac{1}{3} + \dfrac{1}{7}\right)$;

c) $\left(\dfrac{1}{3} + \dfrac{1}{2} - \dfrac{1}{4}\right) \times \dfrac{3}{5}$;

d) $\left(\dfrac{1}{6} - \dfrac{3}{7} + 2\right) \times \dfrac{4}{6}$;

e) $\dfrac{\dfrac{3}{5}}{7}$;

f) $\dfrac{3}{\dfrac{5}{7}}$;

g) $\dfrac{\dfrac{7}{12} + \dfrac{4}{3}}{\dfrac{2}{3}}$;

h) $\left(2 - \dfrac{1}{3}\right) + \dfrac{5}{7}$;

i) $\left(\dfrac{7}{13} + \dfrac{2}{5}\right) \div \dfrac{2}{9}$;

j) $\dfrac{-\dfrac{4}{7} + \dfrac{2}{9} - 5}{\dfrac{2}{3} + \dfrac{1}{5} + \dfrac{5}{70}}$;

k) $\dfrac{x^2 + y^2}{x^2 - y^2}$ si $x = -\dfrac{2}{3}$ et $y = \dfrac{4}{7}$;

l) $6\sqrt{2} - \sqrt{8}$;

m) $\dfrac{2}{\sqrt{6}} + 3\sqrt{24} - \sqrt{6}$.

17. Simplifier les expressions suivantes :

a) $\dfrac{x^2 + 2xy + y^2}{x^2 - y^2} \cdot \dfrac{x^2 - 2xy + y^2}{x^2 - y^2}$;

b) $\dfrac{x + y}{(y - z)(z - x)} - \dfrac{y + z}{(x - z)(x - y)} + \dfrac{x + z}{(x - y)(y - z)}$;

c) $\dfrac{14ab^2c}{4a^2 - 9} \div \dfrac{10a^2b}{6a + 9}$.

18. (Exercice réservé au cours 602) Compléter le carré.

a) $x^2 + 4x$;

b) $x^2 + 6x$;

c) $2x^2 - 4x - 1$;

d) $x^2 + 6x - 7$;

e) $x^2 - 9x$;

f) $3x^2 - 9x$.

Chapitre 2

Fonctions exponentielles
et logarithmiques

PRÉAMBULE

Les fonctions exponentielles et logarithmiques sont utilisées dans beaucoup de domaines de la vie courante, tels que l'économie (taux d'intérêt, annuités), la démographie (croissance et décroissance de population), la statistique (loi de distribution exponentielle), l'archéologie (datation des ossements en mesurant la radioactivité), la physique, la chimie, la biologie, la géologie, etc.

Nous allons d'abord commencer par rappeler la notion de *puissance*, essentielle à la compréhension des fonctions exponentielles et logarithmiques.

2.1 RAPPELS SUR LA NOTION DE PUISSANCE

Comment définit-on a^n lorsque n est entier, lorsque n est rationnel, lorsque n est réel ? Lorsque n est entier, le terme a^n est donné, quel que soit $a \in \mathbb{R}$, par :

$$a^n = \begin{cases} 1, \text{ si } n = 0 \text{ et } a \neq 0; \\ \underbrace{a \cdot a \cdot a \cdots\cdots a}_{n \text{ fois}}, \text{ pour } n \in \mathbb{N}^*; \\ \dfrac{1}{\underbrace{a \cdot a \cdot a \cdots\cdots a}_{-n \text{ fois}}}, \text{ pour } n \in \mathbb{Z} \setminus \mathbb{N} \text{ et } a \neq 0. \end{cases}$$

On aura noté que 0^0 n'est pas défini. Donnons quelques exemples :

$$8^3 = 8 \times 8 \times 8 = 512,$$

$$(-2)^{-4} = \frac{1}{(-2) \times (-2) \times (-2) \times (-2)} = \frac{1}{16},$$

$$\pi^{-2} = \frac{1}{\pi \cdot \pi} = \frac{1}{\pi^2},$$

$10^0 = 1$.

Qu'arrive-t-il de a^n lorsque n est un rationnel non entier ? Par exemple, comment définir

$4^{2/3}$?

C'est

$$(4^2)^{1/3} = \sqrt[3]{4^2} = \sqrt[3]{16} .$$

Il s'agit donc d'un nombre t tel que

$$t^3 = 16 .$$

En fait, on définit $a^{p/q}$ par (où p et $q \in \mathbb{Z}$)

$$a^{p/q} = \sqrt[q]{a^p} ,$$

à la condition que a soit positif, que q soit strictement positif, et que a et p ne soient pas nuls en même temps. Ainsi,

$$13^{2/3} = \sqrt[3]{13^2} = \sqrt[3]{169} ,$$

$$14^{-3/2} = \sqrt[2]{14^{-3}} = \sqrt[2]{\frac{1}{14 \times 14 \times 14}} = \sqrt[2]{\frac{1}{2744}} ,$$

$$9^{12/-15} = 9^{-12/15} = \sqrt[15]{9^{-12}} .$$

Des expressions du genre $(- 3)^{\frac{1}{2}}$ ne sont pas définies, ne respectant pas la condition $a > 0$. On notera au passage que, quel que soit x dans $\mathbb{R}$,

$$| x | = \sqrt{x^2} .$$

On peut tirer de ces définitions des propriétés appelées *lois des exposants* :

1) $a^n a^m = a^{n+m}$;

2) $\dfrac{a^m}{a^n} = a^{m-n}$;

3) $(a^m)^n = a^{mn}$;

4) $(ab)^n = a^n b^n$;

5) $\left(\dfrac{a}{b} \right)^n = \dfrac{a^n}{b^n}$.

Ces lois restent vraies quels que soient m et $n \in \mathbb{Q}$, en autant que ces expressions aient un sens. En réalité, ces lois sont aussi vraies dans le cas plus général où m et $n \in \mathbb{R}$. Mais, comme, pour le moment, on ne sait définir des expressions du genre

$2^{\sqrt{2}}$,

$3^{\sqrt{7}}$,

6^{π},

etc.,
on est forcé d'admettre ces lois en attendant de comprendre comment se définit un nombre élevé à une puissance irrationnelle.

Exercices (a) : (1) Réécrire, sans calculer, $14^{-7/2}$.

(2) Réécrire, sans calculer, $(-2)^{-3/5}$.

(3) Trouver l'erreur : $-3 = (-27)^{1/3} = (-27)^{2/6} = \sqrt[6]{(-27)^2} = \sqrt[6]{729} = 3$.

(4) Évaluer les expressions suivantes à l'aide des lois des exposants :

$$(2^{-3})^2 ; \quad \frac{3^4}{3^{1/2}\,3^{2/3}} ; \quad 2^{4/5}\,(8^{-1/4}) ; \quad 3\,(4)^{1/3}\,(2)^{-3}.$$

(5) Trouver n si : i) $a^{3n} = \dfrac{a^4}{a^3}$; ii) $(a^n)^3 = a^2\,a^8$.

2.2 EXERCICES RÉCAPITULATIFS (1re partie)

1. Évaluer, sans l'aide de la calculatrice, les expressions suivantes :

a) 0^0 ;

b) 2^{-2} ;

c) $(4 \times 10^8) \times (1,3 \times 10^{-6}) \times 2$;

d) 5^0 ;

e) 100^{-1} ;

f) $(2^{13} \times 2^{-8}) \div 4^2$;

g) 0^5 ;

h) $4^7 \div 4^3$;

i) $(3,7 \times 10^{-4}) \div (2 \times 10^{-3})$;

j) $32^{4/5}$;

k) $(\sqrt{2})^{-4}$;

l) $\left(\dfrac{81}{16}\right)^{3/4} \times 125^{2/3}$;

m) $81^{-1/4}$;

n) $\dfrac{8^{5/3}}{16^{-3/2}}$;

o) $\dfrac{3^5 \cdot 3^7}{3^4}$;

p) $100^{-5/2}$.

2. Résoudre l'équation par rapport à n, a étant positif :

a) $a^{5/3}\,a^8 = a^{2n}$;

b) $a^{10} = a^{3n}\,a^2$;

c) $(a^n)^4 = a^{12}$;

d) $\dfrac{a^{1/4}}{a^5} = \dfrac{a^n}{\sqrt{a}}$.

3. Simplifier les expressions suivantes :

i) $\sqrt[3]{(a+b)^5} \times (a+b)^{-2/3}$;

ii) $\dfrac{\left(\dfrac{a^{-2}\,b^{-1}}{a^3\,b^{-5}}\right)^{-3}}{\left(\dfrac{a^2\,b^{-1}}{a^{-2}\,b^2}\right)^5}$;

iii) $\dfrac{4 \times 2^{4n} - 4 \times 2^{2n} \times 2^n}{2^{4n} - 2^{3n}}$ $(n \in \mathbb{N}^*)$;   iv) $\dfrac{2^{x+1} \times 2^{-2x+1}}{2^{4x+3}}$;

v) $\dfrac{5 \times 5^{x-3} + 25^{2x}}{5^{-5x+4}}$.

2.3 FONCTIONS EXPONENTIELLES

Nous allons maintenant définir la fonction exponentielle. Pareille fonction dépend toujours d'une constante, que nous noterons a.

DÉFINITION : Soit le nombre réel a strictement positif et différent de 1, c'est-à-dire $a \in \mathbb{R}^*_+ \setminus \{1\}$. La fonction $f(x) = a^x$ est appelée *fonction exponentielle de base a*.

Considérons la fonction exponentielle de base 2 : $f(x) = 2^x$ est définie pour tout $x \in \mathbb{R}$. Voici son graphe cartésien :

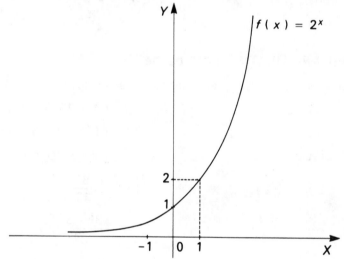

C'est ainsi, par exemple, que :

$f(0) = 2^0 = 1$;

$f(-1) = 2^{-1} = \dfrac{1}{2} = 0,5$;

$f(1) = 2^1 = 2$;

$f(-4) = 2^{-4} = \dfrac{1}{2^4} = \dfrac{1}{16} = 0,0625$;

$f\left(\dfrac{3}{2}\right) = 2^{3/2} = \sqrt[2]{2^3} = \sqrt[2]{8} \simeq 2,828427$.

Si on étudiait plutôt la fonction exponentielle de base $\dfrac{1}{2}$, c'est-à-dire $g(x) = \left(\dfrac{1}{2}\right)^x$, le graphe en serait celui-ci :

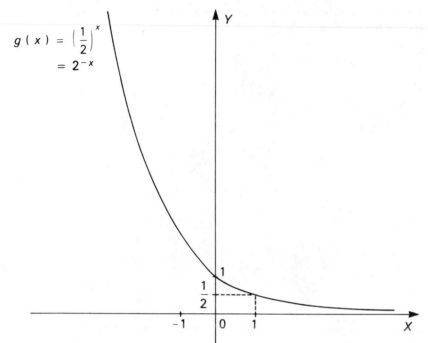

$$g(x) = \left(\frac{1}{2}\right)^x$$
$$= 2^{-x}$$

On peut déterminer
certaines valeurs :

$$g(0) = \left(\frac{1}{2}\right)^0 = 1;$$

$$g(1) = \left(\frac{1}{2}\right)^1 = \frac{1}{2} = 0{,}5;$$

$$g(-1) = \left(\frac{1}{2}\right)^1 = \frac{1}{\left(\frac{1}{2}\right)} = 2.$$

On peut donner toute une série de caractéristiques de la fonction exponentielle de base a, $f(x) = a^x$
($a \in \mathbb{R}_+^* \setminus \{1\}$).
- Son domaine de définition est $\mathbb{R}$.
      (En effet, $f(x) = a^x$ est définie pour tout $x \in \mathbb{R}$.)
- Les valeurs prises par f sont toujours strictement positives.
      (En effet, $f(x) = a^x > 0$, puisque $a > 0$.)
- L'image de f en 0 est 1.
      (En effet, $f(0) = a^0 = 1.$)
- Lorsque $a > 1$, $f(x) = a^x$ s'accroît à mesure que x s'accroît.
      (En d'autres mots, cela veut dire que, si $x_1 < x_2$, $a^{x_1} < a^{x_2}$. Ou encore, cela revient à dire que, si
      $0 < x_2 - x_1$, $1 < a^{x_2 - x_1}$. Mais comme $a > 1$, on aura certainement $a^{x_2 - x_1} > 1$: tout nombre supé-
      rieur à 1, élevé à n'importe quelle puissance positive, dépasse 1.)
- Lorsque $a < 1$, $f(x) = a^x$ décroît à mesure que x s'accroît.
      (Cela veut dire que, si $x_1 < x_2$, $a^{x_1} > a^{x_2}$. Cela revient alors à dire, si $a < 1$, $a^{x_2 - x_1} < 1$ lorsque
      $x_2 - x_1 > 0$. Un nombre inférieur à 1, élevé à n'importe quelle puissance positive, reste inférieur à 1.)
- La fonction exponentielle de base a est une bijection de $\mathbb{R}$ dans $\mathbb{R}_+^*$.
      (Que $f(x) = a^x$ soit une injection de $\mathbb{R}$ dans $\mathbb{R}_+^*$, on s'en convainc facilement : comme la fonction
      s'accroît ou décroît constamment, suivant le cas, elle ne peut prendre deux fois la même valeur. Pour
      ce qui est de la surjectivité, on doit l'admettre en observant sur un graphe cartésien le comportement
      d'une fonction exponentielle.)

On choisit très souvent 10 comme base de la fonction exponentielle. Son graphe ressemble à celui de la fonction de base 2, sauf que la croissance est plus rapide.

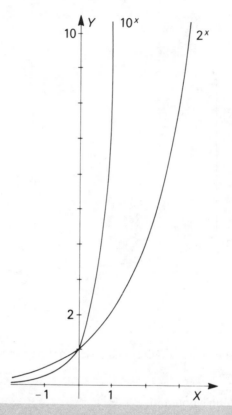

La base la plus courante — on dit d'ailleurs la base *naturelle* — est la base e. Le nombre e est un nombre irrationnel égal à 2,718281828459... . Pourquoi choisir ce nombre ? On peut dire, sans entrer dans les détails que la fonction $f (x) = e^x$ est celle permettant de définir en toute rigueur les fonctions exponentielles quelconques (*).

---

* " So far, there seems to be a very large number of equally important exponential functions : 2^x, 10^x, π^x, and so on. This is an illusion. There is only *one* exponential function (certainly not 10^x !) and the others are trivial variations of it. There is one star. The rest of the actors are a very mediocre supporting cast whose existence depends exclusively on the star. "
(LOCH, E.R. , **Precalculus : Fundamentals of Mathematical Analysis,** Norton & Company, New York : 1973, p. 181.)

On a une meilleure image du nombre e en le définissant comme la somme à l'infini de

$$1 + \frac{1}{1} + \frac{1}{1 \times 2} + \frac{1}{1 \times 2 \times 3} + \frac{1}{1 \times 2 \times 3 \times 4} + \frac{1}{1 \times 2 \times 3 \times 4 \times 5} + \frac{1}{1 \times 2 \times 3 \times 4 \times 5 \times 6} + \ldots \, .$$

De la même façon, tout nombre e^x est la somme jusqu'à l'infini de

$$1 + \frac{x}{1} + \frac{x^2}{1 \times 2} + \frac{x^3}{1 \times 2 \times 3} + \frac{x^4}{1 \times 2 \times 3 \times 4} + \frac{x^5}{1 \times 2 \times 3 \times 4 \times 5} + \frac{x^6}{1 \times 2 \times 3 \times 4 \times 5 \times 6} + \ldots \, .$$

(Il suffit de faire $x = 1$ pour retrouver e.)

La base e, mieux que toute autre base, permet un calcul rapide en un point de la valeur d'une fonction exponentielle. Par exemple, $e^{1/5}$ étant la somme à l'infini de

$$1 + \frac{(1/5)}{1} + \frac{(1/5)^2}{1 \times 2} + \frac{(1/5)^3}{1 \times 2 \times 3} + \frac{(1/5)^4}{1 \times 2 \times 3 \times 4} + \frac{(1/5)^5}{1 \times 2 \times 3 \times 4 \times 5} + \frac{(1/5)^6}{1 \times 2 \times 3 \times 4 \times 5 \times 6} + \ldots \, ,$$

alors

$$e^{1/5} = 1 + \frac{1}{5} + \frac{1}{50} + \frac{1}{750} + \frac{1}{15000} + \frac{1}{375000} + \frac{1}{11250000} + \ldots \, ,$$

1	(1er terme)
0,2	(2e terme)
0,02	(3e terme)
= + 0,001333333333...	(4e terme)
0,0000666666666...	(5e terme)
0,0000026666666...	(6e terme)
0,0000000888888...	(7e terme)

On remarque que, très tôt, l'addition d'un nouveau terme ne change pas la dernière décimale exacte obtenue précédemment : ainsi, la somme des
-   3 premiers termes donne 1,22;
-   4 premiers termes donne 1,221333...;
-   5 premiers termes donne 1,2214;
-   6 premiers termes donne 1,2214026666...;
-   7 premiers termes donne 1,22140275555... .

Ainsi $e^{1/5}$ est à peu près égal à 1,2214027... . Pour obtenir plus de précision, il faudrait additionner d'autres termes. La base e est la seule permettant ce genre de calculs. Pour calculer $2^{1/5}$, il faudrait un travail beaucoup plus complexe pour obtenir 7 chiffres de précision.

La fonction exponentielle naturelle est très importante en mathématiques. On en retrouve des facettes un peu partout.

Exercices (c) : (1) Tracer le graphe cartésien des fonctions suivantes :
$$f(x) = -2^{2x} \, ; \, g(x) = e^{2x} \, ; \, h(x) = e^{-2x} \, ; \, k(x) = 3 \cdot 2^x \, ;$$
$$p(x) = 2 + 3^x \, ; \, m(x) = 2 - 3^x.$$

(2) Les physiciens prennent souvent $\dfrac{1264}{465}$ comme valeur approchée de *e*. À partir de quelle décimale les deux valeurs diffèrent-elles ?

2.4   FONCTIONS LOGARITHMIQUES

La fonction exponentielle de base *a* est une bijection de $\mathbb{R}$ dans $\mathbb{R}^{*}_{+}$. On peut donc définir sa fonction réciproque.

DÉFINITION : On appelle *fonction logarithme de base a* la fonction de $\mathbb{R}^{*}_{+}$ dans $\mathbb{R}$ qui est la fonction réciproque de la fonction exponentielle de base *a*. L'image de *x* par la fonction logarithme de base *a*, notée $\log_a x$, est appelée le *logarithme de x dans la base a*.

En vertu de la définition, on a l'**équivalence fondamentale** suivante :

$$\boxed{\log_a x \ = \ y \text{ si et seulement si } x \ = \ a^y}$$.

Si $\log_a x = y = f(x)$, alors $f^{-1}(y) = x$. Puisque $f^{-1}(y) = a^y$ on obtient que $a^y = x$.   D'autre part, si $x = a^y = f(y)$, alors $f^{-1}(x) = y$. Puisque $f^{-1}(x) = \log_a x$, on obtient que $\log_a x = y$.

Voici une représentation cartésienne de la fonction logarithme en base *a* et de la fonction exponentielle de même base (cas où *a* > 1) :

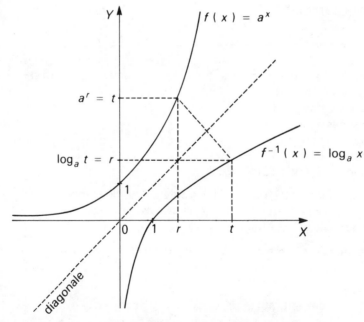

Comme c'est le cas pour toutes les fonctions réciproques, elles sont symétriques l'une de l'autre par rapport à la diagonale (d'équation $y = x$).

Exemple : On a $\log_2 8 = 3$, car $2^3 = 8$. De même $\log_{10} 100 = 2$, puisque $10^2 = 100$, et $\log_3 9 = 2$ puisque $3^2 = 9$.

Lorsque $a = 10$, on parle de *logarithme décimal* (ou *vulgaire*) et on écrit simplement $\log x$ plutôt que $\log_{10} x$.

Lorsque $a = e$, on parle du *logarithme népérien* (ou *naturel*) et on écrit $\ln x$ ou $\text{Ln } x$ et plus rarement $\text{Log } x$ au lieu de $\log_e x$.

Puisque les fonctions a^x et $\log_a x$ sont réciproques l'une de l'autre, on peut donner les **règles** suivantes :

$$\boxed{\log_a (a^x) = x} \qquad \text{et} \qquad \boxed{a^{\log_a x} = x} \qquad .$$

Leurs démonstrations sont évidentes en appliquant l'équivalence fondamentale. En effet on a

$$\log_a (a^x) = x \iff a^x = a^x$$

et

$$a^{\log_a x} = x \iff \log_a x = \log_a x$$

Les deux règles précédentes et l'équivalence fondamentale nous permettent d'établir diverses propriétés.

PROPRIÉTÉ 1 : $\boxed{\log_a 1 = 0} \qquad \text{et} \qquad \boxed{\log_a a = 1} \qquad .$

Démonstration : En effet, $a^0 = 1$ et $a^1 = a$.

PROPRIÉTÉ 2 : $\boxed{\log_a mn = \log_a m + \log_a n} \qquad .$

Démonstration : Soit $t = \log_a mn$, alors $a^t = mn$. Soit $r = \log_a m$, alors $a^r = m$. Soit $s = \log_a n$, alors $a^s = n$. Comme $a^t = mn$ et puisque $a^t = mn = a^r a^s = a^{r+s}$, $t = r + s$, c'est-à-dire $\log_a mn = \log_a m + \log_a n$.

PROPRIÉTÉ 3 : $\boxed{\log_a \dfrac{m}{n} = \log_a m - \log_a n} \; .$

Démonstration : Soit $t = \log_a \dfrac{m}{n}$; alors $a^t = \dfrac{m}{n}$. Soit $r = \log_a m$: alors $a^r = m$. Soit $s = \log_a n$: alors $a^s = n$. Puisque $a^t = \dfrac{m}{n}$, on aura $a^t = \dfrac{a^r}{a^s} = a^{r-s}$: ainsi $t = r - s$, c'est-à-dire $\log_a \dfrac{m}{n} = \log_a m - \log_a n$.

PROPRIÉTÉ 4 : $\boxed{\log_a m^n = n \log_a m} \qquad .$

Démonstration : Soit $t = \log_a m^n$, alors $a^t = m^n$. Soit $s = \log_a m$, alors $a^s = m$. Donc $a^t = m^n = (a^s)^n = a^{sn}$ et $t = sn$.

PROPRIÉTÉ 5 : $\boxed{\log_a m = \dfrac{\log_b m}{\log_b a}}$.

Démonstration : Soit $t = \log_a m$, alors $a^t = m$. Soit $s = \log_b m$, alors $b^s = m$. Soit $r = \log_b a$, alors $b^r = a$. Comme $a^t = m$, on a $(b^r)^t = m = b^s$. D'où $rt = s$.

La fonction logarithme permet de mieux comprendre la notion de puissance. Nous savons ce que veulent dire des expressions du genre 2^4 (c.-à-d. $2 \times 2 \times 2 \times 2$), $3^{-1/8}$ $\left(\text{c.-à-d. } \dfrac{1}{3^{1/8}} = \dfrac{1}{\sqrt[8]{3}} \right)$. Quel serait alors le sens d'expressions du genre $3^{\sqrt{2}}$? 2^π ? La fonction logarithme leur donne un sens :
$$3^{\sqrt{2}} = e^{\ln 3^{\sqrt{2}}} = e^{\sqrt{2}\ln 3}.$$

Comme $\sqrt{2}$ et $\ln 3$ sont définis, et comme e^x l'a déjà été par la somme à l'infini de

$$1 + x + \frac{x^2}{1 \times 2} + \frac{x^3}{1 \times 2 \times 3} + \frac{x^4}{1 \times 2 \times 3 \times 4} + \cdots ,$$

l'expression $e^{\sqrt{2}\ln 3}$ est complètement connue en remplaçant x par $\sqrt{2} \ln 3$. On comprend alors la signification mathématique de $3^{\sqrt{2}}$.

Exercices (d) : (1) a) Sur un même graphique, donner la représentation cartésienne de
$f(x) = \log_3 x$ et $g(x) = 3^x$.
b) Sur un même graphique, donner la représentation cartésienne de
$f(x) = \log_{1/3} x$ et $g(x) = 3^{-x}$.

(2) Réécrire les égalités suivantes à l'aide de la fonction logarithme (ex. $2^3 = 8$ s'écrirait $\log_2 8 = 3$) :

a) $3^2 = 9$;   d) $10^{-2} = 0,01$;

b) $16^{1/2} = 4$;   e) $(216)^{-2/3} = \dfrac{1}{36}$;

c) $32^{6/5} = 64$;   f) $3^0 = 1$.

(3) Réécrire les égalités suivantes à l'aide de la fonction exponentielle :

a) $\log_2 4 = 2$;   d) $\log_9 3 = 1/2$;

b) $\log_3 27 = 3$;   e) $\log_8 512 = 3$;

c) $\log_2 8 = 3$;   f) $\log_{1/5} 25 = -2$.

2.5 APPLICATIONS DES FONCTIONS EXPONENTIELLES ET LOGARITHMIQUES

Avant de donner des applications des fonctions exponentielles et logarithmiques, apprenons d'abord à en utiliser les propriétés.

Exemple : Soit à calculer t si $e^{3t + 1} = 4$. Alors,

$$3t + 1 = \ln 4$$

d'après l'équivalence fondamentale. Ainsi :

$$3t = \ln 4 - 1$$

et

$$t = \frac{\ln 4 - 1}{3} \simeq 0,12876.$$

Exemple : Calculons t si $3^{4t+1} = 2^t$. Alors

$$\ln 3^{4t+1} = \ln 2^t,$$

c'est-à-dire

$$(4t + 1) \ln 3 = t \ln 2$$

d'après la propriété 4. On obtient ainsi : $t(4 \ln 3 - \ln 2) = -\ln 3$. On isole t :

$$t = \frac{-\ln 3}{4 \ln 3 - \ln 2} \simeq -0,29681.$$

Exemple : Soit t tel que $\ln 5t = 4 + \ln(3t + 1)$. Alors

$$\ln 5t - \ln(3t + 1) = 4,$$

$$\ln \left(\frac{5t}{3t + 1} \right) = 4 \text{ d'après la propriété 3,}$$

$$\frac{5t}{3t + 1} = e^4 \text{ d'après l'équivalence fondamentale.}$$

Ainsi $5t = e^4 (3t + 1)$, ce qui amène à la valeur $t = \dfrac{e^4}{5 - 3e^4} \simeq -0,34383$. Il faut toutefois rejeter cette

solution : en remplaçant t par cette valeur dans l'équation initiale, on serait amené à calculer le logarithme d'un nombre négatif. L'équation $\ln 5t = 4 + \ln(3t + 1)$ n'a donc pas de solution.

Exercice (e) : Calculer t si :

a) $5^{t^2+3t} = 5^{2t^2+1}$;

b) $(3,2)^{2t+3} = (1,5)^t$;

c) $2 \ln(5 - t) = \ln(t + 1) + \ln(t - 1)$;

d) $5^{2t+2} = 3 \times 4^{t-3}$;

e) $e^{3t-1} > 1$.

Beaucoup de phénomènes dans différents domaines font appel aux fonctions exponentielles et logarithmiques. Nous essaierons de voir des exemples suffisamment variés.

Exemple : La taille d'une population de bactéries suit la loi

$$f(t) = Ae^{at} \qquad\qquad (a \text{ et } A \text{ constantes})$$

au temps t (en heures). Donc, au temps 0, la taille est

$f(0) = Ae^0 = A$.

Supposons qu'on connaisse la taille au temps 10 et 30. Soit, par exemple :

$f(10) = 10^4$,
$f(30) = 10^5$.

Quelles sont les valeurs de a et de A ? En remplaçant t par 10 et 30, on obtient :

$$f(30) = Ae^{30a} = 10^5 \iff 30a = \ln \frac{10^5}{A} = \ln 10^5 - \ln A,$$

$$f(10) = Ae^{10a} = 10^4 \iff 10a = \ln \frac{10^4}{A} = \ln 10^4 - \ln A.$$

On a obtenu deux équations à deux inconnues :

$$\begin{cases} 30a = 5 \ln 10 - \ln A, \\ 10a = 4 \ln 10 - \ln A. \end{cases}$$

Par soustraction, on obtient :

$20a = \ln 10;$

$a = \dfrac{\ln 10}{20};$

$a \simeq 0,115.$

En substituant a dans la première équation, on trouve

$$\ln A = 5 \ln 10 - 30 \left(\frac{\ln 10}{20} \right).$$

L'équivalence fondamentale permet maintenant de trouver la valeur de A :

$\ln A \simeq 8,05904 \iff A \simeq e^{8,05904}$
$A \simeq 3162.$

D'où, la taille de cette population de bactéries suit la loi suivante :

$f(t) = Ae^{at}$

où $A \simeq 3162$ et $a \simeq 0,115$.

Exemple : Une population d'insectes triple chaque semaine. S'il y avait 100 insectes au début, combien y en aura-t-il dans 5 semaines ?

─── ANALYSE ET RÉSOLUTION DU PROBLÈME ───

1°) INFORMATIONS

Nombre d'insectes triple chaque semaine.
Au *début*, il y en avait *100*.

2°) QUESTION

Nombre d'insectes dans *5 semaines* ?

3°) IDENTIFICATION DES VARIABLES

La question met en évidence deux variables, le nombre d'insectes et le nombre de semaines. C'est le nombre d'insectes qui dépend du nombre de semaines écoulées, aussi

> x représente le nombre de semaines écoulées,
> tandis que
> $N(x)$ représente le nombre d'insectes.

4°) RECHERCHE DE $N(x)$ EN FONCTION DE x

Il est dit que le nombre d'insectes triple toutes les semaines. Cela indique que la variation du nombre d'insectes par rapport au temps n'est pas constante. Ce n'est donc pas une fonction linéaire qui lie les deux variables ! Effectuons une simulation afin de trouver la forme générale de la fonction.

— Au début $x = 0$ et $N(0) = 100$.
— Une semaine plus tard, $x = 1$ et $N(1) = 3 \times 100 = 3N(0)$.
— Deux semaines après, $x = 2$ et $N(2) = 3 \times N(1) = 3 \times 3N(0) = 3^2 N(0)$.
— Trois semaines plus tard, $x = 3$ et $N(3) = 3 \times N(2) = 3 \times 3^2 N(0) = 3^3 N(0)$.

On peut déduire que x semaines après le début, le nombre d'insectes sera donné par :

> $N(x) = 3^x N(0) = 100 \cdot 3^x$.

5°) RÉPONSE AUX QUESTIONS

Pour déterminer le nombre d'insectes qu'il y aura au bout de 5 semaines, il suffit de calculer :

> $N(5) = 3^5 N(0) = 3^5 \times 100 = 24\ 300$ insectes.

Exemple : Les ventes d'un produit chutent chaque mois de 9 %. Le fabricant a décidé de lancer une grande campagne de publicité lorsque les ventes, par rapport au début de l'année, atteindront un niveau inférieur à la moitié. Déterminons le mois où la compagnie devra lancer sa campagne.

——————— ANALYSE ET RÉSOLUTION DU PROBLÈME ———————

1°) INFORMATIONS

Les *ventes chutent* de *9 % chaque mois.*

2°) QUESTION

Déterminer le *moment* où les *ventes* auront *diminué de moitié*.

3°) IDENTIFICATION DES VARIABLES

La question nous permet de mettre en évidence deux variables, les ventes et le temps. Les ventes dépendant du mois, on pose :

> t, le nombre de mois écoulés depuis le début de l'année,
> $P(t)$, le volume des ventes au début du mois t.

4°) RECHERCHE DE $P(t)$ EN FONCTION DE t

On signale que le volume des ventes chute de 9 % chaque mois. Faisons une étude pas à pas du phénomène.

— Au début du mois de janvier, on a $t = 0$ et le volume des ventes est $P(0)$.
— Au début du mois de février, on a $t = 1$ et $P(1) = 91\% \times P(0)$, car il a diminué de 9 %.
— Au début du mois de mars, on a $t = 2$ et $P(2) = 91\% \times P(1) = 91\% \times 91\% \times P(0) = (91\%)^2 P(0)$.

On peut en déduire qu'au début du mois t,

$$P(t) = (91\%)^t P(0) = \left(\frac{91}{100}\right)^t P(0).$$

5°) RÉPONSE AUX QUESTIONS

La campagne sera organisée lorsque $P(t) = \frac{1}{2} P(0)$. Cherchons la valeur de t telle que

$$\frac{1}{2} P(0) = \left(\frac{91}{100}\right)^t P(0),$$

c'est-à-dire

$$\frac{1}{2} = \left(\frac{91}{100}\right)^t \iff t = \frac{\ln 1/2}{\ln 91/100} \simeq 7,35 \text{ (en mois)}.$$

La compagnie devra donc lancer sa campagne vers le 10 août.

Exemple : La vitesse d'une réaction chimique double à chaque augmentation de 3°C. Déterminons l'augmentation de température qui sera nécessaire pour multiplier par 20 la vitesse de réaction.

——————— ANALYSE ET RÉSOLUTION DU PROBLÈME ———————

1°) INFORMATIONS

La *vitesse double* pour chaque *augmentation* de 3°C.

2°) QUESTION

Quelle est l'*augmentation de température* pour multiplier *la vitesse* par *20* ?

3°) IDENTIFICATION DES VARIABLES

La question met en évidence les variables vitesse et température. La vitesse dépend du nombre d'augmentations de 3°C. On peut donc poser :

k, le nombre d'augmentations de 3°C,
$V(k)$, la vitesse de la réaction.

4°) RECHERCHE DE $V(k)$ EN FONCTION DE k

On nous dit que la vitesse double pour chaque augmentation de 3°C. Faisons une étude pas à pas du phénomène.

— Au début, la vitesse de la réaction est $V(0)$: si on augmente la température de 3°C, on obtient (avec $k = 1$):

$$V (1) = 2 V (0).$$

— Si on augmente encore de 3°C la température, alors $k = 2$ et on a :
$$V (2) = 2 V (1) = 2^2 V (0).$$

— Si on continue, on obtient :
$$V (3) = 2 V (2) = 2^3 V (0).$$

Au bout de k augmentations, on a :

$$V (k) = 2^k V (0).$$

5°) RÉPONSE AUX QUESTIONS

Nous cherchons le nombre d'augmentations k tel que $V (k) = 20 V (0)$, c'est-à-dire tel que

$$2^k V (0) = 20 V (0), \qquad \text{(en remplaçant } V (k) \text{ par sa valeur } 2^k V (0) \text{)}$$

ou encore, tel que

$$2^k = 20 \qquad \text{(en simplifiant } V (0) \text{)}.$$

Prenons le logarithme népérien de chaque membre de l'égalité :

$$\ln 2^k = \ln 20$$
$$k \ln 2 = \ln 20$$

et on obtient

$$k = \frac{\ln 20}{\ln 2} \simeq 4{,}32.$$

Pour que la vitesse soit 20 fois plus grande que la vitesse initiale, il faut faire subir plus de quatre augmentations de 3°C. La température doit donc augmenter de plus de $4 \times 3 = 12°C$.

Une application relativement simple (et courante !) des fonctions exponentielles et logarithmiques, c'est celle du calcul des intérêts composés. Voici quelques définitions et quelques exemples sur le sujet.

Si on dépose dans un compte bancaire une certaine somme, par exemple 1 000 $, et si le compte, chaque année, porte un intérêt de 10 %, le capital deviendra au bout d'un an 1 100 $. Un nouvel intérêt sera appliqué, un an plus tard, sur 1 100 $: le capital deviendra alors 1 100 + (0,10 × 1 100) = 1 210 $. Au bout de la troisième année, le capital sera porté à 1 331 $.

DÉFINITION : Un capital est placé à *intérêts composés* lorsque, à la fin de chaque période convenue comme unité de temps, l'intérêt produit est ajouté au capital de façon à constituer un nouveau capital amenant des intérêts à la fin de la période suivante.

Reprenons l'exemple du compte bancaire prévoyant un intérêt de 10 %. Supposons que l'intérêt soit versé semestriellement plutôt qu'annuellement :

- au bout de six mois, le capital devient

$$1\ 000\ +\ (\ 0{,}05 \times 1\ 000\ ) = 1\ 000 \times 1{,}05 = 1\ 050;$$

- au bout d'un an, le capital devient

$$1\ 050\ +\ (\ 0{,}05 \times 1\ 050\ ) = 1\ 050 \times 1{,}05 = 1\ 102{,}50;$$

- au bout d'un an et demi, le capital devient

$$1\ 102{,}50\ +\ (\ 0{,}05 \times 1\ 102{,}50\ ) = 1\ 102{,}50 \times 1{,}05 = 1\ 157{,}625;$$

- au bout de deux ans, le capital devient

$$1\ 157{,}625\ +\ (\ 0{,}05 \times 1\ 157{,}625\ ) = 1\ 157{,}625 \times 1{,}05 = 1\ 215{,}50625.$$

Pour connaître ce qui se produit à la fin de la période, il suffit de prendre le capital en début de période et de le multiplier par 1,05. Au bout de la troisième année, le capital sera de 1 340,095641, c'est-à-dire 1 340,10 $

Cherchons la formule donnant la valeur acquise par un capital initial C placé à intérêts composés. Convenons des symboles suivants :

C : capital initial;

i : taux d'intérêt annuel;

m : nombre de fois par année où les intérêts sont versés (on dit aussi : nombre de fois où les intérêts sont *capitalisés*);

n : durée du placement (en années);

A : valeur définitive du capital.

Le capital sera modifié mn fois. Chaque fois que le capital sera modifié, on prendra le capital en début de période et on lui ajoutera les intérêts : cela revient à multiplier le capital en début de période par $1 + \dfrac{i}{m}$.

Construisons un tableau retraçant, au fil des périodes, la croissance du capital initial C. Notons que les intérêts ne sont versés qu'en fin de période et qu'ils s'ajoutent au capital. Il y aura en tout mn périodes, car m indique le nombre de fois où les intérêts sont capitalisés par année et n, le nombre d'années pendant lesquelles le prêt est consenti.

On a la formule

$$A = C \left(1 + \frac{i}{m} \right)^{mn}$$

établie dans le tableau suivant. Lorsque les intérêts sont capitalisés une fois l'an, on remplace m par 1.

Période	Capital au début de la période	Intérêt pour la période	Nouveau capital en fin de période
1	C	$C\dfrac{i}{m}$	$C + C\dfrac{i}{m} = C\left(1 + \dfrac{i}{m}\right)$
2	$C\left(1 + \dfrac{i}{m}\right)$	$C\left(1 + \dfrac{i}{m}\right)\dfrac{i}{m}$	$C\left(1 + \dfrac{i}{m}\right) + C\left(1 + \dfrac{i}{m}\right)\dfrac{i}{m}$ $= C\left(1 + \dfrac{i}{m}\right)\left(1 + \dfrac{i}{m}\right)$ $= C\left(1 + \dfrac{i}{m}\right)^2$
3	$C\left(1 + \dfrac{i}{m}\right)^2$	$C\left(1 + \dfrac{i}{m}\right)^2\dfrac{i}{m}$	$C\left(1 + \dfrac{i}{m}\right)^2 + C\left(1 + \dfrac{i}{m}\right)^2\dfrac{i}{m}$ $= C\left(1 + \dfrac{i}{m}\right)^2\left(1 + \dfrac{i}{m}\right)$ $= C\left(1 + \dfrac{i}{m}\right)^3$
$\vdots$	$\vdots$	$\vdots$	$\vdots$
mn	$C\left(1 + \dfrac{i}{m}\right)^{mn-1}$	$C\left(1 + \dfrac{i}{m}\right)^{mn-1}\dfrac{i}{m}$	$C\left(1 + \dfrac{i}{m}\right)^{mn-1} + C\left(1 + \dfrac{i}{m}\right)^{mn-1}\dfrac{i}{m}$ $= C\left(1 + \dfrac{i}{m}\right)^{mn-1}\left(1 + \dfrac{i}{m}\right)$ $= C\left(1 + \dfrac{i}{m}\right)^{mn}$

Ainsi, un capital de 1 000 $, placé à 16 % d'intérêts composés tous les trois mois, deviendra au bout d'un an

$$1\,000\left(1 + \frac{0,16}{4}\right)^4 \simeq 1\,169,86.$$

Cette somme de 1 000 $, à intérêts simples, devrait être placée à 16,99 % pour qu'on arrive au même résultat. Un prêt à 16 % d'intérêts capitalisés tous les trois mois rapporte effectivement un intérêt de 16,99 %. On peut donc distinguer le taux indiqué (ici 16 %), appelé *taux nominal*, du *taux effectif*, le taux effectivement produit. Le taux effectif est égal à :

$$\boxed{\left(1 + \frac{i}{m}\right)^{m} - 1}\;.$$

Après un an, un certain capital prêté à intérêts composés m fois devient $C\left(1 + \dfrac{i}{m}\right)^{m}$. L'intérêt effective-ment versé pendant cette année est donc $C\left(1 + \dfrac{i}{m}\right)^{m} - C = \left[\left(1 + \dfrac{i}{m}\right)^{m} - 1\right] \times C$. Pour connaître le taux, il suffit de diviser par C. Lorsque l'intérêt est composé une fois l'an ($m = 1$), le taux nominal et le taux ef-fectif sont égaux.

Donnons quelques exemples.

Exemple : Une obligation gouvernementale à intérêts composés de 13,5 % capitalisables deux fois l'an est émise pour 7 ans. Quelle valeur prendra un capital initial de 1 000 $? On applique la formule :

$$A = 1\,000\left(1 + \frac{0,135}{2}\right)^{2 \times 7}$$

$$\simeq 2\,495,46 \quad (\text{en \$}).$$

Quel sera le taux effectif ?

$$\left(1 + \frac{0,135}{2}\right)^{2} - 1 = 0,13955625.$$

Exemple : Une banque offre un compte à intérêts composés de 8 % calculés mensuellement. Quel capital doit-on y déposer pour que, au bout de 10 ans, celui-ci soit devenu 20 000 $? Il faut donc trouver C tel que

$$20\,000 = C\left(1 + \frac{0,08}{12}\right)^{12 \times 10}$$

On a :

$$C = \frac{20\,000}{\left(1 + \dfrac{0,08}{12}\right)^{12 \times 10}} \simeq 9\,010,47.$$

Exemple : On prête une certaine somme au taux de 12 % d'intérêts composés semestriellement. Au bout de combien de temps cette somme aura doublé ? Soit C, le capital initial. Alors $A = 2C$. D'où

$$2C = C\left(1 + \frac{0,12}{2}\right)^{2n},$$

c'est-à-dire

$$2 = \left(1 + \frac{0,12}{2}\right)^{2n}.$$

Calculons le logarithme de chaque côté de l'égalité :

$$\log 2 = 2n \log \left(1 + \frac{0.12}{2} \right),$$

et

$$n = \frac{\log 2}{2 \log \left(1 + \frac{0.12}{2} \right)}.$$

En calculant, on obtiendra

$$n \simeq 5{,}948.$$

Il faudra donc faire fructifier son capital pendant 6 ans.

On notera qu'une fonction exponentielle se présente rarement sous la forme $f(x) = a^x$ définie au début de ce chapitre. On la retrouve le plus souvent sous la forme

$$f(x) = ka^x \qquad\qquad (k \text{ constante})$$

ou même

$$f(x) = k_1 a^x + k_2 \qquad (k_1 \text{ et } k_2 \text{ constantes}).$$

Dans tous les exemples que nous venons de donner, nous avons traité de fonctions exponentielles de la forme $f(x) = k\, a^x$. Une autre application intéressante est celle de la décomposition d'un élément radioactif. Tout élément radioactif se transforme en un élément plus stable avec une vitesse de décomposition précise. La quantité restante d'élément radioactif $N(t)$ peut être calculée à partir de la formule $N(t) = N_0 e^{-kt}$ où t représente le temps (en année), N_0, la quantité initiale d'élément radioactif, et k, une constante qui dépend de l'élément considéré. Cette propriété des éléments radioactifs permet au géologue de mesurer l'âge des roches en déterminant la quantité restante d'uranium par rapport à la quantité transformée en plomb.

Exemple : On veut trouver la demi-vie du radium : c'est le temps nécessaire à la transformation de la moitié de la masse initiale, en connaissant la constante de désintégration $k = 4{,}1 \times 10^{-4}$. La quantité restante est donnée par l'équation $N(t) = N_0 e^{-kt}$:

$$N(t) = N_0 e^{-4,1 \times 10^{-4} t}.$$

Nous voulons connaître le temps correspondant à

$$N(t) = \frac{1}{2} N_0,$$

c'est-à-dire à

$$\frac{1}{2} N_0 = N_0 e^{-4,1 \times 10^{-4} t}.$$

En simplifiant par N_0, on obtient :

$$\frac{1}{2} = e^{-4,1 \times 10^{-4} t};$$

on en déduit que

$$t = \frac{\ln \frac{1}{2}}{-4,1 \times 10^{-4}} \simeq 1691 \ (\text{années}).$$

Le préhistorien détermine l'âge des fossiles et des ossements en mesurant la quantité restante de carbone radioactif C14. En effet, tout être vivant contient une faible quantité de cet élément qui se désintègre à sa mort. En mesurant le nombre de particules radioactives à l'aide d'un compteur Geiger, on peut estimer l'âge du spécimen.

Exemple : La demi-vie du carbone radioactif étant de 5730 années, on veut déterminer la constante de désintégration k. La quantité restante est donnée par l'équation

$$N(t) = N_0 e^{-kt}.$$

Nous avons

$$\frac{1}{2} N_0 = N_0 e^{-5730k},$$

c'est-à-dire

$$k = \frac{\ln \frac{1}{2}}{-5730} \simeq 1,21 \times 10^{-4}.$$

Les logarithmes sont d'un précieux secours en matière graphique. Mentionnons d'abord l'*échelle logarithmique*, une échelle qu'on préfère à l'échelle linéaire usuelle lorsqu'on doit situer des valeurs qui s'éloignent considérablement les unes des autres. En voici un exemple :

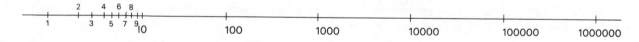

On constate que la graduation n'est pas uniforme : plus les nombres grandissent, plus ils se rapprochent. Comment sont-ils situés ? Un nombre t est placé de telle sorte que le logarithme de t soit proportionnel à sa distance de 1, 1 étant l'origine de l'échelle logarithmique. Ainsi, sur l'échelle précédente, la distance entre 1 et 9 correspond à 95,42... % de la distance entre 1 et 10 (car log 9 = 0.9542... et log 10 = 1), tandis que la distance entre 1 et 100 correspond à 2 fois celle de 1 et 10 (log 100 = 2 et log 10 = 1)...

Exemple : Construisons une échelle logarithmique pour représenter les divisions du temps géologique :

— le précambrien (antérieur à 520 millions d'années) ;
— l'ère paléozoïque (de 520 à 185 millions d'années) ;
— l'ère mésozoïque (de 185 à 60 millions d'années) ;
— l'ère cénozoïque, qui comprend le tertiaire (de 60 à 1 million d'années) et le quaternaire (dernier million).

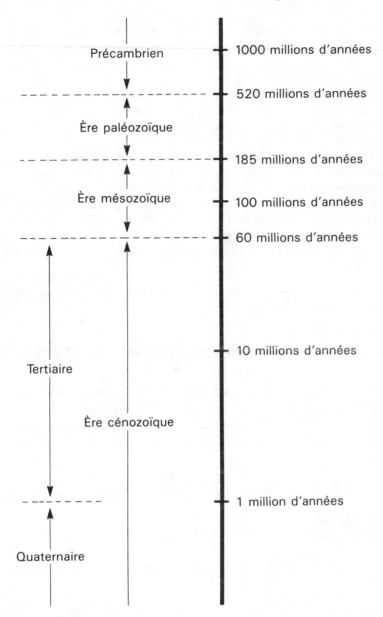

Le *papier logarithmique*, fréquemment employé en sciences expérimentales, utilise l'échelle logarithmique de base 10. On le retrouve dans le commerce sous deux formes : semi-logarithmique (on dit couramment *semi-log*) et logarithmique-logarithmique (on dit couramment *log-log*).

Le papier semi-log est utilisé lorsque les valeurs d'une variable sont très étalées par rapport aux valeurs de l'autre variable. Il est construit de la façon suivante : sur un axe, les unités se présentent sous forme linéaire et, sur un autre axe, il s'agit d'une échelle logarithmique. Le papier semi-log se retrouve sous différentes formes, que l'on identifie par le nombre de cycles (généralement, de 1 à 5) qui apparaissent sur l'axe logarithmique. Un cycle représente une unité logarithmique : par exemple, on compte un cycle entre 1 et 10 (log 1 = 0 et log 10 = 1), un autre cycle entre 10 et 100 (log 10 = 1 et log 100 = 2), un autre cycle entre 100 et 1000 (log 100 = 2 et log 1000 = 3). L'échelle logarithmique peut commencer à n'importe quelle valeur selon les besoins du problème : si elle commence à 1, et s'il y a trois cycles, on pourra situer les nombres entre 1 et 1000 : les chiffres 1, 2, ..., 9, qui se trouvent sur l'échelle logarithmique, permettent d'identifier les nombres 1 à 9, puis 10 à 90, puis 100 à 900...

Exemple A : Soit un papier semi-log d'échelle logarithmique à deux cycles. Si le 1er cycle commence à 1 (origine de l'axe logarithmique), le deuxième commence à 10. La longueur du cycle de 1 à 10 est prise comme unité, puisque log 10 = 1. Le chiffre 3 qui apparaît dans le 1er cycle est à log 3 $\simeq$ 0,47712... unité de distance par rapport au début du cycle. De même, 5 est placé à log 5 $\simeq$ 0,69897 unité du début du cycle. Si on considère le 2e cycle, 30 se trouve à log 30 $\simeq$ 1,47712 unité de l'origine. Sur le papier semi-log de la page 63, l'axe horizontal est gradué de 0 à 14, et l'axe vertical, de 1 à 100. Nous avons placé les points A (3, 5), B (5, 50), C (6, 80), D (7, 7,3), E (0, 56) et illustré les distances log 3, log 5, log 10 et log 30.

Le papier log-log se présente avec deux axes d'échelle logarithmique. Comme pour les papiers semi-log, on les retrouve dans différents formats.

Exemple B : Nous avons placé les points A (2, 7), B (45, 8), C (150, 90), D (60, 0,3) sur un papier log-log de 3 × 3 cycles : l'échelle horizontale a comme origine 1 et l'échelle verticale, 0,1 (voir p. 64).

On utilise les papiers logarithmiques pour trouver un lien entre différentes valeurs obtenues expérimentalement. Si les variables sont liées par une fonction exponentielle, les points correspondants seront alignés sur un papier semi-log. Si les variables sont liées par une fonction puissance, les points correspondants seront alignés sur un papier log-log. En effet, considérons la fonction

$$y = A\,e^{kx}\,;$$

en prenant le logarithme de chaque terme, on obtient log y = log ($A\,e^{kx}$), c'est-à-dire

$$\log y = \log A + kx \log e$$
$$= \log A + 0{,}4343\,kx.$$

Si nous posons log A = p et 0,4343 k = m (ce sont des constantes), log y s'exprime comme une fonction linéaire de x :

$$\log y = p + mx.$$

Sur un graphique cartésien ordinaire, les points de coordonnées (x, log y) seraient alignés ; sur un papier semi-log, ce sont les points (x, y) car y occupe la position de log y.

Exemple C : La fonction $y = 10^x$ passe par les points A (1, 10), B (2, 100), C (1,5, 31,6), D (0,5, 3,16). Si on représente ces points sur du papier semi-log, ils seront alignés selon la droite d'équation log y = log 10^x, c'est-à-dire, log y = x log 10 ou encore log y = x (voir p. 65).

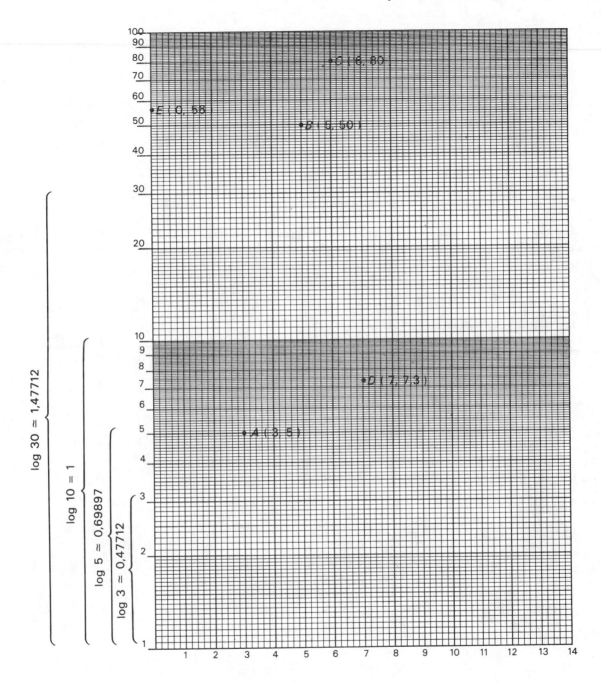

PAPIER SEMI-LOG À 2 CYCLES

(EXEMPLE A)

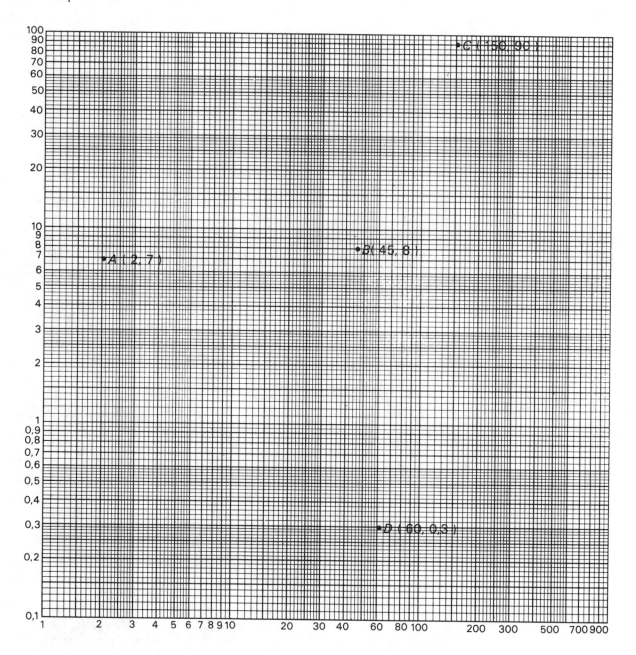

PAPIER LOG-LOG À 3×3 CYCLES

(EXEMPLE B)

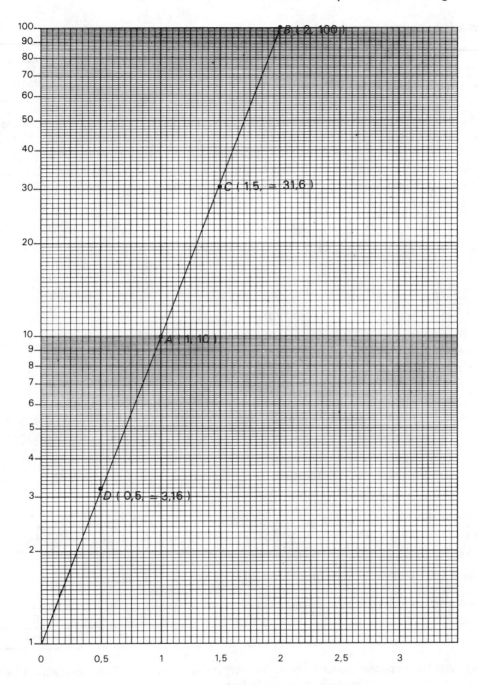

PAPIER SEMI-LOG À 2 CYCLES
(EXEMPLE C)

Exemple D : On veut trouver la fonction qui lie les variables du tableau suivant :

x	1	2	3	4	5
y	3,3	5,4	9	14,8	24,4

En plaçant les points sur un papier semi-log (voir p. 67), on constate qu'ils sont pratiquement alignés : cela signifie que x et y sont liés entre eux par une fonction exponentielle de la forme $y = A\, e^{kx}$. Nous allons trouver A et k à partir de la droite tracée sur le papier semi-log. La pente $m = 0,4343k$ nous permettra de trouver k, tandis que l'ordonnée à l'origine $p = \log A$ nous donnera la valeur de A. Graphiquement, nous trouvons que $p \simeq \log 2$, c'est-à-dire que $A \simeq 2$. De même,

$$m \simeq \frac{\log 14,8 - \log 3,3}{4 - 1}$$

$$\simeq 0,2172,$$

d'où

$$k \simeq \frac{0,2172}{0,4343}$$

$$\simeq 0,5.$$

La fonction qui lie x et y est donc très proche de

$$y = 2\, e^{\frac{1}{2}x}.$$

De façon analogue, on peut trouver la fonction puissance qui lie les variables x et y, à l'aide du papier log-log. En effet, si nous considérons la fonction $y = A\, x^m$, et si nous prenons le logarithme de chacun des termes, nous obtenons :

$$\log y = \log x^m + \log A$$

$$= m \log x + \log A.$$

Puisque m et $\log A$ sont des constantes, les points ($\log x$, $\log y$) seront alignés sur un graphe cartésien usuel, car on a la forme $\log y = m \log x + p$. Sur un papier log-log, les points de coordonnées (x, y) seront donc alignés.

Exemple E : On veut trouver la fonction qui lie les variables du tableau suivant :

x	2	3	4	5	6
y	20	36	56	78	103

En plaçant ces points sur un papier log-log (voir p. 68), on constate qu'ils sont presque alignés : x et y sont donc liés entre eux par une fonction puissance de la forme $y = A\, x^m$. Nous allons trouver A et m à partir de la droite tracée sur le papier. La pente m donne la puissance de la fonction cachée, et l'ordonnée à l'origine $p = \log A$, la valeur de A. Graphiquement, nous trouvons que $A \simeq 7$ et que

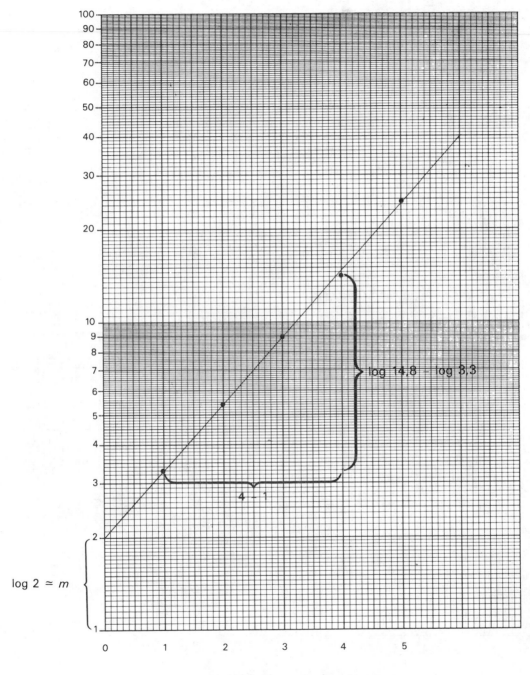

PAPIER SEMI-LOG À 2 CYCLES
(EXEMPLE D)

$$m \simeq \frac{\log 56 - \log 20}{\log 4 - \log 2}$$

$$\simeq 1,49.$$

La fonction qui lie x et y est très proche de

$$y = 7\, x^{1,5}.$$

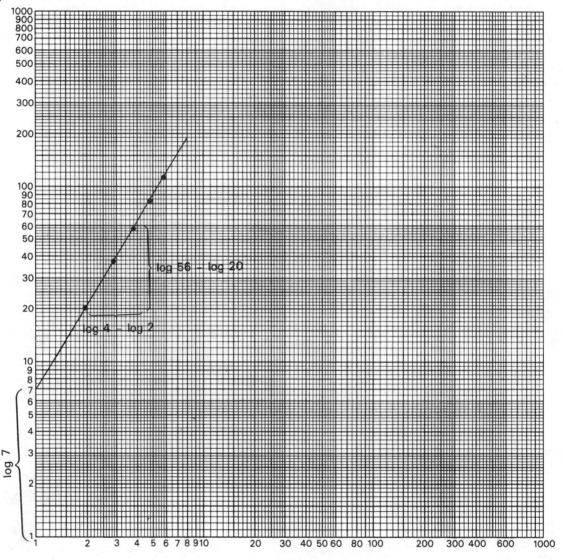

PAPIER LOG-LOG À 3×3 CYCLES

(EXEMPLE E)

2.6 EXERCICES RÉCAPITULATIFS (2e partie)

1. Donner (sans l'aide de calculatrice) la valeur de :

a) $\log_2 16$;

b) $\log_3 3^4$;

c) $\log 10^{-4}$;

d) $\log_5 125$;

e) $\log_4 0{,}25$;

f) $\log_{16} \sqrt{4}$;

g) $\log_{27} 81$;

h) $\log_5 (1/25)$;

i) $\log_{125} 5$.

2. Trouver la valeur de x (sans l'aide d'une calculatrice) :

a) $\log_5 x = 4$;

b) $\log_3 \dfrac{1}{81} = x$;

c) $\log_4 x = 1/2$;

d) $\log_x 2 = 1/3$;

e) $\log_{32} 8 = x$;

f) $\log_2 x = -6$;

g) $\log_{2/3} x = 3$;

h) $\log_x 1/3 = -1/3$;

i) $\log_{36} (1/216) = x$.

3. Supposons que $\log e = 0{,}4343$ et que $\log 4 = 0{,}6021$. En déduire (sans l'aide de calculatrice) la valeur de ln 4.

4. Trouver le logarithme naturel de :

a) $(1{,}87)^3$;

b) $\dfrac{58}{513}$;

c) $(2{,}56)^{3,2}$;

d) $4{,}13 \, e^3$;

e) $\ln 3$;

f) $\log 3{,}14$;

g) $417^{\ln 2}$;

h) $\left(\dfrac{312 \times 427}{65 - 18} \right)^3$;

i) $4{,}14 - 38 \, e^4$.

5. Trouver la valeur de t telle que $1000e^{2t}$ égale 2000; égale 3000.

6. Trouver la valeur de x à l'aide des logarithmes si :

a) $3^x = 112$;

b) $4^{x + 2} = 6^{2x - 2}$;

c) $\dfrac{(1{,}12)^x - 1}{0{,}12} = 4$;

d) $(1{,}05)^{-x} = 0{,}82$.

e) $3 \ln (x + 1) = 4$;

f) $\ln (x + 2) + \ln x = \ln 1$;

g) $e^{\ln x} + 1 = 2x - 4$;

h) $e = x^{\ln x}$.

7. Donner le domaine de

$$f(x) = \left(\frac{x}{x - 1} \right)^x .$$

Montrer que $\ln f(x) = x \ln | x | - x \ln | x - 1 |$.

8. Tracer le graphe des fonctions suivantes :

a) $f(t) = -2^{-3t}$;

b) $g(t) = 1 - 2^{-3t}$;

c) $h(t) = 5 \times 2^{-3t}$.

9. Beaucoup de phénomènes de croissance ou de décroissance font intervenir la fonction exponentielle. Par exemple, la fonction $f(t) = A\,2^{kt}$, où A est une constante, décrit la taille d'une certaine population d'insectes au temps t.

i)   Montrer que A est égal à la taille de la population au temps $t = 0$.

ii)   Qu'arrive-t-il si $k > 0$? si $k < 0$?

iii)   La taille d'une population d'insectes est égale, au temps t, à $f(t) = 10^6 2^{0,05t}$, t étant donné en jours. Quelle sera la taille après 100 jours ? après 200 jours ?

iv)   Donner la représentation cartésienne de la fonction f précédente.

10. La population d'un pays, au début de l'année t, suit la loi $f(t) = 5 \times 10^7 \times 2^{\frac{1}{4}\left(\frac{1}{10}t - 197\right)}$.

a)   Quelle était la population de ce pays au début de l'année 1980 ?

b)   En quelle année cette population atteindra-t-elle 100 millions ?

11. Les ventes d'un produit, au temps t, sont données par $V(t) = 24\,000\,e^{-0,3t}$

a)   Si t est en mois, donner le nombre de ventes après six mois, un an, un an et demi, deux ans.

b)   Donner la valeur de t pour laquelle $V(t) = 20\,000$.

12. Un éditeur de manuels scolaires a évalué que les ventes annuelles d'un ouvrage de mathématiques, après t années sur le marché, sont données par $f(t) = 4\,000 + 10^4\,e^{-0,4\,(t-1)}$.

a)   Donner la valeur de f en $t = 1, 2, 3$ et 10. Faire le graphe de f (pour $t \in [\,0,10\,]$).

b)   De quelle valeur se rapproche $f(t)$ lorsque t devient très grand ?

13. La population d'une ville à l'instant t (en années) est donnée par
$P(t) = 4 \times 10^3\,e^{0,05\,t}$.

a)   Quelle était la population à l'instant initial $t = 0$ qui correspond à l'année 1887 ?

b)   Quelle était la population en 1950 ?

c)   En quelle année la population de la ville est-elle de 56 583 habitants ?

14. Une population d'insectes évolue selon le modèle $P(t) = 500\,e^{0,02t}$ (où t est exprimé en mois).

a)   Combien y avait-il d'insectes à l'instant initial $t = 0$?

b)   Combien y aura-t-il d'insectes au bout de 3 mois ?

c)   À quel moment la population sera-t-elle de 1 000 insectes ?

d)   Par rapport au début du phénomène, à quel moment la population aura-t-elle triplé ?

15. Le recrutement des membres d'un club se fait de la façon suivante : chaque mois, chaque membre doit amener un nouvel adhérent. Si le club avait 15 membres au moment de sa fondation, combien en compte-t-il après cinq ans ?

16. L'indice des prix des aliments augmente de 12 % par année. Quelle sera dans 4 ans la valeur d'un sac de provisions dont le prix actuel est de 80 $?

17. Si le taux d'inflation est de 10 % par année :

a) combien faudra-t-il payer dans 5 ans un fauteuil valant actuellement 200 $?

b) quel prix faut-il payer maintenant pour un fauteuil qui dans 5 ans vaudra 200 $?

18. Trouver quelle somme doit être versée à l'échéance d'un prêt de 6 000 $, pour 9 mois à $12\frac{3}{4}$ % l'an. (Attention ! l'intérêt n'est calculé qu'une fois, à l'échéance, et non mensuellement. Pourquoi ne s'agit-il pas d'intérêts composés ?)

19. Quelle somme, prêtée pour 8 mois à 10,8 % l'an, rapportera des intérêts de 52 $? (L'intérêt n'est calculé qu'une fois, à l'échéance. Pourquoi ?)

20. Une certaine somme, déposée dans un compte à intérêts composés mensuellement, double après 6 ans et 8 mois. Quel est le taux nominal d'intérêt ? Quel est le taux effectif ?

21. Quelle somme doit être prêtée à intérêts composés deux fois l'an au taux de 12 % pour que, dans 20 ans, sa valeur soit passée à 25 000 $?

22. Une obligation d'épargne rapporte 9,5 % d'intérêts composés semi-annuellement. Quand la valeur de l'obligation aura-t-elle doublé ? triplé ?

23. On a placé un montant de 1 500 $ à un taux d'intérêt de 10 % composé annuellement. On a, d'autre part, placé 1 200 $ à un taux de 12 % composé semi-annuellement. Dans combien de temps aura-t-on capitalisé une même somme d'argent ?

24. Une obligation, émise pour six ans à intérêts composés semestriellement, aura doublé sa valeur. Quel est le taux consenti ?

25. Le montant de la dépréciation d'un appareil, ayant coûté A $ et devant durer n années, est de $\dfrac{2A}{n}$ $ pour la première année et de $\dfrac{2}{n}$ fois la valeur résiduelle, pour les années subséquentes. À quel montant doit-on revendre, après 6 ans, une voiture ayant coûté 7 680 $ et ayant une durée de vie de 11 ans ?

26. Dans une réaction chimique, la concentration moléculaire d'un corps qui disparaît suit la fonction $C = C_0 \, e^{-Kt}$ où C est la concentration à l'instant t, C_0, la concentration initiale, et K, une constante de vitesse de la réaction. Trouver la valeur de K si, à $t = 130$ (en seconde), la concentration du corps dans la solution a diminué du tiers.

27. Une cellule se divise en deux toutes les 15 minutes. Si ce rythme de reproduction se maintient, combien y aura-t-il de cellules après 6 heures ?

28. On peut déterminer la masse moléculaire moyenne M d'une fraction de distillation du pétrole d'après son point d'ébullition atmosphérique t (en °C) d'après l'équation

$$\log M = 2,51 \log (t + 393) - 4,75.$$

a) Calculer M pour $t = 130$°C.

b) Trouver t pour $M = 200$.

29. La fonction exponentielle est utilisée en électricité lorsqu'on charge ou décharge un condensateur. La quantité d'électricité Q emmagasinée dans le condensateur à l'instant t est donnée par

$$Q(t) = A(1 - e^{\frac{-t}{b}})$$

où $A = 400$ (en microcoulomb) et $b = 10^{-3}$ (en seconde).

i) Donner l'allure du graphe de Q en fonction de t, après avoir calculé $Q(0)$, $Q(10^{-4})$, $Q(10^{-3})$, $Q(10^{-2})$, $Q(10^{-1})$.

ii) De quelle valeur se rapproche Q, à mesure que t augmente ?

30. Certains transistors sont formés d'une barre de germanium très pur et de grande résistivité. On a prouvé que cette résistivité décroît en fonction de la température selon $P = A e^{\beta/\theta}$

où $A = 2{,}33 \times 10^{-7}$ (en $\Omega \cdot m$),

$\beta = 4\,350$ (en °K),

θ, la température (en °K).

i) Quelle sera la résistivité du germanium à 333 °K ?

ii) À quelle température la résistivité sera-t-elle de 0,418 (en $\Omega \cdot m$) ?

31. Lorsqu'un condensateur se décharge dans une résistance R, l'intensité du courant i en fonction du temps t est donnée par

$$i = I e^{-\frac{t}{CR}}$$

où $C = 10^{-6}$ (en Farad), $I = 0{,}1$ (en ampère), $R = 10^6$ (en ohm) et t en seconde.

a) Quelle intensité de courant parcourt la résistance au temps $t = 1{,}5\,s$?

b) À quel moment l'intensité i sera-t-elle de 0,01 ampère ?

32. Dans un circuit comprenant une résistance R et un condensateur C en série, la valeur du courant i à l'instant t, après la fermeture du circuit, est donnée par

$$\ln i = \ln E - \frac{t}{CR} - \ln R.$$

a) Trouver la forme générale de i.

b) Combien vaut i si $E = 120$ V, $t = 4 \times 10^{-5}$ s, $R = 300\,\Omega$ et $C = 3 \cdot 10^{-6}$ F.

33. Le nombre de bactéries d'une colonie augmente régulièrement de 10 % toutes les heures. En partant de 2000 bactéries :

a) combien y en aura-t-il au bout de 5 heures ?

b) à quel moment y aura-t-il 5000 bactéries ?

34. Une substance radioactive (le cobalt 60) se désintègre de façon exponentielle et sa demi-vie est de 5,3 années. Combien de temps faudra-t-il pour que la masse d'un échantillon de 60 g soit réduite à 6 g ?

35. En sachant que la demi-vie de l'uranium est de $4,5 \times 10^9$ années, déterminer la constante k.

36. La constante k du carbone 14 est $1,21 \times 10^{-4}$.

a) De quelle époque datent les ossements dans lesquels il ne reste que le $1/16^e$ de la masse initiale ?

b) Si on considère qu'on ne peut pas mesurer des quantités de C14 inférieures à $1/1000^e$ de la masse initiale, quels sont les fossiles les plus anciens que l'on peut déterminer par cette méthode ?

c) De quelle époque datent les momies égyptiennes si la quantité de C14 restante est la moitié de la quantité initiale ?

37. À l'aide de papiers semi-log et log-log, déterminer les fonctions qui lient les variables des tableaux suivants :

a)

x	4	5	10	100	150
y	6	6,7	9,5	30	36,7

;   b)

x	1	2	3	4	5
y	2,2	4,9	11	24	54,6

;

c)

x	-1	$-1/2$	3	5	6
y	2,4	3,1	17,9	48,7	80,3

;   d)

x	0	$1/2$	1	3	5	6
y	3	4	5	9	13	15

;

e)

x	$1/2$	0,7	2	3
y	0,13	0,7	16	54

.

Chapitre **3**

Éléments de géométrie plane

PRÉAMBULE

Nous allons, dans ce chapitre, aborder les notions d'angle et de triangle. Nous le ferons d'un point de vue particulier, celui de la géométrie plane qui étudie les figures quant à leur forme, à leur étendue et aux relations entre elles.

3.1 AU SUJET DES ANGLES

Une des notions premières de la géométrie est celle d'angle. On l'introduira de façon intuitive : cela est suffisant pour nos besoins, et correspond à l'idée qu'en ont la plupart des gens...

DÉFINITION : Un *angle* est la portion du plan limitée par deux demi-droites ayant même origine.

Chacune des demi-droites qui permettent de définir un angle s'appelle *côté*, tandis que l'origine (sur le graphique, O) s'appelle *sommet*. La définition qu'on vient de donner permet de considérer deux angles, un angle *saillant* et un angle *rentrant* : chacun est une portion du plan délimitée par les deux

demi-droites et constitue un angle. Aussi, pour éviter toute ambiguïté sur l'angle que l'on veut considérer, on l'indique par un arc de cercle. D'autre part, à moins d'indication contraire, on parlera de l'angle saillant.

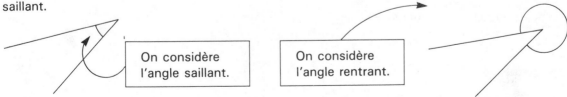

On considère l'angle saillant.

On considère l'angle rentrant.

Pour désigner un angle, on utilise diverses notations.

— On représente l'angle par une lettre (parfois, par un chiffre).

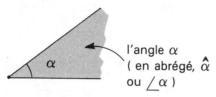

l'angle α
(en abrégé, $\hat{\alpha}$
ou $\angle \alpha$)

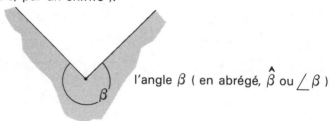

l'angle β (en abrégé, $\hat{\beta}$ ou $\angle \beta$)

— On représente l'angle par son sommet : cette notation n'est pas souhaitable dans le cas d'un angle rentrant.

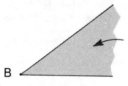

l'angle B (en abrégé, $\hat{B}$ ou $\angle B$)

— On utilise des points situés sur les côtés : cette notation n'est pas souhaitable dans le cas d'un angle rentrant.

l'angle BAC (en abrégé, $B\hat{A}C$, $\widehat{BAC}$ ou $\angle BAC$)

Un angle est dit *plat* si les deux demi-droites qui l'engendrent sont dans le prolongement l'une de l'autre

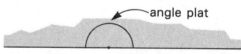

angle plat

angle nul

L'angle saillant obtenu par deux demi-droites confondues est dit *nul*,

tandis que l'angle rentrant ainsi obtenu est dit *plein*.

angle plein

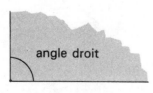

angle droit

Un angle *droit* est l'angle saillant obtenu par deux demi-droites perpendiculaires.

À chaque angle, on lui associe sa mesure. Diverses méthodes, toutes basées sur le cercle, permettent de mesurer un angle. Le *degré* (noté °) est une unité courante reposant sur la division de l'angle plein en 360 parties égales. Un *rapporteur* est un instrument de lecture permettant de mesurer un angle en degré :

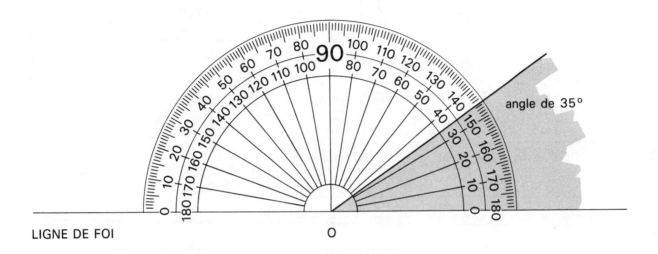

LIGNE DE FOI   O

On confond le point O du rapporteur avec le sommet de l'angle à mesurer, ainsi que la ligne de foi du rapporteur avec un des côtés. La graduation permet alors de lire de façon plus ou moins précise l'angle. Chaque degré est divisé en 60 *minutes* (') et chaque minute, en 60 *secondes* (''). Ainsi, un angle de 40°28'18'' (c'est-à-dire, 40 degrés, 28 minutes, 18 secondes) est un angle de 40 + (28/60) + (18/3600) degrés, ce qui s'écrit 40,47166...°. La plupart des calculatrices possèdent des touches permettant de passer de l'écriture décimale en degrés à l'écriture en degré-minute-seconde, et vice versa.

Un angle est, comme on l'a défini, la portion du plan délimitée par deux demi-droites ayant même origine. Par abus de langage, on dira que deux angles sont *égaux* s'ils ont même mesure, comme si on ne retenait d'un angle que sa mesure, oubliant sa situation '' géographique '' dans le plan. C'est cet abus qui nous fait souvent confondre un angle et sa mesure. Par exemple, en écrivant

$\hat{A}$ = 60° (et même A = 60°)

(ce qui se lit '' l'angle A est 60° ''), on veut dire que la mesure de l'angle A est 60°. En pratique, cette confusion ne porte pas à conséquence : ce qui nous intéresse d'un angle, c'est sa mesure. Si on voulait distinguer un angle et sa mesure, il faudrait se donner un autre symbolisme, employé par certains, du type

m ($\hat{A}$) = 60°

(la mesure de $\hat{A}$, en degré, est 60) qui, à tout considérer, n'est pas vraiment indispensable.

Le tableau suivant donne une classification des angles suivant leur mesure.

ANGLE	EN DEGRÉ	REPRÉSENTATION	
SAILLANT	entre 0° et 180°		
— nul	0°		
— aigu	entre 0° et 90°		
— droit	90°		(*)
— obtus	entre 90° et 180°		
— plat	180°		
RENTRANT	entre 180° et 360°		
— plein	360°		

Donnons-nous un vocabulaire qui aide à décrire les angles d'une figure géométrique.

ANGLES ADJACENTS

Deux angles sont dits *adjacents* s'ils ont un sommet et un côté communs, et s'ils sont situés de part et d'autre du côté commun.

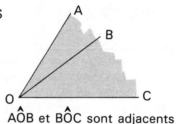

AÔB et BÔC sont adjacents

ANGLES COMPLÉMENTAIRES

Deux angles sont dits *complémentaires* si la somme de leurs mesures donne 90°.

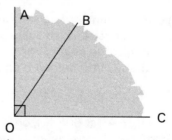

AÔB et BÔC sont complémentaires

(*) Un angle droit est signalé par un petit carré.

ANGLES SUPPLÉMENTAIRES

Deux angles dont la somme de leurs mesures donne 180° sont dits *supplémentaires*.

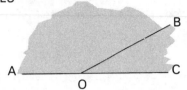

A$\hat{O}$B et B$\hat{O}$C sont supplémentaires

ANGLES OPPOSÉS PAR LE SOMMET

Deux angles de sommet commun et dont les côtés sont dans le prolongement l'un de l'autre sont dits *opposés par le sommet*. Deux angles opposés par le sommet sont égaux.

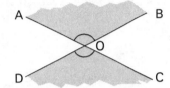

A$\hat{O}$B et D$\hat{O}$C sont opposés par le sommet

ANGLES INTERNES, EXTERNES, ALTERNES-INTERNES, ALTERNES-EXTERNES, CORRESPONDANTS

Lorsque deux parallèles sont coupées par une troisième droite, appelée *sécante*, on donne aux angles ainsi obtenus des noms particuliers :

— ceux situés à l'intérieur des deux parallèles sont dit *internes*, tandis que ceux à l'extérieur sont dits *externes* ;

— deux angles internes non adjacents situés de part et d'autre de la sécante sont dits *alternes-internes* ;

— deux angles externes non adjacents situés de part et d'autre de la sécante sont dits *alternes-externes* ;

— deux angles non adjacents, l'un interne, l'autre externe, placés du même côté de la sécante sont dits *correspondants*.

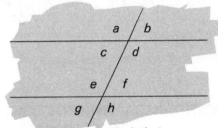

angles externes : $\hat{a}$, $\hat{b}$, $\hat{g}$, $\hat{h}$
angles internes : $\hat{c}$, $\hat{d}$, $\hat{e}$, $\hat{f}$
angles alternes-internes :
— $\hat{f}$ et $\hat{c}$
— $\hat{d}$ et $\hat{e}$
angles alternes-externes :
— $\hat{a}$ et $\hat{h}$
— $\hat{b}$ et $\hat{g}$
angles correspondants :
— $\hat{a}$ et $\hat{e}$ — $\hat{b}$ et $\hat{f}$
— $\hat{d}$ et $\hat{h}$ — $\hat{c}$ et $\hat{g}$

Les angles internes, de même que les angles externes, sont ou égaux, ou supplémentaires. Les angles alternes-internes et alternes-externes sont égaux, de même que les angles correspondants.

Exercices (a) : (1) Calculer (en degré-minute-seconde) la somme et la différence des angles
$\hat{A}$ = 48°27′ et $\hat{B}$ = 17°13′14″.

(2) Quelle est la mesure du complément et du supplément de $\hat{A}$ = 27°0′18″ ?

(3) Si $\widehat{COD}$ = 40°, que vaut $\widehat{BOA}$?

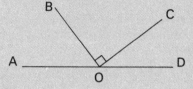

(4) Tracer avec un compas et une règle l'angle droit AOB tel que la distance de
O à A soit de 3 unités et celle de O à B, de 5 unités. Mesurer alors avec un
rapporteur $\widehat{OBA}$ et $\widehat{OAB}$.

(5) Démontrer que deux angles opposés par le sommet sont égaux.

(6) Sur la figure, BE est parallèle à AF. Parmi les dix angles considérés, déceler ceux
qui sont alternes-internes, alternes-externes, correspondants, supplémentaires,
complémentaires, opposés par le sommet. Lesquels sont égaux ?

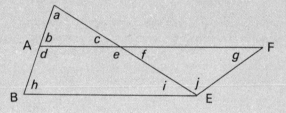

3.2   CERTAINES CONSTRUCTIONS IMPORTANTES

Avant d'arriver au triangle, nous allons apprendre à construire graphiquement certains angles. En
général, on dispose de divers instruments (compas, règles, équerres...). Apprenons d'abord à construire
une parallèle à une droite, à l'aide seulement d'un compas et d'une règle.

——————— COMMENT CONSTRUIRE UNE PARALLÈLE ———————

1° Tracer deux cercles de même rayon dont le centre est sur la droite à laquelle on veut mener
une parallèle.

2° Mener une
tangente aux
deux cercles.

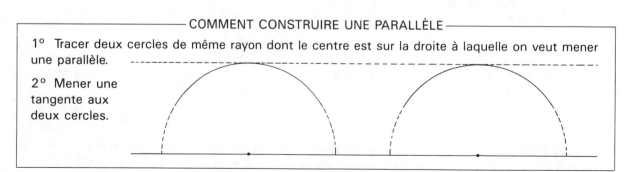

Voyons maintenant comment diviser un segment de droite en deux parties égales. La division d'un segment en deux permet aussi de tracer un angle droit.

COMMENT DIVISER UN SEGMENT EN DEUX PARTIES ÉGALES ET TRACER UN ANGLE DROIT

1° Tracer deux cercles qui se coupent, de même rayon et de centre A et B.

2° Joindre par une droite les points d'intersection des deux cercles.

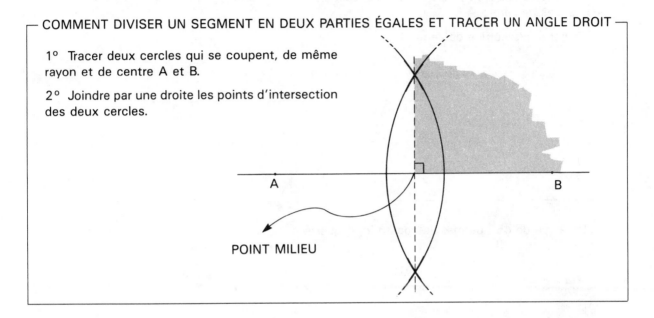

POINT MILIEU

La *bissectrice* d'un angle est la demi-droite issue du sommet partageant l'angle en deux parties égales. Voyons comment tracer la bissectrice.

COMMENT TRACER LA BISSECTRICE D'UN ANGLE

1° Tracer un cercle de centre O qui coupe les côtés de l'angle en deux points C et D.

2° Tracer deux cercles qui se coupent, de même rayon et de centre C et D.

3° La bissectrice passe par le sommet et les deux points d'intersection.

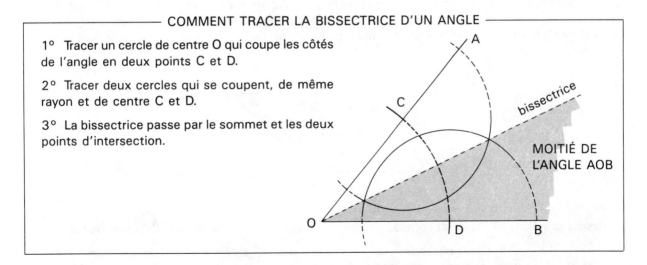

MOITIÉ DE L'ANGLE AOB

Sachant tracer un angle droit et une bissectrice, on est en mesure de tracer un angle de 45°.

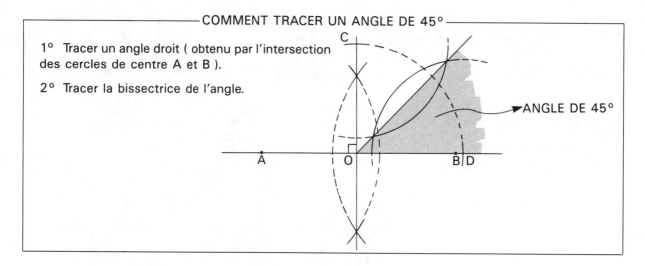

COMMENT TRACER UN ANGLE DE 45°

1° Tracer un angle droit (obtenu par l'intersection des cercles de centre A et B).

2° Tracer la bissectrice de l'angle.

ANGLE DE 45°

Un angle de 45° permet de construire l'équerre 45°.

L'équerre 45°, en plus de permettre la construction immédiate d'angle de 45° et de 90°, permet de mener des parallèles, de reproduire un angle, de diviser un segment en *n* (*n* entier) parties égales sans avoir à recourir au compas. Voici par exemple comment on l'utiliserait pour mener une parallèle.

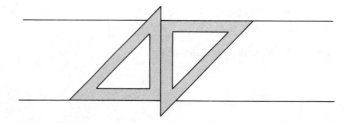

Exercices (b) : (1) Avec un compas et une règle, construire un angle de 90°, puis de 45°.

(2) Avec un rapporteur, construire un angle de 45°. Avec le compas, mener la bissectrice . Vérifier l'angle obtenu avec le rapporteur.

(3) Même question qu'en (2), avec 60°.

(4) Diviser un segment de droite en 5 parties égales, à l'aide du compas, de la règle et de l'équerre 45°.

(5) Expliquer comment s'y prendre pour reproduire un angle.

3.3 AU SUJET DES TRIANGLES

On appelle *triangle* une portion du plan délimitée par trois segments de droite ayant deux à deux une extrémité commune. Les segments portent le nom de *côtés* (sur le graphique, AC, BC et AB), tandis que les extrémités sont appelées *sommets*. On désigne un triangle par ses sommets. Le graphique représente le triangle ABC (en abrégé, ΔABC). Un triangle comporte six éléments :

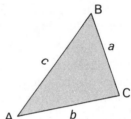

— trois côtés (de longueurs respectives *a*, *b*, *c*, comme indiqué)(*),
— trois angles (qu'on note $\hat{A}$, $\hat{B}$ et $\hat{C}$).

Quand est-on en mesure de construire un triangle ?

— Quand on connaît la longueur de ses trois côtés (cas CCC).

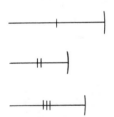

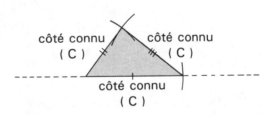

côté connu (C)   côté connu (C)

côté connu (C)

— Quand on connaît la longueur d'un côté et la mesure des deux angles qui lui sont adjacents (cas ACA).

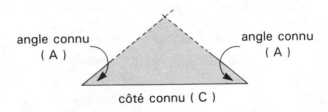

angle connu (A)   angle connu (A)

côté connu (C)

---

* La longueur d'un segment de droite peut aussi être notée $|$ AB $|$, $|$ AC $|$, $|$ BC $|$: ici $a = |$ BC $|$, $b = |$ AC $|$ et $c = |$ AB $|$.
La longueur d'un segment de droite est toujours positive : évidemment, $|$ AB $| = |$ BA $|$... Plus loin, on fera intervenir des longueurs orientées, aussi appelées mesures algébriques.

— Quand on connaît la mesure d'un angle et la longueur des deux côtés qui l'engendrent (cas CAC).

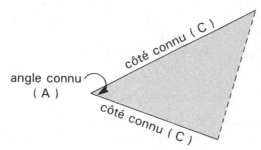

Quand on peut construire un triangle, on peut alors en déterminer, soit par des mesures ou soit par des relations métriques, les six éléments qui le composent. On dira de deux triangles qu'ils sont *égaux* s'ils ont :

— ou trois côtés de longueurs égales (cas CCC) ;
— ou un côté de même longueur compris entre deux angles égaux deux à deux (cas ACA) ;
— ou un angle égal compris entre deux côtés de longueurs deux à deux égales (cas CAC).

Chacune de ces trois conditions, qu'on appelle *cas d'égalité des triangles*, permet de conclure que les six éléments composant chaque triangle sont deux à deux égaux. De plus en plus, on préfère dire que deux triangles sont *isométriques* plutôt qu'égaux. Le terme '' égal '' pourrait en effet sous-entendre que les deux figures coïncident, ce qui n'est pas le cas, tandis que le terme '' isométrique '' indique, ce qui est correct, que les figures ont les mêmes mesures.

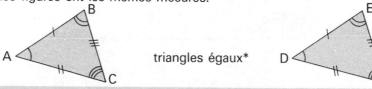

triangles égaux*

Exercices (c) : (1) Dans les cas d'égalité des triangles, pourquoi ne retrouve-t-on pas le cas AAA ?
(2) Démontrer que, dans tout triangle, la longueur d'un côté est plus petite que la somme des longueurs des deux autres. (N'oublions pas que la droite est le plus court chemin entre deux points !)
(3) Démontrer que, dans tout triangle, la longueur d'un côté est plus grande que la différence des longueurs des deux autres.
(4) Tracer le triangle ABC si $|AC| = 8$, $|AB| = 5$ et $|BC| = 4$.
(5) Tracer le triangle ABC si $\hat{A} = 65°$, $|AC| = 3$ et $|AB| = 5$.
(6) Tracer le triangle ABC si $\hat{A} = 28°$, $\hat{B} = 45°$ et $|AB| = 5$.
(7) Dans un triangle, on a mesuré un angle de 34°. Un des côtés adjacents à l'angle mesure 8 unités, tandis que le côté opposé à l'angle mesure 5 unités. Est-on en mesure de construire ce triangle ?

---

* Pour indiquer que les triangles ABC et DEF sont égaux, on écrirait △ ABC ≅ △ DEF.

Ayant choisi un des côtés du triangle comme *base*, on peut construire la *hauteur* : il s'agit du segment de droite issu du sommet opposé à la base et perpendiculaire à celle-ci. Suivant le choix de la base, on peut donc construire trois hauteurs. La longueur de la hauteur est habituellement notée *h*.

hauteur

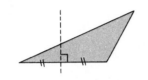

On appelle *médiatrice* d'un côté du triangle la droite perpendiculaire à un côté et passant par le milieu de celui-ci.

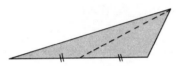

On appelle *médiane* d'un triangle le segment de droite joignant un sommet du triangle au milieu du côté opposé.

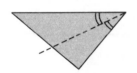

Dans un triangle, on peut aussi construire les *bissectrices* des angles, c'est-à-dire les droites qui divisent les angles en deux angles égaux.

Les hauteurs, les médianes, les médiatrices et les bissectrices d'un triangle sont *concourantes*, c'est-à-dire se rencontrent en un point commun.

Les hauteurs se rencontrent en un point commun, appelé *orthocentre*.

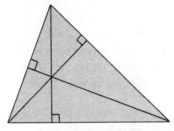

Les médianes se rencontrent en un point commun, appelé *centre de gravité* du triangle.

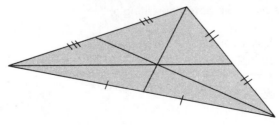

Les médiatrices se rencontrent en un point commun, le *centre du cercle circonscrit* au triangle.

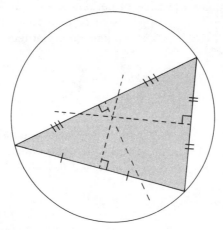

Les bissectrices se rencontrent en un point commun, le *centre du cercle inscrit* au triangle.

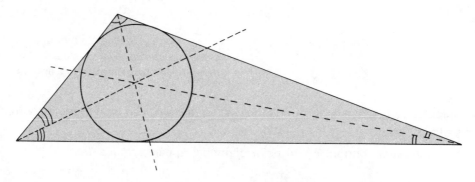

La construction d'un cercle circonscrit ou inscrit à un triangle se fait à l'aide des médiatrices ou des bissectrices. Profitons de l'occasion pour donner la formule des rayons et des aires des cercles circonscrit et inscrit à un triangle. Leur démonstration ne saurait toutefois être faite proprement à ce stade-ci. Il faudrait en effet faire un minimum de trigonométrie, et parler plus longuement d'aire, de cercle...

RAYON ET AIRE DU CERCLE INSCRIT ET DU CERCLE CIRCONSCRIT À UN TRIANGLE

Soit a, b et c, les longueurs des trois côtés du triangle.

Notons $s = \dfrac{1}{2}(a + b + c)$, le demi-périmètre du triangle.

Alors

$$r = \sqrt{\frac{(s-a)(s-b)(s-c)}{s}}$$

et

$$R = \frac{abc}{4A}$$

sont respectivement la longueur du rayon du cercle inscrit et circonscrit au triangle, A étant l'aire du triangle. L'aire du cercle inscrit et du cercle circonscrit s'obtiennent en faisant πr^2 et πR^2.

Pour calculer A, l'aire du triangle, on multiplie les longueurs de la base et de la hauteur qu'on divise par 2, c'est-à-dire $A = \frac{1}{2} bh$. Il existe aussi une formule plus simple pour calculer A : A = rs.

Exemple : Dans une pièce métallique de forme triangulaire, on désire percer le plus grand trou possible, tout en restant à 1 cm du bord. Quel sera le rayon du cercle que l'on devra tracer si les côtés du triangle mesurent respectivement 6, 8 et 10 cm. Le rayon du cercle inscrit est donné par

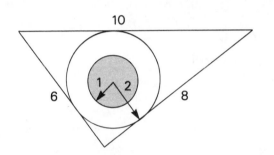

$$r = \sqrt{\frac{(s - a)(s - b)(s - c)}{s}}.$$

La valeur de s est $\frac{1}{2}(6 + 8 + 10) = 12$. On calcule r :

$$r = \sqrt{\frac{(12 - 6)(12 - 8)(12 - 10)}{12}} = 2$$

Comme on ne doit pas être à plus de 1 cm des côtés du triangle, le cercle aura comme rayon 1 cm. On trouve son centre à l'aide des bissectrices.

Exercices (d) : (1) Soit le triangle de côtés respectifs 5, 7 et 9. Tracer ce triangle. Déterminer graphiquement son orthocentre et son centre de gravité.

(2) Soit le triangle ayant un angle de 45° compris entre deux côtés de 15 et 25 unités. Construire le cercle inscrit. Déterminer la longueur du rayon.

(3) Soit le triangle ayant un côté de 12 unités compris entre des angles de 40° et 25°. Tracer ce triangle. Construire le cercle circonscrit. Évaluer le rayon de ce cercle.

(4) Calculer le rayon et l'aire du cercle inscrit, ainsi que le rayon et l'aire du cercle circonscrit, au triangle de côtés 5, 7 et 9.

On donne à certains triangles des noms particuliers.

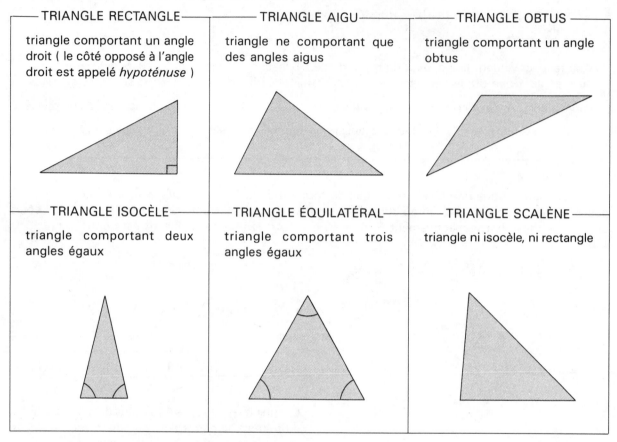

TRIANGLE RECTANGLE	TRIANGLE AIGU	TRIANGLE OBTUS
triangle comportant un angle droit (le côté opposé à l'angle droit est appelé *hypoténuse*)	triangle ne comportant que des angles aigus	triangle comportant un angle obtus
TRIANGLE ISOCÈLE	TRIANGLE ÉQUILATÉRAL	TRIANGLE SCALÈNE
triangle comportant deux angles égaux	triangle comportant trois angles égaux	triangle ni isocèle, ni rectangle

Dans un triangle, on parle d'*angle intérieur* et d'*angle extérieur*. Tandis que l'angle intérieur est formé par deux côtés issus d'un même sommet, l'angle extérieur est obtenu par le prolongement d'un côté.

angles intérieurs

angles extérieurs

La somme des mesures des angles intérieurs d'un triangle est toujours égale à 180°. Il est facile de s'en convaincre en construisant une parallèle à l'un des côtés à partir du sommet opposé.

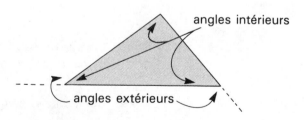

Puisque la somme des angles intérieurs d'un triangle égale 180°, on en conclut immédiatement qu'un triangle équilatéral est formé de trois angles de 60° : en effet, un triangle équilatéral comporte, par définition, trois angles égaux.

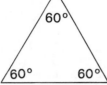

On peut aussi démontrer que, dans un triangle, deux angles égaux ont des côtés opposés de même longueur : cela se démontre en abaissant une médiane opposée aux deux angles égaux. On en déduit alors qu'un triangle isocèle comporte deux côtés de même longueur et qu'un triangle équilatéral comporte trois côtés de même longueur.

On est maintenant en mesure de construire l'équerre 30° -60°.

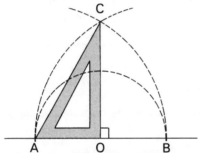

1° Le cercle de centre O coupe la droite horizontale en A et en B.

2° Deux cercles de rayon AB centrés en A et B se coupent en C.

Exercices (e) : (1) Est-il vrai que :

— deux triangles rectangles qui ont un angle non droit et l'hypoténuse égaux sont égaux ?

— deux triangles rectangles sont égaux s'ils ont l'hypoténuse de même longueur ?

— dans tout triangle isocèle, la médiane, la hauteur, la bissectrice issues du sommet compris entre les deux côtés égaux coïncident ?

(2) Démontrer qu'un triangle dont la hauteur et la médiatrice coïncident est isocèle ?

(3) Démontrer que, dans un triangle équilatéral, hauteur et médiane coïncident.

(4) Démontrer qu'un triangle isocèle qui a un angle de 60° compris entre ses deux côtés égaux, est équilatéral.

3.4 TRIANGLES SEMBLABLES

On dira de deux triangles qu'ils sont *semblables* si leurs angles sont deux à deux égaux.

Ainsi, les triangles ABC et DEF sont semblables : $\hat{A} = \hat{D}$, $\hat{B} = \hat{E}$ et $\hat{C} = \hat{F}$.

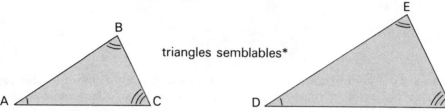

triangles semblables*

Le théorème de Thalès affirme que des droites parallèles découpent sur deux sécantes quelconques des segments proportionnels. Ainsi,

$$\frac{|AB|}{|AC|} = \frac{|A'B'|}{|A'C'|}$$

et

$$\frac{|AB|}{|BC|} = \frac{|A'B'|}{|B'C'|}.$$

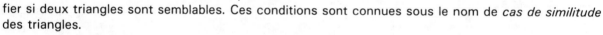

Le théorème de Thalès permet d'établir trois conditions, chacune nécessaire et suffisante, pour vérifier si deux triangles sont semblables. Ces conditions sont connues sous le nom de *cas de similitude* des triangles.

1°) Deux triangles qui ont deux angles égaux sont semblables (cas AA).

2°) Deux triangles qui ont un angle égal compris entre deux côtés deux à deux proportionnels sont semblables (cas C_pAC_p).

3°) Deux triangles dont les trois côtés sont deux à deux proportionnels sont semblables (cas $C_pC_pC_p$).

Exemple : Les triangles ABE et ACD sont semblables : en effet, l'angle A est commun tandis que $\widehat{ABE} = \widehat{ACD}$ et $\widehat{BEA} = \widehat{CDA}$ en tant qu'angles correspondants. On peut alors écrire que

$$\frac{|AB|}{|AC|} = \frac{|AE|}{|AD|} = \frac{|BE|}{|CD|}.$$

Pour construire des triangles semblables, il suffit de mener une parallèle à un des côtés.

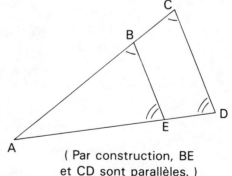

(Par construction, BE et CD sont parallèles.)

---

*   Pour indiquer que les triangles ABC et DEF sont semblables, on écrirait △ ABC ∼ △ DEF.

Exemple : Montrons, à l'aide de triangles semblables, que le rapport du côté adjacent à 60° sur l'hypoténuse est, sur l'équerre 30° -60°, de $\dfrac{1}{2}$.

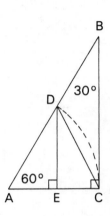

L'équerre 30° -60° est représentée par le triangle ABC. On doit démontrer que $\dfrac{|\,AC\,|}{|\,AB\,|} = \dfrac{1}{2}$. On construit DE perpendiculaire à AC de telle sorte que $|\,AD\,| = |\,AC\,|$. Dans le triangle ADC qui est un triangle équilatéral (angle de 60° compris entre deux côtés égaux), les médianes et les hauteurs coïncident, aussi peut-on écrire :

$$|\,AE\,| = |\,EC\,|,$$

ou encore

$$\frac{|\,AC\,|}{2} = |\,EC\,| \Rightarrow \frac{|\,EC\,|}{|\,AC\,|} = \frac{1}{2}.$$

Puisque les triangles ADE et ABC sont semblables (cas AA), on peut écrire :

$$\frac{|\,AE\,|}{|\,AC\,|} = \frac{|\,AD\,|}{|\,AB\,|} \Rightarrow \frac{|\,EC\,|}{|\,AC\,|} = \frac{|\,AC\,|}{|\,AB\,|}$$

(car $|\,AE\,| = |\,EC\,|$ et $|\,AD\,| = |\,AC\,|$).

D'autre part, comme $\dfrac{|\,EC\,|}{|\,AC\,|} = \dfrac{1}{2}$, on en conclut que $\dfrac{|\,AC\,|}{|\,AB\,|} = \dfrac{1}{2}$.

Cette propriété, à savoir que le rapport de la base sur l'hypoténuse est $\dfrac{1}{2}$, permet de construire d'une autre façon l'équerre 30° -60°.

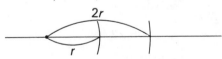

1° À partir du point O, traçons un angle droit.

2° Traçons un cercle de rayon *r*, de centre O qui coupe un côté de l'angle droit en A.

3° Traçons un cercle de rayon 2*r*, de centre A qui coupe l'autre côté de l'angle droit en B.

4° Le triangle OAB représente l'équerre 30° -60°.

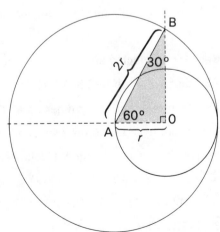

Exercices (f) : (1) Construire avec une règle et un compas un angle de 15°.

(2) Trouver $|\,AC\,|$.

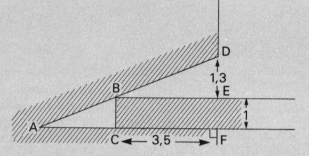

(3) Trouver *x* et *y*, en sachant que AB, CD et EF sont parallèles. Identifier les triangles semblables.

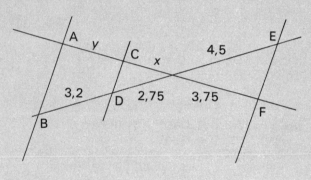

3.5   EXERCICES RÉCAPITULATIFS

1. Calculer le complément des angles suivants (en ° _' _'') :

a)   23,56° ;   b)   18°13'56'' ;   c)   49°0'24'' ;   d)   56,2378°.

2. Calculer le supplément des angles suivants (en degré sous forme décimale) :

a)   23,56° ;   b)   78°13'56'' ;   c)   130,5678° ;   d)   23°0'23''.

3. Avec le rapporteur, déterminer un angle de 50°, puis construire un angle de 25° avec le compas.

4. Construire avec un compas et une règle un angle de 30°, de 45°, de 22,5°, de 60°.

5. Trouver les angles manquant des triangles ABC suivants :

a) $\hat{A} = 50°$: $\hat{B} = 70°$:

b) $\hat{A} = 51°22'3''$; $\hat{C} = 23°5'4''$;

c) $\hat{B} = 123°4'56''$; $\hat{C} = 30°$;

d) $\hat{A} = 43°27'23''$; $\hat{B} = \frac{1}{2} \hat{A}$.

7. Dans un triangle isocèle ABC où $|AC| = |AB|$, $\hat{A} = 45°26'17''$. Trouver la valeur de $\hat{B}$ et de $\hat{C}$.

8. Tracer le triangle ABC si :

a) $a = 5$, $b = 2$, $c = 4$;

b) $a = 5$, $\hat{B} = 45°$, $\hat{C} = 15°$;

c) $\hat{A} = 45°$, $\hat{B} = 30°$, $a = 7$.

9. Soit le triangle ABC où $a = 6$, $b = 5$, $C = 8$. Déterminer graphiquement l'orthocentre.

10. Soit le triangle ABC où $a = 3$, $b = 4$, $c = 5$. Déterminer graphiquement le centre de gravité.

11. Soit le triangle ABC où $a = 9$, $b = 12$ et $c = 15$. Construire le cercle inscrit. Quel sera son rayon ?

12. Avec les données en 11, construire le cercle circonscrit.

13. Soit le triangle ABC où $a = 6$, $b = 7$, $c = 8$. Quelle est la différence de l'aire du cercle circonscrit et du cercle inscrit.

14. Donner un exemple de triangle :

— isocèle et obtus ;
— isocèle et aigu ;
— isocèle et équilatéral ;
— isocèle, équilatéral et aigu ;
— isocèle et rectangle.

15. Soit le triangle ABC où $\hat{A} = 35°$ et $\hat{B} = 100°$. On prolonge AB jusqu'en D, de telle sorte que $|BD| = |BC|$. Quels sont les angles du triangle CBD ?

16. Soit le triangle ABC rectangle en A tel que $\hat{B} = 27°$. À partir de A, on mène sur BC la hauteur et la bissectrice. Déterminer les angles au pied de la hauteur et de la bissectrice.

17. Démontrer que dans un triangle rectangle en A, la médiane issue de A a une longueur égale à la moitié de celle de l'hypoténuse. En déduire une façon immédiate de circonscrire un triangle rectangle.

18. Quelle est la hauteur de l'arbre ?

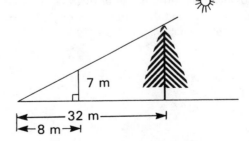

19. Déceler les triangles semblables dans chacune des figures suivantes. Préciser quels sont les angles égaux et quels sont les côtés proportionnels.

a)

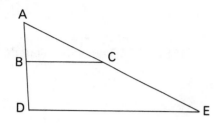

(BC est parallèle à DE)

b)

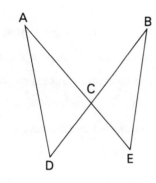

($\hat{A} = \hat{B}$)

c)

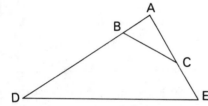

($\widehat{ABC} = \widehat{AED}$)

20. Dans un triangle ABC, $a = 10$, $b = 8$ et $c = 15$. On prolonge AB d'une longueur $\mid$ BE $\mid$ = 5. De E, on mène la droite ED rencontrant AC en un point tel que $\widehat{AED} = \widehat{ACB}$. Calculer $\mid$ AD $\mid$ et $\mid$ DE $\mid$.

21. On peut observer une éclipse de soleil à l'aide d'une boîte de carton blanc, fermée par un couvercle et dans laquelle on a percé un trou. On met le trou face au soleil et on observe l'éclipse sur le fond opposé en soulevant légèrement le couvercle. Si la boîte mesure 80 cm de long et si le diamètre de la lune observé au fond de la boîte est de 0,77 cm, quel est le diamètre réel de la lune, la distance terre-lune étant d'environ 363 000 km ?

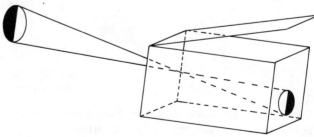

Chapitre **4**

Trigonométrie

PRÉAMBULE

Dès qu'un angle apparaît — il suffit que deux droites se coupent —, on cherche à le mesurer. Cette mesure peut se faire de façon élémentaire, soit avec des rapporteurs d'angles, soit par comparaison avec d'autres angles d'une figure connue : il s'agit là du point de vue qu'adopte la géométrie plane. La trigonométrie, elle aussi, s'intéresse à la mesure des angles, mais à l'aide plutôt de fonctions particulières appelées fonctions trigonométriques. Ces fonctions (sinus, cosinus, etc.) permettent d'étudier d'une façon algébrique toute figure limitée par des droites, en recourant à un minimum de considérations géométriques.

4.1 RADIANS ET DEGRÉS

Partons d'un cercle de rayon r : sa circonférence mesure $2\pi r$.

DÉFINITION : Un *radian* (noté rad) est la mesure d'un angle au centre qui intercepte un arc de longueur r sur la circonférence d'un cercle de rayon r.

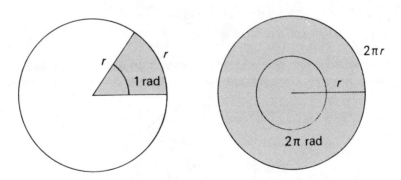

Nous pouvons en déduire que l'angle au centre correspondant à tout le cercle (et donc à une longueur de $2\pi r$ unités) est égal à 2π radians.

DÉFINITION : Un *degré* (noté °) est la mesure d'un angle au centre qui détermine un arc de longueur égale à $\dfrac{1}{360}^{e}$ de la circonférence.

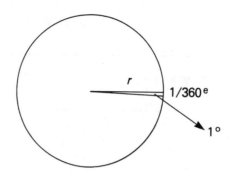

Nous pouvons en déduire que l'angle au centre qui intercepte toute la circonférence est égal à 360°. Nous pouvons alors en tirer l'équivalence

$$2\pi \text{ rad} \triangleq 360°$$

(se lit "2π radians équivaut à 360°") qui peut se réécrire

$$1° \triangleq \frac{\pi}{180} \text{ rad ou } 1 \text{ rad} \triangleq \frac{180}{\pi}°$$

Il est également possible d'introduire l'unité de *minute* (notée ') qui est égale à $\frac{1}{60}°$ de degré et l'unité de *seconde* (notée ") qui vaut $\frac{1}{60}°$ de minute.

Exercices (a) : (1) Exprimer en radians : a) 20°; b) 35°12'; c) 45°30'42".

(2) Exprimer en degrés, minutes, secondes :

a) $\frac{\pi}{3}$ rad;   b) 4 rad;   c) $\frac{2}{5}$ rad.

La définition du radian permet de trouver la **longueur d'un arc**; un angle de θ rad détermine sur la circonférence un arc de longueur $r\theta$. Dans la figure suivante, on aura $s = r\theta$, à la condition que θ soit exprimé en radians.

On peut également calculer l'aire A_{sc} du secteur circulaire délimité par θ :

$$A_{sc} = \frac{1}{2} r^2\theta.$$

Exemple : Sur un cercle de 20 cm de rayon, la longueur de l'arc délimité par un angle au centre de $\frac{1}{4}$ rad est égale à

$$s = r\theta = 20 \times \frac{1}{4} = 5 \text{ (en cm).}$$

L'aire du secteur circulaire délimité par un tel angle est de $A_{sc} = \frac{1}{2} \times 20^2 \times \frac{1}{4} = 50 \text{ cm}^2$.

Exemple : Sur un cercle de diamètre 24 m, à un angle au centre de 60° correspond un arc de longueur

$$s = r\theta = 12 \times 60 \times \frac{\pi}{180} = 4\pi \text{ (en m).}$$

Exemple : L'angle au centre qui intercepte un arc de 6 cm sur un cercle de rayon 25 cm est égal à

$$\theta = \frac{s}{r} = \frac{6}{25} \text{ (en rad).}$$

Exercice (b) :   Sur un cercle de 5 m de rayon, trouver la longueur de l'arc et l'aire du secteur circulaire intercepté par un angle au centre de : a) $\frac{1}{2}$ rad ; b) $\frac{3\pi}{2}$ rad ; c) 145° ; d) 24°24'13''.

Les notions précédentes d'arc, d'angle, de radian, de degré sont couramment utilisées en arpentage, dans la marine et l'aviation, en physique, en astronomie, etc. Voici quelques problèmes typiques résolus par le calcul d'une longueur d'arc.

Exemple : L'extrémité d'un pendule de 20 cm de longueur décrit un arc de cercle. On cherche la longueur de cet arc, sachant que le pendule dans une oscillation balaie un angle de 50° :

$$s = r\theta = 20 \times 50 \times \frac{\pi}{180} = \frac{100\pi}{18} \text{ (en cm).}$$

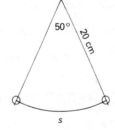

Exemple : Soit un mobile en rotation uniforme autour d'un axe. Sa vitesse angulaire ω représente l'accroissement de l'angle au centre θ pendant l'unité de temps. Elle s'exprime en radians par seconde si l'angle au centre θ est en radians et le temps t, en seconde. Elle est donnée par

$$\omega = \frac{\theta}{t} \text{ (en rad/s).}$$

On peut également noter ω en tours par minute et on obtient la relation suivante :

$$1 \text{ tour/min} \triangleq \frac{2\pi}{60} \text{ rad/s} = \frac{\pi}{30} \text{ rad/s.}$$

La vitesse constante du mobile sur sa trajectoire représente l'accroissement de l'espace parcouru pendant l'unité de temps. Elle s'exprime en mètres par seconde si l'arc de cercle s est en mètre et le temps t, en seconde. Elle est donnée par

$$v = \frac{s}{t} \ (\text{en m/s})$$

avec $s = r\theta$ (en m). La relation entre v et ω est la suivante :

$$v = \omega r.$$

Exemple : Un point A sur le contour d'une roue de 2 mètres de diamètre, qui tourne à une vitesse angulaire de 40 tours par minute, aura parcouru en 2 secondes la distance $\widehat{AA'} = s$. On a

$$s = r\theta$$

et

$$\theta = \omega t = \left(40 \cdot \frac{\pi}{30}\right) \cdot 2.$$

Alors

$$s = 1 \cdot \frac{8\pi}{3} = \frac{8\pi}{3} \ (\text{en m}).$$

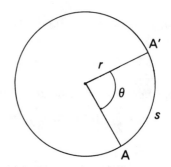

Exemple : Une voiture se déplace à la vitesse de 60 km à l'heure sur un tronçon de route circulaire de rayon 2500 mètres. On cherche l'angle θ qu'aura fait la voiture en une minute (c'est-à-dire, sur le graphique, pour passer de la position A à A'). Une distance de 60 km en une heure correspond à $s = \dfrac{60}{60} = 1$ km en une minute ou à 1000 m en une minute. Puisque $s = r\theta$,

$$\theta = \frac{s}{r} = \frac{1000}{2500} = 0{,}4 \ (\text{en rad}).$$

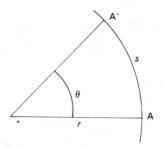

4.2   EXERCICES RÉCAPITULATIFS (1re partie)

1. Transformer les angles suivants en radians :

a)   23° 15′ 20″;   b)   145′ 30″;   c)   460°;   d)   520° 30′.

2. Transformer en degrés, minutes, secondes :

a) $\dfrac{2\pi}{3}$ rad;   b)   6,28 rad;   c)   10 rad.

3. Soit un mobile se déplaçant sur un cercle de 25 m de rayon à une vitesse de 100 km/h.   a)   Calculer la distance parcourue par le mobile en 1 minute.   b)   Combien de tours fait-il en 20 minutes ?   c)   Quelle est la vitesse angulaire du mobile exprimée en t/min et en rad/s ?   d)   De quel angle aura tourné le mobile au bout d'une seconde ?

4. Soit une poulie de 1 m de diamètre entraînée par une courroie se déplaçant à la vitesse de 15 m/s. Quelle sera la vitesse angulaire de la poulie en rad/s ? en t/min ?

5. Calculer le rayon de courbure d'une route en forme de cercle qui subit un changement de direction de 32° sur 220 m.

6. Un volant de 5 m de rayon tourne à raison de 36 tours par minute :

i) calculer sa vitesse angulaire en radians par minute (rad/min), en degrés par minute (°/min), en radians par seconde (rad/s);

ii) calculer la distance parcourue par un point situé sur son pourtour en 30 secondes.

7. Sachant que les points M et N sur les pourtours des engrenages A et B se déplacent de la même distance durant le même intervalle de temps, calculer :

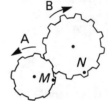

a) la vitesse linéaire v avec laquelle tournent les points M et N, si l'engrenage A de rayon $r_A = 1,5$ cm tourne avec une vitesse angulaire de 200 tours/seconde ;

b) la vitesse angulaire en t/s de l'engrenage B de rayon $r_B = 2,4$ cm.

4.3   LE CERCLE TRIGONOMÉTRIQUE ET LES FONCTIONS TRIGONOMÉTRIQUES

DÉFINITION : Dans le plan cartésien, le cercle centré en O (0, 0) qui a pour rayon l'unité est appelé *cercle trigonométrique*.

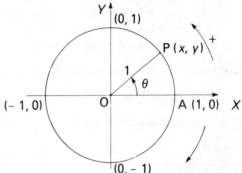

Considérons P (x, y), un point P de coordonnées (x, y), ayant pour position de départ le point A (1, 0) et se déplaçant sur le cercle trigonométrique. Le rayon OP balaie l'angle θ. Par convention, si P se déplace dans le sens contraire des aiguilles d'une montre — on parle alors de sens *trigonométrique direct* ou *positif* —, l'angle engendré θ est noté positivement. Si P se déplace dans le sens des aiguilles d'une montre — on parle dans ce cas de sens *rétrograde* ou *négatif* —, l'angle engendré θ est noté négativement.

À chaque position P (x, y) sur le cercle trigonométrique, correspond une infinité d'angles qui diffèrent les uns des autres d'un nombre entier de tours complets dans le sens positif ou négatif. On dira que ces angles sont *congrus modulo 2π* s'ils sont exprimés en radians et *congrus modulo 360* s'ils sont exprimés en degrés. Ainsi, les angles de 420° et de 60° ne sont pas égaux, même s'ils correspondent au même point. En revanche, ils sont congrus modulo 360, ce qui s'écrit $420 \equiv 60$ (mod 360) (on lit 420 est congru à 60 modulo 360). De même $-\pi/3 \equiv 5\pi/3$ (mod 2π).

Exemple : Les angles de 30°, 390°, – 330°, 750° sont des angles qui sont représentés par le même point P sur le cercle trigonométrique. En effet

390 = 30 + 360

peut s'écrire

390 – 30 = 360,

c'est-à-dire

390 ≡ 30 (mod 360).

De

– 330 = 30 – 360,

on tire que

– 330 ≡ 30 (mod 360).

Puisque

750 = 30 + 720,

c'est-à-dire

750 – 30 = 2 × 360,

on aura

750 ≡ 30 (mod 360).

De façon générale, on peut regrouper tous ces angles sous la forme

$\theta = 30 + 360k$ (en degrés)

où $k \in \mathbb{Z}$. Effectivement, si nous donnons à k toutes les valeurs possibles dans $\mathbb{Z}$, nous obtiendrons tous les angles correspondants. Ainsi

si $k = 0$, alors $\theta = 30$;

si $k = 1$, alors $\theta = 30 + 360 = 390$ (on a effectué un tour complet dans le sens direct);

si $k = -1$, alors $\theta = 30 - 360 = -330$ (on a effectué un tour complet dans le sens rétrograde);

si $k = 2$, alors $\theta = 30 + 2 \times 360 = 750$ (on a effectué deux tours complets dans le sens direct).

La relation $\theta = 30 + 360k$ (avec $k \in \mathbb{Z}$) s'exprimerait en radians par :

$$\theta = \frac{\pi}{6} + 2k\pi \text{ avec } k \in \mathbb{Z}.$$

On retrouverait les angles de 30°, 390° et 750° exprimés en radians :

si $k = 0$, $\theta = \dfrac{\pi}{6}$;

si $k = 1$, $\theta = \dfrac{\pi}{6} + 2\pi = \dfrac{13\pi}{6}$;

si $k = 2$, $\theta = \dfrac{\pi}{6} + 4\pi = \dfrac{25\pi}{6}$.

Exercice (c) : Placer sur le cercle trigonométrique les points correspondant aux angles suivants :

a) 580°;   b) 60°;   c) $\dfrac{2\pi}{3} + 2k\pi$ où $k \in \mathbb{Z}$;

d) $\dfrac{\pi}{4} + k\pi$ où $k \in \mathbb{Z}$;   e) $\dfrac{\pi}{3} + \dfrac{k\pi}{2}$ où $k \in \mathbb{Z}$.

Fonctions trigonométriques

À tout nombre réel θ, on fait correspondre un point P (x, y) sur le cercle trigonométrique; ce point se trouve à l'extrémité de l'arc intercepté par un angle au centre de θ unités (en radians) et dont l'origine se trouve en A $(1, 0)$. On définit alors la fonction *cosinus* de l'angle θ, notée cos θ, comme étant l'abscisse x du point P. De même, on définit la fonction *sinus* de l'angle θ, notée sin θ, comme étant l'ordonnée y du point P.

Les graphiques suivants illustrent la valeur prise par sin θ et cos θ selon la position du point P dans les quatre quadrants :

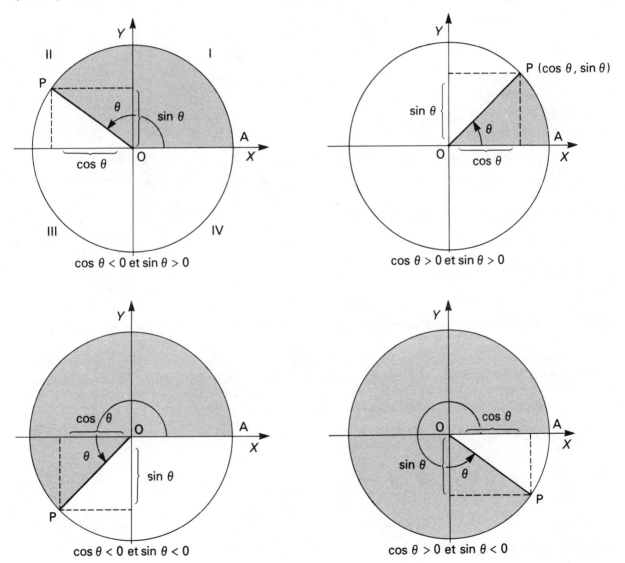

Nous avons donc $x = \cos\theta$ et $y = \sin\theta$. Si $0 \leqslant \theta \leqslant 2\pi$, la mesure de l'angle au centre θ (en radians) est égale à la mesure de l'arc intercepté sur la circonférence. En effet, le rayon étant de 1 unité, $s = r\theta = 1 \times \theta = \theta$.

Faisons quelques remarques importantes sur les fonctions sin et cos .

- Selon la position du point P dans l'un ou l'autre des quadrants, ses coordonnées seront positives ou négatives. Les fonctions sin et cos prennent donc des valeurs positives ou négatives.

- Puisque P se trouve sur la circonférence du cercle trigonométrique, ses coordonnées restent toujours inférieures ou égales à 1 en valeur absolue :

$$|\sin\theta| \leqslant 1 \iff -1 \leqslant \sin\theta \leqslant 1$$

$$|\cos\theta| \leqslant 1 \iff -1 \leqslant \cos\theta \leqslant 1.$$

Nous pouvons définir les autres fonctions trigonométriques suivantes :

- la *tangente* de l'angle θ, notée $\tan\theta$, est égale à (*)
$\dfrac{\sin\theta}{\cos\theta} = \dfrac{y}{x}$ (à la condition que $x \neq 0$);

- la *cotangente* de l'angle θ, notée $\cot\theta$, est égale à
$\dfrac{\cos\theta}{\sin\theta} = \dfrac{x}{y}$ (à la condition que $y \neq 0$);

- la *sécante* de l'angle θ, notée $\sec\theta$, est égale à
$\dfrac{1}{\cos\theta} = \dfrac{1}{x}$ (à la condition que $x \neq 0$);

- la *cosécante* de l'angle θ, notée $\text{cosec}\,\theta$, est égale à
$\dfrac{1}{\sin\theta} = \dfrac{1}{y}$ (à la condition que $y \neq 0$).

Représentons toutes ces fonctions sur le cercle trigonométrique.

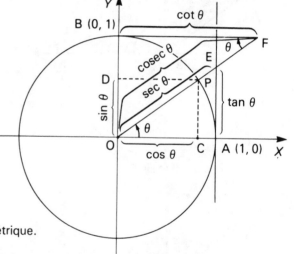

Considérons dans la figure précédente les triangles rectangles OPC, OEA et OBF. Ces triangles sont semblables car ils ont leurs trois angles égaux. Leurs côtés sont donc proportionnels. En tenant compte de l'orientation de chaque segment à l'aide de mesures algébriques (c'est-à-dire à l'aide de longueurs orientées), vérifions l'exactitude de la représentation des fonctions sur cette figure (*).

$$\frac{\overline{AE}}{\overline{CP}} = \frac{\overline{OA}}{\overline{OC}} \Rightarrow \overline{AE} = \frac{\overline{OA} \times \overline{CP}}{\overline{OC}} = \frac{1 \times \sin\theta}{\cos\theta} = \tan\theta;$$

$$\frac{\overline{OB}}{\overline{CP}} = \frac{\overline{BF}}{\overline{OC}} \Rightarrow \overline{BF} = \frac{\overline{OB} \times \overline{OC}}{\overline{CP}} = \frac{1 \times \cos\theta}{\sin\theta} = \cot\theta;$$

---

*   On retrouve aussi tg θ au lieu de $\tan\theta$.

$$\frac{\overline{OE}}{\overline{OP}} = \frac{\overline{OA}}{\overline{OC}} \Rightarrow \overline{OE} = \frac{\overline{OA} \times \overline{OP}}{\overline{OC}} = \frac{1 \times 1}{\cos \theta} = \sec \theta \,;$$

$$\frac{\overline{OF}}{\overline{OP}} = \frac{\overline{OB}}{\overline{CP}} \Rightarrow \overline{OF} = \frac{\overline{OP} \times \overline{OB}}{\overline{CP}} = \frac{1 \times 1}{\sin \theta} = \operatorname{cosec} \theta .$$

Exercices (d) : À l'aide de la calculatrice,

(1) trouver la valeur de
sin (153° 27′ 18″), cos 74,8°,
tan 0,93, sin 25° 0′ 48″

(2) trouver A dans l'unité précisée si :
a) sin A = 0,82 en ° ′ ″ ;
b) cos A = −0,43 en ° ;
c) tan A = 0,75 en rad ;
d) cos A = −0,58 en ° ′ ″ ;
e) tan A = 5,4 en °.

4.4 LA TRIGONOMÉTRIE DES TRIANGLES RECTANGLES

On peut établir pour les angles aigus (**) une relation entre les côtés d'un triangle rectangle et les fonctions trigonométriques. Il est inutile de considérer dans ce cas le signe des fonctions trigonométriques, car elles sont toutes positives.

Reportons un triangle rectangle ONM dans un cercle trigonométrique, comme dans la figure suivante.

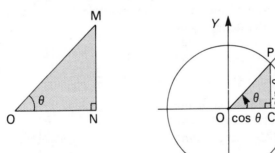

Si nous considérons le triangle OCP dans le cercle trigonométrique et le triangle ONM, nous constatons que ces triangles sont semblables; leurs côtés sont donc proportionnels. Nous avons alors :

---

*   À noter la distinction entre la notation $\overline{AE}$, $\overline{OA}$, etc. et $|\,AE\,|$, $|\,OA\,|$ ... voir p. 83.

** Un angle θ est dit *aigu* si $0 \leqslant \theta < \dfrac{\pi}{2}$.

$$\frac{|\text{OC}|}{|\text{ON}|} = \frac{|\text{OP}|}{|\text{OM}|} \Longleftrightarrow \frac{\cos \theta}{|\text{ON}|} = \frac{1}{|\text{OM}|}$$

$$\Longleftrightarrow \cos \theta = \frac{|\text{ON}|}{|\text{OM}|} = \frac{\text{côté adjacent}}{\text{hypoténuse}} \; ;$$

$$\frac{|\text{CP}|}{|\text{NM}|} = \frac{|\text{OP}|}{|\text{OM}|} \Longleftrightarrow \sin \theta = \frac{|\text{NM}| \times 1}{|\text{OM}|} = \frac{\text{côté opposé}}{\text{hypoténuse}} \; .$$

Nous pouvons aussi établir que :

$$\tan \theta = \frac{\sin \theta}{\cos \theta} = \frac{\dfrac{\text{côté opposé}}{\text{hypoténuse}}}{\dfrac{\text{côté adjacent}}{\text{hypoténuse}}} = \frac{\text{côté opposé}}{\text{côté adjacent}} \; ;$$

$$\cot \theta = \frac{\cos \theta}{\sin \theta} = \frac{\dfrac{\text{côté adjacent}}{\text{hypoténuse}}}{\dfrac{\text{côté opposé}}{\text{hypoténuse}}} = \frac{\text{côté adjacent}}{\text{côté opposé}} \; .$$

Cette définition va nous permettre d'effectuer la résolution (*) des triangles rectangles.

Avant d'y arriver, rappelons le théorème de Pythagore. Ce théorème, habituellement résumé par l'identité $a^2 = b^2 + c^2$, donne une relation tout-à-fait fondamentale. Il existe des dizaines de démonstrations différentes du théorème de Pythagore. Une des plus simples est basée sur la construction d'un carré de côté $b + c$. L'aire du carré est donnée par

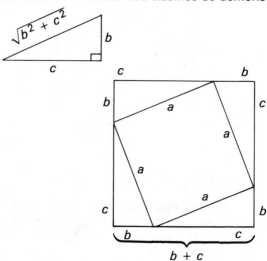

$$(b + c)^2 = b^2 + 2bc + c^2.$$

Or, l'aire de ce carré de côté $b + c$ s'obtient en additionnant l'aire d'un carré de côté a et l'aire de 4 triangles rectangles. L'aire du carré de côté a est a^2, tandis que celle de chacun des triangles est $\frac{1}{2} bc$. D'où,

$$(b + c)^2 = a^2 + 4 \left(\frac{1}{2} bc \right).$$

Remplaçons $(b + c)^2$ par sa valeur :

$$b^2 + 2bc + c^2 = a^2 + 4 \left(\frac{1}{2} bc \right),$$

---

*   Résoudre un triangle consiste à en trouver certaines caractéristiques (angles, côtés, fonctions trigonométriques, etc.), les autres étant données dans l'hypothèse.

c'est-à-dire

$$b^2 + 2bc + c^2 = a^2 + 2bc,$$

d'où $b^2 + c^2 = a^2$.

Exemple : Soit le triangle ABC, rectangle en A. Appelons a, b, c, les côtés opposés aux angles A, B, C. Déterminons les valeurs des fonctions trigonométriques des angles de ce triangle, sachant que $a = 5$ et $b = 3$. D'après le théorème de Pythagore, nous avons $a^2 = b^2 + c^2$ d'où

$$c^2 = a^2 - b^2$$
$$= 5^2 - 3^2 = 25 - 9 = 16$$

et

$$c = 4$$

(on ne garde que la valeur positive puisqu'il s'agit d'une longueur).

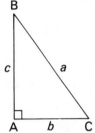

Les relations dans le triangle rectangle nous permettent d'écrire :

$$\sin B = \frac{b}{a} = \frac{3}{5} ; \quad \cos B = \frac{c}{a} = \frac{4}{5} ;$$

$$\sin C = \frac{c}{a} = \frac{4}{5} ; \quad \cos C = \frac{b}{a} = \frac{3}{5} ;$$

$$\sin A = \sin 90° = \sin \frac{\pi}{2} = 1 ; \quad \cos A = \cos 90° = \cos \frac{\pi}{2} = 0.$$

Nous pouvons remarquer que, B et C étant des angles complémentaires (*), le sinus de l'un égale le cosinus de l'autre. Il est également possible de déterminer les autres fonctions trigonométriques :

$$\tan B = \frac{b}{c} = \frac{3}{4} ; \quad \tan C = \frac{c}{b} = \frac{4}{3} ;$$

$$\cot B = \frac{c}{b} = \frac{4}{3} ; \quad \cot C = \frac{b}{c} = \frac{3}{4} ;$$

$$\tan A = \tan 90° \text{ n'est pas définie} ; \quad \cot A = \cot 90° = \cot \frac{\pi}{2} = 0 ;$$

$$\sec B = \frac{a}{c} = \frac{5}{4} ; \quad \sec C = \frac{a}{b} = \frac{5}{3} ;$$

_____

*   Deux angles sont *complémentaires* si leur somme est égale à 90°.

$$\operatorname{cosec} B = \frac{a}{b} = \frac{5}{3}; \quad \operatorname{cosec} C = \frac{a}{c} = \frac{5}{4};$$

$$\sec A = \frac{1}{\cos A} \text{ n'est pas définie}; \quad \operatorname{cosec} A = \frac{1}{\sin A} = 1.$$

On peut déterminer les angles B et C à partir de leurs fonctions trigonométriques. Ainsi, pour trouver la valeur de B, il faut chercher, dans une table ou à l'aide d'une calculatrice, un angle B tel que $\sin B = \frac{3}{5}$; on obtiendra $\hat{B} \simeq 36,87° \simeq 36°\,52'\,12''$. À partir de $\cos C = \frac{3}{5}$, on trouvera que $\hat{C} \simeq 53,13°$ ($\simeq 53°\,7'\,48''$).

Exemple : Soit le triangle rectangle isocèle (*) ABC ayant comme côtés $c = b = 3$. Déterminons les valeurs des sinus et cosinus des angles de ce triangle. D'après le théorème de Pythagore, nous avons

$$a^2 = b^2 + c^2$$
$$= 3^2 + 3^2 = 18,$$

c'est-à-dire

$$a = \sqrt{18} = 3\sqrt{2}.$$

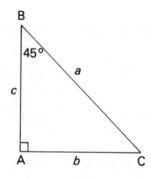

Le triangle ABC étant un rectangle isocèle, les angles B et C sont égaux à $45°\left(\text{ou } \frac{\pi}{4} \text{ rad}\right)$, car la somme des angles d'un triangle est égale à $180°$; comme l'angle A vaut $90°$, il reste $90°$ à partager entre B et C. D'où

$$\sin B = \sin 45° = \frac{b}{a} = \frac{3}{3\sqrt{2}} = \frac{1}{\sqrt{2}} = \frac{\sqrt{2}}{2};$$

$$\sin C = \sin 45° = \frac{\sqrt{2}}{2};$$

$$\cos B = \cos 45° = \frac{c}{a} = \frac{3}{3\sqrt{2}} = \frac{1}{\sqrt{2}} = \frac{\sqrt{2}}{2};$$

$$\cos C = \cos 45° = \frac{\sqrt{2}}{2}.$$

---

*   Un triangle est *isocèle* s'il a deux côtés égaux.

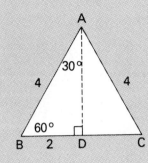

Exercices (e) :

(1) Trouver les côtés et les angles d'un triangle ABC rectangle en A dans lequel $a = 49$ et $b = 24$.

(2) ABC étant un triangle *équilatéral* (c'est-à-dire à trois angles de 60° et à trois côtés égaux), déterminer le sinus et le cosinus des angles de 30° et de 60° représentés sur le dessin en sachant que $a = b = c = 4$.

Le calcul des fonctions trigonométriques sur les triangles rectangles permet de dresser la table des valeurs que l'on trouve à l'annexe 1, page 373.

4.5 LA TRIGONOMÉTRIE DES TRIANGLES QUELCONQUES

La section précédente nous a permis de résoudre les triangles rectangles. Cette section, par la loi des sinus et par la loi des cosinus, nous permettra de résoudre les triangles quelconques.

1°   Loi des sinus : $\dfrac{\sin A}{a} = \dfrac{\sin B}{b} = \dfrac{\sin C}{c}$.

Démonstration : Soit un triangle quelconque ABC de côtés a, b et c. Traçons les hauteurs AH, BJ et CK de ce triangle : il s'agit de tracer des perpendiculaires issues de chacun des sommets aboutissant sur le côté opposé (ou son prolongement). Les triangles ABH et ACH étant rectangles, nous avons

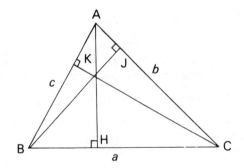

$$|AH| = c \sin B$$
et
$$|AH| = b \sin C,$$
d'où
$$c \sin B = b \sin C,$$
c'est-à-dire
$$\frac{\sin B}{b} = \frac{\sin C}{c} . \qquad (1)$$

D'autre part, les triangles ABJ et CBJ étant rectangles, nous avons

$$|BJ| = |AB| \sin A = c \sin A$$
et
$$|BJ| = |BC| \sin C = a \sin C,$$

d'où

$$\frac{\sin A}{a} = \frac{\sin C}{c} . \qquad\qquad (2)$$

De (1) et (2), on tire par transitivité la loi des sinus.

| 2°   Loi des cosinus : $a^2 = b^2 + c^2 - 2bc \cos A$ |

Démonstration : Soit un triangle quelconque ABC de côtés a, b et c. Traçons la hauteur BH et considérons le triangle BCH, rectangle en H. Nous avons, en vertu du théorème de Pythagore, que

$$|BC|^2 = |BH|^2 + |HC|^2.$$

Or $|BC|^2 = a^2$. De plus, dans le triangle BAH,

$$|BH| = c \sin A$$

et

$$|AH| = c \cos A.$$

Donc, $|HC| = |AC| - |AH|$ peut s'écrire

$$|HC| = b - c \cos A.$$

Alors $|BC|^2 = |BH|^2 + |HC|^2$ devient (*)

$$\begin{aligned}
a^2 &= (c \sin A)^2 + (b - c \cos A)^2 \\
&= c^2 \sin^2 A + b^2 - 2bc \cos A + c^2 \cos^2 A \\
&= b^2 + c^2 (\sin^2 A + \cos^2 A) - 2bc \cos A \\
&= b^2 + c^2 - 2bc \cos A.
\end{aligned}$$

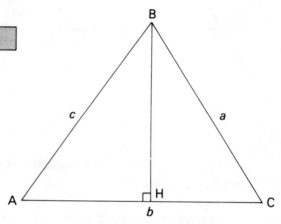

La loi des cosinus peut aussi s'écrire $b^2 = a^2 + c^2 - 2ac \cos B$ et $c^2 = a^2 + b^2 - 2ab \cos C$. En d'autres mots, dans un triangle ABC, le carré d'un côté est égal à la somme des carrés des deux autres côtés diminuée de deux fois le produit de ces côtés par le cosinus de l'angle qu'ils forment.

Exemple : Soit le triangle ABC où $c = 24$, $\hat{A} = 41°$ et $\hat{B} = 59°$.

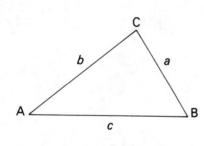

L'angle $\hat{C}$ est donné par

$$\hat{C} = 180° - \hat{A} - \hat{B} = 180° - 41° - 59° = 80°.$$

En vertu de la loi des sinus,

$$\frac{\sin A}{a} = \frac{\sin C}{c} ,$$

c'est-à-dire

$$a = \frac{c \sin A}{\sin C} = \frac{24 \sin 41°}{\sin 80°} \simeq 15,99.$$

De

$$\frac{\sin B}{b} = \frac{\sin C}{c} ,$$

---

*   Pour abréger, on écrit $\sin^2 A$, $\cos^2 A$, $\tan^2 A$... au lieu de $(\sin A)^2$, $(\cos A)^2$, $(\tan A)^2$...

on tirera la valeur de b :

$$b = \frac{c \sin B}{\sin C} = \frac{24 \sin 59°}{\sin 80°} \simeq 20,89.$$

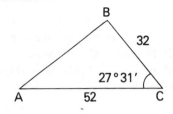

Exemple : Soit le triangle ABC où $a = 32$, $b = 52$ et $\hat{C} = 27°31'$. D'après la loi des cosinus,

$$c^2 = a^2 + b^2 - 2ab \cos C$$
$$= (32)^2 + (52)^2 - 2 \times 32 \times 52 \times \cos 27°31' \simeq 776,47,$$

d'où

$$c \simeq 27,86.$$

Par la loi des cosinus, on peut trouver les angles A et B : $\hat{A} \simeq 32°2'36''$ et $\hat{B} \simeq 120°26'24''$. Cependant, en appliquant la loi des sinus à l'angle B, on obtient :

$$\sin B = \frac{b \sin C}{c} \simeq 0,8623.$$

À l'aide de la calculatrice, on obtiendra $\hat{B} \simeq 59°34'36''$! Cela est impossible car $\hat{B} = 180° - \hat{A} - \hat{C} \simeq 120°26'24''$ est la valeur cherchée. Que s'est-il passé ? En utilisant une calculatrice pour trouver l'angle de sinus 0,8623, on ne peut obtenir que des angles aigus. Aussi utilise-t-on la loi des cosinus pour déterminer l'angle correspondant au plus grand côté, car la calculatrice donne un angle compris entre 0 et 180° à partir de la valeur du cosinus. Cependant, le cas où l'on connaît deux côtés et l'angle opposé à l'un des côtés doit obligatoirement se résoudre à partir de la loi des sinus. On peut alors trouver aucun, un ou deux triangles qui répondent aux conditions.

Exemple : Si $a = 10$, $b = 20$ et $\hat{A} = 40°$, on n'obtient pas de triangle car

$$\sin B = \frac{b \sin A}{a} \simeq 1,2856$$

n'est le sinus d'aucun angle.

Exemple : Si $a = 10$, $b = 20$ et $\hat{A} = 30°$, on obtient un triangle rectangle en B car

$$\sin B = \frac{b \sin A}{a} = 1.$$

Exemple : Si $a = 10$, $b = 20$ et $\hat{A} = 25°$, alors la solution correspond à deux triangles. En effet

$$\sin B = \frac{b \sin A}{a} \simeq 0,8452$$

donne deux angles : $\hat{B} \simeq 57,7°$ et $\hat{B}' \simeq 180° - 57,7° = 122,3°$. On obtient le triangle ABC tels que $\hat{A} = 25°$, $\hat{B} \simeq 57,7°$, $\hat{C} \simeq 97,3°$, $a = 10$, $b = 20$ et $c \simeq 23,47$. On obtient également le triangle AB'C' tel que $\hat{A} = 25°$, $\hat{B}' \simeq 122,3°$, $\hat{C}' \simeq 32,7°$, $a = 10$, $b = 20$ et $c' \simeq 12,78$.

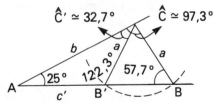

En résumé, il faut se méfier de sa calculatrice lorsqu'on l'utilise pour trouver un angle dont le sinus est obtenu par la loi des sinus : si la calculatrice donne un angle $\hat{A}$, la solution peut être $\hat{A}$, ou $180° - \hat{A}$, ou encore les deux : Â et 180° – Â. Le meilleur moyen de déterminer rapidement la solution à retenir est encore de faire un graphique à l'échelle du triangle avec les côtés et angles connus.

Exemple : On veut trouver la largeur d'une rivière entre deux points A et B situés de part et d'autre de celle-ci. Pour y arriver, on se place en un point C situé à 9 m de A et tel que l'angle entre AB et AC soit de 125°40'. Du point C, on mesure l'angle de CB avec CA, 48°50'. Quelle est la distance AB ? Soit Â = 125°40' et Ĉ = 48°50'. Dans le triangle, la somme des angles étant de 180°, on aura B̂ = 180° – Â – Ĉ = 5°30'. D'après la loi des sinus,

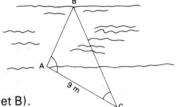

$$\frac{\sin B}{b} = \frac{\sin C}{c} \iff c = \frac{b \sin C}{\sin B}$$

$$= \frac{9 \sin 48°50'}{\sin 5°30'} \simeq 70,69.$$

La largeur de la rivière est donc de 70,69 m (entre les points A et B).

4.6 EXERCICES RÉCAPITULATIFS (2ᵉ partie)

1. Déterminer les angles et les côtés inconnus des triangles ABC suivants rectangles en A, si :

i) $a = 21, b = 17$;

ii) $b = 12, c = 5$;

iii) $a = 14, \hat{C} = 36°$;

iv) $b = 25, \hat{B} = 15°20'$.

2. Déterminer les angles et les côtés inconnus des triangles quelconques ABC suivants si :

i) $c = 30, \hat{A} = 45°, \hat{B} = 20°$;

ii) $a = 30, b = 15, \hat{A} = 110°$;

iii) $a = 15, b = 40, \hat{C} = 72°28'30''$;

iv) $a = 22,4, b = 16,5, c = 32,7$;

v) $a = 10, c = 30, \hat{A} = 50°$;

vi) $b = 15, c = 20, \hat{B} = 35°$.

3. Quelle est la hauteur d'une falaise si l'angle d'élévation de son sommet, mesuré à 130 m du pied de la falaise, est de 41° ?

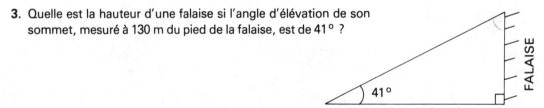

4. Un géomètre trouve que l'angle d'élévation du sommet d'un bâtiment est de 56° quand son théodolite de 1,50 m de hauteur est installé horizontalement à une distance de 35 m du bâtiment. Quelle est la hauteur du bâtiment ?

5. D'un avion volant à 2000 m d'altitude au-dessus de l'océan, l'angle de dépression sous lequel on voit la côte d'une île est de 12°41′. Quelle distance horizontale sépare l'avion de l'île ?

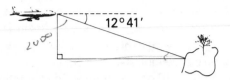

6. D'un point d'une falaise de 30 m au-dessus de la surface d'un lac, l'angle de dépression sous lequel on voit un voilier est de 4°. Quelle distance sépare l'observateur du voilier ?

7. D'une fenêtre située à 10 m au-dessus du sol, on vise le pied et le sommet d'un immeuble. Le pied est vu sous un angle de dépression de 14°50′ et le sommet, sous un angle d'élévation de 57°25′. Calculer la hauteur de l'immeuble et la distance de la fenêtre à la façade de l'immeuble.

8. Pour déterminer la hauteur d'un immeuble, un géomètre vise un point qui se trouve au sommet et note un angle d'élévation de 38°20′. Il avance de 10 m perpendiculairement au pied de l'immeuble et vise à nouveau le même point; il trouve un angle d'élévation de 55°10′. Si on néglige la hauteur du théodolite, quelle est la hauteur de l'immeuble ?

9. Un arbre de 21 m de long incliné de 6°8′ par rapport à la verticale projette une ombre sur le sol. L'angle d'élévation du soleil par rapport à l'extrémité de l'ombre est de 54°30′. Quelle est la longueur de l'ombre ?

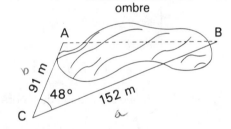

10. La distance entre A et B ne pouvant être mesurée directement à cause de l'étang, on a effectué les relevés indiqués sur le graphe ci-contre. Que vaut |AB| ?

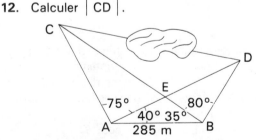

11. Calculer |AB| et |AD|.

12. Calculer |CD|.

13. Une poulie de rayon r entraîne avec une courroie une poulie de rayon R qui lui est distante de d unités.

a) Montrer que $\cos \alpha = \dfrac{R - r}{d}$, où α est l'angle au centre tel qu'indiqué sur le graphique.

b) Calculer la valeur de α pour différentes valeurs de R, r et d (exemple : R = 30 cm, r = 10 cm, d = 45 cm).

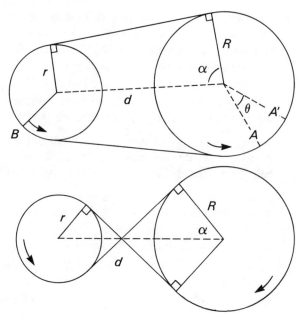

c) Montrer que la longueur de la courroie est donnée par $2\,[\,R\,(\,\pi - \alpha\,) + r\alpha + d\sin\alpha\,]$.

d) Si le point A se déplace en A' en 2 secondes, de telle sorte que $AA' = 5$ cm sur la poulie de rayon $R = 30$ cm, de combien de centimètres se déplacera le point B sur la poulie de rayon $r = 10$ cm pendant le même temps ? Quels seront alors les angles au centre et les vitesses angulaires des deux poulies ? (On a vu page 97 que $s = r\theta$ et $\theta = \omega t$.)

14. Une poulie de rayon r entraîne dans le sens contraire une poulie de rayon R qui lui est distante de d unités (voir graphique).

a) Montrer que $\cos\alpha = (\,R + r\,)/d$.

b) Montrer que la longueur de la courroie est $2\,[\,(\,R + r\,)\,(\,\pi - \alpha\,) + d\sin\alpha\,]$.

4.7 IDENTITÉS TRIGONOMÉTRIQUES

On appelle *identité trigonométrique* une relation comportant des fonctions trigonométriques et se vérifiant pour toutes les valeurs de l'angle pour lequel les fonctions sont définies. Diverses identités découlent des définitions :

$$\sin\theta\,\operatorname{cosec}\theta = 1,$$
$$\cos\theta\,\sec\theta = 1,$$
$$\tan\theta\,\cot\theta = 1.$$

D'autres découlent d'une application du théorème de Pythagore :

$$\sin^2\theta + \cos^2\theta = 1,$$
$$\tan^2\theta + 1 = \sec^2\theta,$$
$$\cot^2\theta + 1 = \operatorname{cosec}^2\theta.$$

Pour vérifier une identité trigonométrique, on transforme généralement l'expression la plus compliquée qui la compose; c'est ainsi notamment qu'on ramène les fonctions trigonométriques sous forme de sinus et cosinus. L'identité fondamentale $\sin^2\theta + \cos^2\theta = 1$ est souvent dans ce cas d'un grand secours, car elle peut se réécrire sous l'une des formes suivantes :

$$1 - \sin^2\theta = \cos^2\theta,$$
$$(1 - \sin\theta)\,(1 + \sin\theta) = \cos^2\theta,$$
$$1 - \cos^2\theta = \sin^2\theta,$$
$$(1 - \cos\theta)\,(1 + \cos\theta) = \sin^2\theta.$$

Il existe une multitude d'identités trigonométriques. Vérifions-en quelques-unes.

a) $\dfrac{\sin\theta}{\operatorname{cosec}\theta} + \dfrac{\cos\theta}{\sec\theta} = 1.$

En effet,

$$\frac{\sin \theta}{\operatorname{cosec} \theta} + \frac{\cos \theta}{\sec \theta} = \frac{\sin \theta}{\dfrac{1}{\sin \theta}} + \frac{\cos \theta}{\dfrac{1}{\cos \theta}} = \sin^2\theta + \cos^2\theta = 1.$$

b) $\dfrac{1 - \cos t}{\sin t} = \dfrac{\sin t}{1 + \cos t}$.

En effet,

$$\frac{1 - \cos t}{\sin t} = \frac{(1 - \cos t)(1 + \cos t)}{(\sin t)(1 + \cos t)} = \frac{1 - \cos^2 t}{(\sin t)(1 + \cos t)}$$

$$= \frac{\sin^2 t}{(\sin t)(1 + \cos t)} = \frac{\sin t}{1 + \cos t} .$$

Exercice (f) :   Vérifier les identités suivantes :

a) $(1 - \sin^2 t)(1 + \tan^2 t) = 1$;

b) $2 \sec^2 t = \dfrac{1}{1 + \sin t} + \dfrac{1}{1 - \sin t}$;

c) $\dfrac{1}{\sec \theta + \tan \theta} = \sec \theta - \tan \theta$.

4.8   POSITIONS PARTICULIÈRES DE CERTAINS ANGLES SUR LE CERCLE TRIGONOMÉTRIQUE

Donnons sans démonstration les fonctions trigonométriques d'angles particuliers; le cercle trigonométrique permet de visualiser les différents résultats.

1)   Angles opposés : θ et $-\theta$

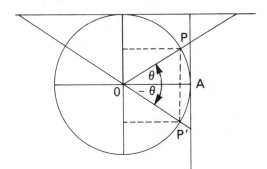

$$\sin(-\theta) = -\sin\theta,$$
$$\cos(-\theta) = \cos\theta,$$
$$\tan(-\theta) = -\tan\theta,$$
$$\cot(-\theta) = -\cot\theta,$$
$$\sec(-\theta) = \sec\theta,$$
$$\operatorname{cosec}(-\theta) = -\operatorname{cosec}\theta.$$

2) Angles supplémentaires : θ et $\pi - \theta$

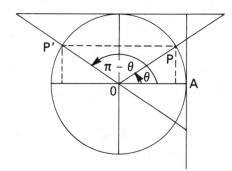

$$\sin(\pi - \theta) = \sin\theta,$$
$$\cos(\pi - \theta) = -\cos\theta,$$
$$\tan(\pi - \theta) = -\tan\theta,$$
$$\cot(\pi - \theta) = -\cot\theta,$$
$$\sec(\pi - \theta) = -\sec\theta,$$
$$\operatorname{cosec}(\pi - \theta) = \operatorname{cosec}\theta.$$

3) Angles complémentaires : $\left(\dfrac{\pi}{2} - \theta\right)$ et θ

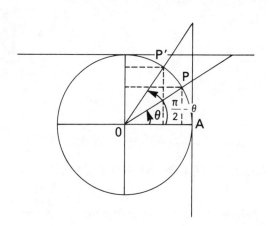

$$\sin\left(\frac{\pi}{2} - \theta\right) = \cos\theta,$$

$$\cos\left(\frac{\pi}{2} - \theta\right) = \sin\theta,$$

$$\tan\left(\frac{\pi}{2} - \theta\right) = \cot\theta,$$

$$\cot\left(\frac{\pi}{2} - \theta\right) = \tan\theta,$$

$$\sec\left(\frac{\pi}{2} - \theta\right) = \operatorname{cosec}\theta,$$

$$\operatorname{cosec}\left(\frac{\pi}{2} - \theta\right) = \sec\theta.$$

4) Angles de différence π : θ et $\pi + \theta$

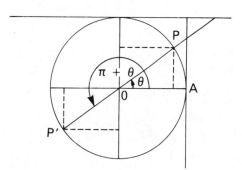

$$\sin(\pi + \theta) = -\sin\theta,$$
$$\cos(\pi + \theta) = -\cos\theta,$$
$$\tan(\pi + \theta) = \tan\theta,$$
$$\cot(\pi + \theta) = \cot\theta,$$
$$\sec(\pi + \theta) = -\sec\theta,$$
$$\operatorname{cosec}(\pi + \theta) = -\operatorname{cosec}\theta.$$

Ce que nous venons de voir peut se résumer dans le tableau suivant :

$$\sin \theta = - \sin (- \theta) = \sin (\pi - \theta) = \cos \left(\frac{1}{2} \pi - \theta\right) = - \sin (\pi + \theta)$$

$$\cos \theta = \cos (- \theta) = - \cos (\pi - \theta) = \sin \left(\frac{1}{2} \pi - \theta\right) = - \cos (\pi + \theta)$$

$$\tan \theta = - \tan (- \theta) = - \tan (\pi - \theta) = \cos \left(\frac{1}{2} \pi - \theta\right) = \tan (\pi + \theta)$$

Exercice (*g*) : Prouver à l'aide du cercle trigonométrique que :

a) $\sin\left(\dfrac{\pi}{2} - \theta\right) = \cos \theta$;

b) $\sin (\pi + \theta) = - \sin \theta$.

Équations trigonométriques

En utilisant le fait que $\sin = \sin (- \theta)$, que $\cos = \cos (- \theta)$, que $\tan \theta = \tan (\pi + \theta)$, il est facile de résoudre les équations trigonométriques de la forme $f(t) = f(\theta)$.

1°) $\sin t = \sin \theta$.
Les sinus sont égaux si les angles sont égaux modulo 2π, c'est-à-dire si
$$t = \theta + 2k\pi,$$
ou si les angles sont supplémentaires modulo 2π, c'est-à-dire si
$$t = \pi - \theta + 2k\pi,$$
où $k \in \mathbb{Z}$.

2°) $\cos t = \cos \theta$.
Les cosinus sont égaux si les angles sont égaux ou opposés modulo 2π. Alors
$$t = \theta + 2k\pi,$$
ou
$$t = - \theta + 2k\pi.$$

3°) $\tan t = \tan \theta$.
Les tangentes sont égales si les angles sont égaux modulo 2π, c'est-à-dire si
$$t = \theta + 2k\pi,$$
ou si les angles ont comme différence π modulo 2π, c'est-à-dire si
$$t = \pi + \theta + 2k\pi = \theta + (2k + 1)\, \pi.$$
Ces deux cas peuvent se résumer en un seul,
$$t = \theta + k\pi,$$
car $2k$ représente les nombres pairs et $(2k + 1)$, les nombres impairs.

Exemple : Cherchons à résoudre $\cos t = \dfrac{1}{2}$. Un angle de cosinus égal à $\dfrac{1}{2}$ est $\dfrac{\pi}{3}$. Nous pouvons donc écrire :
$$\cos t = \cos \frac{\pi}{3},$$
ce qui correspond aux solutions
$$t = \frac{\pi}{3} + 2k\pi \text{ (angles égaux)}$$

et

$$t = -\frac{\pi}{3} + 2k\pi \text{ (angles opposés)}.$$

Les solutions sont les angles déterminés par les points A_0 et B_0 sur le cercle trigonométrique ci-contre.

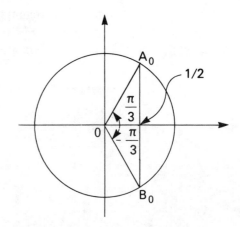

Exemple : Soit $\sin 2x = \frac{\sqrt{3}}{2}$. Un angle dont le sinus est égal à $\frac{\sqrt{3}}{2}$ est $\frac{\pi}{3}$, ce qui correspond à la solution (angles égaux)

$$2x = \frac{\pi}{3} + 2k\pi$$

c'est-à-dire

$$x = \frac{\pi}{6} + k\pi,$$

et à la solution (angles supplémentaires),

$$2x = \pi - \frac{\pi}{3} + 2k\pi$$

c'est-à-dire

$$x = \frac{\pi}{3} + k\pi.$$

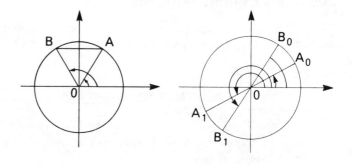

La première solution est déterminée sur le cercle trigonométrique par deux points : A_0 et A_1 obtenus en posant $k = 0$, d'où $x_0 = \frac{\pi}{6}$, et $k = 1$, d'où $x_1 = \frac{7\pi}{6}$. La deuxième solution est elle aussi déterminée par deux points, B_0 et B_1 : l'un obtenu en posant $k = 0$, d'où $x_0' = \frac{\pi}{3}$, et l'autre en posant $k = 1$, d'où $x_1' = \frac{4\pi}{3}$. Aux deux positions A et B de l'angle $2x$ correspondent les quatre positions A_0, A_1, B_0, B_1 de l'angle x.

Exemple : Soit $\tan 3x = \sqrt{3}/3$. Un angle dont la tangente est égale à $\sqrt{3}/3$ est $30°$, ce qui correspond à la solution

$$3x = 30 + 180k,$$

c'est-à-dire

$$x = 10 + 60k.$$

En donnant à k les six valeurs de 0 à 5, on obtient six positions sur le cercle trigonométrique :

$x_0 = 10°$ si $k = 0$,
$x_1 = 70°$ si $k = 1$,
$x_2 = 130°$ si $k = 2$,
$x_3 = 190°$ si $k = 3$,
$x_4 = 250°$ si $k = 4$,
$x_5 = 310°$ si $k = 5$.

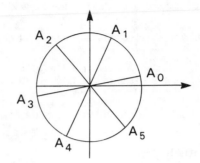

Les valeurs x_0, x_1, x_2, x_3, x_4, x_5 représentent les solutions particulières de l'équation dans l'intervalle de 0° à 360° ou encore de 0 à 2π radians.

> *Exercice (h)* : Résoudre les équations suivantes et placer les solutions sur le cercle trigonométrique :
>
> a) $\sin x = -\dfrac{1}{2}$;   b) $\cos x = \dfrac{\sqrt{2}}{2}$;   c) $\tan 4x = 1$;   d) $\cos 3x = \cos\left(x + \dfrac{\pi}{4} \right)$.

4.9   FORMULES DE TRANSFORMATION

Nous allons énoncer sans démonstration les principales formules trigonométriques qui permettent de transformer des sommes et des produits.

A)   **Formules d'addition**

$$\cos (u - v) = \cos u \cos v + \sin u \sin v,$$
$$\cos (u + v) = \cos u \cos v - \sin u \sin v,$$
$$\sin (u + v) = \sin u \cos v + \sin v \cos u,$$
$$\sin (u - v) = \sin u \cos v - \sin v \cos u,$$
$$\tan (u + v) = \frac{\tan u + \tan v}{1 - \tan u \tan v},$$
$$\tan (u - v) = \frac{\tan u - \tan v}{1 + \tan u \tan v}.$$

> *Exercices (i)* : (1) Déduire de $\cos (u - v) = \cos u \cos v + \sin u \sin v$ la formule correspondant à :
>
> a) $\cos (u + v)$;   b) $\sin (u + v)$;   c) $\sin \left(\dfrac{\pi}{2} - u \right)$.

(2) Calculer à l'aide des formules d'addition :

a) $\sin \dfrac{2\pi}{3}$ $\left(\text{connaissant } \sin \dfrac{\pi}{3} \text{ et } \cos \dfrac{\pi}{3}\right)$;

b) $\sin \dfrac{3\pi}{4}$ $\left(\text{connaissant } \sin \dfrac{\pi}{4} \text{ et } \cos \dfrac{\pi}{4}\right)$;

c) $\cos 3t$ (en fonction de t et de $2t$).

B) Formules des multiples

Les formules suivantes sont obtenues en faisant $u = v = t$ dans les formules d'addition.

$$\sin 2t = 2 \sin t \cos t,$$
$$\cos 2t = \cos^2 t - \sin^2 t = 1 - 2 \sin^2 t = 2 \cos^2 t - 1,$$
$$\tan 2t = \frac{2 \tan t}{1 - \tan^2 t}.$$

On a également :

$$\sin^2 t = \frac{1 - \cos 2t}{2},$$
$$\cos^2 t = \frac{1 + \cos 2t}{2}.$$

C) Transformation de somme en produit et vice-versa

Les formules suivantes se déduisent des formules d'addition en posant $u + v = p$ et $u - v = q$.

$$\sin p + \sin q = 2 \sin \frac{p + q}{2} \cos \frac{p - q}{2},$$
$$\sin p - \sin q = 2 \sin \frac{p - q}{2} \cos \frac{p + q}{2},$$
$$\cos p + \cos q = 2 \cos \frac{p + q}{2} \cos \frac{p - q}{2},$$
$$\cos p - \cos q = -2 \sin \frac{p + q}{2} \sin \frac{p - q}{2}.$$

Exercices (j) : (1) Transformer en produit : a) $\cos 5x - \cos 2x$; b) $\sin 3x - \sin 5x$.

(2) Transformer en somme : a) $\cos x \cos 2x$; b) $2 \sin x \cos 2x$; c) $3 \cos x \cos 4x$.

4.10 EXERCICES RÉCAPITULATIFS (3ᵉ partie)

1. Vérifier les identités suivantes :

a) $(1 + \tan^2 t) \cos t = \dfrac{1}{\cos t}$;

b) $\dfrac{1}{\sin t \cos t} - \dfrac{\cos t}{\sin t} = \tan t$;

c) $(\sin^2 \theta - \cos^2 \theta) \left(\dfrac{\tan \theta + \cot \theta}{\tan \theta - \cot \theta} \right) = 1$;

d) $\dfrac{\sec \theta - \operatorname{cosec} \theta}{\sec \theta + \operatorname{cosec} \theta} = \dfrac{\tan \theta - 1}{\tan \theta + 1}$;

e) $\tan^2 t - \sin^2 t = \tan^2 t \, \sin^2 t$;

f) $\dfrac{2 - \tan^2 \theta}{\sec^2 \theta} - 1 + 2 \sin^2 \theta = \cos^2 \theta$;

g) $\tan x \sin 2x = 2 \sin^2 x$;

h) $\cot x \sin 2x = 1 + \cos 2x$.

2. Résoudre les équations trigonométriques suivantes et placer les solutions sur le cercle trigonométrique :

a) $\cos 5x = -\dfrac{\sqrt{3}}{2}$;

b) $2 \cos \left(3x - \dfrac{\pi}{3} \right) = 1$;

c) $\cos \left(2x - \dfrac{\pi}{4} \right) = -\dfrac{1}{2}$;

d) $\tan 3x = \sqrt{3}$;

e) $\sin (3x + \pi) = -1$;

f) $\sin 3x = \cos x$;

g) $\cos x = \sin \left(2x + \dfrac{\pi}{3} \right)$;

h) $2 \cos^2 x + 3 \cos x + 1 = 0$;

i) $\tan^2 x - (1 + \sqrt{3}) \tan x + \sqrt{3} = 0.$

3. Calculer sans l'aide d'une calculatrice les valeurs suivantes (se ramener aux fonctions trigonométriques d'angles connus à l'aide de transformations) :

a) $\sin \dfrac{3\pi}{4}$;

b) $\cos \dfrac{2\pi}{3}$;

c) $\sin \dfrac{5\pi}{6}$;

d) $\tan \dfrac{2\pi}{3}$;

e) $\cos 210°$;

f) $\sin(-210°)$;

g) $\cot \dfrac{4\pi}{3}$.

4. Mettre sous forme de produit :

a) $\sin 3x + \sin 8x$;

b) $\cos 5x - \cos 2x$;

c) $\sin 4x + \sin 3x$;

d) $\cos x + \cos 2x$;

e) $\sin 3x + \cos x$.

5. Mettre sous forme de somme :

a) $\sin x \sin 4x$;

b) $\cos x \cos 2x$;

c) $2 \sin x \cos 2x$;

d) $3 \cos x \cos 4x$;

e) $-\dfrac{1}{4} \cos \dfrac{x}{2} \sin \dfrac{3x}{2}$.

4.11   ÉTUDE DES FONCTIONS TRIGONOMÉTRIQUES

Comment avons-nous défini les fonctions trigonométriques ? À un angle donné, nous avons associé un nombre réel t qui est sa mesure en radians; nous avons donc établi une correspondance entre les angles et les nombres réels. Nous avons alors introduit la fonction $f(t) = \sin t$ dont le domaine est l'ensemble $\mathbb{R}$ et l'image, l'intervalle $[-1, 1]$. De la même façon, nous avons introduit les autres fonctions trigonométriques dont nous préciserons ultérieurement le domaine et l'image.

Avant de commencer l'étude des différentes fonctions, donnons quelques définitions.

DÉFINITION : Une fonction $f(t)$ est *périodique* s'il existe un nombre $p > 0$ tel que $f(t + p)$ soit défini et tel que $f(t + p) = f(t)$ pour toutes les valeurs $t \in \mathbb{R}$. Le plus petit nombre p vérifiant ces conditions s'appelle la *période* de f.

Exemple : Considérons le cercle trigonométrique et la fonction sinus. Lorsque le point P arrive en A après avoir fait un tour complet, il a décrit un angle égal à 2π et le sinus a pris toutes les valeurs réelles comprises entre -1 et 1. Si le point P continue à tourner, il repassera par les mêmes points et la fonction sinus reprendra les mêmes valeurs. C'est pour cela qu'on dit que 2π est la période de la fonction sinus. C'est également celle de la fonction cosinus, et des fonctions sécante et cosécante. Dans le cas des fonctions tangente et cotangente, un demi-tour suffit pour qu'elles prennent toutes les valeurs possibles de $-\infty$ à $+\infty$. C'est pour cela qu'on dit que π est la période des fonctions tangente et cotangente.

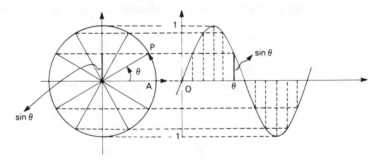

DÉFINITION : L'*amplitude* d'une fonction $f(t)$ est la plus grande distance de tout point du graphe de $f(t)$ à une droite horizontale qui passe à mi-chemin entre ses valeurs maximale et minimale.

Exemple : Si $f(t) = \sin t$, l'amplitude est égale à 1 : $\sin t$ prend comme valeur maximale 1 et comme valeur minimale -1. Si $f(t) = -3 \sin t$, l'amplitude est $|-3| = 3$; l'amplitude doit toujours être positive puisqu'il s'agit d'une distance. De façon générale l'amplitude de $f(t) = A \sin t$ ou de $f(t) = A \cos t$ est donnée par $|A|$. Les fonctions tangente et cotangente n'ont pas d'amplitude, n'ayant ni maximum, ni minimum.

Étude de $f(t) = \sin t$

La fonction sinus est une fonction périodique de période 2π et d'amplitude $|A| = 1$. Son domaine est $\mathbb{R}$ et son image, l'intervalle $[-1, 1]$. Construisons un tableau, appelé *tableau de variation*, qui illustre le comportement de cette fonction; une flèche dirigée vers le haut ($\nearrow$) indique une augmentation (ou croissance) de la fonction, tandis qu'une flèche dirigée vers le bas ($\searrow$) indique une diminution (ou décroissance) de la fonction.

t	0	$\dfrac{\pi}{6}$	$\dfrac{\pi}{4}$	$\dfrac{\pi}{3}$	$\dfrac{\pi}{2}$	$\dfrac{2\pi}{3}$	$\dfrac{3\pi}{4}$	$\dfrac{5\pi}{6}$	π	$\dfrac{7\pi}{6}$	$\dfrac{5\pi}{4}$	$\dfrac{4\pi}{3}$	$\dfrac{3\pi}{2}$	$\dfrac{5\pi}{3}$	$\dfrac{7\pi}{4}$	$\dfrac{11\pi}{6}$	2π
$f(t) = \sin t$	0	$\dfrac{1}{2}$	$\dfrac{\sqrt{2}}{2}$	$\dfrac{\sqrt{3}}{2}$	1	$\dfrac{\sqrt{3}}{2}$	$\dfrac{\sqrt{2}}{2}$	$\dfrac{1}{2}$	0	$-\dfrac{1}{2}$	$-\dfrac{\sqrt{2}}{2}$	$-\dfrac{\sqrt{3}}{2}$	-1	$-\dfrac{\sqrt{3}}{2}$	$-\dfrac{\sqrt{2}}{2}$	$-\dfrac{1}{2}$	0
variation de $f(t)$	0				1 ↗			↘	0				−1 ↘			↗	0

Dans l'intervalle $\left[0, \dfrac{\pi}{2}\right]$, la fonction augmente, passe par un maximum en $t = \dfrac{\pi}{2}$, puis diminue dans l'intervalle $\left[\dfrac{\pi}{2}, \dfrac{3\pi}{2}\right]$ jusqu'à atteindre un minimum en $\dfrac{3\pi}{2}$ avant de réaugmenter dans l'intervalle $\left[\dfrac{3\pi}{2}, 2\pi\right]$.

Le tableau de variation nous conduit au graphe de la fonction $\sin t$.

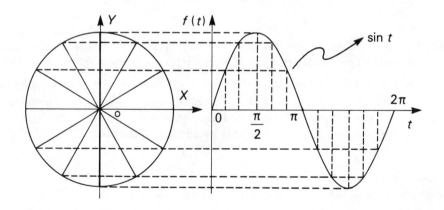

On va procéder de la même façon pour faire l'étude des autres fonctions trigonométriques.

Étude de $h(t) = \cos t$

$p = 2\pi$,

$|A| = 1$,

$\text{Dom } h = \mathbb{R}$,

$\text{Im } h = [-1, 1]$.

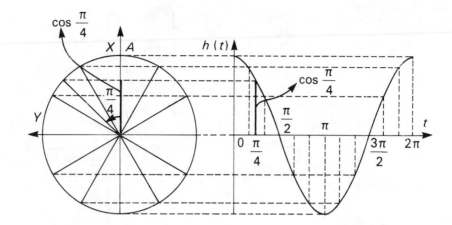

t	0	$\dfrac{\pi}{4}$	$\dfrac{\pi}{2}$	$\dfrac{3\pi}{4}$	π	$\dfrac{5\pi}{4}$	$\dfrac{3\pi}{2}$	$\dfrac{7\pi}{4}$	2π
$\cos t$	1	$\dfrac{\sqrt{2}}{2}$	0	$-\dfrac{\sqrt{2}}{2}$	-1	$-\dfrac{\sqrt{2}}{2}$	0	$\dfrac{\sqrt{2}}{2}$	1
variation de $h(t)$	1	↘	0	↘ 1		↗	0	↗	1

Étude de $f(t) = \tan t$

$p = \pi$,

$\text{Dom } f = \left\{ x \in \mathbb{R} \mid x \neq \dfrac{(2k+1)\pi}{2} \text{ où } k \in \mathbb{Z} \right\}$,

$\text{Im } f = \mathbb{R}$.

t	$-\dfrac{\pi}{2}$	$-\dfrac{\pi}{3}$	$-\dfrac{\pi}{4}$	$-\dfrac{\pi}{6}$	0	$\dfrac{\pi}{6}$	$\dfrac{\pi}{4}$	$\dfrac{\pi}{3}$	$\dfrac{\pi}{2}$
$\tan t$	▨	$-\sqrt{3}$	-1	$-\dfrac{1}{\sqrt{3}}$	0	$\dfrac{1}{\sqrt{3}}$	1	$\sqrt{3}$	▨
variation de $f(t)$	▨	↗							▨

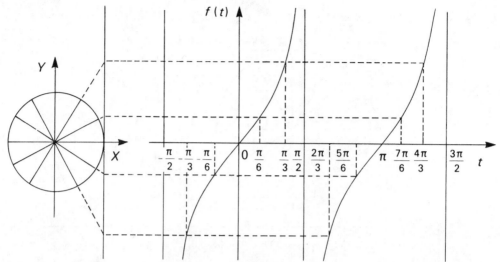

Les trois autres fonctions trigonométriques sont moins importantes puisqu'il est toujours possible de se rapporter aux trois précédentes. Nous allons toutefois donner l'allure des graphes de cot t, cosec t et sec t.

Étude de $f(t) = \cot t$

$p = \pi$,

$\operatorname{Im} f = \mathbb{R}$,

$\operatorname{Dom} f = \{ x \in \mathbb{R} \mid x \neq k\pi \text{ où } k \in \mathbb{Z} \}$.

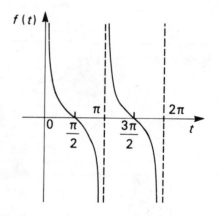

t	0	$\dfrac{\pi}{4}$	$\dfrac{\pi}{2}$	$\dfrac{3\pi}{4}$	π
cot t		1	0	-1	
variation					

Étude de $f(t) = \sec t = \dfrac{1}{\cos t}$

$p = 2\pi$,

$\operatorname{Dom} f = \left\{ x \in \mathbb{R} \mid x \neq \dfrac{(2k+1)\pi}{2} \text{ où } k \in \mathbb{Z} \right\}$,

$\operatorname{Im} f = \mathbb{R} \setminus \left] -1, 1 \right[$.

t	0		$\dfrac{\pi}{2}$		π		$\dfrac{3\pi}{2}$		2π
cos t	1		0		– 1		0		1
sec t	1				– 1				1
variation de sec t	1				– 1				1

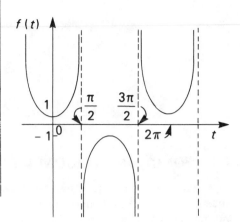

$$\boxed{\textbf{Étude de } f\,(t) = \text{cosec } t = \dfrac{1}{\sin t}}$$

$p = 2\pi$,

Dom $f = \{\, x \in \mathbb{R} \mid x \neq k\pi \text{ où } k \in \mathbb{Z} \,\}$,

Im $f = \mathbb{R} \setminus\,]-1, 1[$.

t	0		$\dfrac{\pi}{2}$		π		$\dfrac{3\pi}{2}$		2π
sin t	0		1		0		– 1		0
cosec t			1				– 1		
variation de cosec t			1				– 1		

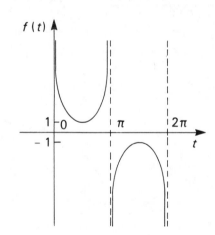

Exercices (k) : (1) Tracer le graphe de :

    a) $f\,(t) = 3 \sin t$;   b) $f\,(t) = -2 \cos t$;

    c) $f\,(t) = \dfrac{3}{2} \tan t$;   d) $f\,(t) = - \cot t$;

    e) $f\,(t) = -2 \sec t$.

(2) Évaluer avec la calculatrice :

a) $\sin 30°$;   b) $\sin \dfrac{\pi}{7}$;   c) $3 \cos 25°$;

d) $\tan 20°$;   e) $\cot 35°$;   f) $\sec \dfrac{\pi}{4}$;

g) $\operatorname{cosec} 10°$;   h) $4 \sec \dfrac{\pi}{3}$.

4.12 FONCTIONS TRIGONOMÉTRIQUES RÉCIPROQUES

Les fonctions trigonométriques ne sont pas bijectives de $\mathbb{R}$ dans $\mathbb{R}$, ni même bijectives de $\mathbb{R}$ dans leur ensemble image. Pour pouvoir parler de fonctions réciproques des fonctions trigonométriques, il faut réduire leur domaine de façon à les rendre bijectives(∗). C'est ainsi qu'on définit les fonctions trigonométriques *principales*. Celles-ci vont nous servir à établir leurs fonctions réciproques (∗∗).

Fonction arc sinus

Soit la fonction principale $y = \sin x$ dont le domaine est $\left[-\dfrac{\pi}{2}, \dfrac{\pi}{2} \right]$: son image est $[-1, 1]$. Le graphe de la fonction principale sin est donné ci-dessous. La fonction réciproque de la fonction principale sin, notée arcsin, est telle que

$x = \sin y \iff y = \arcsin x$,

où le domaine d'arcsin est $[-1, 1]$ et l'image, $\left[-\dfrac{\pi}{2}, \dfrac{\pi}{2} \right]$.

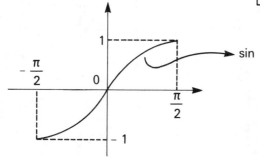
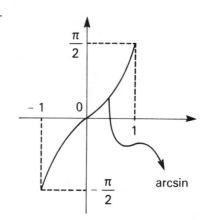

Fonction arc cosinus

Soit la fonction principale $y = \cos x$ dont le domaine est $[0, \pi]$ et l'image $[-1, 1]$. La fonction réciproque, notée arccos, est telle que

$x = \cos y \iff y = \arccos x$.

∗   Les calculatrices tiennent compte de ces réductions de domaine.

∗∗   Même si cette expression est impropre, on parle aussi de fonctions trigonométriques *inverses* au lieu de réciproques.

Le domaine d'arccos est $[-1, 1]$ et l'image $[0, \pi]$. Voici le graphe des fonctions cos et arccos.

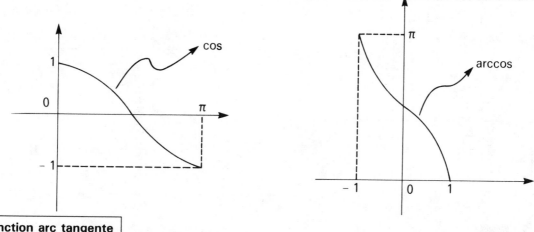

Fonction arc tangente

Pour définir la fonction réciproque de la fonction tangente, notée arctan, on définit la fonction princi-pale $y = \tan x$ de domaine $\left] -\dfrac{\pi}{2}, \dfrac{\pi}{2} \right[$ et d'image $\mathbb{R}$. Alors

$$x = \tan y \iff y = \arctan x.$$

La fonction arctan a comme domaine $\mathbb{R}$ et comme image $\left] -\dfrac{\pi}{2}, \dfrac{\pi}{2} \right[$. Voici leurs graphes :

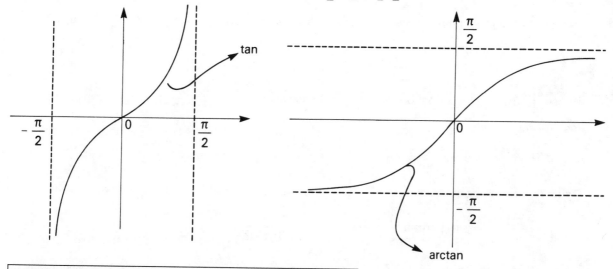

Fonctions arc cotangente, arc sécante et arc cosécante

Les fonctions réciproques des fonctions cotangente, sécante et cosécante peuvent aussi être définies, bien que leur importance soit relative; on peut en effet toujours se ramener aux fonctions réciproques précédentes. Pour la cotangente, la fonction principale est de domaine $]\,0,\,\pi\,[$ et d'image $\mathbb{R}$. Les graphes de la fonction principale cot et de la fonction réciproque arccot sont donnés par :

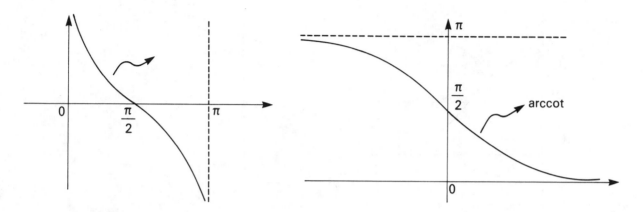

Exemple : Cherchons la valeur de certaines fonctions trigonométriques réciproques.

1) $y = \arccos \dfrac{1}{2}$. On doit avoir $0 \leqslant y \leqslant \pi$ pour qu'arccos soit défini. Posons l'équivalence :

$$y = \arccos \frac{1}{2} \iff \frac{1}{2} = \cos y.$$

Trouvons un angle y compris entre 0 et π dont le cosinus est égal à $\dfrac{1}{2}$. Il n'y a que $\dfrac{\pi}{3}$. D'où, $y = \dfrac{\pi}{3}$

ou $\arccos \dfrac{1}{2} = \dfrac{\pi}{3}$.

2) $y = \sin \left(\arcsin \dfrac{1}{2} \right)$. Posons $\arcsin \dfrac{1}{2} = t$. On doit avoir $-\dfrac{\pi}{2} \leqslant t \leqslant \dfrac{\pi}{2}$ pour qu'arcsin soit défini. Posons l'équivalence :

$$\arcsin \frac{1}{2} = t \iff \frac{1}{2} = \sin t.$$

Trouvons un angle t compris entre $-\dfrac{\pi}{2}$ et $\dfrac{\pi}{2}$ dont le sinus est égal à $\dfrac{1}{2}$. Il n'y en a qu'un seul, $\dfrac{\pi}{6}$.

D'où $t = \dfrac{\pi}{6}$ et $y = \sin \left(\arcsin \dfrac{1}{2} \right) = \sin t = \sin \dfrac{\pi}{6} = \dfrac{1}{2}$.

Sur les calculatrices, les fonctions arcsin, arccos, arctan apparaissent sur des touches habituellement marquées $\sin^{-1}$, $\cos^{-1}$, tg^{-1}. Les résultats ainsi obtenus se trouvent dans les intervalles de définition des fonctions. Par exemple, la valeur de arcsin x sera comprise entre $-\pi/2$ et $\pi/2$, celle de arccos entre 0 et π, celle de arctan entre $-\pi/2$ et $\pi/2$.

Exercices (I) :   (1) Évaluer avec la calculatrice :

a) $\arccos \dfrac{1}{2}$;   b) $\arcsin \dfrac{1}{2}\sqrt{3}$;   c) $\arctan 1$;

c) $\arctan \sqrt{2}$;   e) $3 \arcsin 0{,}6$;   f) $\arctan 2$;

g) $\arccos 0{,}4$;   h) $\sin \arccos 0{,}4$;   i) $\tan \arcsin 0{,}5$.

(2) Avec la calculatrice, trouver une valeur t telle que : a) $\tan t = 2$; b) $\cos t = 0{,}2$; c) $\sin 2t = \sqrt{3}/2$. Quelle remarque peut-on formuler si on compare cette recherche de t avec la résolution des équations trigonométriques (page 115) ?

4.13 ÉTUDE DE LA FONCTION $f (t) = A \sin (\omega t + \phi)$

On rencontre si souvent des phénomènes, en particulier en physique, qu'on étudie à l'aide de la fonction $f (t) = A \sin (\omega t + \phi)$ qu'il paraît nécessaire d'y consacrer quelques pages. On fera l'étude de cette fonction en partant de sa présentation la plus simple.

| **Cas particulier :** | $g (t) = A \sin \omega t$ où $\omega > 0$ (*). |

Trouvons les caractéristiques de la fonction $g (t) = A \sin \omega t$:

domaine : $\mathbb{R}$,

image : $[- | A |, | A |]$,

amplitude : $| A |$.

Énonçons sans le démontrer le résultat qui nous permettra de trouver la période de g.

> Si f est une fonction périodique de période p, alors $g (t) = f (\omega t)$, où $\omega > 0$, est une fonction périodique de période $\dfrac{p}{\omega}$.

Exemple : On sait que la fonction $f (t) = \sin t$ est de période 2π. La période de $g (t) = \sin 3t$ est donnée par $2\pi /3$.

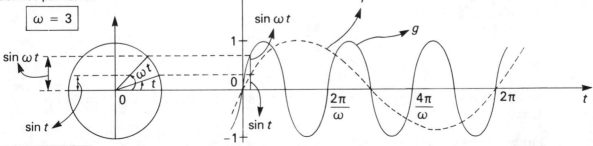

---

*   Le cas où $\omega < 0$ dans ce type de fonction trigonométrique peut toujours se ramener au cas où $\omega > 0$ par une simple transformation. Par exemple, $\sin (-2 t) = -\sin (2t)$, $\cos (-5 t) = \cos (5 t)$, etc.

La période de la fonction $g(t) = A \sin \omega t$ est donc $\dfrac{2\pi}{\omega}$. Représentons les variations de cette fonction en ne tenant compte que des valeurs remarquables de t qui annulent ou rendent le sinus égal à 1 ou à -1.

t	0		$\dfrac{\pi}{2\omega}$		$\dfrac{\pi}{\omega}$		$\dfrac{3\pi}{2\omega}$		$\dfrac{2\pi}{\omega}$
$\sin \omega t$	0		1		0		-1		0
$g(t) = A \sin \omega t$	0		A		0		$-A$		0
variation de $g(t)$ si $A > 0$	0	↗	A	↘	0	↘	$-A$	↗	0
variation de $g(t)$ si $A < 0$	0	↘	A	↗	0	↗	$-A$	↘	0

Voici le graphe de $g(t) = A \sin \omega t$:

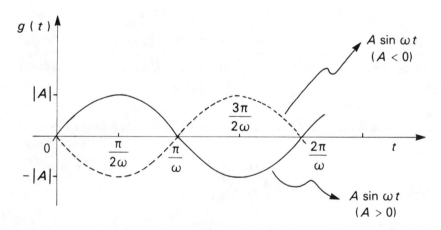

Dans un intervalle de longueur 2π, on rencontrera ω représentations identiques (aussi appelées cycles) du graphe ci-dessus.

Exemple : Traçons le graphe de $f(t) = 3 \sin 2t$. L'amplitude est de $|3| = 3$, tandis que la période est $p = \dfrac{2\pi}{2} = \pi$. Voici d'abord le tableau de variation :

t	0		$\dfrac{\pi}{4}$		$\dfrac{\pi}{2}$		$\dfrac{3\pi}{4}$		π
$\sin 2t$	0		1		0		-1		0
$f(t) = 3\sin 2t$	0		3		0		-3		0
variation de $f(t)$	0		3		0		-3		0

Nous pouvons maintenant tracer le graphe de $f(t) = 3\sin 2t$.

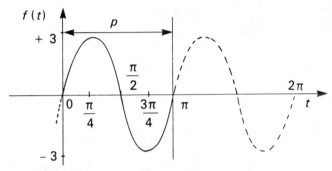

Dans un intervalle de grandeur 2π, on a 2 cycles car $\omega = 2$.

Exercices (m) : (1) Tracer le graphe de $f(t) = -4\sin 3t$.

(2) Tracer le graphe de $f(t) = \dfrac{1}{2}\sin\dfrac{t}{2}$.

Cas général : $f(t) = A\sin(\omega t + \phi)$ et $g(t) = A\sin\omega t\ (\omega > 0)$.

Trouvons les caractéristiques de la fonction $f(t) = A\sin(\omega t + \phi)$ en la comparant à la fonction $g(t) = A\sin\omega t$:

Dom f = Dom g = $\mathbb{R}$;

Im f = Im g = $[-|A|, |A|]$;

amplitude : $|A|$;

période : $\dfrac{2\pi}{\omega}$.

Les deux fonctions présentent un *déphasage* que l'on peut définir de la manière suivante.

DÉFINITION : Soit $f(t) = A \sin(\omega t + \phi)$ et $g(t) = A \sin \omega t$ où $\omega > 0$ (*). Le déphasage entre f et g est l'angle donné par le rapport ϕ / ω (*).

L'angle ϕ est appelé angle de phase à l'origine ($t = 0$). Si ϕ est positif, on dit que f est en avance sur g d'un angle ϕ / ω. Si ϕ est négatif, f est en retard sur g d'un angle ϕ / ω.

Comme pour le cas précédent, déterminons les valeurs particulières qui rendent le sinus nul ou égal à 1 ou –1 pour $f(t) = A \sin(\omega t + \phi)$. On trouve :

$$\omega t + \phi = 0 \text{ lorsque } t = -\frac{\phi}{\omega} \text{ (valeur nulle)} ;$$

$$\omega t + \phi = \pi \text{ lorsque } t = \frac{\pi - \phi}{\omega} \text{ (valeur nulle)} ;$$

$$\omega t + \phi = 2\pi \text{ lorsque } t = \frac{2\pi - \phi}{\omega} \text{ (valeur nulle)} ;$$

$$\omega t + \phi = \frac{\pi}{2} \text{ lorsque } t = \frac{\frac{\pi}{2} - \phi}{\omega} \text{ (valeur 1)} ;$$

$$\omega t + \phi = \frac{3\pi}{2} \text{ lorsque } t = \frac{\frac{3\pi}{2} - \phi}{\omega} \text{ (valeur } -1\text{)}.$$

Ceci permet de construire le tableau de variation de $A \sin \omega t$ et de $A \sin(\omega t + \phi)$.

t	0		$\dfrac{\pi}{2\omega}$		$\dfrac{\pi}{\omega}$		$\dfrac{3\pi}{2\omega}$		$\dfrac{2\pi}{\omega}$
$\sin \omega t$	0		1		0		–1		0
$A \sin \omega t$	0		A		0		$-A$		0
variation de $A \sin \omega t$ si $A > 0$	0	↗	A	↘	0	↘	$-A$	↗	0
variation de $A \sin \omega t$ si $A < 0$	0	↘	A	↗	0	↗	$-A$	↘	0

---

*   Cette définition de déphasage reste vraie si on remplace sinus par cosinus, tangente, cotangente, sécante ou cosécante.

t	$-\dfrac{\phi}{\omega}$		$\dfrac{\frac{\pi}{2}-\phi}{\omega}$		$\dfrac{\pi-\phi}{\omega}$		$\dfrac{\frac{3\pi}{2}-\phi}{\omega}$		$\dfrac{2\pi-\phi}{\omega}$
$\sin(\omega t + \phi)$	0		1		0		-1		0
$A \sin(\omega t + \phi)$	0		A		0		$-A$		0
variation de $A \sin(\omega t + \phi)$ si $A > 0$	0	$\nearrow$	A	$\searrow$	0	$\searrow$	$-A$	$\nearrow$	0
variation de $A \sin(\omega t + \phi)$ si $A < 0$	0	$\searrow$	A	$\nearrow$	0	$\nearrow$	$-A$	$\searrow$	0

Nous sommes maintenant en mesure de faire le graphe des fonctions $f(t) = A \sin(\omega t + \phi)$ et $g(t) = A \sin \omega t$.

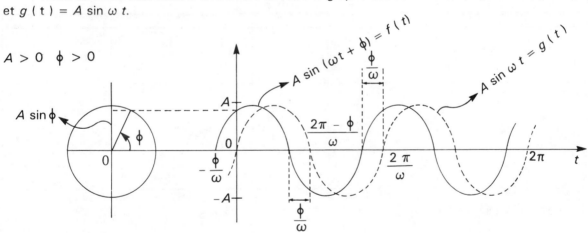

Comme cela est illustré ci-dessus, on peut mesurer ϕ / ω à partir de deux points consécutifs où les fonctions f et g, tout en étant toutes deux croissantes (ou décroissantes) en ces points, coupent l'axe horizontal.

Exemple : Faisons l'étude de la fonction $f(t) = -\dfrac{1}{2} \sin\left(3t + \dfrac{\pi}{3}\right)$.   La période de cette fonction est $p = \dfrac{2\pi}{3}$. L'amplitude est $\left| -\dfrac{1}{2} \right| = \dfrac{1}{2}$. Le déphasage par rapport à $g(t) = -\dfrac{1}{2} \sin 3t$ est égal à

$\dfrac{\phi}{\omega} = \dfrac{\pi/3}{3} = \dfrac{\pi}{9}$. Il faut d'abord trouver les valeurs de t rendant $\sin\left(3t + \dfrac{\pi}{3}\right)$ égal à 0, 1 et -1. On aura alors :

$$f(t) = 0 \text{ pour } t = -\dfrac{\pi}{9}, \ t = \dfrac{2\pi}{9} \text{ ou } t = \dfrac{5\pi}{9} ;$$

$$f(t) = 1 \text{ pour } t = \dfrac{\pi}{18} ;$$

$$f(t) = -1 \text{ pour } t = \dfrac{7\pi}{18} \cdot$$

Il est maintenant possible de construire le tableau de variation.

t	$-\dfrac{\pi}{9}$		$\dfrac{\pi}{18}$		$\dfrac{2\pi}{9}$		$\dfrac{7\pi}{18}$		$\dfrac{5\pi}{9}$
$\sin\left(3t + \dfrac{\pi}{3}\right)$	0		1		0		-1		0
$-\dfrac{1}{2}\sin\left(3t + \dfrac{\pi}{3}\right)$	0		$-\dfrac{1}{2}$		0		$\dfrac{1}{2}$		0
variation de $f(t)$	0	↘	$-\dfrac{1}{2}$	↗	0	↗	$\dfrac{1}{2}$	↘	0

Le graphe de la fonction donnera :

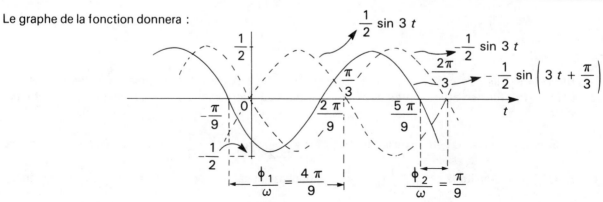

Le déphasage de $f(t) = -\dfrac{1}{2} \sin\left(3t + \dfrac{\pi}{3}\right)$ par rapport à $g(t) = \dfrac{1}{2} \sin 3t$ est égal à $4\pi/9$. En effet,

$$f(x) = -\dfrac{1}{2} \sin\left(3t + \dfrac{\pi}{3}\right) = \dfrac{1}{2} \sin\left(\pi + 3t + \dfrac{\pi}{3}\right)$$

car les angles dont la différence est π ont des sinus opposés. On a donc

$$f(t) = \dfrac{1}{2} \sin\left(3t + \dfrac{4\pi}{3}\right).$$

Le déphasage est

$$\dfrac{\phi}{\omega} = \dfrac{4\pi/3}{3} = \dfrac{4\pi}{9}.$$

La fonction f est en avance d'un angle de $4\pi/9$ sur g. Si on considère plutôt le déphasage de f par rapport à $h(t) = -\dfrac{1}{2} \sin 3t$, il sera égal à $\pi/9$: f sera en avance sur h de $\pi/9$.

Exemple : Comparons les fonctions $f(t) = \dfrac{1}{3} \sin\left(2t + \dfrac{\pi}{6}\right)$, $h(t) = -\dfrac{1}{3} \sin\left(2t - \dfrac{\pi}{4}\right)$ et $k(t) = \dfrac{1}{3} \sin\left(\dfrac{4\pi}{3} - 2t\right)$ avec la fonction $g(t) = \dfrac{1}{3} \sin 2t$. Le déphasage entre f et g est donné par

$$\dfrac{\phi}{\omega} = \dfrac{\pi/6}{2} = \pi/12.$$

Donc f est en avance sur g d'un angle $\pi/12$. Pour pouvoir comparer h et g, il faut qu'elles aient le même signe pour ω et pour A :

$$h(t) = -\dfrac{1}{3} \sin\left(2t - \dfrac{\pi}{4}\right) = \dfrac{1}{3} \sin\left(\pi + 2t - \dfrac{\pi}{4}\right) = \dfrac{1}{3} \sin\left(2t + \dfrac{3\pi}{4}\right)$$

(les angles dont la différence est π ont des sinus opposés). L'angle de déphasage entre h et f est donné par $(3\pi/4)/2 = 3\pi/8$: h est en avance sur g d'un angle de $3\pi/8$. Pour ce qui est de la fonction k, on doit d'abord la ramener sous la forme d'un ω positif :

$$k(t) = \dfrac{1}{3} \sin\left(\dfrac{4\pi}{3} - 2t\right) = \dfrac{1}{3} \sin\left(\pi - \left(\dfrac{4\pi}{3} - 2t\right)\right) = \dfrac{1}{3} \sin\left(2t - \dfrac{\pi}{3}\right)$$

(les angles supplémentaires ont le même sinus). L'angle de déphasage est alors donné par $\phi/\omega = (-\pi/3)/2 = -\pi/6$: la fonction k est en retard d'un angle $\pi/6$ sur la fonction g.

Exercices (n) : (1) Tracer le graphe de la fonction $f(t) = 3 \sin\left(2t + \dfrac{\pi}{2}\right)$.

(2) Tracer le graphe de la fonction $f(t) = 2 \sin\left(\dfrac{\pi}{3} - \dfrac{t}{3}\right)$.

(Se ramener à $\omega > 0$.)

(3) Tracer le graphe de la fonction $f(t) = \sin\left(t + \dfrac{\pi}{2}\right)$.

(4) Quel est l'angle de déphasage entre les fonctions $f(t) = -4\sin\left(\dfrac{\pi}{4} - 3t\right)$ et $g(t) = 4\sin 3t$?

L'étude que nous avons faite de la fonction $f(t) = A\sin(\omega t + \phi)$ pourrait être reprise avec $A\cos(\omega t + \phi)$. Voici un court aperçu du comportement de $A\cos\omega t$ et de $A\cos(\omega t + \phi)$.

$p = \dfrac{2\pi}{\omega}$,

Dom f = Dom g = $\mathbb{R}$,

Im f = Im g = $[-|A|, |A|]$.

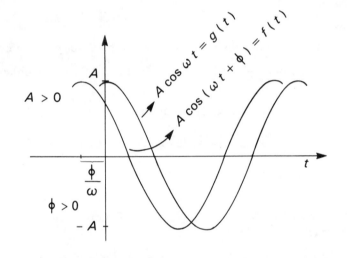

t	0		$\dfrac{\pi}{2\omega}$		$\dfrac{\pi}{\omega}$		$\dfrac{3\pi}{2\omega}$		$\dfrac{2\pi}{\omega}$
$\cos\omega t$	1		0		-1		0		1
$g(t) = A\cos\omega t$	A		0		$-A$		0		A
Variation de $g(t)$ pour $A>0$	A	↘	0	↘	$-A$	↗	0	↗	A
Variation de $g(t)$ pour $A<0$	A	↗	0	↗	$-A$	↘	0	↘	A

t	$\dfrac{-\phi}{\omega}$		$\dfrac{\frac{\pi}{2}-\phi}{\omega}$		$\dfrac{\pi-\phi}{\omega}$		$\dfrac{\frac{3\pi}{2}-\phi}{\omega}$		$\dfrac{2\pi-\phi}{\omega}$
$f(t) =$ $A\cos$ $(\omega t + \phi)$	A		0		-1		0		-1
variation de $f(t)$ pour $A > 0$	A	↘	0	↘	$-A$	↗	0	↗	A
variation de $f(t)$ pour $A < 0$	A	↗	0	↗	$-A$	↘	0	↘	A

On notera que la fonction $\cos t$ est déphasée d'un angle de $\dfrac{\pi}{2}$ par rapport à la fonction $\sin t$; en fait

$$\cos t = \sin\left(\frac{\pi}{2} - t\right) = \sin\left(t + \frac{\pi}{2}\right).$$

4.14   APPLICATIONS DES FONCTIONS SINUSOÏDALES

Les fonctions sinusoïdales sont souvent utilisées dans différentes parties de la physique. On les utilise pour représenter, entre autres, les mouvements oscillatoires d'un pendule (ou d'un ressort) dont la *période d'oscillation* est le temps mis par le pendule (ou par le ressort) pour revenir à une même position. On les utilise aussi pour représenter le mouvement de rotation uniforme d'un mobile autour d'un axe à la vitesse angulaire ω, aussi appelée *pulsation*, dont la période est donnée par

$$T = \frac{2\pi}{\omega} \ (*).$$

On représente également par des fonctions sinusoïdales les phénomènes vibratoires telles les ondes électromagnétiques, les cordes vibrantes, les vibrations dans les gaz, etc. La période est alors donnée par

$$T = \frac{\lambda}{V}$$

où λ représente la longueur d'onde et V, la vitesse de propagation de l'onde. En électricité, on représente par une fonction sinusoïdale l'intensité du courant alternatif dont la fréquence, notée f, est égale à $1/T$. La fréquence s'exprime en hertz (Hz) et représente le nombre de cycles par seconde (ou encore, le nombre de "va et vient" des électrons dans un fil conducteur durant une seconde). Le courant alternatif ménager est de 60 Hz. Nous allons maintenant donner quelques exemples d'applications de la fonction sinus au courant alternatif.

---

* En physique, la période est notée T plutôt que p, car elle représente un temps.

Une intensité et une tension de courant alternatif sont représentées par des fonctions sinusoïdales de la forme $i(t) = I_m \sin(\omega t + \phi_1)$ et $v(t) = V_m \sin(\omega t + \phi_2)$: $v(t)$ (en volt) et $i(t)$ (en ampère) représentent la tension et l'intensité du courant alternatif à l'instant t (en seconde). La tension et l'intensité maximales sont données par V_m (en volt) et I_m (en ampère). La pulsation ω (en radian par seconde) donne le nombre de cycles (ou nombre de représentations du même graphique) qui se trouvent dans un intervalle de grandeur 2π. Cette pulsation est la même pour la tension et l'intensité du courant (*). La durée d'un cycle ou période, notée T, est donnée par

$$T = \frac{2\pi}{\omega} \quad \text{(en seconde)}.$$

Dans les expressions $i(t) = I_m \sin(\omega t + \phi_1)$ et $v(t) = V_m \sin(\omega t + \phi_2)$, $(\omega t + \phi_1)$ et $(\omega t + \phi_2)$ représentent des angles exprimés en radian, ϕ_1 et ϕ_2 étant les angles de phase de l'intensité et de la tension à l'instant initial ($t = 0$). La différence de phase est donnée par $\phi_1 - \phi_2$ (on l'appelle aussi angle de déphasage) lorsque pour des raisons de commodité, les graphes de $i(t)$ et $v(t)$ sont tracés en fonction de ωt plutôt que de t. Cela est possible lorsque ω est le même, ce qui est souvent le cas en électricité.

Exemple : Soit la tension donnée par $v(t) = 2\sin 3t$. Nous avons $V_m = 2$ (en V), $\omega = 3$ (en rad/s) et $T = 2\pi/3$ (en s), $f = 3/(2\pi)$ (en Hz). On peut alors tracer le graphe de $v(t)$ en fonction de t ou encore en fonction de ωt :

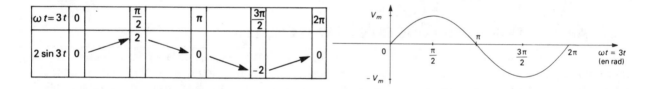

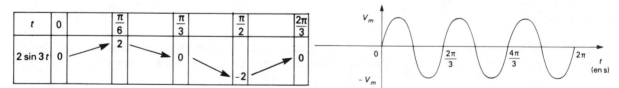

Exemple : Un générateur produit un courant alternatif au rythme de 60 hertz. Ce courant est sinusoïdal de la forme

$$i(t) = I_m \sin \omega t$$

et sa valeur maximale est de 3 ampères. Déterminons la pulsation, la période, donner l'équation du courant et tracer les graphes en fonction de t et de ωt. Comme 60 hertz représente f, nous pouvons déduire la période T par :

---

* La pulsation est la même car elle provient de la vitesse constante de rotation d'une bobine dans un champ magnétique uniforme à l'intérieur d'un générateur de courant alternatif.

$$T = \frac{1}{f} = \frac{1}{60} \text{ (seconde).}$$

D'autre part,

$$T = \frac{2\pi}{\omega},$$

d'où la pulsation

$$\omega = \frac{2\pi}{T} = 120\pi \text{ (radians par seconde).}$$

L'équation du courant est donc :

$$i(t) = 3 \sin 120\pi t.$$

Les graphes en fonction de t et de ωt sont représentés ci-dessous.

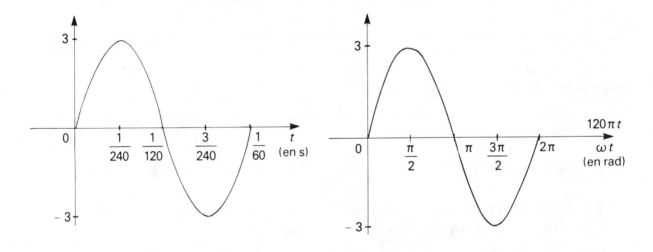

Exercice (o):   Soit les fonctions $i(t) = 4 \sin\left(3t + \frac{\pi}{4}\right)$ et $v(t) = 5 \sin\left(3t - \frac{\pi}{2}\right)$.

a) Donner la pulsation ω, la fréquence f, l'angle de phase ϕ_1 du courant et ϕ_2 de la tension à l'instant $t = 0$.

b) Tracer sur un même graphe les fonctions $i(t)$ et $v(t)$ en fonction de ωt. Quel est l'angle de déphasage entre les deux fonctions ? Quelle est la fonction qui est en avance ?

c) Tracer sur un même graphe les fonctions $i(t)$ et $v(t)$ en fonction de t. Quel est le déphasage $(\phi_1 - \phi_2)/\omega$ entre les deux fonctions ?

4.15   EXERCICES RÉCAPITULATIFS (4ᵉ partie)

1. Tracer le graphe des fonctions trigonométriques suivantes, après avoir donné la période, l'amplitude, le domaine, l'image et le tableau de variation.

a) $f(t) = -2 \cos \frac{1}{2} t;$

d) $f(t) = \dfrac{1}{\cot 5t}$ et $g(t) = \tan 5t;$

g) $f(x) = |3 \sin x|;$

b) $f(t) = 3 \sin \left(\dfrac{t}{2} + \dfrac{\pi}{3} \right);$

e) $f(\theta) = 3 \sin \left(\dfrac{\pi}{4} + \theta \right);$

h) $f(t) = 1 + 3 \sin 2t.$

c) $f(\theta) = -\tan 3\theta;$

f) $f(x) = -3 \sec 2x;$

i) $f(t) = 3 \cos \left(\dfrac{3t}{2} - \dfrac{\pi}{2} \right).$

2. Un générateur produit une tension alternative de forme sinusoïdale $v(t) = V_m \sin \omega t$ présentant 30 cycles par seconde. Sa tension maximale est de 80 volts. Donner la période, la pulsation et l'expression $v(t)$. Donner la valeur de la tension à $t = \dfrac{1}{100}$ s. À quels moments la tension sera-t-elle de 40 volts ?

3. Un générateur produit dans un circuit un courant alternatif $i(t)$ de 60 Hz et de valeur maximale 1 A. a)   Combien y a-t-il de cycles dans un intervalle de 1 s ? dans un intervalle de 2π s ? Donner la fréquence, la pulsation et la période de $i(t)$. Quelle est la largeur d'un cycle ?   b)   Donner l'expression de $i(t)$ et tracer les graphes en fonction de t et de ωt.   c)   On mesure sur le circuit une tension alternative $v(t)$ de valeur maximale 120 V. La tension est en avance d'un angle de $\pi/4$ par rapport à l'intensité. Donner l'expression de $v(t)$. Tracer $v(t)$ en fonction de t et de ωt sur les mêmes graphes que $i(t)$. Identifier l'angle de déphasage et le déphasage du courant par rapport à la tension.

4. Soit un courant alternatif $i_1(t) = 2 \sin \left(50t + \dfrac{\pi}{3} \right)$ et un courant $i_2(t) = 3 \sin \left(50t + \dfrac{\pi}{4} \right).$

a)   Donner la pulsation ω, la fréquence f, la période T de ces deux courants ;

b)   représenter les deux courants sur un même graphe en fonction de ωt ;

c)   en déduire graphiquement l'angle de déphasage de ces deux courants (en fonction de ωt). Quel est le courant qui est en avance sur l'autre ?

5. Tracer les fonctions v et i en fonction de ωt et déterminer l'angle de déphasage entre les deux fonctions :

a) $v = 7 \sin(\omega t + \pi/6)$ et $i = 4 \sin(\omega t + \pi/5)$;

b) $v = 4 \sin(\omega t + \pi/3)$ et $i = 10 \sin(\omega t - \pi/8)$;

c) $v = 3 \sin(\omega t - \pi/8)$ et $i = 5 \sin(\omega t - \pi/4).$

6. Soit la fonction $f(t) = 4 \sin 3t.$

a)   Que vaut $f(0)$, $f(\pi/2)$, $f(2)$, $f(45°)$?

b)   Quelles sont les valeurs de t pour lesquelles $f(t) = 0$?

c)   Quelles sont les coordonnées des points d'intersection de la fonction $f(t) = 4 \sin 3t$ avec la droite d'équation $g(t) = 2$? (On considérera un intervalle de longueur 2π.)

7. La position à chaque instant t (seconde) d'une masse M suspendue à un ressort fixé en un point est donnée par $f(t) = 10 \sin 30t$ où $f(t)$ est exprimé en cm. Cette position est représentée par une fonction sinusoïdale ; lorsqu'on tire sur le ressort, la masse oscille autour de sa position au repos $f(0)$.

a)   Quel est le déplacement maximal effectué par la masse ?

b)   Quelles sont la pulsation, la période, la fréquence des oscillations de cette masse ?

c)   Quelle est la position de la masse aux instants $t = 0$, $t = 1$, $t = 2$?

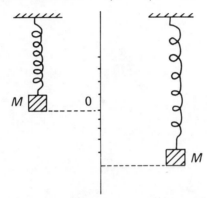

En fait, si on considère l'équation $f(t) = 10 \sin 30\ t$, la masse devrait osciller indéfiniment. Ce n'est pas ce qui se passe en réalité car le mouvement sera ralenti par la résistance de l'air, l'élasticité du ressort, etc. On a alors des oscillations amorties et la position de la masse à l'instant t peut être donnée par l'équation $g(t) = 10\ e^{-t} \sin 30\ t$ où t est exprimé en secondes et $g(t)$ en centimètres.

d)   Quelle sera la position de la masse à l'instant $t = 0$? $t = 1$? $t = 2$? $t = 10$?

e)   Si on considère que le graphe de cette fonction a l'allure suivante, déterminer la "période" T, la pulsation ω, la fréquence f, les valeurs A_1, A_2 et A_3.

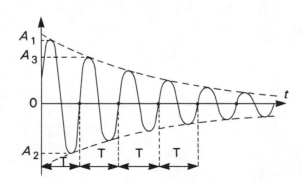

8. L'extrémité *A* d'une longue corde élastique est animée d'un mouvement vibratoire dont l'élongation exprimée en centimètre est donnée par la fonction (*t* est en seconde)

$$x = 4 \sin 20 \pi t.$$

a)   Déterminer l'amplitude, la fréquence et la période du mouvement.

b)   Quelle sera l'élongation à $t = \dfrac{1}{2}$ seconde ? à $t = \dfrac{1}{3}$ seconde ?

c)   À quel moment l'élongation sera-t-elle pour la 1re fois égale à 2 cm ?

Chapitre 5

Aires et volumes

PRÉAMBULE

L'être humain vit dans un espace physique dont il cherche à en comprendre les propriétés. Parmi les recherches les plus simples qu'il peut effectuer figure la mesure de l'étendue, que celle-ci se rattache à une surface du plan ou à un solide de l'espace. Dans ce chapitre, nous allons précisément aborder cette question en voyant comment calculer la mesure d'une surface délimitant une portion du plan (aire) et comment calculer la mesure d'un solide délimitant une portion de l'espace (volume).

5.1 UNITÉ DE LONGUEUR, D'AIRE ET DE VOLUME

Une droite, on peut la limiter par deux points. Un plan, on peut le limiter par un ensemble de points formant une figure '' fermée '' quelconque (par exemple, un carré, un rectangle). De la même façon, l'espace, on peut le limiter par un ensemble de points formant une figure fermée (par exemple, un cube, une sphère). La portion de la droite incluse entre deux points porte le nom de *segment de droite*. La portion du plan comprise à l'intérieur d'une figure plane s'appelle *surface*. La portion de l'espace comprise à l'intérieur d'une figure fermée de l'espace porte le nom de *solide*.

À un segment de droite, à une surface, à un solide, on associe une mesure :

— la *longueur*, pour ce qui est d'un segment de droite ;

— l'*aire*, pour ce qui est d'une surface (on dit aussi *superficie*) ;

— le *volume*, pour ce qui est d'un solide.

Pour mesurer la longueur d'un segment de droite donné, on le compare à une longueur étalon, le *mètre*. Le mètre est l'unité de base de longueur (en abrégé, m) du système international (SI). Les unités de longueur les plus usuelles qui découlent du mètre sont :

— le *kilomètre* (km) qui vaut 1000 m (ou 10^3 m) ;

— le *centimètre* (cm) qui vaut 0,01 m (ou 10^{-2} m) ;

— le *millimètre* (mm) qui vaut 0,001 m (ou 10^{-3} m).

On rencontre aussi le *décimètre* (dm) qui vaut 0,1 m.

Pour mesurer l'aire d'une surface plane, l'unité de mesure est le *mètre carré* (en abrégé, m^2). Un mètre carré est l'aire d'un carré de 1 m de côté. On utilise d'autres unités rattachées au mètre carré :

— le *kilomètre carré* (km^2) qui correspond à l'aire d'un carré de 1 km de côté, c'est-à-dire à 10^6 m^2 ;

— l'*hectare* (ha) qui correspond à l'aire d'un carré de 100 m de côté, c'est-à-dire 10^4 m^2 ;

— le *centimètre carré* (cm^2) qui correspond à l'aire d'un carré de 1 cm de côté, c'est-à-dire à 10^{-4} m^2 ;

— le *millimètre carré* (mm^2) qui correspond à l'aire d'un carré de 1 mm de côté, c'est-à-dire 10^{-6} m^2.

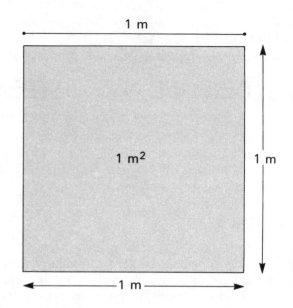

Tandis qu'on utilise le m^2 pour les grandes surfaces (bâtiments, terrains de ville...), on utilisera plutôt le km^2 en topographie, l'hectare pour la superficie des grands terrains, le cm^2 et le mm^2 pour les pièces et les coupes. On rencontre parfois le *décimètre carré* (dm^2) qui vaut 10^{-2} m^2.

Pour mesurer le volume d'un solide, l'unité de mesure est le *mètre cube* (m^3). Un mètre cube est le volume d'un cube de 1 mètre de côté. On utilise d'autres unités découlant du mètre cube :

— le *décimètre cube* (dm^3) qui vaut 10^{-3} m^3 ;

— le *centimètre cube* (cm^3) qui vaut 10^{-6} m^3.

Pour désigner le volume d'un liquide, on préfère parler de *litre* (en abrégé, l ou ℓ), un litre correspondant à 1 dm^3. On rencontre alors le *kilolitre* (kl) qui vaut 1 m^3 et le *millilitre* (ml) qui vaut 1 cm^3.

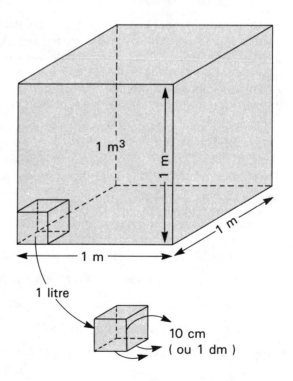

Pour calculer la longueur d'un segment de droite, l'aire d'une surface, le volume d'un solide, il suffit de compter combien de fois l'unité de mesure choisie y est incluse. Pour ce qui est des longueurs, il n'y a évidemment pas de formules particulières : il s'agit de compter, avec plus ou moins de précision, combien de fois l'unité peut être reportée le long du segment. Pour ce qui est des volumes et des aires, on présentera un certain nombre de formules qui permettront de les calculer à partir de figures semblables.

Qu'entend-on par *figures semblables* ? On dit de deux figures qu'elles sont semblables (par exemple, deux triangles du plan) lorsque leurs angles homologues sont égaux et lorsque leurs longueurs homologues sont multipliées par la même constante. Cette constante est habituellement notée k et est appelée le *rapport de similitude*. Les figures semblables s'obtiennent par une transformation appelée *homothétie de centre* O qui à chaque point A lui fait correspondre un point A' tel que

$$\frac{|\ OA'\ |}{|\ OA\ |} = k.$$

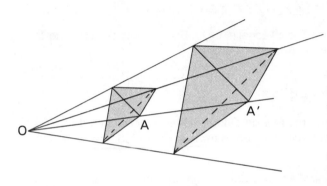

Sur le graphique ci-contre, le rapport est 2. On notera que tous les angles sont conservés, tandis que les longueurs homologues sont toutes multipliées par 2. Une maquette est un bon exemple de figure semblable : elle constitue en effet une représentation à l'échelle d'une autre figure, conservant les angles et reproduisant les longueurs dans une proportion donnée.

Dans deux figures semblables, le rapport de longueurs homologues est égal au rapport de similitude, le rapport des aires est égal au carré du rapport de similitude (pour ce qui est des surfaces planes), tandis que le rapport des volumes est égal au cube du rapport de similitude (pour ce qui est des figures de l'espace).

Exemple *:* On reproduit à l'échelle 1:10 une figure plane dont l'aire est de 3 m². Le rapport de similitude est 100 (ou 1/100 si on adopte l'autre point de vue). L'aire de la figure réduite est donc de 0,03 m². En effet,

$$\frac{3}{0,03} = 100.$$

Exemple : Un édifice est reproduit à l'échelle 1:12. Si le volume de l'édifice est de 2000 m³, quel sera le volume de la maquette ? Soit x, le volume cherché. Alors

$$\frac{2000}{x} = 12^3.$$

Alors, $x \simeq 1,16$ m³.

Exercices (a) : (1) En sachant qu'un pouce vaut à peu près 25,4 mm, trouver la longueur correspondant (en pouce) à 1 m, l'aire correspondant (en pouce carré) à 1 m²
et. le volume correspondant (en pouce cube) à 1 m³.

(2) Un mille vaut 5280 pieds. Vérifier que 1,609 344 km équivaut à 1 mille.

(3) L'aire des Pays-Bas, avec une population de 13 800 000 habitants, est de
34 182 km². Quelle serait la population du Canada avec ses 9 959 400 km²
s'il comptait autant d'habitants au km² que les Pays-Bas ?

(4) Une carte du Québec (1 535 843 km²) est reproduite à l'échelle 1:1000.
Quelle sera l'aire de la reproduction ?

(5) Une once liquide vaut 28,413 062 cm³. Combien d'onces y a-t-il dans un litre ?

(6) Une maquette reproduit un édifice à l'échelle 1:100. Si le volume de la maquette
est de 0,35 m³, quel est le volume de l'édifice ?

5.2   AIRE DE SURFACES PLANES USUELLES

En connaissant certains paramètres, on est en mesure de calculer directement l'aire de surfaces
planes particulières. Nous avons regroupé ici les plus usuelles, donnant leur définition, leur représentation et l'aire A de leur surface.

CARRÉ : Le *carré* est une portion du plan délimitée par quatre segments de droite de même longueur se rencontrant à angle droit.

$A = c^2$.

RECTANGLE : Le *rectangle* est une portion du plan délimitée par quatre segments de droite deux
à deux parallèles se rencontrant à angle droit.

$A = bh$.

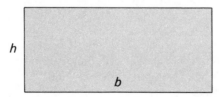

PARALLÉLOGRAMME : Le *parallélogramme* est une portion du plan délimitée par quatre segments
de droite deux à deux parallèles.

$A = bh$.

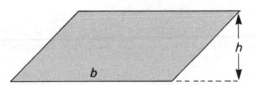

LOSANGE : Le *losange* est une portion du plan délimitée par quatre segments de droite égaux.

$A = \dfrac{1}{2}\, bh.$

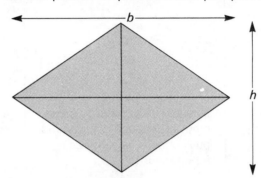

TRAPÈZE : Le *trapèze* est une portion du plan délimitée par quatre segments de droite dont deux sont parallèles.

$A = \dfrac{1}{2}\, (\, b + B \,)\, h.$

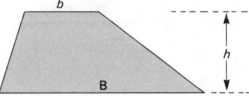

Une figure quelconque délimitée par quatre segments de droite est appelée *quadrilatère*. Les figures planes précédentes sont toutes des quadrilatères particuliers, et l'on rencontre des quadrilatères (comme ci-contre) qui ne portent pas de nom particulier. Les segments de droite permettant de constituer une figure plane s'appellent couramment *côtés*.

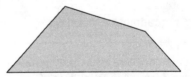

La démonstration de chacune des formules d'aires que nous avons données découle ultimement de celle du carré. D'autre part, comme tout triangle peut être regardé comme une moitié de parallélogramme, on obtient la formule de l'aire du triangle :

$$A = \frac{1}{2}\, bh.$$

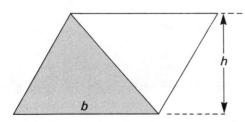

Triangles et quadrilatères sont des cas particuliers de *polygones*, un polygone étant une figure plane limitée par un nombre fini de segments de droite. On rencontre des polygones *convexes*, des polygones *concaves*, des polygones *réflexes*. Un triangle est donc un polygone convexe à trois côtés. Carré,

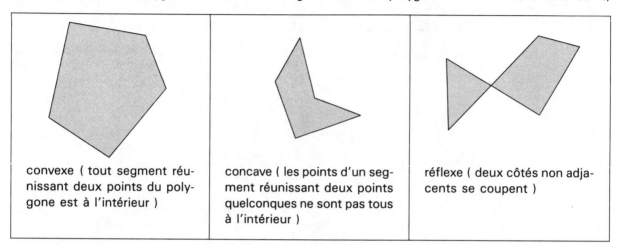

| convexe (tout segment réunissant deux points du polygone est à l'intérieur) | concave (les points d'un segment réunissant deux points quelconques ne sont pas tous à l'intérieur) | réflexe (deux côtés non adjacents se coupent) |

rectangle, parallélogramme, losange, trapèze sont des polygones convexes à quatre côtés. On peut rencontrer des quadrilatères quelconques qui ne sont pas convexes. Lorsqu'on ne précise pas la nature d'un polygone, on s'entend pour dire qu'il est convexe.

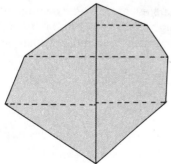

quadrilatère concave

quadrilatère réflexe

Pour calculer l'aire d'un polygone, on le décompose en triangles et en trapèzes, à moins qu'on connaisse une formule particulière. On doit toutefois retrouver tous les paramètres nécessaires, en ayant notamment recours à la trigonométrie. Certaines formules existent pour les polygones réguliers d'ordre *n*.

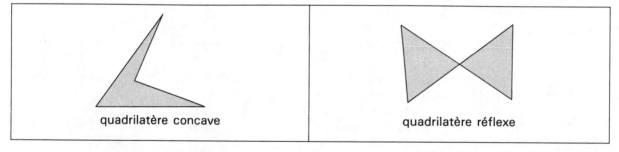

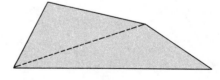

Un *polygone régulier* (sous-entendre convexe) *d'ordre n* est un polygone ayant *n* côtés et *n* angles égaux. Pour les construire, on utilise le cercle.

POLYGONE RÉGULIER D'ORDRE 3
(ou triangle équilatéral)

$$A = \frac{1}{2} ch = \frac{\sqrt{3}}{4} c^2.$$

$$= \frac{3}{2} ca.$$

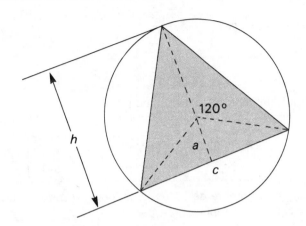

POLYGONE RÉGULIER D'ORDRE 4
(ou carré)

$$A = 4a^2 = \frac{d^2}{2} = c^2.$$

$$= \frac{4}{2} ca.$$

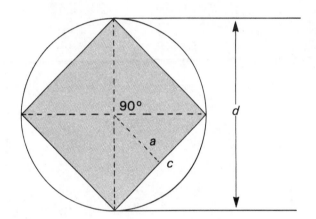

POLYGONE RÉGULIER D'ORDRE 5
(ou pentagone régulier)

$$A = \frac{5}{2} ca = \frac{5 c^2}{4 \tan 36°}.$$

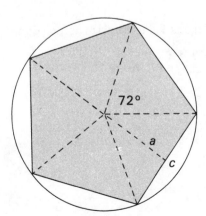

POLYGONE RÉGULIER D'ORDRE 6
(ou hexagone régulier)

$$A = \frac{6}{2}\,ca = \frac{3\sqrt{3}\,c^2}{2}$$

$$= \frac{6\,c^2}{4\tan 30°}.$$

La formule générale est donnée par

$$A = \frac{n}{2}\,ca = \frac{n\,c^2}{4\tan\left(\dfrac{180}{n}\right)°} = \frac{n\,c^2}{4\tan\left(\dfrac{\pi}{n}\right)}$$

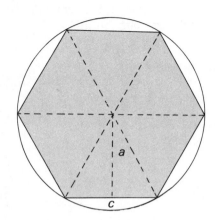

où n est le nombre de côtés, c, la longueur de chacun des côtés. La hauteur des n triangles formant le polygone est représentée par a.

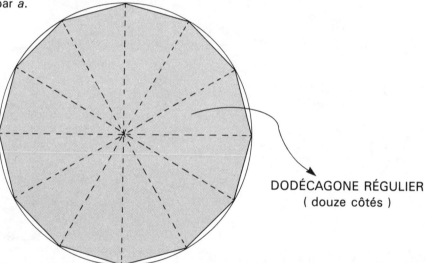

DODÉCAGONE RÉGULIER
(douze côtés)

Calculons l'aire de certains polygones.

Exemple 1 : Soit le triangle dont les côtés ont respectivement 5, 6 et 7 unités de longueur. Soit $b = 6$. Cherchons h. Alors

$$5^2 + 6^2 - 2 \times 5 \times 6 \times \cos\theta = 7^2 \text{ (loi des cosinus)},$$

d'où

$$- 2 \times 5 \times 6 \times \cos\theta = 49 - 36 - 25,$$

c'est-à-dire

$$\cos\theta = \frac{25 + 36 - 49}{2 \times 5 \times 6} = \frac{12}{60} = \frac{1}{5}.$$

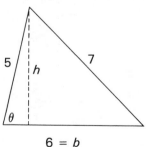

Alors

$$\hat{\theta} \simeq 78{,}46304097°.$$

Puisque

$$\sin \theta = \frac{h}{5},$$

h est égal à $5 \times \sin \theta$, c'est-à-dire

$$h \simeq 4{,}898979486.$$

On en déduit la valeur A de l'aire :

$$A = \frac{1}{2} \, (\, 6h \,) \simeq 14{,}696\,938\,46.$$

Il existe une formule permettant de calculer l'aire d'un triangle lorsqu'on connaît la longueur de chacun de ses côtés. Cette formule ne fait pas appel à la trigonométrie. Soit un triangle dont les longueurs des côtés sont a, b et c. Désignons par

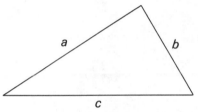

$$s = \frac{a + b + c}{2},$$

le demi-périmètre. Alors l'aire du triangle est donnée par

$$A = \sqrt{s \, (\, s - a \,) \, (\, s - b \,) \, (\, s - c \,)}.$$

Dans l'exemple précédent, $s = \dfrac{5 + 6 + 7}{2} = 9$. On vérifie alors la valeur trouvée pour A :

$$A = \sqrt{9 \, (\, 9 - 5 \,) \, (\, 9 - 6 \,) \, (\, 9 - 7 \,)} = \sqrt{216} \simeq 14{,}696\,938\,46.$$

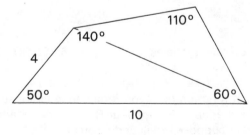

Exemple 2 : On veut calculer l'aire du quadrilatère ci-contre, dont on connaît la longueur de deux côtés et les angles internes. Il y a plusieurs façons de faire un tel calcul. On peut par exemple créer deux triangles, comme on l'a indiqué sur la figure ci-contre. Alors :

$$\sin 50° = \frac{h}{4}$$

implique que

$$h = 4 \sin 50°.$$

Ayant la valeur de h, on peut calculer l'aire du triangle inférieur :

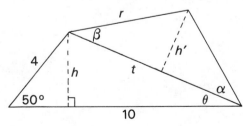

$$A = \frac{1}{2} \, (\, 10 \times h \,)$$

$$= \frac{1}{2} \, (\, 10 \times 4 \sin 50° \,) \simeq 15{,}320\,888\,86.$$

Avec la loi de cosinus, on peut trouver la valeur de t :

$$t^2 = 4^2 + 10^2 - 2 \times 4 \times 10 \times \cos 50° \simeq 64{,}576\ 991\ 23,$$

c'est-à-dire $t \simeq 8{,}035\ 981\ 037$. Il s'agit maintenant de trouver h', la hauteur du triangle supérieur. On peut par exemple trouver $\hat{\theta}$:

$$\sin \theta = \frac{h}{t} = (\ 4 \sin 50°\ )\ /8{,}035\ 981\ 037$$

$$\simeq 0{,}381\ 307\ 243$$

et

$$\hat{\theta} \simeq 22{,}414\ 679\ 83°,$$

tandis que

$$\hat{\alpha} \simeq 37{,}585\ 320\ 17°.$$

On trouve alors $\hat{\beta}$ ($\hat{\alpha} + \hat{\beta} + 110° = 180°$) :

$$\hat{\beta} \simeq 32{,}414\ 679\ 83°.$$

On applique la loi des sinus :

$$\frac{\sin 110°}{t} = \frac{\sin \alpha}{r} \Rightarrow r = \frac{t \sin \alpha}{\sin 110°} \simeq 5{,}216\ 049\ 849,$$

d'où

$$\sin \beta = \frac{h'}{r} \Rightarrow h' = r \sin \beta \simeq 2{,}796\ 027\ 551$$

et l'aire du triangle supérieur égale $\dfrac{h't}{2} \simeq 11{,}234\ 412\ 19$. D'où l'aire totale est donnée par 26,555 301 05.

Exemple 3 : Calculons l'aire de l'octogone régulier en fonction du rayon R du cercle circonscrit. L'octogone est formé de 8 triangles isocèles, dont les côtés égaux, de longueur R, forment un angle de 45° (en effet, 8 × 45 = 360).   Or la formule générale suppose la valeur de c ou de a. Il est facile d'écrire a et c en fonction de R :

$$\tan 22{,}5° = \frac{(\ c/2\ )}{a} = \frac{c}{2a} ;$$

d'où $c = 2\,a \tan 22{,}5°$. En plus,

$$\left(\frac{c}{2}\right)^2 + a^2 = R^2 \ (\ \text{théorème de Pythagore}\ ),$$

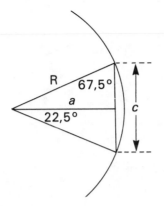

c'est-à-dire :

$$a^2 \tan^2 22{,}5° + a^2 = R^2$$

ou

$$a^2 (\tan^2 22{,}5° + 1) = R^2$$

ou

$$a = \frac{R}{\sqrt{\tan^2 22{,}5° + 1}}.$$

On trouve c :

$$c = \frac{2 R \tan 22{,}5°}{\sqrt{\tan^2 22{,}5° + 1}}.$$

On calcule $A = 4 ca$:

$$A = \frac{8 R^2 \tan 22{,}5°}{\tan^2 22{,}5° + 1} \simeq 2{,}828 R^2.$$

On obtient le même résultat en utilisant la loi des sinus :

$$\frac{\sin 45°}{c} = \frac{\sin 67{,}5°}{R} \Rightarrow c = \frac{R \sin 45°}{\sin 67{,}5°}.$$

Alors

$$\tan 22{,}5° = \frac{c}{2a} \Rightarrow a = \frac{c}{2 \tan 22{,}5°} = \frac{R \sin 45°}{\sin 67{,}5° \times 2 \times \tan 22{,}5°}.$$

Puisque $A = 4 ca$, on obtient :

$$A = \frac{4 R^2 \sin^2 45°}{2 \sin^2 67{,}5° \tan 22{,}5°} = \frac{2 R^2}{2 \sin^2 67{,}5° \tan 22{,}5°} = \frac{R^2}{\sin^2 67{,}5 \tan 22{,}5°}$$

$$\simeq 2{,}828 R^2.$$

5.3 EXERCICES RÉCAPITULATIFS (1re partie)

1. Calculer l'aire des figures suivantes :

carré

4

rectangle

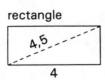

4

parallélogramme

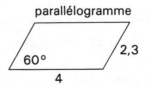

4

parallélogramme

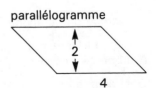

4

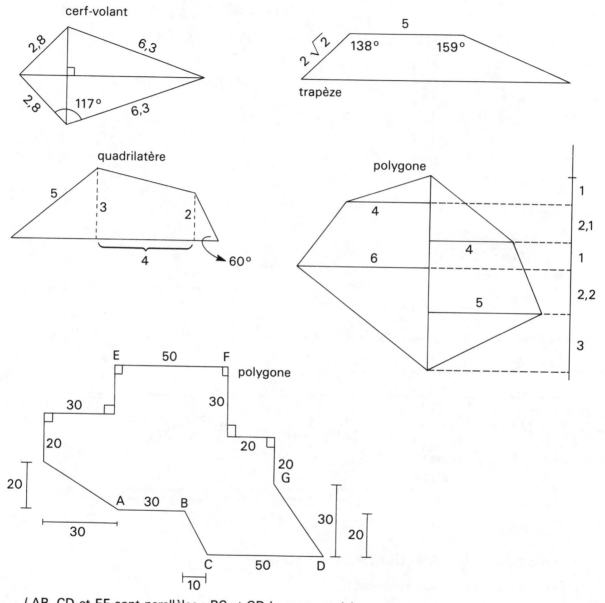

cerf-volant

trapèze

quadrilatère

polygone

polygone

(AB, CD et EF sont parallèles ; BC et GD le sont aussi.)

2. Construire un octogone régulier. Calculer son aire si $c = 3$.

3. On veut tailler dans un cercle un pentagone régulier dont le côté sera de 8 unités. Quel sera le rayon R du cercle circonscrit ?

4. Quel sera le rayon du cercle inscrit dans un carré de côté 3 ?

5. Quel sera le rayon du cercle inscrit dans un dodécagone régulier de côté 8 ?

5.4 AIRE DE SURFACES PLANES LIMITÉES PAR DES FIGURES CURVILIGNES

Par opposition aux figures polygonales, on parle de *figures curvilignes*, c'est-à-dire de figures délimitées non pas par des segments de droite, mais par des lignes courbes. Les figures curvilignes sont très variées. Une des plus simples est sans doute celle délimitée par un cercle, un *cercle* étant formé de tous les points situés à une égale distance d'un point donné appelé *centre*.

La formule générale de l'aire d'un polygone régulier permet de retrouver celle du *disque*, le disque étant la surface comprise à l'intérieur d'un cercle. En effet si n est grand, l'aire A d'un polygone régulier à n côtés se rapprochera de celle du disque. Ainsi, nc, le périmètre du polygone se rapprochera de la circonférence du disque, donc de $2\pi r$, tandis que a se rapprochera de r. Ainsi, la formule

$$A = \frac{1}{2}\, nca = \frac{1}{2}\, (\, nc \,)\, a$$

se rapprochera de la formule bien connue

$$A_d = \frac{2\pi rr}{2} = \pi r^2.$$

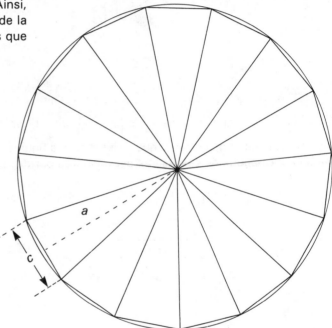

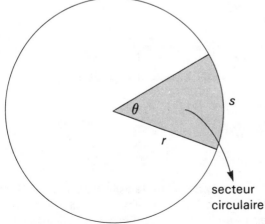

secteur
circulaire

L'aire de la surface du disque limitée par un angle θ (en radian) est donnée par

$$A_{sc} = \frac{1}{2}\, r^2\theta.$$

Une telle surface est appelée *secteur circulaire*. On a déjà vu comment calculer la longueur d'un arc de cercle : $s = r\theta$ (voir page 96). Cette formule permet de calculer la longueur de la '' frontière '' extérieure d'un secteur circulaire.

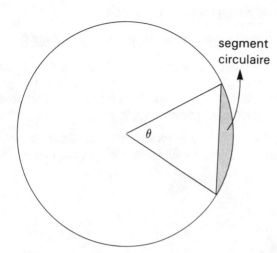

À partir de la formule $A = \dfrac{1}{2}\,r^2\theta$, on peut en déduire l'aire d'un *segment circulaire*, un segment circulaire étant la portion du secteur circulaire comprise entre une corde reliant deux rayons et la circonférence. On obtient :

$$A_{sg} = r^2\left(\dfrac{1}{2}\,\theta - \dfrac{1}{2}\,\sin\theta\right).$$

Des formules permettent de calculer l'aire de plusieurs autres figures curvilignes : l'ellipse ($A = \pi ba$), le segment de parabole $\left(A = \dfrac{2}{3}\,ab\right)$, la lemniscate ($A = a^2$), la cycloïde ($A = 3\,\pi a^2$)... On retrouve ces formules, ainsi que celles d'autres figures planes particulières, dans des tables de mathématiques. Chacune de ces figures est délimitée par des points formant une ligne courbe et répondant

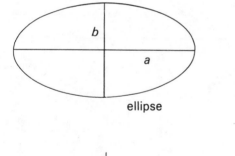

ellipse

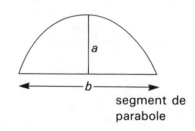

segment de parabole

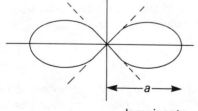

lemniscate

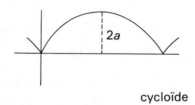

cycloïde

à des conditions particulières. Par exemple, pour engendrer une cycloïde, on fait glisser un cercle le long d'un axe : la position d'un point P de la circonférence décrit alors une courbe. C'est seulement avec le calcul intégral qu'on peut démontrer rigoureusement les formules d'aire de figures curvilignes.

Exercice (b) : Calculer l'aire des figures suivantes :

i)

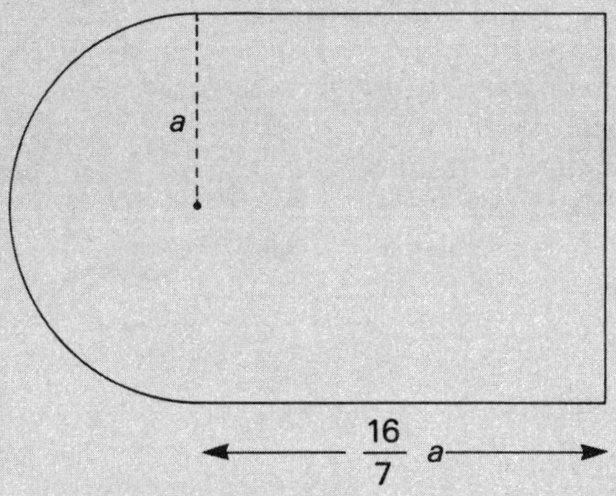

$$\frac{16}{7}\ a$$

ii)

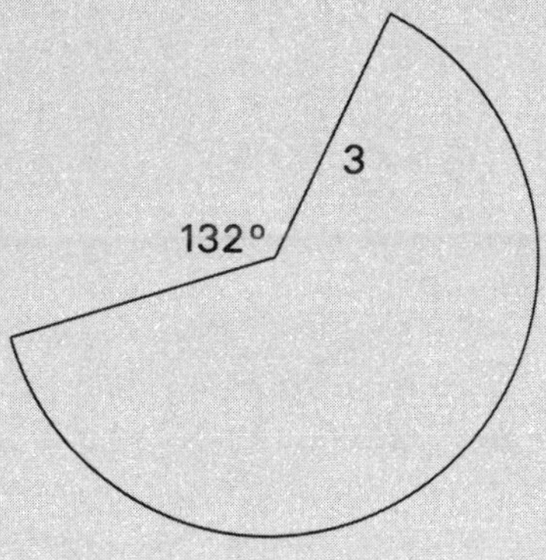

3

132°

iii)

1   1

1,6

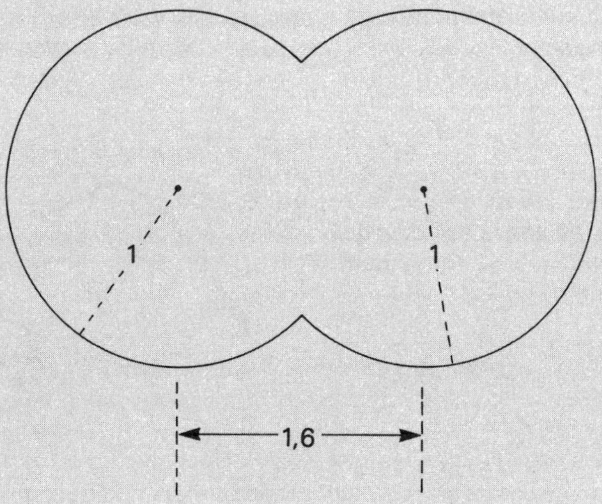

Il existe des moyens pratiques permettant d'*approximer* l'aire de surfaces limitées par des figures curvilignes. On dit bien '' approximer '' pour signifier qu'on trouve une aire voisine de l'aire véritable.

Méthode des trapèzes

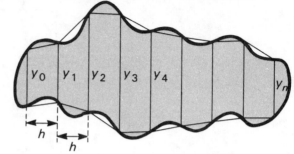

Une première méthode, la *méthode des trapèzes*, consiste à approximer l'aire au moyen de trapèzes ayant tous la même hauteur h. Notons y_0, y_1, ..., y_n, les longueurs des bases des trapèzes (à la rigueur, $y_0 = 0$ ou $y_n = 0$, le premier ou le dernier trapèze étant un triangle). La somme des aires des trapèzes égale :

$$A_{\Sigma T} = \frac{y_0 + y_1}{2} h + \frac{y_1 + y_2}{2} h + \frac{y_2 + y_3}{2} h + ... + \frac{y_{n-2} + y_{n-1}}{2} h + \frac{y_{n-1} + y_n}{2} h$$

$$= h \left\{ \frac{1}{2} y_0 + \frac{1}{2} y_1 + \frac{1}{2} y_1 + \frac{1}{2} y_2 + \frac{1}{2} y_2 + \frac{1}{2} y_3 + ... + \frac{1}{2} y_{n-2} + \frac{1}{2} y_{n-1} + \frac{1}{2} y_{n-1} + \frac{1}{2} y_n \right\}$$

$$= h \left\{ \frac{1}{2} y_0 + \frac{1}{2} (y_1 + y_1) + \frac{1}{2} (y_2 + y_2) + ... + \frac{1}{2} (y_{n-1} + y_{n-1}) + \frac{1}{2} y_n \right\}$$

$$= h \left\{ \frac{1}{2} (y_0 + y_n) + y_1 + y_2 + ... + y_{n-1} \right\}.$$

Évidemment, plus n est grand, meilleure sera l'approximation. Si n est grand, h est petit, ce qui permet de mieux couvrir de trapèzes la surface dont on veut estimer l'aire.

Méthode de Simpson

Une autre méthode, généralement plus précise que celle des trapèzes, consiste à approximer l'aire au moyen de segments de parabole. Cette méthode porte le nom de *méthode de Simpson*. Voici la formule (il faut n pair car la construction d'une parabole utilise deux régions de largeur h) :

$$A_S = \frac{1}{3} h \{ y_0 + y_n + 4 (y_1 + y_3 + ... + y_{n-1}) + 2 (y_2 + y_4 + ... + y_{n-2}) \}.$$

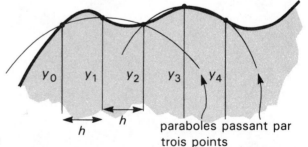

Pourquoi la méthode de Simpson est-elle plus précise que celle des trapèzes ? Dans le cas de trapèzes, on remplace une courbe par une droite, tandis qu'ici, on remplace une courbe par une autre courbe..

paraboles passant par trois points

Exemple : On veut approximer l'aire d'un champ limité par une figure curviligne. Tous les 10 mètres, on mesure la longueur du segment de droite perpendiculaire. On a obtenu comme mesures 23, 25, 26,

38, 37, 26, 25, 20, 21, 24, 5. Par la méthode des trapèzes, on obtiendra :

$$A_{\Sigma T} = 10 \left\{ \frac{1}{2} \, (\, 23 + 5 \,) + 25 + 26 + 38 + 37 + 26 + 25 + 20 + 21 + 24 \right\}$$

$$= 2560 \; (\text{ en m}^2 \,).$$

Par la méthode de Simpson, on obtiendra :

$$A_S = \frac{10}{3} \, \{ \, 23 + 5 + 4 \, (\, 25 + 38 + 26 + 20 + 24 \,) + 2 \, (\, 26 + 37 + 25 + 21 \,) \, \}$$

$$= 2593, \overline{3} \; (\text{ en m}^2 \,).$$

Exercices (c) : **(1)** Tous les mètres, on mesure la longueur du segment de droite perpendiculaire de façon à approximer l'aire d'un terrain. On a obtenu 22,4, 25, 38, 23, 9, 10, 6 mètres. Quelle aire est obtenue par la méthode des trapèzes ?

(2) Quelle aire est obtenue par la méthode de Simpson avec les données en (1) ?

(3) Donner une façon d'approcher la valeur de π avec la méthode des trapèzes ou de Simpson.

5.5 VOLUME DES PRISMES ET DES PYRAMIDES

Un solide désigne une portion de l'espace limitée par une surface fermée. En connaissant certains paramètres, on est en mesure de calculer directement le volume de solides particuliers. Nous nous intéressons à deux types de solide, le prisme et la pyramide. L'un et l'autre sont des *polyèdres*, c'est-à-dire des solides limités de toutes parts par des polygones plans.

PRISME : Un *prisme* est un polyèdre limité par deux bases égales et parallèles réunies par des parallélogrammes.

Les figures suivantes représentent des prismes.

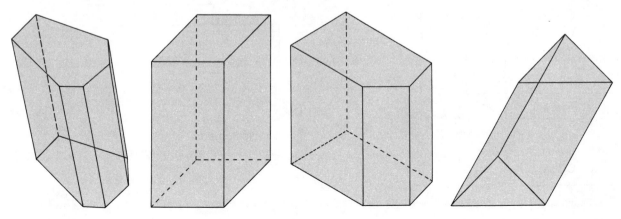

On donne divers noms aux éléments composant un prisme :

— on désigne par *bases* les deux polygones égaux et parallèles permettant d'engendrer le prisme ;

— les divers parallélogrammes réunissant les bases s'appellent *faces latérales* ;

— les segments de droite formés par la rencontre de deux faces latérales (parallélogrammes) sont appelés *arêtes* ;

— le segment de droite perpendiculaire à une base et joignant le plan contenant l'autre base est appelé *hauteur* ;

— on appelle *section* d'un prisme le polygone obtenu par l'intersection d'un plan et le prisme : une section sera dite *droite* lorsqu'elle est faite par un plan perpendiculaire aux arêtes.

Un prisme est *droit* si les arêtes sont perpendiculaires aux bases. Les prismes non droits sont dits *obliques*. Un prisme *régulier* est un prisme droit dont les bases sont des polygones réguliers.

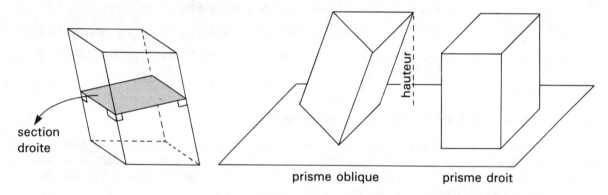

section
droite

prisme oblique   prisme droit

Parmi les prismes les plus simples, on retrouve le cube (les bases et les faces latérales sont carrées), le parallélépipède (les bases sont des parallélogrammes).

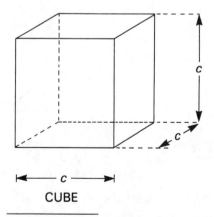

CUBE

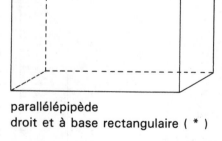

parallélépipède
droit et à base rectangulaire (*)

─────────────

(*) On dit simplement *parallélépipède rectangle*.

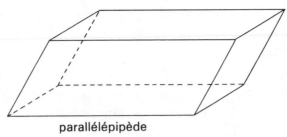

parallélépipède

On appelle *tronc de prisme* la portion du prisme comprise entre la base et une section non parallèle à la base et coupant toutes les arêtes.

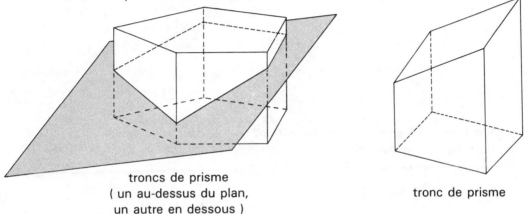

troncs de prisme
(un au-dessus du plan,
un autre en dessous)

tronc de prisme

Le volume d'un prisme est donné par la formule

$$V = A_b h$$

où A_b est l'aire de la base et h, la longueur de la hauteur. On ne peut faire proprement la démonstration de cette formule qu'à l'aide du calcul intégral. Il existe une autre formule si l'on connaît A_d, l'aire d'une section droite, et a, la longueur d'une arête :

$$V = A_d a.$$

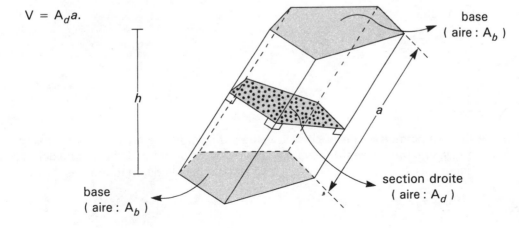

base
(aire : A_b)

base
(aire : A_b)

section droite
(aire : A_d)

Exemple : Quel est le volume d'un parallélépipède rectangle de largeur 8, de profondeur 3 et de hauteur 3 ? Il s'agit de faire simplement

$$V = 8 \times 3 \times 3 = 72.$$

Si les longueurs données sont en mètre, l'aire est en m^3.

Exemple : On construit une digue en forme de prisme droit à base trapézoïdale (voir graphique ci-contre). On cherche le volume en m^3 ?

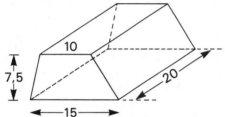

$$V = A_b h$$

$$= \frac{(10 + 15)}{2} \times 7,5 \times 20$$

$$= 1875 \ (\text{en m}^3).$$

Exemple : Cherchons le volume de béton nécessaire pour remplir une colonne de 3 mètres de hauteur ayant comme base un hexagone de 0,5 m de côté. Il s'agit d'un prisme droit et régulier. L'aire de l'hexagone formant la base est donnée par

$$A_b = \frac{6 \ (\ 0,5 \ )^2}{4 \tan 30°} \simeq 0,649 \ 519 \ 053.$$

Il faudra donc 1,949 m^3 pour remplir la colonne (c'est-à-dire 0,6495... $\times$ h).

Exemple : Un prisme oblique est à base pentagonale. La longueur des arêtes est de 12 m. Les mesures prises sur une section droite sont reproduites ci-dessous.

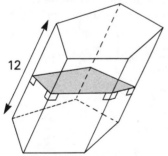

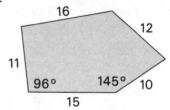

Le volume du prisme sera donné par l'aire de la section droite multipliée par 12.

Il existe une formule permettant de calculer le volume d'un tronc de prisme à base triangulaire, communément appelé *prisme triangulaire tronqué*. En décomposant un tronc de prisme quelconque en plusieurs prismes triangulaires, on est alors en mesure d'en calculer le volume. La formule est la suivante :

$$V = \frac{1}{3} \ (a_1 + a_2 + a_3) \ A_d$$

où a_1, a_2 et a_3 désignent les longueurs des arêtes et où A_d désigne l'aire d'une section droite. Évidemment, si le prisme triangulaire tronqué est droit, on peut remplacer A_d par A_b, l'aire de la base.

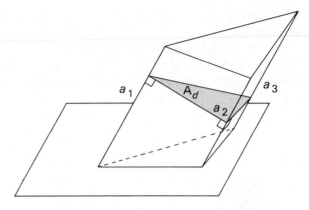

Exemple : Un prisme triangulaire droit est tronqué de telle sorte que ses arêtes aient comme longueurs 3, 4 et 6. Son volume sera alors de

$$V = \frac{1}{3} (3 + 4 + 6) A_b$$

où A_b est l'aire de la base.

Un autre solide remarquable est la pyramide.

PYRAMIDE : Une *pyramide* est un polyèdre ayant pour base un polygone et pour faces latérales des triangles ayant un sommet commun.

La base d'une pyramide peut être un triangle (pyramide triangulaire), un quadrilatère, un pentagone, etc. Une pyramide sera dite *régulière* si sa base est un polygone régulier et si son sommet se trouve sur la perpendiculaire élevée au centre de ce polygone.

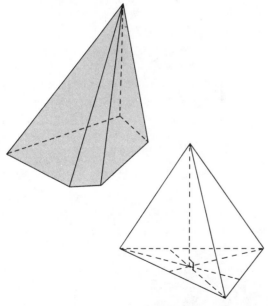

pyramide régulière (ici, la base est un triangle équilatéral)

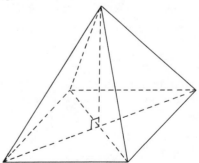

pyramide régulière (ici, la base est un carré)

Tout comme dans le cas du prisme, on parle de la *hauteur* d'une pyramide (segment de droite perpendiculaire à la base et joignant le plan la contenant au sommet), des *faces latérales*, des *arêtes* et des *sections* de pyramide (polygones obtenus par l'intersection d'un plan et de la pyramide). Dans le cas de pyramides régulières, le centre du polygone de base se confond avec le pied de la hauteur, toutes les arêtes sont de même longueur et toutes les faces latérales sont des triangles isocèles égaux.

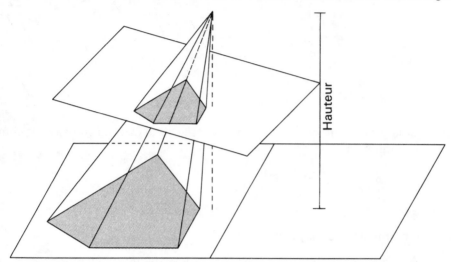

On obtient un *tronc* de *pyramide* en considérant la portion de la pyramide comprise entre la base et une section qui rencontre toutes les arêtes. Si la section est parallèle à la base, on parle de *tronc de pyramide à bases parallèles*.

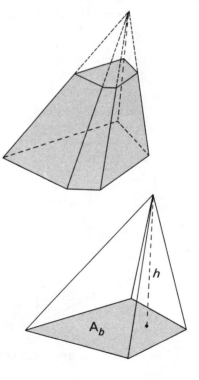

Le volume d'une pyramide est égal au tiers du produit de l'aire de sa base par la longueur de sa hauteur :

$$V = \frac{1}{3} A_b h .$$

Le volume d'un *tronc de pyramide à bases parallèles* est donné par

$$V = \frac{1}{3} (A_b + A_B + \sqrt{A_b A_B}) h'$$

où h désigne la hauteur du tronc de pyramide, A_b et A_B, les aires des bases supérieure et inférieure.

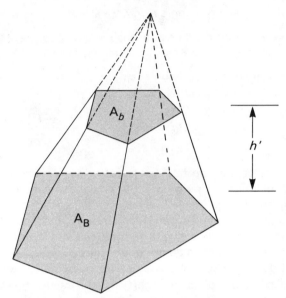

Exemple : Un tronc de pyramide à bases parallèles est de hauteur 6. L'aire A_B de la base inférieure est de 5. On cherche l'aire A_b de la base supérieure si le volume du tronc est 12. On cherche A_b tel que :

$$\frac{1}{3} (A_b + A_B + \sqrt{A_b A_B}) h' = \frac{1}{3} (A_b + 5 + \sqrt{5 A_b}) 6 = 12.$$

D'où

$$2 (A_b + 5 + \sqrt{5 A_b}) = 12,$$
$$A_b + 5 + \sqrt{5 A_b} = 6,$$
$$A_b + \sqrt{5 A_b} = 1,$$
$$\sqrt{5 A_b} = 1 - A_b,$$
$$5 A_b = 1 - 2 A_b + A_b^2,$$
$$0 = A_b^2 - 7 A_b + 1.$$

On obtient comme valeur de A_b :

$$A_b = \frac{7 \pm \sqrt{45}}{2}.$$

Deux valeurs sont alors possibles : $\simeq$ 0,146 et $\simeq$ 6,854. On ne retiendra que 0,146, la valeur 6,854 étant supérieure à $A_B = 5$.

Exercices (d) : (1) Le volume d'un cube est 12. Quelle est la longueur d'une arête ?

(2) Un parallélépipède rectangle a comme arêtes 3, 6 et 9. Quel est son volume ?

(3) Une section droite d'un prisme oblique est un triangle de côtés 6,5, 7 et 4. La longueur d'une arête est 12. Quel est le volume ?

(4) Les longueurs des arêtes d'un prisme triangulaire tronqué est 7, 9 et 12. L'aire d'une section droite est 12. Quel est le volume ?

(5) Une pyramide régulière a comme base un triangle de côté 4. Si la hauteur est de 8, quel est son volume ?

On ne saurait terminer cette section portant sur le calcul des volumes de certains solides sans toucher un mot d'un problème qui lui est connexe, celui du calcul des aires des polygones qui permettent de les définir. Prismes et pyramides, de même que les troncs de prisme et les troncs de pyramides, sont '' enveloppés '' par des polygones (triangles, parallélogrammes...). On appelle *aire latérale* la somme des aires des faces latérales. On appelle *aire totale* la somme de l'aire latérale et des aires des bases. Le calcul des aires latérale et totale ne pose pas de difficultés particulières : il s'agit de trouver les paramètres nécessaires permettant de les calculer à l'aide des formules déjà développées concernant les aires de surfaces polygonales. Il existe toutefois, pour certains cas, des formules permettant de calculer l'aire latérale.

Aire latérale d'un prisme

Pour calculer l'aire latérale A_{lat} d'un prisme, il s'agit de multiplier le périmètre p_d d'une section droite par la longueur a d'une arête :

$$A_{lat} = p_d a.$$

Si le prisme est droit, le périmètre p_d de la section droite est égal au périmètre p_b de la base et la longueur a d'une arête est égale à la longueur h de la hauteur :

$$A_{lat} = p_b h.$$

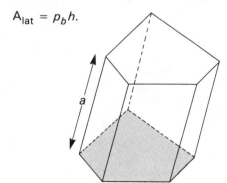 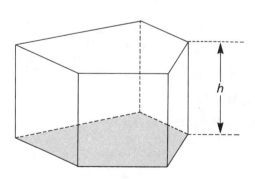

Aire latérale de la pyramide régulière

L'aire latérale A_{lat} de la pyramide régulière est donnée par

$$A_{lat} = \frac{1}{2}\,nca,$$

où n est le nombre de côtés du polygone régulier formant la base de la pyramide, où c est la longueur d'un côté de ce polygone et où a désigne la longueur de la hauteur de chacun des triangles formant une face latérale de la pyramide.

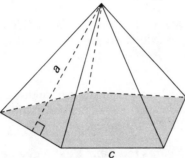

Aire latérale d'un tronc de pyramide régulière à bases parallèles

L'aire latérale du tronc à bases parallèles d'une pyramide régulière est donnée par

$$A_{lat} = \frac{1}{2}\,n\,(\,c_1 + c_2\,)\,a',$$

où n est le nombre de côtés du polygone régulier à la base de la pyramide, où c_1 et c_2 sont les longueurs des côtés du polygone à la base inférieure et à la base supérieure, et où a' est la hauteur de chacun des trapèzes formant une face latérale.

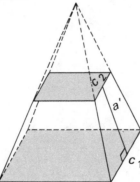

Exercices (e) : (1) Un prisme droit comporte comme base un hexagone régulier de côté 5. Sa hauteur est de 3. Déterminer le volume, l'aire latérale, l'aire totale.

(2) Trouver l'aire latérale d'une pyramide régulière à base triangulaire de côté 9 et de hauteur 6.

5.6   VOLUME D'AUTRES SOLIDES USUELS

Il existe bien d'autres solides que les prismes, les pyramides, les troncs de prismes, les troncs de pyramides. Dans cette section, nous allons en présenter quelques-uns.

Polyèdres réguliers

Prismes, pyramides, troncs de prismes, troncs de pyramides sont tous des polyèdres, c'est-à-dire des solides limités de toutes parts par des polygones plans. On imagine aisément des polyèdres qui ne tombent pas dans la liste qu'on vient de mentionner.

Il n'existe toutefois que cinq *polyèdres réguliers*, c'est-à-dire des polyèdres délimités par des polygones réguliers égaux, tels qu'en chaque sommet se rencontre un même nombre d'arêtes. Ce sont le *tétraède*, formé de quatre triangles ; l'*hexaèdre* (ou cube), formé de six carrés ; l'*octaèdre*, formé de huit triangles ; le *dodécaèdre*, formé de 12 pentagones réguliers ; l'*icosaèdre*, formé de 20 triangles.

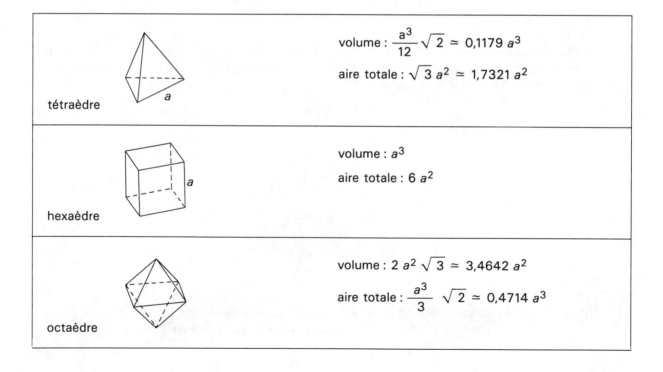

tétraèdre	volume : $\dfrac{a^3}{12}\sqrt{2} \simeq 0{,}1179\,a^3$ aire totale : $\sqrt{3}\,a^2 \simeq 1{,}7321\,a^2$
hexaèdre	volume : a^3 aire totale : $6\,a^2$
octaèdre	volume : $2\,a^2\sqrt{3} \simeq 3{,}4642\,a^2$ aire totale : $\dfrac{a^3}{3}\sqrt{2} \simeq 0{,}4714\,a^3$

dodécaèdre

volume : $\dfrac{a^3}{4}$ (15 + 7 $\sqrt{5}$) $\simeq$ 7,6631 a^3

aire totale : 3 $\sqrt{25 + 10\sqrt{5}}$ a^2 $\simeq$ 20,6457 a^2

icosaèdre

volume : $\dfrac{5\,a^3}{12}$ (3 + $\sqrt{5}$) $\simeq$ 2,1817 a^3

aire totale : 5 a^2 $\sqrt{3}$ $\simeq$ 8,6603 a^2

Solides de révolution

Certains solides, en particulier les '' corps ronds '', ne sont pas limités par des polygones. C'est le cas en particulier des solides obtenus par la rotation autour d'un axe d'une surface plane. Voici les plus usuels.

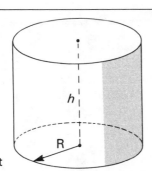

cylindre circulaire droit

volume : π R^2h

aire latérale : 2 π Rh

aire totale : 2 π R (R + h)

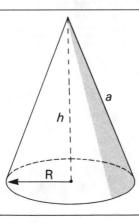

cône circulaire droit

volume : $\dfrac{1}{3}$ π R^2h

aire latérale : π Ra

aire totale : π R (R + a)

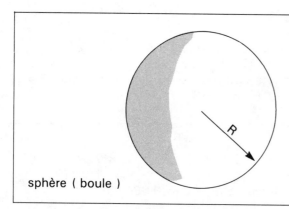

volume : $\frac{4}{3} \pi R^3$

aire totale : $4 \pi R^2$

sphère (boule)

5.7   EXERCICES RÉCAPITULATIFS (2^{e}partie)

1. Une pièce est de 3,8 mètres sur 4,5. Combien faudra-t-il de tuiles de 30 cm sur 20 cm pour la couvrir ?

2. Un terrain de forme triangulaire a comme base 109,42 mètres et comme hauteur, 75,84. Combien d'hectare(s) contient-il ?

3. Calculer l'aire des surfaces suivantes :

a)

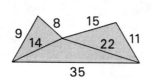

b)

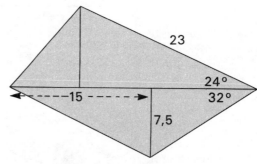

4. Calculer l'aire de la surface du disque limitée par un angle de 31°, le rayon étant de 9.

5. Calculer l'aire de la surface suivante :

6. Approximer à l'aide de la méthode des trapèzes l'aire de la surface suivante :

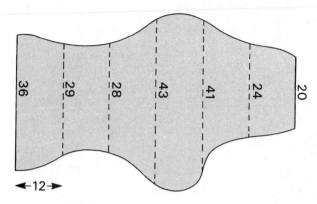

←12→

7. Refaire 6 avec la méthode de Simpson.

8. Un prisme droit a une base triangulaire de côtés 14, 9 et 8, et une hauteur de 9. Donner le volume, l'aire latérale et l'aire totale.

9. Le prisme décrit en 8 est tronqué de telle sorte que les longueurs des arêtes soient 3, 5 et 7. Donner le volume.

10. Représenter graphiquement une pyramide régulière dont la base est un hexagone. Donner le volume et l'aire latérale en fonction de c, la longueur d'un côté de la base, et h, la hauteur.

11. Représenter le tronc de pyramide à bases parallèles du tronc décrit en 10 où la hauteur est la moitié de la hauteur initiale. Donner le volume de ce tronc en fonction de c et de h,

$$\left(h' = \frac{h}{2}, \text{ où } h' \text{ est la hauteur du tronc de prisme} \right).$$

12. Développer sur le plan la surface latérale des solides suivants et retrouver l'aire en fonction des paramètres :

a) cube ;

b) parallélépipède rectangle ;

c) prisme droit à base triangulaire ;

d) pyramide régulière à base triangulaire ;

e) cylindre circulaire droit ;

f) cône circulaire droit.

Chapitre **6**

Matrices et déterminants

PRÉAMBULE

Dans la première partie de ce chapitre, nous allons aborder l''' arithmétique '' des matrices. Une matrice est, en quelque sorte, un tableau de nombres. Lorsqu'on doit emmagasiner des nombres et les soumettre à de mêmes opérations algébriques, on peut regrouper les données sous la forme d'une matrice au lieu de faire ce travail de façon parcellaire. Pour qu'elles soient utilisables, les matrices suivent des règles voisines de celles régissant les nombres réels. C'est un des buts de ce chapitre de définir les matrices et d'en expliquer le fonctionnement. L'usage de plus en plus répandu de l'ordinateur a généralisé l'emploi des matrices dans tous les domaines. La deuxième partie du chapitre portera sur les déterminants. Un déterminant est un nombre réel qu'on associe à une matrice carrée.

6.1 LES MATRICES

DÉFINITION : On appelle matrice de dimension $m \times n$ (se lit '' m par n '') un tableau de nombres réels sous la forme :

$$A = \begin{pmatrix} a_{11} & a_{12} & \cdots & a_{1j} & \cdots & a_{1n} \\ a_{21} & a_{22} & \cdots & a_{2j} & \cdots & a_{2n} \\ \vdots & \vdots & & \vdots & & \vdots \\ a_{i1} & a_{i2} & \cdots & a_{ij} & \cdots & a_{in} \\ \vdots & \vdots & & \vdots & & \vdots \\ a_{m1} & a_{m2} & \cdots & a_{mj} & \cdots & a_{mn} \end{pmatrix}$$

où

m est le nombre de lignes,
n est le nombre de colonnes,

a_{ij} indique le terme général en i^e ligne et j^e colonne.

Les termes a_{ij} s'appellent les *éléments* de la matrice. Si $m = n$, la matrice est dite *carrée d'ordre n*.

Exemple : Ainsi

$$\begin{pmatrix} -2 & 2 & 4 \\ 1 & 6 & 8 \end{pmatrix}$$

est une matrice 2 × 3, tandis que

$$\begin{pmatrix} 0 & 1 & -1 \\ 2 & -1 & 6 \\ 1 & 7 & 4 \end{pmatrix}$$

est une matrice 3 × 3. Donnons deux autres matrices :

$$A = \begin{pmatrix} 70 & 82 & 80 & 85 \\ 80 & 78 & 90 & 75 \end{pmatrix} \quad ; \quad B = \begin{pmatrix} 70 & 82 \\ 82 & 78 \\ 80 & 90 \\ 85 & 75 \end{pmatrix}.$$

Alors,
    A est de dimension 2 × 4,
tandis que
    B est de dimension 4 × 2.

Dans la matrice A, le terme a_{13} égale 80 et le terme a_{23} égale 90. Dans la matrice B, le terme b_{11} égale 70 et le terme b_{42} égale 75. Une matrice formée d'une seule ligne ou d'une seule colonne est appelée *vecteur*. Ainsi, la matrice D = (6, 7, – 8, 3) est un vecteur : on peut aussi dire *vecteur-ligne* si la matrice est une ligne. (Les virgules sont facultatives.)

Les matrices sont désignées habituellement par des lettres majuscules (A, B, C, ...). Pour parler d'une matrice quelconque, on écrit aussi $(a_{ij})_{m \times n}$, où a_{ij} est le terme général et où m et n sont les nombres de lignes et de colonnes.

Une matrice étant en quelque sorte un tableau à double entrée, elle permet de stocker des informations. Par exemple, un vendeur qui aurait noté chaque mois ses ventes de réfrigérateurs, cuisinières, laveuses et sécheuses, pourrait former une matrice 12 × 4 représentant les ventes par type d'appareil et par mois :

$$
V = \begin{pmatrix}
27 & 42 & 26 & 26 \\
22 & 30 & 41 & 41 \\
12 & 23 & 21 & 21 \\
18 & 13 & 15 & 16 \\
20 & 23 & 22 & 22 \\
18 & 24 & 22 & 23 \\
22 & 27 & 24 & 24 \\
28 & 26 & 26 & 26 \\
24 & 25 & 20 & 20 \\
40 & 13 & 25 & 25 \\
23 & 22 & 24 & 29 \\
31 & 14 & 23 & 23
\end{pmatrix}
\begin{matrix}
\text{janvier} \\
\text{février} \\
\text{mars} \\
\text{avril} \\
\text{mai} \\
\text{juin} \\
\text{juillet} \\
\text{août} \\
\text{septembre} \\
\text{octobre} \\
\text{novembre} \\
\text{décembre}
\end{matrix}
$$

colonnes : réfrigérateurs, cuisinières, laveuses, sécheuses

L'élément quelconque v_{ij} représente la vente au i^e mois d'appareils de catégorie j. Ainsi, $v_{34} = 21$ représente le nombre de sécheuses vendues en mars.

Une *matrice nulle* est formée de 0 et notée $0_{m \times n}$. Ainsi

$$
0_{3 \times 2} = \begin{pmatrix}
0 & 0 \\
0 & 0 \\
0 & 0
\end{pmatrix} ;
$$

$$
0_{4 \times 5} = \begin{pmatrix}
0 & 0 & 0 & 0 & 0 \\
0 & 0 & 0 & 0 & 0 \\
0 & 0 & 0 & 0 & 0 \\
0 & 0 & 0 & 0 & 0
\end{pmatrix} .
$$

Lorsqu'il n'y a pas d'ambiguïté sur le format de $0_{m \times n}$, on la notera simplement 0.

6.2 ALGÈBRE DES MATRICES

Il y a, dans le monde des mathématiques, trois processus : définir des objets mathématiques, construire des relations entre ces objets et, enfin, établir des propriétés sur ces relations. Les matrices n'échappent pas à cette mécanique. Nous les avons d'abord définies. Voyons maintenant à former des relations entre elles : nous allons en somme développer une algèbre des matrices. Auparavant, voyons quand deux matrices sont égales.

DÉFINITION : Deux matrices de même dimension $m \times n$ sont *égales* si et seulement si leurs éléments correspondants sont égaux. Ainsi, A = B si et seulement si $a_{ij} = b_{ij}$ pour tout $i \in \{ 1, 2, 3, ..., m \}$ et $j \in \{ 1, 2, 3, ..., n \}$, où a_{ij} est le terme général de A et b_{ij}, celui de B.

Exemple : Les deux matrices

$$A = \begin{pmatrix} 1 & 4 \\ 3 & -1 \end{pmatrix}$$

et

$$B = \begin{pmatrix} 1 & 4 \\ x & y \end{pmatrix}$$

sont toutes deux de dimension 2×2. On peut parler d'égalité de A et de B si et seulement si

et
$$x = 3$$
$$y = -1.$$

En revanche, A ne peut être égale à

$$C = \begin{pmatrix} 1 & 4 & 2 \\ 3 & -1 & 3 \end{pmatrix}$$

car A et C ne sont pas de même dimension.

Définissons deux opérations, celle de la somme de deux matrices et celle de la multiplication d'une matrice par un scalaire.

DÉFINITION : Soit A et B, deux matrices de même dimension $m \times n$. La *somme des deux matrices*, notée $A + B$, est une matrice de même dimension obtenue en additionnant les termes correspondants. Ainsi, si

$$A = \begin{pmatrix} a_{11} & a_{12} & ... & a_{1n} \\ a_{21} & a_{22} & ... & a_{2n} \\ \cdot & \cdot & & \cdot \\ \cdot & \cdot & & \cdot \\ a_{m1} & a_{m2} & ... & a_{mn} \end{pmatrix}$$

et si

$$B = \begin{pmatrix} b_{11} & b_{12} & ... & b_{1n} \\ b_{21} & b_{22} & ... & b_{2n} \\ \cdot & \cdot & & \cdot \\ \cdot & \cdot & & \cdot \\ b_{m1} & b_{m2} & ... & b_{mn} \end{pmatrix},$$

alors

$$A + B = \begin{pmatrix} a_{11} + b_{11} & a_{12} + b_{12} & \ldots & a_{1n} + b_{1n} \\ a_{21} + b_{21} & a_{22} + b_{22} & \ldots & a_{2n} + b_{2n} \\ \vdots & \vdots & & \vdots \\ a_{m1} + b_{m1} & a_{m2} + b_{m2} & \ldots & a_{mn} + b_{mn} \end{pmatrix} .$$

Exemple : Soit les matrices suivantes :

$$A = \begin{pmatrix} 2 & 4 \\ -1 & 2 \\ 3 & 5 \end{pmatrix} ,$$

$$B = \begin{pmatrix} -1 & 0 \\ 5 & 2 \\ 7 & 4 \end{pmatrix} .$$

Alors

$$A + B = \begin{pmatrix} 2 - 1 & 4 + 0 \\ -1 + 5 & 2 + 2 \\ 3 + 7 & 5 + 4 \end{pmatrix} = \begin{pmatrix} 1 & 4 \\ 4 & 4 \\ 10 & 9 \end{pmatrix} .$$

DÉFINITION : Le *produit d'une matrice A* de dimension $m \times n$ *par un scalaire* $k \in \mathbb{R}$ donne une autre matrice de même dimension obtenue en multipliant chaque élément de A par le scalaire k. Si

$$A = \begin{pmatrix} a_{11} & a_{12} & \ldots & a_{1n} \\ a_{21} & a_{22} & \ldots & a_{2n} \\ \vdots & \vdots & & \vdots \\ a_{m1} & a_{m2} & \ldots & a_{mn} \end{pmatrix} ,$$

alors

$$kA = \begin{pmatrix} ka_{11} & ka_{12} & \ldots & ka_{1n} \\ ka_{21} & ka_{22} & \ldots & ka_{2n} \\ \vdots & \vdots & & \vdots \\ ka_{m1} & ka_{m2} & \ldots & ka_{mn} \end{pmatrix} .$$

Exemple : Soit

$$A = \begin{pmatrix} -1 & 1 & 0 \\ 3 & -4 & 2 \\ 2 & 5 & 2 \end{pmatrix}.$$

Alors

$$4A = \begin{pmatrix} -4 & 4 & 0 \\ 12 & -16 & 8 \\ 8 & 20 & 8 \end{pmatrix}.$$

Ces deux opérations permettent d'énoncer les propriétés suivantes. Soit A, B et C, des matrices de dimension $m \times n$ et soit p et q, des nombres réels. Alors :

P1 : A + B est une matrice de dimension $m \times n$ (fermeture) ;

P2 : A + B = B + A (commutativité) ;

P3 : A + (B + C) = (A + B) + C (associativité);

P4 : A + 0 = 0 + A = A (neutre) ;

P5 : A + (– A) = (– A) + A = 0 (symétrique) ;

P6 : pA est une matrice de dimension $m \times n$;

P7 : $p(q$A) = pq (A);

P8 : p (A + B) = pA + pB;

P9 : (p + q) A = pA + qA;

P10 : 1 (A) = A.

6.3 EXERCICES RÉCAPITULATIFS (1re partie)

1. Soit

$$A = (1 \quad 2 \quad -1 \quad 4),$$
$$\dot{B} = (x \quad y \quad -1 \quad 4),$$

$$C = \begin{pmatrix} 3 & 2 & -1 & 4 \\ 6 & 7 & 8 & 9 \\ -2 & 1 & 4 & 5 \end{pmatrix},$$

$$D = \begin{pmatrix} -3 & -2 & +1 & -4 \\ -6 & -7 & -z & -w \\ +2 & -1 & -4 & -5 \end{pmatrix}.$$

a) Trouver x et y tels que A = B.   *1 , 2*

b) Trouver z et w tels que C = D.   *8 , 9*

c) Calculer 2A.   *(2 4 , -2 , 8)*

d) Calculer 2A + C.   *Non défini*   *5*

e) Trouver t tel que tB = 0.   *T = 0*

f) Donner –C.

2. Soit les matrices suivantes :

$$A = \begin{pmatrix} 2 & 3 & -2 \\ 1 & 2 & 4 \\ -1 & 1 & 0 \end{pmatrix},$$

$$B = \begin{pmatrix} 0 & 1 & -1 \\ 2 & 1 & 3 \\ -1 & 4 & 2 \end{pmatrix},$$

$$C = \begin{pmatrix} 2 & -3 & 5 \\ 0 & 4 & 1 \\ -3 & 4 & 2 \end{pmatrix}.$$

a) Calculer A + B + C,   A – 2B + C,   C + 4A.

b) Calculer la matrice D pour laquelle A + 3B = D.

c) **Vérifier que A + B = B + A.**

d) Trouver les éléments de la matrice symétrique de B pour l'addition.

3.   Les résultats obtenus par Jean, Pierre, André et Louise pour leurs premiers devoirs en mathématiques, français et philosophie sont donnés par la matrice suivante :

$$A_1 = \begin{pmatrix} \overset{\text{Jean}}{85} & \overset{\text{Pierre}}{80} & \overset{\text{André}}{70} & \overset{\text{Louise}}{80} \\ 70 & 60 & 50 & 90 \\ 50 & 70 & 60 & 80 \end{pmatrix} \begin{array}{l} \text{mathématiques} \\ \text{français} \\ \text{philosophie} \end{array} .$$

Les matrices ci-dessous représentent les résultats obtenus aux quatre devoirs suivants :

$$A_2 = \begin{pmatrix} 85 & 85 & 80 & 50 \\ 75 & 70 & 60 & 65 \\ 60 & 65 & 85 & 90 \end{pmatrix}, \qquad A_3 = \begin{pmatrix} 75 & 85 & 86 & 55 \\ 70 & 70 & 87 & 70 \\ 65 & 75 & 88 & 80 \end{pmatrix},$$

$$A_4 = \begin{pmatrix} 70 & 80 & 90 & 60 \\ 75 & 70 & 60 & 70 \\ 65 & 85 & 70 & 80 \end{pmatrix}, \qquad A_5 = \begin{pmatrix} 80 & 90 & 90 & 65 \\ 85 & 75 & 70 & 75 \\ 80 & 80 & 80 & 80 \end{pmatrix} .$$

a)   Si on sait que le premier devoir, dans chaque cours, compte pour 15 %, le deuxième pour 20 %, le troisième pour 30 %, le quatrième pour 15 % et le cinquième pour 20 %, quel calcul faudrait-il effectuer pour obtenir la note totale de chaque étudiant dans chacune des matières ?

b)   Quelle est la note totale de Jean en philosophie, de Louise en français et de Pierre en mathématiques ?

6.4 LE PRODUIT DE MATRICES

Jusqu'à maintenant, nous avons défini deux opérations sur les matrices : la somme et le produit par un scalaire. La somme de deux matrices n'est possible que si elles sont de même dimension. Par exemple, seule une matrice 4 × 2 peut être additionnée à une autre matrice 4 × 2. La multiplication par un scalaire, quant à elle, est toujours possible, quelle que soit la dimension de la matrice. Ces deux opérations restent toutefois d'un intérêt limité. Si on en était resté à elles seules, les matrices seraient réduites à n'être que des espèces de tableaux à double entrée où on stockerait des nombres : on ne pourrait qu'additionner les tableaux entre eux ou, encore, multiplier chaque nombre de tout un tableau par une même constante. Cherchons donc à définir une nouvelle opération sur les matrices.

Le produit d'une matrice par un scalaire est une opération dite *externe* parce qu'elle multiplie une matrice par un réel. Pouquoi ne définirait-on pas un produit de matrices ? On pourrait espérer introduire une opération aussi légitime que le produit entre eux de nombres réels. Malheureusement, le produit de matrices n'est pas toujours possible et ses propriétés diffèrent un peu des propriétés usuelles dans $\mathbb{R}$.

DÉFINITION : Soit A une matrice de dimension $m \times n$ et soit B une matrice de dimension $n \times p$. Le *produit de A par B*, noté AB, A $\cdot$ B ou A $\times$ B, est une nouvelle matrice C, de dimension $m \times p$, où chaque élément c_{ij} de cette matrice s'obtient en additionnant le produit des éléments de la i^e ligne de A par les éléments correspondants de la j^e colonne de B : si

$$A = \begin{pmatrix} a_{11} & a_{12} & \cdots & a_{1n} \\ a_{21} & a_{22} & \cdots & a_{2n} \\ \vdots & \vdots & & \vdots \\ a_{i1} & a_{i2} & \cdots & a_{in} \\ \vdots & \vdots & & \vdots \\ a_{m1} & a_{m2} & \cdots & a_{mn} \end{pmatrix}$$

et si

$$B = \begin{pmatrix} b_{11} & b_{12} & \cdots & b_{1j} & \cdots & b_{1p} \\ b_{21} & b_{22} & \cdots & b_{2j} & \cdots & b_{2p} \\ \vdots & \vdots & & \vdots & & \vdots \\ b_{n1} & b_{n2} & \cdots & b_{nj} & \cdots & b_{np} \end{pmatrix}$$

alors AB est égale à la matrice

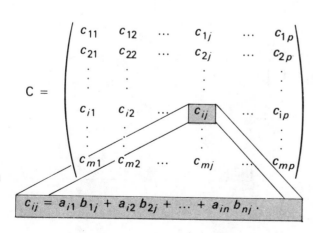

$$C = \begin{pmatrix} c_{11} & c_{12} & \cdots & c_{1j} & \cdots & c_{1p} \\ c_{21} & c_{22} & \cdots & c_{2j} & \cdots & c_{2p} \\ \vdots & \vdots & & \vdots & & \vdots \\ c_{i1} & c_{i2} & \cdots & c_{ij} & \cdots & c_{ip} \\ \vdots & \vdots & & \vdots & & \vdots \\ c_{m1} & c_{m2} & \cdots & c_{mj} & \cdots & c_{mp} \end{pmatrix}$$

où

$$c_{ij} = a_{i1} b_{1j} + a_{i2} b_{2j} + \cdots + a_{in} b_{nj} .$$

Exemple : Avant d'effectuer le produit AB, il faut vérifier que le nombre de colonnes de A correspond au nombre de lignes de B. Voici le produit de deux matrices de dimensions compatibles :

$$\begin{pmatrix} 1 & 2 & 3 \\ 3 & 4 & 6 \end{pmatrix} \begin{pmatrix} 0 & 5 & 1 & 2 \\ -1 & 2 & 4 & 6 \\ 4 & 3 & 5 & 4 \end{pmatrix} = \begin{pmatrix} 10 & 18 & 24 & 26 \\ 20 & 41 & 49 & 54 \end{pmatrix},$$

$$\qquad A \qquad\qquad \times \qquad\qquad B \qquad\qquad = \qquad\qquad C.$$

La dimension de A est 2×3 et celle de B, 3×4. D'où la dimension de C = AB est 2×4 :

$$(\; 2 \times 3 \;) \quad (\; 3 \times 4 \;).$$

Chaque composante c_{ij} de C s'obtient en faisant la somme des produits des éléments en i^e ligne de A et j^e colonne de B. Ainsi :

$$c_{11} = a_{11} \, b_{11} + a_{12} \, b_{21} + a_{13} \, b_{31} \, ,$$

$$c_{12} = a_{11} \, b_{12} + a_{12} \, b_{22} + a_{13} \, b_{32} \, ,$$

$$c_{13} = a_{11} \, b_{13} + a_{12} \, b_{23} + a_{13} \, b_{33} \, ,$$

etc.

Par exemple, l'élément **49** de C est en 2e ligne et 3e colonne :

$$\begin{pmatrix} 1 & 2 & 3 \\ \boxed{3} & 4 & 6 \end{pmatrix} \begin{pmatrix} 0 & 5 & \boxed{1} & 2 \\ -1 & 2 & 4 & 6 \\ 4 & 3 & 5 & 4 \end{pmatrix} = \begin{pmatrix} 10 & 18 & 24 & 26 \\ 20 & 41 & \boxed{49} & 54 \end{pmatrix}$$

2e ligne

3e colonne

$$(\, 3 \times 1 \,) + (\, 4 \times 4 \,) + (\, 6 \times 5 \,) = 49$$

Exemple : Effectuons le produit de quelques matrices :

$$\begin{pmatrix} 1 & -1 & 1 \\ 3 & 0 & 1 \end{pmatrix} \begin{pmatrix} 1 & 2 & 0 \\ 0 & -1 & 1 \\ 1 & 2 & -1 \end{pmatrix} = \begin{pmatrix} 2 & 5 & -2 \\ 4 & 8 & -1 \end{pmatrix} \quad ;$$

$$\begin{pmatrix} 2 & 4 & 5 \\ 1 & 3 & 7 \end{pmatrix} \begin{pmatrix} 3 \\ -5 \\ 8 \end{pmatrix} = \begin{pmatrix} 26 \\ 44 \end{pmatrix} \quad ;$$

$$(2, \ -4, \ 3) \begin{pmatrix} 8 \\ 7 \\ 0 \end{pmatrix} = (-12).$$

Le produit de matrices possède certaines propriétés. Soit A, B et C trois matrices. Lorsque leurs dimensions sont compatibles, on a :

A × (B × C) = (A × B) × C   (associativité);
A × (B + C) = A × B + A × C   (distributivité);
(A + B) × C = A × C + B × C   (distributivité).

On notera toutefois qu'en général, le produit matriciel n'est pas commutatif :

AB ≠ BA.

Exercice (a):   Soit les matrices suivantes :

$$A = \begin{pmatrix} 1 & 5 & 0 \\ 2 & -1 & 4 \\ 5 & 3 & 2 \end{pmatrix}, \quad B = \begin{pmatrix} -1 & 4 & 7 \\ 3 & -2 & 1 \\ 5 & 2 & 4 \end{pmatrix}, \quad C = \begin{pmatrix} -7 & 2 & 4 \\ 11 & 5 & 6 \\ 2 & -8 & 5 \end{pmatrix},$$

$$D = \begin{pmatrix} -2 & -1 \\ 3 & 4 \\ 5 & 6 \end{pmatrix}, \quad E = \begin{pmatrix} 1 \\ -3 \\ 1 \end{pmatrix}, \quad F = \begin{pmatrix} 5 & 4 & 5 & -1 \\ 3 & 2 & 6 & 0 \\ 7 & -1 & 2 & 1 \\ -1 & 0 & 2 & 1 \end{pmatrix} \quad G = (2, 1, 3, 4).$$

Calculer : a) A + B + C; b) 2A; c) -4D; d) A × E; e) G × F;
f) A × B; g) B × A; h) B × C × D; i) D × E; *j*) A^2 (c'est-à-dire A × A);
k) E^2.

Utilisons les matrices dans quelques exemples concrets.

Exemple : Une imprimerie doit faire le tirage de trois types de journaux. Pour cela elle possède deux ateliers qui emploient trois catégories d'employés, des apprentis, des ouvriers et des ouvriers spécialisés. Chaque employé peut imprimer une certaine quantité de chaque journaux. Ces quantités sont classées dans la matrice suivante :

$$M = \begin{pmatrix} 200 & 1000 & 100 \\ 500 & 300 & 500 \\ 1000 & 200 & 1500 \end{pmatrix} \begin{matrix} \text{apprenti} \\ \text{ouvrier} \\ \text{ouvrier spécialisé} \end{matrix}$$

journal A   journal B   journal C

D'autre part, chaque atelier comprend un certain nombre d'apprentis, d'ouvriers et d'ouvriers spécialisés. Ces nombres sont classés suivant la matrice N.

apprentis   # ouvriers   # ouvriers spéc.

$$N = \begin{pmatrix} 2 & 5 & 10 \\ 3 & 2 & 15 \end{pmatrix} \begin{matrix} \text{atelier 1} \\ \text{atelier 2} \end{matrix}$$

On veut déterminer le nombre de journaux A, B et C imprimés dans chaque atelier. Pour connaître le nombre de journaux A sortant de l'atelier 1, il faut calculer :

— 2 apprentis dans l'atelier 1, chacun imprimant 200 journaux A : 200 × 2 journaux A ;
— 5 ouvriers dans l'atelier 1, chacun imprimant 500 journaux A : 500 × 5 journaux A ;
— 10 ouvriers spécialisés dans l'atelier 1, chacun imprimant 1000 journaux A : 1000 × 10 journaux A.

L'atelier 1 peut donc produire 12 900 journaux A. Nous avons effectué le produit de la 1re ligne de N par la 1re colonne de M pour trouver 12 900. Les éléments de la matrice MN nous donneront le nombre de journaux A, B et C produits dans chaque atelier :

$$N \cdot M = \begin{matrix} \text{atelier 1} \\ \text{atelier 2} \end{matrix} \begin{pmatrix} 2 & 5 & 10 \\ 3 & 2 & 15 \end{pmatrix} \begin{matrix} \text{app.} \\ \text{ouv.} \\ \text{o.s.} \end{matrix} \begin{pmatrix} 200 & 1000 & 100 \\ 500 & 300 & 500 \\ 1000 & 200 & 1500 \end{pmatrix}$$

app.   ouv.   o.s.   A   B   C

$$N \cdot M = \begin{matrix} \text{atelier 1} \\ \text{atelier 2} \end{matrix} \begin{pmatrix} 12900 & 5500 & 17700 \\ 16600 & 6600 & 23800 \end{pmatrix}$$

journal A   journal B   journal C

Si les prix des journaux A, B et C sont respectivement 10 ¢, 15 ¢ et 20 ¢, on peut calculer le montant

total revenant à chaque atelier en multipliant la matrice NM par $P = \begin{pmatrix} 10 \\ 15 \\ 20 \end{pmatrix}$:

$$N \cdot M \cdot P = \begin{pmatrix} 12900 & 5500 & 17700 \\ 16600 & 6600 & 23800 \end{pmatrix} \begin{pmatrix} 10 \\ 15 \\ 20 \end{pmatrix} = \begin{pmatrix} 565500 \\ 741000 \end{pmatrix}$$

L'atelier 1 reçoit 5655 $ et l'atelier 2, 7410 $. Soit dit en passant, la matrice $\begin{pmatrix} 10 \\ 15 \\ 20 \end{pmatrix}$ est aussi appelée

vecteur-colonne, car elle ne comporte qu'une colonne.

   Exemple : Trois alliages A, B et C ont les compositions suivantes :

   — A comprend 80 % de cuivre, 5 % de zinc et 15 % d'étain ;
   — B comprend 20 % de cuivre, 30 % de zinc et 50 % d'étain ;
   — C comprend 50 % de cuivre et 50 % d'étain.

On peut mettre ces informations dans la matrice M suivante :

	alliage A	alliage B	alliage C	
	0,80	0,20	0,50	cuivre
M =	0,05	0,30	0	zinc
	0,15	0,50	0,50	étain

Si on fait un nouvel alliage en mélangeant 20 kg de A, 30 kg de B et 10 kg de C, on peut trouver la quantité de cuivre, de zinc et d'étain contenue dans le nouvel alliage : il suffit alors de multiplier la

matrice M par la matrice $V = \begin{pmatrix} 20 \\ 30 \\ 10 \end{pmatrix}$. On obtient ainsi :

$$MV = \begin{pmatrix} 0,80 & 0,20 & 0,50 \\ 0,05 & 0,30 & 0 \\ 0,15 & 0,50 & 0,50 \end{pmatrix} \times \begin{pmatrix} 20 \\ 30 \\ 10 \end{pmatrix} = \begin{pmatrix} 27 \\ 10 \\ 23 \end{pmatrix}.$$

Il y a donc 27 kg de cuivre, 10 kg de zinc et 23 kg d'étain dans les 60 kg (20 kg de A + 30 kg de B + 10 kg de C) du nouvel alliage. Si on veut connaître les pourcentages de cuivre, zinc et étain contenus dans le nouvel alliage, il suffit de calculer :

$$\frac{27}{60} \times 100 = 45 \text{ (en \%) pour le cuivre ;}$$

$$\frac{10}{60} \times 100 \simeq 16,67 \text{ (en \%) pour le zinc ;}$$

$$\frac{23}{60} \times 100 \simeq 38,33 \text{ (en \%) pour l'étain.}$$

6.5   EXERCICES RÉCAPITULATIFS (2e partie)

1.   Calculer A + B, A – B et $2A + \frac{1}{2} B$, si :

a)

$$A = \begin{pmatrix} 1 & 2 \\ 3 & 4 \end{pmatrix}, \qquad B = \begin{pmatrix} 1 & 6 \\ -1 & 4 \end{pmatrix} ;$$

b)

$$A = \begin{pmatrix} 2 & 1 & -1 & 2 \\ 1 & 4 & 3 & 3 \\ 6 & 1 & 8 & 4 \end{pmatrix}, \qquad B = \begin{pmatrix} 2 & 1 & 9 & 3 \\ -1 & 0 & 0 & 4 \\ 3 & 2 & 1 & 0 \end{pmatrix}.$$

2.   On propose aux étudiants trois sports intercollégiaux, S_1, S_2 et S_3. Pour chaque sport, on a noté les coûts individuels en transport, en logement, en·repas, en matériel et en services divers. Ces coûts sont les éléments d'une ligne de A, chaque ligne correspondant au sport S_1, S_2 ou S_3; le nombre d'étudiants pratiquant chaque sport est représenté dans la matrice B :

$$B = (41, 6, 32),$$

$$A = \begin{pmatrix} 105 & 200 & 32 & 125 & 28 \\ 41 & 50 & 0 & 50 & 10 \\ 75 & 150 & 25 & 78 & 23 \end{pmatrix}$$

a)   Calculer BA. Que représente chaque élément de BA ?

b)   Le collège décide d'assurer lui-même 90 % des coûts de transport, 80 % des coûts de logement et la totalité des coûts en matériel. Donner le coût de participation d'un étudiant à chacun des sports. Établir le coût total que doit assumer le collège.

3.   Soit la matrice $A = \begin{pmatrix} 2 & -1 \\ 1 & 0 \end{pmatrix}$:

a)   Calculer la matrice I telle que AI = A.

b) Calculer la matrice E telle que AE = E.

4. Soit les matrices suivantes :

$$A = \begin{pmatrix} 4 & 1 \\ -1 & -3 \\ 2 & 6 \end{pmatrix}, \qquad B = \begin{pmatrix} -1 & 2 & 1 \\ 4 & 6 & 6 \\ -2 & 3 & 2 \end{pmatrix}, \qquad C = \begin{pmatrix} 4 & -1 & 2 & 5 \\ -2 & -1 & 3 & 2 \end{pmatrix}.$$

Calculer le produit des 3 matrices dans l'ordre où il est possible de le faire.

5. Donner deux matrices A et B telles que AB ≠ BA. En donner deux autres, C et D telles que CD = DC.

6. Trouver deux matrices A et B telles que A ≠ 0, B ≠ 0 et AB = 0, où 0 est la matrice nulle. (Ceci illustre que le comportement des matrices diffère de l'algèbre ordinaire.)

7. Montrer que AA = A et que AB = A,

si

$$A = \begin{pmatrix} 0,5 & -0,5 \\ -0,5 & 0,5 \end{pmatrix}$$

et

$$B = \begin{pmatrix} 1-k & -k \\ -k & 1-k \end{pmatrix} \qquad (k \in \mathbb{R}).$$

8. La fabrication de la carosserie de trois véhicules (voiture, camion et moto) utilise quatre machines : le laminoir, la machine à découper, la perceuse et la machine à appliquer la peinture. Les temps de passage (en minute) sur chaque machine pour chaque véhicule sont donnés dans la matrice suivante :

	Laminer	Découper	Percer	Peindre
Voiture	7	65	25	50
Camion	30	180	40	80
Moto	2	15	10	5

a) Pendant combien de temps utilisera-t-on chaque machine pour fabriquer 20 camions, 40 motos et 60 voitures ?

b) Combien coûte la fabrication de la carosserie de chaque véhicule, si l'on sait que pour une heure d'utilisation le laminoir coûte 25 $, la machine à découper 75 $, la perceuse 15 $ et la machine à appliquer la peinture 300 $?

c) Quel est le coût total de la carosserie de chaque véhicule si, en plus du coût d'utilisation des machines, les tarifs horaires d'un ouvrier travaillant sur le laminoir, la machine à découper, la perceuse, la machine à appliquer la peinture, sont respectivement de 25 $, 30 $, 20 $ et 18 $?

9. Une usine spécialisée dans la fabrication de jouets utilise trois matériaux : le plastique, le bois et le métal. Les quantités en grammes de plastique, de bois et de métal, sont respectivement de 5, 1 et 10 pour un train, 2, 1 et 6 pour une voiture, et 3, 2 et 11 pour un camion.

a) Placer ces informations dans une matrice.

b) Si on veut fabriquer 500 trains, 1000 voitures, et 250 camions, quelle quantité de chacun des matériaux doit-on utiliser ? Effectuer ce calcul en mettant les informations sous forme de vecteur.

c) Si le plastique coûte 0,05 $ le gramme, le bois 0,01 $ le gramme et le métal 0,03 $ le gramme, combien coûte la fabrication d'un train, d'une voiture et d'un camion ? Combien coûte la fabrication des 500 trains, des 1000 voitures et des 250 camions ? Si le prix de vente de chacun des jouets est respectivement de 1,25 $ pour un train, 0,60 $ pour une voiture et de 1,10 $ pour un camion, quel sera le bénéfice réalisé par l'usine si on ne tient compte que du prix des matériaux ?

6.6 LES DÉTERMINANTS

À chaque matrice carrée, on peut associer un nombre réel appelé *déterminant*. Ce nombre dépend de la valeur des composantes de la matrice. Si on désigne par A la matrice, son déterminant est noté " det A ", ou, encore, $|A|$ (se lit " déterminant de A "). La définition exacte de déterminant dépasse l'objet de ce cours. On se contentera d'apprendre à le calculer, d'en connaître les principales propriétés et, surtout, de savoir l'utiliser.

DÉFINITION : Soit A, une matrice carrée d'ordre n (c'est-à-dire A est de dimension $n \times n$). On appelle *mineur* de l'élément a_{ij}, que l'on note M_{ij}, le déterminant de la matrice $(n - 1) \times (n - 1)$ obtenue en enlevant la i^e ligne et la j^e colonne de A

$$M_{ij} = \begin{vmatrix} a_{11} & a_{12} & \cdots & a_{1,j-1} & a_{1j} & a_{1,j+1} & \cdots & a_{1n} \\ a_{21} & a_{22} & \cdots & a_{2,j-1} & a_{2j} & a_{2,j+1} & \cdots & a_{2n} \\ \vdots & \vdots & & \vdots & \vdots & \vdots & & \vdots \\ a_{i-1,1} & a_{i-1,2} & \cdots & a_{i-1,j-1} & a_{i-1,j} & a_{i-1,j+1} & \cdots & a_{i-1,n} \\ a_{i1} & a_{i2} & \cdots & a_{i,j-1} & a_{ij} & a_{i,j+1} & \cdots & a_{in} \\ a_{i+1,1} & a_{i+1,2} & \cdots & a_{i+1,j-1} & a_{i+1,j} & a_{i+1,j+1} & \cdots & a_{i+1,n} \\ \vdots & \vdots & & \vdots & \vdots & \vdots & & \vdots \\ a_{n1} & a_{n2} & \cdots & a_{n,j-1} & a_{n,j} & a_{n,j+1} & \cdots & a_{n,n} \end{vmatrix}$$

DÉFINITION : On appelle *cofacteur de l'élément* a_{ij}, noté A_{ij}, le mineur de l'élément a_{ij} multiplié par $(- 1)^{i+j}$:

$$A_{ij} = (- 1)^{i+j} M_{ij}.$$

Exemple : Soit $A = \begin{pmatrix} 1 & 2 & 3 \\ -2 & 4 & 5 \\ 7 & 8 & 9 \end{pmatrix}$. Alors

$$M_{12} = \begin{vmatrix} -2 & 5 \\ 7 & 9 \end{vmatrix},$$

$$M_{32} = \begin{vmatrix} 1 & 3 \\ -2 & 5 \end{vmatrix},$$

et $$M_{11} = \begin{vmatrix} 4 & 5 \\ 8 & 9 \end{vmatrix},$$

$$A_{12} = (-1)^{1+2} M_{12} = -M_{12},$$
$$A_{11} = (-1)^{1+1} M_{11} = M_{11},$$
$$A_{32} = (-1)^{3+2} M_{32} = -M_{32}.$$

DÉFINITION : Soit A, une matrice carrée d'ordre 2 :
$$A = \begin{pmatrix} a_{11} & a_{12} \\ a_{21} & a_{22} \end{pmatrix}.$$

Son déterminant est donné par :
$$|A| = a_{11} a_{22} - a_{12} a_{21}.$$

Exemple : Soit $A = \begin{pmatrix} -3 & 2 \\ 4 & 1 \end{pmatrix}$. Alors
$$|A| = (-3)(1) - (2)(4)$$
$$= -3 - 8 = -11.$$

DÉFINITION : Soit A une matrice carrée d'ordre n. Le déterminant de A, qui s'écrit

$$|A| = \begin{vmatrix} a_{11} & \cdots & a_{1j} & \cdots & a_{1n} \\ \vdots & & \vdots & & \vdots \\ a_{i1} & \cdots & a_{ij} & \cdots & a_{in} \\ \vdots & & \vdots & & \vdots \\ a_{n1} & \cdots & a_{nj} & \cdots & a_{nn} \end{vmatrix},$$

est égal à :

$$|A| = a_{i1} A_{i1} + a_{i2} A_{i2} + \ldots + a_{ij} A_{ij} + \ldots a_{in} A_{in}.$$

Une telle expression est appelée *développement du déterminant de A suivant la i^e ligne* avec $i \in \{1, 2, \ldots, n\}$.

Exemple : Soit $A = \begin{pmatrix} 3 & 2 & 0 \\ 4 & 1 & -1 \\ -2 & 1 & 0 \end{pmatrix}.$

Développons suivant la 1re ligne, c'est-à-dire $i = 1$:

$$|A| = a_{11} A_{11} + a_{12} A_{12} + a_{13} A_{13}$$

$$= 3(-1)^{1+1} \begin{vmatrix} 1 & -1 \\ 1 & 0 \end{vmatrix} + 2(-1)^{1+2} \begin{vmatrix} 4 & -1 \\ -2 & 0 \end{vmatrix} + 0(-1)^{1+3} \begin{vmatrix} 4 & 1 \\ -2 & 1 \end{vmatrix}$$

$$= 3(0+1) - 2(0-2) + 0$$

$$= 7.$$

Développons maintenant suivant la 2e ligne, c'est-à-dire $i = 2$:

$$|A| = a_{21} A_{21} + a_{22} A_{22} + a_{23} A_{23}$$

$$= 4(-1)^{2+1} \begin{vmatrix} 2 & 0 \\ 1 & 0 \end{vmatrix} + 1(-1)^{2+2} \begin{vmatrix} 3 & 0 \\ -2 & 0 \end{vmatrix} + (-1)(-1)^{2+3} \begin{vmatrix} 3 & 2 \\ -2 & 1 \end{vmatrix}$$

$$= -4(0-0) + 1(0-0) + (3+4)$$

$$= 7.$$

Le déterminant de la matrice carrée d'ordre n peut également se calculer en faisant un développement suivant n'importe quelle colonne $j \in \{1, 2, ..., n\}$. Le développement, suivant la colonne j, sera donné par l'expression suivante :

$$|A| = a_{1j} A_{1j} + a_{2j} A_{2j} + ... + a_{ij} A_{ij} + ... + a_{nj} A_{nj}.$$

Exemple : Reprenons l'exemple précédent :

$$A = \begin{pmatrix} 3 & 2 & 0 \\ 4 & 1 & -1 \\ -2 & 1 & 0 \end{pmatrix}.$$

Développons suivant la 3e colonne : $j = 3$. Alors

$$|A| = a_{13} A_{13} + a_{23} A_{23} + a_{33} A_{33}$$

$$= 0(-1)^{1+3} \begin{vmatrix} 4 & 1 \\ -2 & 1 \end{vmatrix} + (-1)(-1)^{2+3} \begin{vmatrix} 3 & 2 \\ -2 & 1 \end{vmatrix} + 0(-1)^{3+3} \begin{vmatrix} 3 & 2 \\ 4 & 1 \end{vmatrix}$$

$$= 0 + 1(3+4) + 0$$

$$= 7.$$

Étant donné qu'on a le choix entre n'importe quelle ligne ou n'importe quelle colonne de la matrice A pour calculer le déterminant de $|A|$, on prendra la plus avantageuse, c'est-à-dire la ligne ou la colonne contenant le plus de zéros.

Exercice (b) : Calculer le déterminant des matrices suivantes:

$$(1) \begin{pmatrix} 2 & 1 & 0 \\ 3 & 4 & -1 \\ 2 & 8 & 0 \end{pmatrix} \; ;$$

$$(2) \begin{pmatrix} 3 & -12 & 4 \\ 0 & 6 & 0 \\ 1 & 8 & 2 \end{pmatrix} \quad ;$$

$$(3) \begin{pmatrix} 4 & 6 & 8 & 0 \\ 4 & -3 & 0 & 1 \\ 3 & 0 & 2 & 0 \\ 8 & 4 & 5 & 0 \end{pmatrix} .$$

6.7 PROPRIÉTÉS DU DÉTERMINANT

Énonçons, sans les démontrer, les propriétés caractérisant le déterminant.

PROPRIÉTÉ 1 : Si, dans une matrice, deux lignes ou deux colonnes sont proportionnelles, alors le déterminant de cette matrice est égal à 0.

Exemple : On a

$$\begin{vmatrix} 2 & 3 & 1 \\ 4 & 5 & 3 \\ 2 & 3 & 1 \end{vmatrix} = 0,$$

car la 1re et la 3e ligne sont identiques (ou proportionnelles de rapport 1). De même

$$\begin{vmatrix} 2 & 1 & 4 & 4 \\ 3 & 2 & 6 & 6 \\ 4 & 3 & 8 & 4 \\ -1 & 3 & -2 & 6 \end{vmatrix} = 0,$$

car, la 1re et la 3e colonne sont proportionnelles (de rapport 2).

PROPRIÉTÉ 2 : Si, à une ligne d'une matrice, on ajoute une autre ligne multipliée par une même constante, alors le déterminant de la nouvelle matrice est égal à celui de la matrice initiale.

Exemple : Soit la matrice

$$A = \begin{pmatrix} 2 & 1 & 6 \\ -1 & 4 & 2 \\ 3 & 8 & 4 \end{pmatrix} .$$

Alors,

$$|A| = \begin{vmatrix} 2 & 1 & 6 \\ -1 & 4 & 2 \\ 3 & 8 & 4 \end{vmatrix} = \begin{vmatrix} 2+2(-1) & 1+2(4) & 6+2(2) \\ -1 & 4 & 2 \\ 3 & 8 & 4 \end{vmatrix}$$

$$= \begin{vmatrix} 0 & 9 & 10 \\ -1 & 4 & 2 \\ 3 & 8 & 4 \end{vmatrix},$$

car on a ajouté à la 1re ligne, 2 fois la deuxième.

PROPRIÉTÉ 3 : Si, à une colonne d'une matrice, on ajoute une autre colonne, multipliée par une même constante, alors le déterminant de la nouvelle matrice est égal à celui de la matrice initiale.

Exemple : La propriété 3 permet d'écrire

$$\begin{vmatrix} 2 & -1 & 6 \\ 4 & 3 & 2 \\ 1 & 8 & 4 \end{vmatrix} = \begin{vmatrix} 2-(6) & -1 & 6 \\ 4-(2) & 3 & 2 \\ 1-(4) & 8 & 4 \end{vmatrix} = \begin{vmatrix} -4 & -1 & 6 \\ 2 & 3 & 2 \\ -3 & 8 & 4 \end{vmatrix}.$$

On a ajouté à la première colonne, − 1 fois la troisième.

PROPRIÉTÉ 4 : Si, dans une matrice, tous les éléments d'une même ligne ou d'une même colonne sont nuls, alors le déterminant lui-même est nul.

Exemple : On a

$$\begin{vmatrix} 2 & 1 & 6 \\ 0 & 0 & 0 \\ 4 & 3 & 1 \end{vmatrix} = 0$$

car la deuxième ligne est nulle.

Il existe d'autres propriétés facilitant le calcul des déterminants. Celles que nous avons données suffisent pour se tirer d'affaire. Ces propriétés permettent de simplifier les calculs.

Exemple : Soit à calculer

$$|A| = \begin{vmatrix} 1 & 2 & 3 \\ -2 & 4 & 5 \\ 7 & 8 & 9 \end{vmatrix}.$$

Si on ajoute, à la 2e ligne, les éléments de la 1re ligne multipliés par 2, puis, à la 3e ligne, les éléments de la 1re ligne multipliés par $-$ 7, on aura

$$|A| = \begin{vmatrix} 1 & 2 & 3 \\ 0 & 8 & 11 \\ 0 & -6 & -12 \end{vmatrix} .$$

Si on développe suivant la première colonne,

$$|A| = (-1)^{1+1} \begin{vmatrix} 8 & 11 \\ -6 & -12 \end{vmatrix} \qquad \text{(les autres termes sont nuls)}$$

$$= (-96 + 66)$$

$$= -30.$$

Le calcul du déterminant d'une matrice, quelle que soit la taille de cette dernière, peut se faire très rapidement si on utilise les diverses propriétés. Dans un premier temps, il s'agit de faire apparaître le plus de 0 possible dans une ligne ou dans une colonne. Puis, on développe suivant cette ligne ou cette colonne.

Ajoutons une autre propriété, connue sous le nom de *règle de Sarrus*.

PROPRIÉTÉ 5 : Soit

$$A = \begin{pmatrix} a_{11} & a_{12} & a_{13} \\ a_{21} & a_{22} & a_{23} \\ a_{31} & a_{32} & a_{33} \end{pmatrix} ,$$

une matrice de dimension 3 $\times$ 3. Alors

$$|A| = a_{11}\, a_{22}\, a_{33} + a_{12}\, a_{23}\, a_{31} + a_{13}\, a_{21}\, a_{32} - (a_{13}\, a_{22}\, a_{31} + a_{11}\, a_{23}\, a_{32} + a_{12}\, a_{21}\, a_{33}).$$

Le graphique suivant nous permet de retenir la règle de Sarrus :

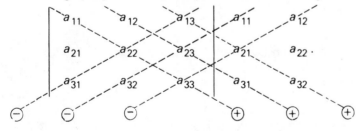

Attention ! La règle de Sarrus ne s'applique qu'au calcul des déterminants de matrices 3 $\times$ 3.

Exemple : Utilisons le règle de Cramer :

$$\begin{vmatrix} 2 & -1 & 6 \\ 4 & 3 & 2 \\ 1 & 8 & 4 \end{vmatrix} = 2 \times 3 \times 4 + (-1) \times 2 \times 1 + 6 \times 4 \times 8 - (6 \times 3 \times 1 + 2 \times 2 \times 8 + (-1) \times 4 \times 4)$$

$$= 24 - 2 + 192 - (18 + 32 - 16) = 180.$$

Exercice (c) :   Calculer le déterminant des matrices suivantes :

a) $\begin{pmatrix} 1 & 2 \\ -1 & 4 \end{pmatrix}$;

b) $\begin{pmatrix} 1 & 1 & 1 \\ 2 & -1 & -1 \\ 3 & 1 & -4 \end{pmatrix}$;

c) $\begin{pmatrix} 1 & 2 & 3 \\ 4 & 5 & 6 \\ 0 & -1 & 2 \end{pmatrix}$;

d) $\begin{pmatrix} 2 & -1 & 3 \\ 5 & 3 & 2 \\ 3 & 4 & -1 \end{pmatrix}$;

e) $\begin{pmatrix} 1 & 4 & -1 \\ 3 & -1 & 2 \\ 2 & -5 & 3 \end{pmatrix}$;

f) $\begin{pmatrix} 0 & 2 & 4 \\ 0 & -3 & 5 \\ 0 & 1 & 6 \end{pmatrix}$;

g) $\begin{pmatrix} 2 & 4 & 3 \\ -1 & -1 & 1 \\ 0 & 2 & -1 \end{pmatrix}$;

h) $\begin{pmatrix} 2 & 1 & 2 \\ -1 & 1 & -1 \\ 2 & 4 & 2 \end{pmatrix}$;

i) $\begin{pmatrix} -1 & 4 & 5 \\ 2 & 1 & -1 \\ 3 & 1 & 2 \end{pmatrix}$;

j) $\begin{pmatrix} 2 & 3 & 5 & 1 \\ -2 & 1 & 4 & 1 \\ 1 & 0 & 3 & 1 \\ 1 & 2 & 0 & -1 \end{pmatrix}$;

k) $\begin{pmatrix} 1 & a & b+c \\ 1 & b & c+a \\ 1 & c & a+b \end{pmatrix}$;

l) $\begin{pmatrix} 2 & 4 & 5 \\ 3 & -3 & 7 \\ 5 & 2 & 6 \end{pmatrix}$.

Le déterminant joue un rôle essentiel dans le traitement de systèmes d'équations linéaires (méthode de Cramer, inversion de matrices...). On l'utilisera aussi pour le calcul des produits vectoriels et mixtes de vecteurs.

6.8   EXERCICE RÉCAPITULATIF (3ᵉ partie)

Calculer le déterminant des matrices suivantes, en donnant chaque étape :

a) $\begin{pmatrix} 1 & 2 \\ 2 & 3 \end{pmatrix}$;

b) $\begin{pmatrix} 3 & 1 \\ 2 & -1 \end{pmatrix}$;

c) $\begin{pmatrix} 1 & 0 & 2 \\ 3 & -1 & 2 \\ 1 & -1 & 0 \end{pmatrix}$;

d) $\begin{pmatrix} 1 & -1 & 2 \\ -2 & 3 & 0 \\ 2 & 4 & 8 \end{pmatrix}$;

e) $\begin{pmatrix} 1 & 1 & 5 \\ 2 & 1 & -1 \\ 3 & 2 & 5 \end{pmatrix}$;

f) $\begin{pmatrix} 7 & -5 & 6 & 4 \\ 3 & 2 & 8 & 4 \\ 2 & 1 & 5 & 0 \\ 4 & 1 & 0 & 3 \end{pmatrix}$

Chapitre **7**

Systèmes d'équations linéaires et inversion de matrices

PRÉAMBULE

Dans ce chapitre, nous allons étudier diverses méthodes de résolution des systèmes d'équations linéaires. Nous présenterons d'abord la méthode la plus conventionnelle, celle par élimination et substitution : cette méthode est basée sur les transformations élémentaires. Puis nous verrons trois autres méthodes : la méthode de Gauss, la méthode de Cramer et la méthode de la matrice inverse. La méthode de Gauss utilise la forme matricielle pour les différentes étapes d'élimination successive des inconnues d'un système d'équations. La méthode de Cramer utilise la notion de déterminant d'une matrice. La méthode de la matrice inverse nous donnera l'occasion, justement, d'apprendre à inverser une matrice.

Les systèmes d'équations linéaires apparaissent fréquemment dans les situations où un modèle mathématique s'impose. Les équations étant posées, il s'agit de les résoudre. C'est ce que nous allons apprendre.

7.1 SYSTÈME D'ÉQUATIONS LINÉAIRES

DÉFINITION : On appelle *système de m équations linéaires à n inconnues* un ensemble de la forme

$$\begin{cases} a_{11}\,x_1 + a_{12}\,x_2 + \ldots\ldots + a_{1n}\,x_n = b_1 \\ a_{21}\,x_1 + a_{22}\,x_2 + \ldots\ldots + a_{2n}\,x_n = b_2 \\ \quad\vdots \qquad\qquad \vdots \qquad\qquad\qquad \vdots \qquad\quad \vdots \\ a_{m1}x_1 + a_{m2}x_2 + \ldots\ldots + a_{mn}x_n = b_m \end{cases}$$

où les coefficients des termes x_i et les termes b_j sont des nombres réels, avec $i \in \{\,1, 2, 3, \ldots\ldots, n\,\}$ et $j \in \{\,1, 2, \ldots\ldots, m\,\}$.

Exemple : Soit le système :

$$\begin{cases} x_1 - x_2 + x_3 = -2 \\ x_1 - 2x_2 - 2x_3 = -1 \\ 2x_1 + x_2 + 3x_3 = 1 \\ x_1 \quad\quad + 4x_3 = -3 \end{cases}$$

Il s'agit d'un système de $m = 4$ équations linéaires à $n = 3$ inconnues. On a, entre autres :

$a_{13} = 1,$
$a_{33} = 3,$
$a_{42} = 0,$
$b_2 = -1.$

DÉFINITION : Soit un système de m équations linéaires à n inconnues, $x_1, x_2, ..., x_n$. On appelle *ensemble-solution*, l'ensemble des n-uplets de la forme ($s_1, s_2, ..., s_n$) tels que pour chaque n-uplet, les m équations soient toutes vérifiées lorsqu'on remplace x_1 par s_1, x_2 par s_2, ..., x_n par s_n. *Résoudre* un système revient à en chercher l'ensemble-solution.

DÉFINITION : Deux systèmes sont dits *équivalents* s'ils se déduisent l'un de l'autre par une (ou une suite) des transformations suivantes :

- permutation de deux équations;

- multiplication d'une équation par une constante non nulle;

- addition à une équation d'un multiple d'une autre équation du système.

Ces transformations sont dites *élémentaires*.

Exemple : Soit les systèmes suivants :

$$S_1 \begin{cases} x_1 - x_2 + x_3 = -2 \\ x_1 - 2x_2 - 2x_3 = -1 \\ 2x_1 + x_2 + 3x_3 = 1 \end{cases} ; \quad S_2 \begin{cases} x_1 - 2x_2 - 2x_3 = -1 \\ x_1 - x_2 + x_3 = -2 \\ 2x_1 + x_2 + 3x_3 = 1 \end{cases} ;$$

$$S_3 \begin{cases} x_1 - x_2 + x_3 = -2 \\ x_1 - 2x_2 - 2x_3 = -1 \\ 4x_1 + 2x_2 + 6x_3 = 2 \end{cases} ; \quad S_4 \begin{cases} x_1 - x_2 + x_3 = -2 \\ x_1 - 2x_2 - 2x_3 = -1 \\ 4x_1 - x_2 + 5x_3 = -3 \end{cases}$$

S_1 est équivalent à S_2, car S_2 a été obtenu en permutant la 1re et la 2e équation de S_1. S_1 est équivalent à S_3, car S_3 a été obtenu en multipliant la dernière équation de S_1 par 2. S_1 est équivalent à S_4, car S_4 a été obtenu en additionnant aux éléments de la 3e équation les éléments de la 1re équation de S_1 multipliés par 2. Cet exemple va nous servir à établir une notation pour les différentes opérations élémentaires que l'on peut effectuer sur un système.

Donnons-nous une *notation* permettant de décrire les changements effectués sur un système d'équations linéaires S_1.

- *Permutation de deux lignes* :

La permutation de la i^e ligne avec la j^e ligne de S_1 peut se noter P_{ij}. On obtient un nouveau système S_2 équivalent à S_1, noté

$$S_2 : P_{ij}(S_1).$$

Dans l'exemple précédent, S_2 est obtenu à partir de la permutation de la 1re ligne avec la 2e ligne de S_1, soit:

$$S_2 : P_{12}(S_1).$$

- *Multiplication d'une ligne i par une constante k* :

La multiplication de la i^e équation (ou ligne) d'un système S_1 par une constante non nulle k peut se noter M_i^k. On obtient un nouveau système S_3, équivalent à S_1, noté

$$S_3 : M_i^k(S_1).$$

Dans l'exemple précédent, S_3 est obtenu à partir de la multiplication de la 3e équation de S_1 par la constante 2, soit :

$$S_3 : M_3^2(S_1).$$

- *Addition à une ligne d'une autre ligne multipliée par une constante k* :

L'addition à la i^e ligne d'un système S_1, de la j^e ligne multipliée par une constante k peut se noter A_{ij}^k. On obtient un nouveau système S_4, équivalent à S_1, noté

$$S_4 : A_{ij}^k(S_1).$$

Dans l'exemple précédent, S_4 est obtenu en additionnant aux éléments de la 3e ligne, les éléments de la 1re ligne de S_1 multipliés par 2, soit :

$$S_4 : A_{31}^2(S_1).$$

On peut également recourir à ces notations dans le cas d'une suite d'opérations effectuées sur un système. Si on a besoin de transformer plusieurs fois une même ligne, ou plusieurs lignes, on procède par étapes. Par exemple, si on veut diviser une ligne par 2, puis se servir de la ligne ainsi modifiée pour une autre transformation, on réécrira d'abord le système obtenu avec la ligne divisée par 2, avant d'effectuer la transformation suivante, qui donne un nouveau système. Si on écrit

1°) $S_5 : M_2^{1/2}(S_4)$,

2°) $S_6 : A_{23}^{-2}(S_5)$,

on trouve d'abord

$$S_5 \begin{cases} x_1 - x_2 + x_3 = -2 \\ \dfrac{1}{2}x_1 - x_2 - x_3 = -\dfrac{1}{2} \\ 4x_1 - x_2 + 5x_3 = -3 \end{cases},$$

puis

$$S_6 \begin{cases} x_1 - x_2 + x_3 = -2 \\ -\dfrac{15}{2} x_1 + x_2 - 11x_3 = \dfrac{11}{2} \\ 4\,x_1 - x_2 + 5x_3 = -3 \end{cases}.$$

Exemple : Pour passer de

$$T_1 \begin{cases} 3x + 2y + z = 4 \\ x - y = 4 \\ 2x + z = -1 \end{cases}$$

à

$$T_2 \begin{cases} 3x + 2y + z = 4 \\ 4x + y + z = 8 \\ 8x + y + 3z = 6 \end{cases},$$

on a d'abord trouvé $T_3 : A_{21}^1 (T_1)$, puis trouvé $T_4 : M_3^2 (T_3)$, avant d'arriver à $T_2 : A_{32}^1 (T_4)$.

Exercice (a) : Soit le système suivant :

$$S_1 \begin{cases} 3x_1 - 2x_2 + x_3 - x_4 = 0 \\ x_1 + x_2 - x_3 = 2 \\ x_1 + x_3 - x_4 = 5 \end{cases}.$$

Déterminer les systèmes suivants :

a) $S_2 : P_{13}(S_1)$;

b) $S_3 : M_2^3(S_2)$;

c) $S_4 : A_{21}^3 (S_3)$;

d) $S_5 : A_{32}^{-2} (S_4)$;

e) $S_6 : A_{23}^{-3} (S_4)$, $S_7 : P_{23}(S_6)$, $S_8 : M_1^{1/4}(S_7)$.

Si le système S est équivalent au système T, on écrit $S \sim T$ (se lit '' S tilde T ''). La relation '' $\sim$ '' est une relation d'équivalence, c'est-à-dire réflexive, symétrique et transitive. Dans l'exercice précédent, S_1 est équivalent à S_6, car ils se déduisent l'un de l'autre par des transformations élémentaires; il en est de même de S_6 avec S_4, de S_3 avec S_4, etc.

On peut montrer qu'en transformant un système en un système équivalent, on ne change pas l'ensemble-solution. Voilà la raison pour laquelle il est si important de savoir mettre un système d'équations linéaires sous une forme équivalente à l'aide de transformations élémentaires.

PROPRIÉTÉ : Si le système d'équations linéaires S est équivalent au système T (c'est-à-dire $S \sim T$), alors S et T ont le même ensemble-solution.

7.2 RÉSOLUTION DES SYSTÈMES D'ÉQUATIONS LINÉAIRES

Présentons une première méthode permettant de résoudre un système, la méthode d'élimination et de substitution. Le principe va être le suivant : à l'aide de transformations élémentaires, nous allons travailler sur les équations de façon à éliminer toutes les inconnues moins une dans la dernière équation, toutes les inconnues moins deux dans l'avant-dernière équation et ainsi de suite jusqu'à l'obtention d'un système équivalent ayant la forme suivante, dite *triangulaire* :

$$
\begin{aligned}
x_1 + \cdots\cdots\cdots\cdots &= c_1 \\
0 + x_2 + \cdots\cdots\cdots &= c_2 \\
0 + 0 + x_3 + \cdots &= c_3 \\
\vdots \qquad \vdots \qquad \vdots \qquad \vdots & \\
0 + 0 + 0 + \ldots + 0 + x_n &= c_n
\end{aligned}
$$

Lorsque le système admet une solution, on peut calculer x_n dans la dernière équation, puis substituer la valeur obtenue dans l'avant-dernière équation afin de pouvoir calculer x_{n-1} et ainsi de suite jusqu'à x_1. Pour obtenir cette forme triangulaire, il faut avoir autant d'équations que d'inconnues, ou pouvoir s'y ramener après des transformations élémentaires. Étudions maintenant à l'aide de divers exemples les conditions sur m et n pour que le système admette des solutions, m étant le nombre d'équations et n, le nombre d'inconnues.

Premier cas : *Le nombre d'équations égale le nombre d'inconnues : $m = n$.*

Exemple 1 : Soit le système

$$
S_1 \begin{cases} x_1 - x_2 + x_3 = -2 \\ -x_1 + 2x_2 + 2x_3 = 1 \\ 2x_1 + x_2 + 3x_3 = 1 \end{cases}.
$$

Alors

$$
S_1 \sim S_3 \begin{cases} x_1 - x_2 + x_3 = -2 \\ 0 + x_2 + 3x_3 = -1 \quad \text{(par } A_{21}^1 \text{ et par } A_{31}^{-2}) \,(*) \\ 0 + 3x_2 + x_3 = 5 \end{cases}
$$

$$
\sim S_4 \begin{cases} x_1 - x_2 + x_3 = -2 \\ 0 + x_2 + 3x_3 = -1 \quad \text{(par } A_{32}^{-3}) \\ 0 + 0 - 8x_3 = 8 \end{cases}
$$

$$
\sim S_5 \begin{cases} x_1 - x_2 + x_3 = -2 \\ 0 + x_2 + 3x_3 = -1 \quad \text{(par } M_3^{-1/8}). \\ 0 + 0 + x_3 = -1 \end{cases}
$$

---

* Lorsqu'il n'y a pas d'ambiguïté sur le système que l'on transforme, on peut simplifier la notation. Par exemple, $(S_2 : A_{21}^1 (S_1)$ et $S_3 : A_{31}^{-2} (S_2))$ peut s'écrire : (par A_{21}^1 et par A_{31}^{-2}).

Le système S_5, mis sous la forme triangulaire, permet de calculer l'ensemble-solution $\{\,(\,1, 2, -1\,)\,\}$ car
$$x_3 = -1,$$
$$x_2 = -1 + 3 = 2,$$
$$x_1 = -2 + 2 + 1 = 1.$$

Exemple 2 : Soit le système

$$S_1 \left\{ \begin{array}{rrrr} x_1 & - & x_2 & + & x_3 & = & -2 \\ x_1 & - & 2x_2 & - & 2x_3 & = & -1 \\ 4x_1 & - & 5x_2 & + & x_3 & = & -7 \end{array} \right. .$$

Alors

$$S_1 \sim S_3 \left\{ \begin{array}{rrrr} x_1 & - & x_2 & + & x_3 & = & -2 \\ 0 & & - & x_2 & - & 3x_3 & = & 1 \\ 0 & & - & x_2 & - & 3x_3 & = & 1 \end{array} \right. \quad (\text{ par } A_{21}^{-1} \text{ et par } A_{31}^{-4})$$

$$\sim S_4 \left\{ \begin{array}{rrrr} x_1 & - & x_2 & + & x_3 & = & -2 \\ 0 & & - & x_2 & - & 3x_3 & = & 1 \\ 0 & + & 0 & + & 0 & = & 0 \end{array} \right. \quad (\text{ par } A_{32}^{-1}).$$

Le système S_4 admet une infinité de solutions : si on choisit une valeur quelconque pour x_3, on peut en déduire une valeur pour x_2 et x_1. L'ensemble-solution est
$$\{\,(\,x_1, x_2, x_3\,) \mid x_1 = -3 - 4x_3 \text{ et } x_2 = -1 - 3x_3\,\}.$$
Par exemple, si $x_3 = 0$, alors $x_1 = -3$ et $x_2 = -1$. Si, au contraire, on choisit $x_3 = 1$, alors $x_1 = -7$ et $x_2 = -4$. Nous venons de voir un cas de système où l'ensemble-solution est infini. En fait, derrière S_1, un système de trois équations à trois inconnues, se cache un système de deux équations à trois inconnues. Une des équations de S_1 est inutile.

Exemple 3 : Soit le système

$$S_1 \left\{ \begin{array}{rrrr} x_1 & - & x_2 & + & x_3 & = & -2 \\ x_1 & - & 2x_2 & - & 2x_3 & = & -1 \\ 4x_1 & - & 5x_2 & + & x_3 & = & 0 \end{array} \right. .$$

Alors

$$S_1 \sim S_3 \left\{ \begin{array}{rrrr} x_1 & - & x_2 & + & x_3 & = & -2 \\ 0 & & - & x_2 & - & 3x_3 & = & 1 \\ 0 & & - & x_2 & - & 3x_3 & = & 8 \end{array} \right. \quad (\text{ par } A_{21}^{-1} \text{ et par } A_{31}^{-4})$$

$$\sim S_4 \left\{ \begin{array}{rrrr} x_1 & - & x_2 & + & x_3 & = & -2 \\ 0 & & - & x_2 & - & 3x_3 & = & 1 \\ 0 & + & 0 & + & 0 & = & 7 \end{array} \right. \quad (\text{ par } A_{32}^{-1}).$$

Le système S_4 n'a aucune solution car $0 = 7$ est impossible : le système équivalent S_1 n'aura aucune solution. D'où l'ensemble-solution est vide.

Deuxième cas : *Le nombre d'équations est plus petit que le nombre d'inconnues : m < n.*

Exemple 4 : Soit le système

$$S_1 \begin{cases} x_1 + x_2 - 3x_3 = 2 \\ 2x_1 + x_2 - x_3 = 4 \end{cases}.$$

Alors

$$S_1 \sim S_2 \begin{cases} x_1 + x_2 - 3x_3 = 2 \\ 0 - x_2 + 5x_3 = 0 \end{cases} \quad (\text{par } A_{21}^{-2}).$$

On ne peut pas ramener à la forme triangulaire pour pouvoir isoler x_3. Comme précédemment (voir exemple 2), le système S_1 a une infinité de solutions. Il suffit de donner une valeur à x_3, d'en déduire la valeur de x_2, puis la valeur de x_1. L'ensemble-solution est $\{ (x_1, x_2, x_3) \mid x_2 = 5x_3 \text{ et } x_1 = 2 - 2x_3 \}$. Par exemple, si $x_3 = 0$, alors $x_2 = 0$ et $x_1 = 2$. Si $x_3 = 1$, alors $x_2 = 5$ et $x_1 = 0$.

Troisième cas : *Le nombre d'équations est plus grand que le nombre d'inconnues : m > n.*

Exemple 5 : Soit le système

$$S_1 \begin{cases} x_1 + x_2 = 2 \\ x_1 + 2x_2 = 5 \\ 2x_1 + 4x_2 = 4 \end{cases}.$$

Alors

$$S_1 \sim S_3 \begin{cases} x_1 + x_2 = 2 \\ 0 + x_2 = 3 \\ 0 + 2x_2 = 0 \end{cases} \quad (\text{par } A_{21}^{-1} \text{ et par } A_{31}^{-2})$$

$$\sim S_4 \begin{cases} x_1 + x_2 = 2 \\ 0 + x_2 = 3 \\ 0 + 0 = -6 \end{cases} \quad (\text{par } A_{32}^{-2}).$$

Le système S_4 est un système qui n'admet aucune solution, car $-6 = 0$ est impossible. Comme $S_1 \sim S_4$, S_1 est un système qui n'a aucune solution. L'ensemble-solution est l'ensemble vide. Il y a dans S_1 des équations incompatibles.

Exemple 6 : Soit le système

$$S_1 \begin{cases} x_1 + x_2 = 2 \\ x_1 + 2x_2 = 5 \\ 2x_1 + 2x_2 = 4 \end{cases}.$$

Alors

$$S_1 \sim S_3 \begin{cases} x_1 + x_2 = 2 \\ 0 + x_2 = 3 \\ 0 + 0 = 0 \end{cases} \quad (\text{par } A_{21}^{-1} \text{ et par } A_{31}^{-2}).$$

Par des transformations élémentaires, nous nous ramenons à un système de deux équations à deux inconnues dont l'ensemble-solution est $\{(-1, 3)\}$:

$$\left. \begin{array}{r} x_1 + x_2 = 2 \\ x_2 = 3 \end{array} \right\} \Rightarrow x_1 = 2 - x_2 = 2 - 3 = -1.$$

Exemple 7 : Soit le système

$$S_1 \begin{cases} x_1 + x_2 = 2 \\ 3x_1 + 3x_2 = 6 \\ -2x_1 - 2x_2 = -4 \end{cases}.$$

Alors

$$S_1 \sim S_3 \begin{cases} x_1 + x_2 = 2 \\ 0 + 0 = 0 \\ 0 + 0 = 0 \end{cases} \quad (\text{par } A_{21}^{-3} \text{ et par } A_{31}^{2}).$$

On obtient une infinité de solutions pour le système S_1. Il suffit de donner des valeurs à x_1, puis de calculer x_2. On a donc comme ensemble-solution, $\{(x_1, x_2) \mid x_2 = 2 - x_1\}$.

7.3 RÉSUMÉ DES DIFFÉRENTS CAS

Lorsqu'on peut ramener un système d'équations à un système équivalent de forme triangulaire, on obtient une et une seule solution. Dans les autres cas, on obtient aucune ou une infinité de solutions.

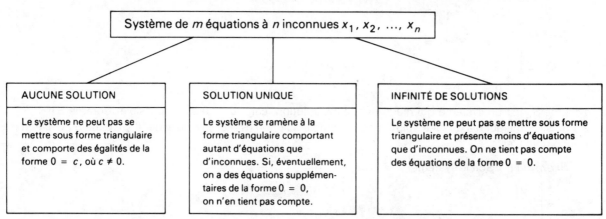

Le tableau ci-après résume les différents cas possibles obtenus suivant le nombre m d'équations et le nombre n d'inconnues d'un système. (Les régions laissées en blanc ne contiennent que des 0.)

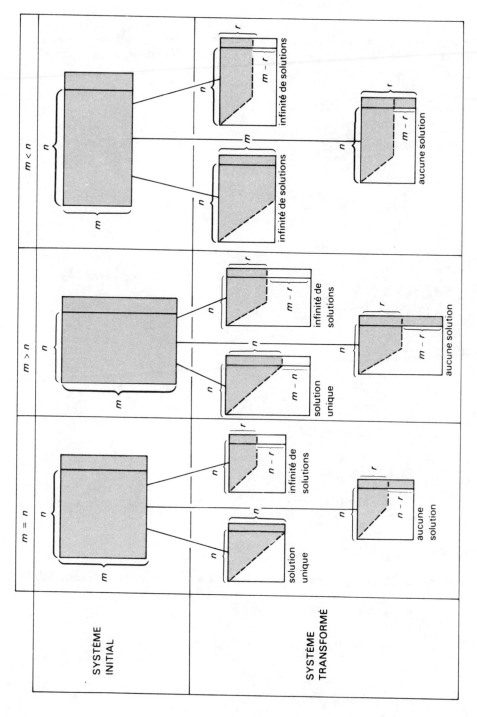

Exercice (b) :   Résoudre les systèmes d'équations suivants à l'aide de transformations élémentaires de façon à obtenir des systèmes triangulaires équivalents. Identifier chaque transformation à l'aide des notations A_{ij}^k, P_{ij} et M_i^k.

a) $\begin{cases} x_1 + x_2 + x_3 = -2 \\ 2x_1 - x_2 - x_3 = -1 \\ 3x_1 + x_2 - 4x_3 = 11 \end{cases}$;

b) $\begin{cases} x - 2y + 3z = 1 \\ x + 4y + 2z = 3 \\ 3x + 8z = 5 \end{cases}$;

c) $\begin{cases} x - 3y + 2z = -1 \\ 2x - 4y - z = 3 \\ 3x + y + z = 2 \end{cases}$;

d) $\begin{cases} x_1 + 4x_2 - x_3 = 0 \\ 3x_1 - x_2 + 2x_3 = 1 \\ 2x_1 - 5x_2 + 3x_3 = 4 \end{cases}$;

e) $\begin{cases} 2x + 3y + 4z + 5w = 4 \\ 4y + 3z - w = 1 \\ x - 2y + 3w = 2 \\ 3x + y - 2z + 7w = -7 \end{cases}$

7.4   MÉTHODE DE GAUSS

Apprenons à représenter matriciellement un système de m équations linéaires à n inconnues. Soit le système d'équations linéaires suivant :

$$\begin{cases} a_{11}\, x_1 + a_{12}\, x_2 + \dots\dots + a_{1n}\, x_n = b_1 \\ a_{21}\, x_1 + a_{22}\, x_2 + \dots\dots + a_{2n}\, x_n = b_2 \\ \vdots \qquad\quad \vdots \qquad\qquad\quad \vdots \qquad\quad \vdots \\ a_{m1} x_1 + a_{m2} x_2 + \dots\dots + a_{mn} x_n = b_m \end{cases}$$

Ce système peut se mettre sous la forme du produit matriciel $A \cdot X = B$

$$\underbrace{\begin{pmatrix} a_{11} & a_{12} & \cdots\cdots & a_{1n} \\ a_{21} & a_{22} & \cdots\cdots & a_{2n} \\ \vdots & \vdots & & \vdots \\ a_{m1} & a_{m2} & \cdots\cdots & a_{mn} \end{pmatrix}}_{A} \underbrace{\begin{pmatrix} x_1 \\ x_2 \\ \vdots \\ x_n \end{pmatrix}}_{X} = \underbrace{\begin{pmatrix} b_1 \\ b_2 \\ \vdots \\ b_m \end{pmatrix}}_{B} .$$

La matrice A est appelée *matrice des coefficients*, tandis que le vecteur-colonne X est appelé *vecteur des inconnues*. Le vecteur B est appelé *vecteur des termes constants*.

DÉFINITION : Soit $AX = B$, un système de m équations à n inconnues. On appelle *matrice augmentée* la matrice obtenue à l'aide des coefficients des x_i et des termes b_j avec $i \in \{1, 2, ..., n\}$ et $j \in \{1, 2, ..., m\}$

$$\begin{pmatrix} a_{11} & a_{12} & \cdots\cdots & a_{1n} & \vline & b_1 \\ a_{21} & a_{22} & \cdots\cdots & a_{2n} & \vline & b_2 \\ \vdots & \vdots & & \vdots & \vline & \vdots \\ a_{m1} & a_{m2} & \cdots\cdots & a_{mn} & \vline & b_m \end{pmatrix} .$$

De la même façon que pour les systèmes d'équations linéaires, deux matrices sont équivalentes si elles se déduisent l'une de l'autre par une ou plusieurs transformations élémentaires.

La *méthode d'élimination de Gauss* consiste à résoudre un système d'équations linéaires à l'aide de transformations élémentaires sur la matrice augmentée.

Exemple 8 : Reprenons l'exemple 1 de la section 7.2 :

$$\begin{cases} x_1 - x_2 + x_3 = -2 \\ -x_1 + 2x_2 + 2x_3 = 1 \\ 2x_1 + x_2 + 3x_3 = 1 \end{cases}.$$

La résolution sous forme de matrice se fera de la façon suivante :

$$\begin{pmatrix} 1 & -1 & 1 & \vline & -2 \\ -1 & 2 & 2 & \vline & 1 \\ 2 & 1 & 3 & \vline & 1 \end{pmatrix} \sim \begin{pmatrix} 1 & -1 & 1 & \vline & -2 \\ 0 & 1 & 3 & \vline & -1 \\ 0 & 3 & 1 & \vline & 5 \end{pmatrix} \quad (\text{par } A_{21}^{1} \text{ et par } A_{31}^{-2})$$

$$\sim \begin{pmatrix} 1 & -1 & 1 & | & -2 \\ 0 & 1 & 3 & | & -1 \\ 0 & 0 & -8 & | & 8 \end{pmatrix} \quad (\text{ par } A_{32}^{-3})$$

$$\sim \begin{pmatrix} 1 & -1 & 1 & | & -2 \\ 0 & 1 & 3 & | & -1 \\ 0 & 0 & 1 & | & -1 \end{pmatrix} \quad (\text{ par } M_3^{-1/8}).$$

On reprend dans cet exemple les mêmes transformations que l'on a faites sur le système et on retrouve :

$$x_1 = 1,$$
$$x_2 = 2,$$
$$x_3 = -1.$$

Exemple 9 : Reprenons l'exemple 2 de la section 7.2 :

$$\begin{cases} x_1 - x_2 + x_3 = -2 \\ x_1 - 2x_2 - 2x_3 = -1 \\ 4x_1 - 5x_2 + x_3 = -7 \end{cases}.$$

On a :

$$\begin{pmatrix} 1 & -1 & 1 & | & -2 \\ 1 & -2 & -2 & | & -1 \\ 4 & -5 & 1 & | & -7 \end{pmatrix} \sim \begin{pmatrix} 1 & -1 & 1 & | & -2 \\ 0 & -1 & -3 & | & 1 \\ 0 & -1 & -3 & | & 1 \end{pmatrix} \quad (\text{ par } A_{21}^{-1} \text{ et par } A_{31}^{-4})$$

$$\sim \begin{pmatrix} 1 & -1 & 1 & | & -2 \\ 0 & -1 & -3 & | & 1 \\ 0 & 0 & 0 & | & 0 \end{pmatrix} \quad (\text{ par } A_{32}^{-1}).$$

On retrouve une équation nulle et une infinité de solutions.

Exemple 10 : Reprenons l'exemple 3 :

$$\begin{pmatrix} 1 & -1 & 1 & | & -2 \\ 1 & -2 & -2 & | & -1 \\ 4 & -5 & 1 & | & 0 \end{pmatrix} \sim \begin{pmatrix} 1 & -1 & 1 & | & -2 \\ 0 & -1 & -3 & | & 1 \\ 0 & -1 & -3 & | & 8 \end{pmatrix} \quad (\text{ par } A_{21}^{-1} \text{ et par } A_{31}^{-4})$$

$$\sim \begin{pmatrix} 1 & -1 & 1 & | & -2 \\ 0 & -1 & -3 & | & 1 \\ 0 & 0 & 0 & | & 7 \end{pmatrix} \quad (\text{ par } A_{32}^{-1}).$$

On retrouve un système qui n'a aucune solution.

On appelle *pivot* le coefficient qui permettra de faire disparaître tous les autres coefficients de la colonne. Soit la matrice augmentée suivante :

$$\left(\begin{array}{cccc|c} a_{11} & a_{12} & \ldots & a_{1n} & b_1 \\ a_{21} & a_{22} & \ldots & a_{2n} & b_2 \\ \cdot & \cdot & & \cdot & \cdot \\ \cdot & \cdot & & \cdot & \cdot \\ \cdot & \cdot & & \cdot & \cdot \\ a_{m1} & a_{m2} & \ldots & a_{mn} & b_m \end{array}\right).$$

On recommande de choisir d'abord un pivot égal à 1 dans la première colonne : il prendra la place de a_{11} et permettra d'annuler tous les coefficients de cette colonne. L'idéal serait que $a_{11} = 1$. Si ce n'est pas le cas, comment faire apparaître un 1 ?

- si a_{21} ou a_{31} ou … ou a_{m1} égale 1, on permute les deux équations considérées;

- si a_{21} et a_{31} et … et a_{m1} sont tous différents de 1, on fait appel aux transformations élémentaires pour faire apparaître un 1 à la place de a_{11}.

On obtient :

$$\left(\begin{array}{cccc|c} 1 & a'_{12} & \ldots & a'_{1n} & b'_1 \\ 0 & a'_{22} & \ldots & a'_{2n} & b'_2 \\ \cdot & \cdot & & \cdot & \cdot \\ \cdot & \cdot & & \cdot & \cdot \\ 0 & a'_{m2} & \ldots & a'_{mn} & b'_m \end{array}\right)$$

On cherche maintenant le pivot de la 2e colonne qui se placera en 2e ligne et 2e colonne. Si a'_{22} est égal à 1, on le choisit comme pivot. Si ce n'est pas le cas, on peut :

- permuter 2 lignes (sans toucher à la 1re ligne).

- faire des transformations élémentaires (sans toucher à la 1re ligne).

Après avoir choisi le 2e pivot, on fait apparaître des 0 (sous le pivot) dans la 2e colonne. On procède de la même façon pour les autres pivots.

Parfois, il est impossible de choisir un pivot, car toutes les valeurs de la colonne susceptibles de l'être sont nulles. On permute alors des colonnes dont on n'a pas encore déterminé le pivot. Attention ! Cette permutation entraîne un déplacement des inconnues dont il faut tenir compte quand on réécrit les équations de la fin.

Exercices (c) : (1) Résoudre les systèmes d'équations suivants par la méthode de Gauss. Identifier les différentes transformations effectuées à l'aide des notations A^k_{ij}, P_{ij} et M^k_i.

a) $\begin{cases} 2x + 3y + 6z = 3 \\ -x + 2y + 2z = -1 \\ 3x - 4y - 5z = -6 \end{cases}$; b) $\begin{cases} 5x - 4y + 7z = -4 \\ 9x - 5y + 5z = 8 \\ 4x + 3y + 3z = 2 \end{cases}$;

c) $\begin{cases} 3x + 2y + 8z = 0 \\ x - 2y + 3z = 2 \end{cases}$; d) $\begin{cases} x - 2y + 3z = 1 \\ x + 4y + 2z = 3 \\ 3x + 8z = 5 \end{cases}$;

e) $\begin{cases} 2x + 4y + 2z = 0 \\ x + 2y + z = 3 \\ -x + 2y + 5z = 7 \end{cases}$; f) $\begin{cases} x + 4y + 3z = -1 \\ 2x + 5y + 4z = 0 \\ x - 3y - 2z = 2 \end{cases}$;

g) $\begin{cases} x_1 - x_2 + 2x_3 = 5 \\ 3x_1 - 2x_2 + x_3 = 2 \\ x_1 + 3x_2 - 2x_3 = 1 \end{cases}$; h) $\begin{cases} 3x - 2z + 5w = 2 \\ -2x - y + 4z = 0 \\ x + 2y - 3z - 5w = 1 \\ 3y + 5z + 2w = -3 \end{cases}$;

i) $\begin{cases} 4x + 6y + z = 2 \\ x - y + z \leq 1 \\ 4x - y - z = 0 \end{cases}$; j) $\begin{cases} 3x + y + z = 2 \\ x - y = 4 \\ y + z = 0 \end{cases}$.

(2) Soit 2 systèmes ne différant que par leur colonne constante :

$$\begin{cases} x - y - z = 8 \\ y + z = 7 \\ x + z = 6 \end{cases} \quad \text{et} \quad \begin{cases} x - y - z = -1 \\ y + z = 0 \\ x + z = 9 \end{cases}.$$

Calculer les solutions des 2 systèmes simultanément en posant la matrice augmentée de 2 colonnes au lieu d'une.

7.5 MÉTHODE DE CRAMER

La résolution des systèmes d'équations linéaires par la méthode de Cramer se fait de la façon suivante. Soit un système de n équations linéaires à n inconnues que l'on peut mettre sous forme matricielle $AX = B$, où

$$A = \begin{pmatrix} a_{11} & \cdots & a_{1r} & \cdots & a_{1n} \\ a_{21} & \cdots & a_{2r} & \cdots & a_{2n} \\ \vdots & & \vdots & & \vdots \\ a_{n1} & \cdots & a_{nr} & \cdots & a_{nn} \end{pmatrix} ; \quad X = \begin{pmatrix} x_1 \\ x_2 \\ \vdots \\ x_n \end{pmatrix} ; \quad B = \begin{pmatrix} b_1 \\ b_2 \\ \vdots \\ b_n \end{pmatrix} .$$

Si $|A| \neq 0$, alors le système admet une et une seule solution donnée par

$$x_r = \frac{|A_r|}{|A|} \quad (r \in \{1, 2, 3, ..., n\}),$$

A_r étant la matrice obtenue en remplaçant la r^e colonne de A par le vecteur-colonne constant B

$$A_r = \begin{pmatrix} a_{11} & \cdots & a_{1,r-1} & b_1 & a_{1,r+1} & \cdots & a_{1n} \\ a_{21} & \cdots & a_{2,r-1} & b_2 & a_{2,r+1} & \cdots & a_{2n} \\ \vdots & & \vdots & \vdots & \vdots & & \vdots \\ a_{n1} & \cdots & a_{n,r-1} & b_n & a_{n,r+1} & \cdots & a_{nn} \end{pmatrix}$$

Exemple 11 : Soit le système suivant à résoudre :

$$\begin{cases} x_1 + x_2 + x_3 = -2 \\ 2x_1 - x_2 - x_3 = -1 \\ 3x_1 + x_2 - 4x_3 = 11 \end{cases}.$$

On calcule $|A|$:

$$|A| = \begin{vmatrix} 1 & 1 & 1 \\ 2 & -1 & -1 \\ 3 & 1 & -4 \end{vmatrix} = 15.$$

On calcule $|A_1|$, $|A_2|$ et $|A_3|$ pour en déduire les valeurs de x_1, x_2 et x_3 :

$$|A_1| = \begin{vmatrix} -2 & 1 & 1 \\ -1 & -1 & -1 \\ 11 & 1 & -4 \end{vmatrix} = -15; \qquad x_1 = \frac{|A_1|}{|A|} = \frac{-15}{15} = -1;$$

$$|A_2| = \begin{vmatrix} 1 & -2 & 1 \\ 2 & -1 & -1 \\ 3 & 11 & -4 \end{vmatrix} = 30; \qquad x_2 = \frac{|A_2|}{|A|} = \frac{30}{15} = 2;$$

$$|A_3| = \begin{vmatrix} 1 & 1 & -2 \\ 2 & -1 & -1 \\ 3 & 1 & 11 \end{vmatrix} = -45; \qquad x_3 = \frac{|A_3|}{|A|} = \frac{-45}{15} = -3.$$

Le système a une solution unique :

$$x_1 = -1,$$
$$x_2 = 2,$$
$$x_3 = -3.$$

Intéressons-nous à certains cas particuliers.

1°) $|A| = 0$.

- Si tous les $|A_r|$ sont nuls, le système a une infinité de solutions.

- Si tous les $|A_r|$ ne sont pas nuls, le système n'a pas de solution.

2°) $|A| \neq 0$ et $b_1 = b_2 = \ldots = b_n = 0$.

- Alors, tous les $|A_r| = 0$ et la solution, unique, sera
$x_1 = x_2 = \ldots = x_n = 0$.

Exemple 12 : Soit le système

$$\begin{cases} x_1 - x_2 + x_3 = -2 \\ x_1 - 2x_2 - 2x_3 = -1 \\ 4x_1 - 5x_2 + x_3 = -7 \end{cases} .$$

On obtient :

$$|A| = \begin{vmatrix} 1 & -1 & 1 \\ 1 & -2 & -2 \\ 4 & -5 & 1 \end{vmatrix} = 0,$$

$$|A_1| = \begin{vmatrix} -2 & -1 & 1 \\ -1 & -2 & -2 \\ -7 & -5 & 1 \end{vmatrix} = 0,$$

$$|A_2| = \begin{vmatrix} 1 & -2 & 1 \\ 1 & -1 & -2 \\ 4 & -7 & 1 \end{vmatrix} = 0,$$

$$|A_3| = \begin{vmatrix} 1 & -1 & -2 \\ 1 & -2 & -1 \\ 4 & -5 & -7 \end{vmatrix} = 0.$$

Le système admet donc une infinité de solutions.

Exemple 13 : Soit le système

$$\begin{cases} x_1 - x_2 + x_3 = -2 \\ x_1 - 2x_2 - 2x_3 = -1 \\ 4x_1 - 5x_2 + x_3 = 0 \end{cases} .$$

On obtient $|A| = 0$: c'est la même matrice A que dans l'exemple précédent. Toutefois

$$|A_1| = \begin{vmatrix} -2 & -1 & 1 \\ -1 & -2 & -2 \\ 0 & -5 & 1 \end{vmatrix} = 28 \neq 0.$$

Donc, le système n'a aucune solution. Il est inutile de calculer $|A_2|$ et $|A_3|$, car il suffit d'un seul déterminant non nul pour que le système n'ait aucune solution.

La méthode de Cramer n'est intéressante que si le calcul des déterminants est facile à faire (ex. : 2 équations, 2 inconnues). Autrement, cette méthode est un peu laborieuse. Par exemple, pour résoudre un système de 4 équations à 4 inconnues, il faut calculer 5 déterminants de matrices 4 × 4. Il ne faut pas oublier que la méthode de Cramer n'est utilisable que s'il y a autant d'équations que d'inconnues.

Exercice (d) :   Résoudre les systèmes d'équations suivants par la méthode de Cramer.

a) $\begin{cases} x + 4y + 3z = 1 \\ 2x + 5y + 4z = 4 \\ x - 3y - 2z = 5 \end{cases}$;   b) $\begin{cases} 2x + 4y + 2z = 2 \\ x + 2y + z = 1 \\ -x + 2y + 5z = 3 \end{cases}$;

c) $\begin{cases} x + y + z = 2 \\ 3x + 2y - z = 0 \\ 2x + y - z = 1 \end{cases}$;   d) $\begin{cases} 3x + 2y - z = 2 \\ x + y + z = 0 \\ 2x + y - z = 1 \end{cases}$;

e) $\begin{cases} 2x + 4y + 2z = 0 \\ x + 2y + z = 3 \\ -x + 2y + 5z = 7 \end{cases}$;   f) $\begin{cases} 7x + 2y = 12 \\ 2x + y = 7 \end{cases}$.

7.6   INVERSION DE MATRICES

Il existe une autre méthode de résolution de systèmes d'équations : c'est celle de la matrice inverse. Nous allons d'abord apprendre à calculer la matrice inverse d'une matrice carrée, pour plus tard l'utiliser dans la résolution d'un système d'équations.

Il serait intéressant, puisque nous avons appris à multiplier deux matrices, de poursuivre notre étude sur le produit de matrices. Nous avons vu que le produit est associatif, c'est-à-dire

$A \times (B \times C) = (A \times B) \times C,$

et qu'il obéit à la loi distributive par rapport à l'addition, c'est-à-dire

$A (B + C) = AB + AC$

et

$(A + B) C = AC + BC.$

Il faut rappeler que le produit, contrairement à ce qui se passe dans $\mathbb{R}$, n'est pas commutatif. Existe-t-il, toutefois, comme dans $\mathbb{R}$, un élément neutre pour le produit ? Il faut d'abord se limiter aux matrices carrées (celles ayant autant de lignes que de colonnes) qui seules peuvent être multipliées indifféremment à droite ou à gauche. Il existe pour chaque matrice carrée un élément neutre de même dimension : c'est une matrice formée de 0, sauf pour les éléments de la forme a_{ii} qui sont tous égaux à 1. Cette matrice est notée I_n, où n est la dimension. S'il n'y a pas d'ambiguïté sur n, on note I simplement. Par exemple,

$$I_2 = \begin{pmatrix} 1 & 0 \\ 0 & 1 \end{pmatrix},$$

$$I_3 = \begin{pmatrix} 1 & 0 & 0 \\ 0 & 1 & 0 \\ 0 & 0 & 1 \end{pmatrix},$$

$$I_4 = \begin{pmatrix} 1 & 0 & 0 & 0 \\ 0 & 1 & 0 & 0 \\ 0 & 0 & 1 & 0 \\ 0 & 0 & 0 & 1 \end{pmatrix},$$

etc.

Lorsque A est une matrice carrée de dimension n, on a
$$AI_n = I_nA = A.$$
La matrice I_n est l'élément neutre, pour la multiplication, des matrices carrées à n lignes et n colonnes. On l'appelle la *matrice identité*. Il est facile de vérifier que
$$AI_n = I_nA = A.$$
En effet, le terme général c_{ij} de AI_n est
$$c_{ij} = a_{i1}e_{1j} + a_{i2}e_{2j} + a_{i3}e_{3j} + \dots + a_{in}e_{nj}$$
où a_{ij} est le terme général de A et e_{ij}, le terme général de I_n. Or
$$e_{ij} = 0 \;\; \text{si } i \neq j$$
et
$$e_{ij} = 1 \;\; \text{si } i = j.$$
D'où
$$c_{ij} = a_{ij}.$$
On procède de la même façon pour montrer que $I_nA = A$.

Exemple 14 : Soit

$$A = \begin{pmatrix} 2 & 1 \\ 8 & 3 \end{pmatrix}.$$

On ne modifie pas A en la multipliant à droite et à gauche par I_2 :

$$A\begin{pmatrix} 1 & 0 \\ 0 & 1 \end{pmatrix} = \begin{pmatrix} 2 & 1 \\ 8 & 3 \end{pmatrix}\begin{pmatrix} 1 & 0 \\ 0 & 1 \end{pmatrix} = \begin{pmatrix} 2 & 1 \\ 8 & 3 \end{pmatrix} = \begin{pmatrix} 1 & 0 \\ 0 & 1 \end{pmatrix}\begin{pmatrix} 2 & 1 \\ 8 & 3 \end{pmatrix} = \begin{pmatrix} 1 & 0 \\ 0 & 1 \end{pmatrix}A.$$

Puisque nous avons défini un élément neutre pour la multiplication des matrices carrées, il est naturel de parler d'inverse. Soit A, une matrice carrée. S'il existe B telle que

AB = BA = I,

on dira de B qu'elle est l'*inverse* (pour la multiplication) de la matrice A. On notera B = A^{-1}. L'inverse d'une matrice, si elle existe, est unique.

Exemple 15 : Soit la matrice

$$A = \begin{pmatrix} 3 & 2 \\ 2 & 2 \end{pmatrix}.$$

On peut vérifier facilement que

$$A^{-1} = \begin{pmatrix} 1 & -1 \\ -1 & 1,5 \end{pmatrix},$$

car

$$\begin{pmatrix} 3 & 2 \\ 2 & 2 \end{pmatrix}\begin{pmatrix} 1 & -1 \\ -1 & 1,5 \end{pmatrix} = \begin{pmatrix} 1 & 0 \\ 0 & 1 \end{pmatrix}$$

et

$$\begin{pmatrix} 1 & -1 \\ -1 & 1,5 \end{pmatrix}\begin{pmatrix} 3 & 2 \\ 2 & 2 \end{pmatrix} = \begin{pmatrix} 1 & 0 \\ 0 & 1 \end{pmatrix}.$$

Exemple 16 : Soit

$$T = \begin{pmatrix} 4 & 2 & 2 \\ 0 & 2 & 0 \\ 6 & 0 & 4 \end{pmatrix}.$$

On peut vérifier que l'inverse de T est

$$T^{-1} = \begin{pmatrix} 1 & -1 & -0,5 \\ 0 & 0,5 & 0 \\ -1,5 & 1,5 & 1 \end{pmatrix}.$$

L'inverse d'une matrice carrée n'existe pas toujours. Par exemple, la matrice

$$B = \begin{pmatrix} 1 & -1 \\ 0 & 0 \end{pmatrix}$$

n'est pas inversible. Pourquoi ? Si on calculait le déterminant de la matrice A et de la matrice T données dans les deux exemples précédents, on constaterait que $|A| \neq 0$ et que $|T| \neq 0$, alors que $|B| = 0$. En fait, une matrice n'est inversible que si son déterminant est non nul. Calculer une matrice inverse, c'est se ramener à résoudre plusieurs systèmes d'équations linéaires simultanément, ayant tous comme matrice des coefficients la matrice à inverser. Donnons un exemple.

Exemple 17 : Trouvons la matrice inverse de la matrice $C = \begin{pmatrix} 1 & 2 \\ -1 & 0 \end{pmatrix}$. On cherche donc $C^{-1} = \begin{pmatrix} x & y \\ z & w \end{pmatrix}$ telle que $CC^{-1} = I$, c'est-à-dire

$$\begin{pmatrix} 1 & 2 \\ -1 & 0 \end{pmatrix} \cdot \begin{pmatrix} x & y \\ z & w \end{pmatrix} = \begin{pmatrix} 1 & 0 \\ 0 & 1 \end{pmatrix}.$$

En effectuant le produit, on obtient quatre équations :

$$x + 2z = 1,$$
$$-x + 0z = 0,$$
$$y + 2w = 0,$$
$$-y + 0w = 1.$$

Ces quatre équations forment un système à 4 inconnues qu'on est en mesure de résoudre. On peut toutefois diviser le système en deux systèmes :

– on cherche x et z tels que

$$\begin{pmatrix} 1 & 2 \\ -1 & 0 \end{pmatrix} \begin{pmatrix} x \\ z \end{pmatrix} = \begin{pmatrix} 1 \\ 0 \end{pmatrix};$$

– on cherche y et w tels que

$$\begin{pmatrix} 1 & 2 \\ -1 & 0 \end{pmatrix} \begin{pmatrix} y \\ w \end{pmatrix} = \begin{pmatrix} 0 \\ 1 \end{pmatrix}$$

On notera que chacun des deux systèmes possède la même matrice des coefficients, la matrice à inverser ! En vertu de la méthode de Cramer, on ne pourra trouver des valeurs pour x et z d'une part, y et w d'autre part, que si la matrice des coefficients a un déterminant non nul. En résolvant les systèmes précédent, on trouvera que

$$\begin{pmatrix} x \\ z \end{pmatrix} = \begin{pmatrix} 0 \\ \frac{1}{2} \end{pmatrix}$$

et

$$\begin{pmatrix} y \\ w \end{pmatrix} = \begin{pmatrix} -1 \\ \frac{1}{2} \end{pmatrix}$$

On peut alors écire la matrice C^{-1} :

$$C^{-1} = \begin{pmatrix} 0 & -1 \\ \frac{1}{2} & \frac{1}{2} \end{pmatrix}$$

Il est facile de vérifier que $CC^{-1} = C^{-1}C = I$.

Donnons la définition formelle de matrice inverse.

DÉFINITION : Soit A une matrice $n \times n$. La *matrice inverse* de A, notée A^{-1}, est une matrice $n \times n$ telle que $A^{-1}A = AA^{-1} = I$.

Donnons ici quelques propriétés.

PROPRIÉTÉ : La matrice A est inversible si et seulement si $|A| \neq 0$.

PROPRIÉTÉ : L'inverse de la matrice A, si elle existe, est unique.

Nous allons maintenant apprendre à inverser concrètement une matrice. Il existe deux méthodes simples, la méthode de Gauss et la méthode de la matrice adjointe.

a) Méthode de Gauss d'inversion d'une matrice

Nous allons introduire la méthode de Gauss par un exemple.

Exemple 18 : Soit :

$$A = \begin{pmatrix} 1 & 2 & 1 \\ 0 & 0 & 1 \\ 1 & 1 & -1 \end{pmatrix},$$

la matrice à inverser. Il s'agit de trouver une matrice carrée 3×3 notée A^{-1} telle que : $AA^{-1} = I$.

Soit :

$$\underbrace{\begin{pmatrix} 1 & 2 & 1 \\ 0 & 0 & 1 \\ 1 & 1 & -1 \end{pmatrix}}_{A} \times \underbrace{\begin{pmatrix} x_1 & x_2 & x_3 \\ y_1 & y_2 & y_3 \\ z_1 & z_2 & z_3 \end{pmatrix}}_{A^{-1}} = \underbrace{\begin{pmatrix} 1 & 0 & 0 \\ 0 & 1 & 0 \\ 0 & 0 & 1 \end{pmatrix}}_{I}.$$

Ce produit matriciel peut s'écrire comme solution des 3 systèmes suivants :

$$S_1 \begin{cases} x_1 + 2y_1 + z_1 = 1 \\ \qquad\qquad z_1 = 0 \\ x_1 + \; y_1 - z_1 = 0 \end{cases}, \text{ c'est-à-dire } \left(\begin{array}{ccc:c} 1 & 2 & 1 & 1 \\ 0 & 0 & 1 & 0 \\ 1 & 1 & -1 & 0 \end{array} \right) ;$$

$$S_2 \begin{cases} x_2 + 2y_2 + z_2 = 0 \\ z_2 = 1 \\ x_2 + y_2 - z_2 = 0 \end{cases}, \text{c'est-à-dire} \begin{pmatrix} 1 & 2 & 1 & \vdots & 0 \\ 0 & 0 & 1 & \vdots & 1 \\ 1 & 1 & -1 & \vdots & 0 \end{pmatrix} ;$$

$$S_3 \begin{cases} x_3 + 2y_3 + z_3 = 0 \\ z_3 = 0 \\ x_3 + y_3 - z_3 = 1 \end{cases}, \text{c'est-à-dire} \begin{pmatrix} 1 & 2 & 1 & \vdots & 0 \\ 0 & 0 & 1 & \vdots & 0 \\ 1 & 1 & -1 & \vdots & 1 \end{pmatrix}.$$

Ce qui est intéressant, c'est que les systèmes S_1, S_2 et S_3 ont la même matrice des coefficients :

$$\begin{pmatrix} 1 & 2 & 1 \\ 0 & 0 & 1 \\ 1 & 1 & -1 \end{pmatrix}.$$

Comme la méthode d'élimination de Gauss ne fait intervenir que des transformations sur les lignes, nous pouvons mener de front la résolution des trois systèmes en considérant comme matrice augmentée :

$$\begin{pmatrix} 1 & 2 & 1 & \vdots & 1 & 0 & 0 \\ 0 & 0 & 1 & \vdots & 0 & 1 & 0 \\ 1 & 1 & -1 & \vdots & 0 & 0 & 1 \end{pmatrix}.$$

À la suite de transformations élémentaires sur les lignes, nous obtenons la matrice augmentée suivante :

$$\begin{pmatrix} 1 & 0 & 0 & \vdots & -1 & 3 & 2 \\ 0 & 1 & 0 & \vdots & 1 & -2 & -1 \\ 0 & 0 & 1 & \vdots & 0 & 1 & 0 \end{pmatrix}.$$

Alors, nous avons

$$\begin{matrix} x_1 = -1 \\ y_1 = 1 \\ z_1 = 0 \end{matrix} , \text{car} \begin{pmatrix} 1 & 0 & 0 & \vdots & -1 \\ 0 & 1 & 0 & \vdots & 1 \\ 0 & 0 & 1 & \vdots & 0 \end{pmatrix} ,$$

$$\begin{matrix} x_2 = 3 \\ y_2 = -2 \\ z_2 = 1 \end{matrix} , \text{car} \begin{pmatrix} 1 & 0 & 0 & \vdots & 3 \\ 0 & 1 & 0 & \vdots & -2 \\ 0 & 0 & 1 & \vdots & 1 \end{pmatrix} ,$$

$$\begin{matrix} x_3 = 2 \\ y_3 = -1 \\ z_3 = 0 \end{matrix} , \text{car} \begin{pmatrix} 1 & 0 & 0 & \vdots & 2 \\ 0 & 1 & 0 & \vdots & -1 \\ 0 & 0 & 1 & \vdots & 0 \end{pmatrix} .$$

La matrice inverse A^{-1} est donc :

$$\begin{pmatrix} -1 & 3 & 2 \\ 1 & -2 & -1 \\ 0 & 1 & 0 \end{pmatrix}.$$

L'inversion d'une matrice par la méthode de Gauss consiste à modifier à l'aide de transformations élémentaires la matrice augmentée $A \mid I$ jusqu'à l'obtention d'une matrice de la forme $I \mid A^{-1}$.

Exercice (e) : Inverser les matrices suivantes par la méthode de Gauss.

a) $\begin{pmatrix} 1 & 2 \\ 3 & -4 \end{pmatrix}$;

b) $\begin{pmatrix} 1 & 2 & 3 \\ 2 & 3 & 1 \\ 3 & 1 & 2 \end{pmatrix}$;

c) $\begin{pmatrix} 1 & -1 & 1 \\ -1 & 2 & 2 \\ 2 & 1 & 10 \end{pmatrix}$;

d) $\begin{pmatrix} 1 & 2 & 1 \\ 0 & 0 & 1 \\ 1 & 1 & -1 \end{pmatrix}$.

b)   Inversion d'une matrice par la méthode de la matrice adjointe

Il existe une autre méthode pour inverser une matrice carrée, plus systématique que la méthode de Gauss. Cette méthode est basée sur la recherche de la matrice adjointe.

DÉFINITION : Soit A, une matrice de dimension $m \times n$. La *matrice transposée* de A, notée ^tA, est la matrice de dimension $n \times m$ obtenue en changeant la i^e ligne en i^e colonne (*).

Exemple 19 : Si $A = \begin{pmatrix} 2 & 1 \\ 4 & 6 \end{pmatrix}$, alors $^tA = \begin{pmatrix} 2 & 4 \\ 1 & 6 \end{pmatrix}$.

Si $B = \begin{pmatrix} 2 & 1 & 3 \\ 1 & 4 & 5 \end{pmatrix}$, alors $^tB = \begin{pmatrix} 2 & 1 \\ 1 & 4 \\ 3 & 5 \end{pmatrix}$.

DÉFINITION : Soit A, une matrice carrée de dimension n. La *matrice des cofacteurs* de A, notée cof A, est la matrice

---

*   Il est possible d'établir des propriétés sur les matrices transposées. Ainsi, si les dimensions sont compatibles,

$^t(A + B) = {}^tA + {}^tB$; $^t(kA) = k\,{}^tA$; $^t(AB) = {}^tB\,{}^tA$; $^t({}^tA) = A.$

$$\text{cof } A = \begin{pmatrix} A_{11} & A_{12} & \ldots & A_{1n} \\ A_{21} & A_{22} & \ldots & A_{2n} \\ \vdots & \vdots & & \vdots \\ A_{n1} & A_{n2} & \ldots & A_{nn} \end{pmatrix}$$

où A_{ij} est le cofacteur de l'élément de la i^e ligne et j^e colonne de A.

DÉFINITION : Est appelée *matrice adjointe*, et notée adj A, la matrice transposée des cofacteurs :

$$\text{adj } A = {}^t(\text{cof } A) = \begin{pmatrix} A_{11} & A_{21} & \ldots & A_{n1} \\ A_{12} & A_{22} & \ldots & A_{n2} \\ \vdots & \vdots & & \vdots \\ A_{1n} & A_{2n} & \ldots & A_{nn} \end{pmatrix}$$

Exemple 20 : Soit $A = \begin{pmatrix} 2 & 1 & 0 \\ 0 & 2 & 1 \\ 3 & 0 & 2 \end{pmatrix}$, une matrice dont le déterminant est 11. Alors

$$\text{cof } A = \begin{pmatrix} +\begin{vmatrix} 2 & 1 \\ 0 & 2 \end{vmatrix} & -\begin{vmatrix} 0 & 1 \\ 3 & 2 \end{vmatrix} & +\begin{vmatrix} 0 & 2 \\ 3 & 0 \end{vmatrix} \\[2mm] -\begin{vmatrix} 1 & 0 \\ 0 & 2 \end{vmatrix} & +\begin{vmatrix} 2 & 0 \\ 3 & 2 \end{vmatrix} & -\begin{vmatrix} 2 & 1 \\ 3 & 0 \end{vmatrix} \\[2mm] +\begin{vmatrix} 1 & 0 \\ 2 & 1 \end{vmatrix} & -\begin{vmatrix} 2 & 0 \\ 0 & 1 \end{vmatrix} & +\begin{vmatrix} 2 & 1 \\ 0 & 2 \end{vmatrix} \end{pmatrix} = \begin{pmatrix} 4 & 3 & -6 \\ -2 & 4 & 3 \\ 1 & -2 & 4 \end{pmatrix}$$

et

$$\text{adj } A = {}^t(\text{cof } A) = \begin{pmatrix} 4 & -2 & 1 \\ 3 & 4 & -2 \\ -6 & 3 & 4 \end{pmatrix}.$$

La matrice adjointe permet de calculer l'inverse d'une matrice carrée. Il est en effet possible de démontrer que, si A est inversible,

$$A^{-1} = \frac{1}{|A|} \text{ adj A}.$$

Exemple 21 : Reprenons la matrice A de l'exemple précédent. Nous aurons :

$$A^{-1} = \frac{1}{|A|} \text{ adj A} = \frac{1}{11} \begin{pmatrix} 4 & -2 & 1 \\ 3 & 4 & -2 \\ -6 & 3 & 4 \end{pmatrix} = \begin{pmatrix} 4/11 & -2/11 & 1/11 \\ 3/11 & 4/11 & -2/11 \\ -6/11 & 3/11 & 4/11 \end{pmatrix}.$$

Le lecteur pourra vérifier qu'effectivement $AA^{-1} = A^{-1}A = I$.

Exemple 22 : Soit $A = \begin{pmatrix} 2 & 5 \\ -3 & 4 \end{pmatrix}$ qu'on veut inverser. Alors $|A| = 23$. On trouve cof A :

$$\text{cof A} = \begin{pmatrix} 4 & 3 \\ -5 & 2 \end{pmatrix}.$$

On calcule adj A :

$$\text{adj A} = {}^t(\text{cof A}) = \begin{pmatrix} 4 & -5 \\ 3 & 2 \end{pmatrix}.$$

Alors,

$$A^{-1} = \frac{1}{|A|} \text{ adj A} = \frac{1}{23} \begin{pmatrix} 4 & -5 \\ 3 & 2 \end{pmatrix} = \begin{pmatrix} 4/23 & -5/23 \\ 3/23 & 2/23 \end{pmatrix}.$$

Exercice (f) : Inverser les matrices suivantes par la méthode de la matrice adjointe :

a) $\begin{pmatrix} 1 & 2 \\ 2 & 3 \end{pmatrix}$;   b) $\begin{pmatrix} 3 & 3 \\ 2 & -1 \end{pmatrix}$;   c) $\begin{pmatrix} 1 & 0 & 2 \\ 3 & -1 & 2 \\ 1 & -1 & 0 \end{pmatrix}$;

$$d) \begin{pmatrix} 1 & -1 & 2 \\ -2 & 3 & 0 \\ 2 & 4 & 8 \end{pmatrix} ; \quad e) \begin{pmatrix} 1 & 1 & 5 \\ 2 & 1 & -1 \\ 3 & 2 & 5 \end{pmatrix}.$$

7.7   MÉTHODE DE LA MATRICE INVERSE

La résolution d'un système d'équations par la *méthode de la matrice inverse* se fait de la façon suivante. Soit un système d'équations que l'on écrit sous forme matricielle :

AX = B.

Si A est inversible, on peut écrire

$$A^{-1}(AX) = A^{-1}(B)$$

ou

$$(A^{-1}A)X = A^{-1}B$$

puisque le produit des matrices est associatif. Or, par définition

$$A^{-1}A = I,$$

et

$$IX = A^{-1}B,$$

c'est-à-dire

$$\boxed{X = A^{-1}B} \quad .$$

Exemple 23 : Soit le système

$$\begin{cases} x_1 - x_2 + x_3 = 1 \\ -x_1 + 2x_2 + 2x_3 = 2 \\ 2x_1 + x_2 + 10x_3 = 3 \end{cases}$$

qu'on écrit

$$AX = B, \text{ c'est-à-dire } \begin{pmatrix} 1 & -1 & 1 \\ -1 & 2 & 2 \\ 2 & 1 & 10 \end{pmatrix} \begin{pmatrix} x_1 \\ x_2 \\ x_3 \end{pmatrix} = \begin{pmatrix} 1 \\ 2 \\ 3 \end{pmatrix}.$$

Si l'on sait que

$$A^{-1} = \begin{pmatrix} -18 & -11 & 4 \\ -14 & -8 & 3 \\ 5 & 3 & -1 \end{pmatrix},$$

alors

$$X = A^{-1} B = \begin{pmatrix} -18 & -11 & 4 \\ -14 & -8 & 3 \\ 5 & 3 & -1 \end{pmatrix} \begin{pmatrix} 1 \\ 2 \\ 3 \end{pmatrix} = \begin{pmatrix} -28 \\ -21 \\ 8 \end{pmatrix}.$$

La solution est :

$$x_1 = -28,$$
$$x_2 = -21,$$
$$x_3 = 8.$$

Exercices (g) : (1) Calculer la matrice inverse des matrices suivantes :

$$a) \begin{pmatrix} 2 & -1 & 3 \\ 1 & 4 & 2 \\ 0 & 0 & 2 \end{pmatrix} ;$$

$$b) \begin{pmatrix} 3 & 8 & -1 \\ 0 & 4 & 1 \\ 3 & -2 & 1 \end{pmatrix}.$$

(2) Résoudre les systèmes d'équations suivants par la méthode de la matrice inverse.

$$a) \begin{cases} 2x - y + 3z = 2 \\ x + 4y + 2z = 3 \\ 2z = 8 \end{cases} ;$$

$$b) \begin{cases} 3x + 8y - z = 1 \\ 4y + z = -1 \\ 3x - 2y + z = 4 \end{cases}.$$

7.8   APPLICATIONS

Faisons d'abord quelques remarques sur les diverses méthodes de résolution d'un système d'équations linéaires. La première méthode que nous avons vue, celle par élimination et substitution, et celle de Gauss, ne sont pas fondamentalement distinctes. La méthode de Gauss n'ajoute à l'autre que l'aspect matriciel : on manipule une matrice plutôt que des équations... Voilà pourquoi on confond souvent ces deux méthodes.

La méthode d'élimination de Gauss, par rapport aux méthodes de Cramer ou de la matrice inverse, est la plus générale. Elle permet de résoudre des systèmes de m équations à n inconnues. Elle est également moins laborieuse que la méthode de Cramer lorsqu'on a des systèmes de plus de quatre inconnues. La méthode de Cramer ne s'applique que dans le cas où le nombre d'équations est égal au nombre d'inconnues ; quant à la méthode de la matrice inverse, elle n'est pratique que si l'on a déjà calculé la matrice inverse.

Dans beaucoup de domaines, on retrouve des systèmes d'équations linéaires. Voici quelques applications concrètes.

Exemple 24 : On veut déterminer l'âge de Jean qui est la moitié de celui de Marie. Cherchons leurs âges si, en plus, la somme des âges de Marie et de Jean donne 45. Si x représente l'âge de Jean et y, l'âge de Marie, les hypothèses peuvent être traduites par le système d'équations linéaires suivant :

$$-2x + y = 0$$
$$x + y = 45.$$

(La première équation est une autre forme de $y = 2x$.) On doit résoudre un système de deux équations à deux inconnues :

$$\begin{pmatrix} -2 & 1 & \vdots & 0 \\ 1 & 1 & \vdots & 45 \end{pmatrix} \sim \begin{pmatrix} 1 & 1 & \vdots & 45 \\ -2 & 1 & \vdots & 0 \end{pmatrix} \sim \begin{pmatrix} 1 & 1 & \vdots & 45 \\ 0 & 3 & \vdots & 90 \end{pmatrix}$$

On en déduit que $y = 30$, puis que $x = 15$. Jean a 15 ans et Marie, 30 ans.

Exemple 25 : L'oxydation de l'acide chlorhydrique (HCl) par le permanganate de potassium ($KMnO_4$) répond à l'équation :

$$a\ KMnO_4 + b\ HCl \rightarrow c\ MnCl_2 + d\ KCl + e\ Cl_2 + f\ H_2O.$$

On cherche les plus petites valeurs entières positives de a, b, c, d, e et f qui équilibrent l'équation. La quantité d'oxygène doit être conservée à gauche et à droite de l'équation, d'où

$$4a = f.$$

Pour le chlore Cl, on a :

$$b = 2c + d + 2e.$$

Pour le postassium K, on a :

$$a = d.$$

Pour l'hydrogène H,

$$b = 2f.$$

Pour le manganèse Mn,

$$a = c.$$

Nous obtenons un système de 5 équations à 6 inconnues : il devrait donc y avoir une infinité de solutions. Le système s'écrit :

$$4a + 0b + 0c + 0d + 0e - 1f = 0,$$
$$0a + 1b - 2c - 1d - 2e + 0f = 0,$$
$$1a + 0b + 0c - 1d + 0e + 0f = 0,$$
$$0a + 1b + 0c + 0d + 0e - 2f = 0,$$
$$1a + 0b - 1c + 0d + 0e + 0f = 0.$$

Exprimons toutes ces équations en fonction de a :

$$f = 4a,$$
$$d = a,$$
$$c = a,$$
$$b = 2f = 2 (4a) = 8a,$$
$$e = \frac{1}{2} (b - 2c - d) = \frac{1}{2} (8a - 2a - a) = \frac{5a}{2}.$$

Pour que toutes les réponses soient des nombres entiers positifs, il faut que a soit au moins égal à 2. Si on choisit 2 pour valeur de a, on obtient :

$$a = 2,$$
$$b = 16,$$
$$c = 2,$$
$$d = 2,$$
$$e = 5,$$
$$f = 8.$$

L'équation équilibrant la réaction est alors :

$$2 \ KMnO_4 + 16 \ HCl \rightarrow 2 \ MnCl_2 + 2 \ KCl + 5 \ Cl_2 + 8 \ H_2O.$$

Exemple 26 : Trois alliages A, B et C ont les compositions suivantes :

– A comprend 80 % de cuivre, 5 % de zinc et 15 % d'étain ;
– B comprend 20 % de cuivre, 30 % de zinc et 50 % d'étain ;
– C comprend 50 % de cuivre et 50 % d'étain.

On peut mettre ces informations dans la matrice M suivante :

$$M = \begin{pmatrix} 0{,}80 & 0{,}20 & 0{,}50 \\ 0{,}05 & 0{,}30 & 0 \\ 0{,}15 & 0{,}50 & 0{,}50 \end{pmatrix} \begin{matrix} \text{cuivre} \\ \text{zinc} \\ \text{étain} \end{matrix}$$

avec les colonnes A, B, C.

Si on veut obtenir 500 kg d'un nouvel alliage contenant 59 % de cuivre (donc 0,59 × 500 = 295 kg de cuivre), 5 % de zinc (0,05 × 500 = 25 kg de zinc) et 36 % d'étain (0,36 × 500 = 180 kg d'étain), on doit résoudre le système d'équations suivant :

$$M X = P$$

c'est-à-dire

$$\begin{pmatrix} 0{,}80 & 0{,}20 & 0{,}50 \\ 0{,}05 & 0{,}30 & 0 \\ 0{,}15 & 0{,}50 & 0{,}50 \end{pmatrix} \begin{pmatrix} x \\ y \\ z \end{pmatrix} = \begin{pmatrix} 295 \\ 25 \\ 180 \end{pmatrix},$$

x, y et z étant respectivement les quantités (en kg) des alliages A, B et C que l'on doit mélanger et les éléments de la matrice P représentant les quantités de cuivre, de zinc et d'étain qui doivent se trouver dans le nouvel alliage. En résoltant le système d'équations, nous trouvons que

$$x = 200,$$
$$y = 50,$$
$$z = 250.$$

On doit donc mélanger 200 kg de A avec 50 kg de B et 250 kg de C.

Exemple 27 : Soit un système de deux équations à deux inconnues, par exemple

$$S_1 \begin{cases} x + y = 2 \\ 2x - y = 3 \end{cases}.$$

Chacune des équations peut être représentée géométriquement par une droite du plan cartésien. La résolution du système va nous amener à trouver les coordonnées du point d'intersection des deux droites. Dans le système S_1 on trouve comme point d'intersection (5/3, 1/3). Dans le système S_2, où

$$S_2 \begin{cases} 2x + y = 3 \\ 2x + y = 1 \end{cases},$$

on ne trouverait aucun point d'intersection : le système n'a pas de solution. C'est donc dire que les droites ne se coupent pas : elles sont parallèles. Dans le système S_3, où

$$S_3 \begin{cases} 2x + y = 1 \\ 4x + 2y = 2 \end{cases},$$

on trouverait une infinité de solutions de la forme (x, y) où $y = 1 - 2x$. Ces deux équations de S_3 représentent la même droite : leur intersection est donnée par la droite elle-même. Les représentations graphiques des trois systèmes sont données ci-dessous :

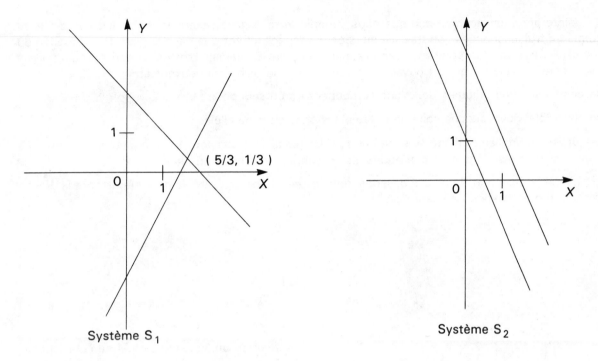

Système S₁

Système S₂

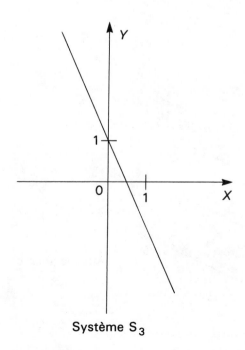

Système S₃

L'interprétation géométrique que nous venons de faire dans l'exemple 27 peut s'étendre à un système de trois inconnues ; on travaille alors dans l'espace, plutôt que dans le plan. Une équation du genre $ax + by + cz = d$ représente dans l'espace un plan. En considérant un système d'équations à trois inconnues, cela revient à trouver des intersections de plans qui peuvent être

– un point (solution unique) : les plans se coupent en un seul point ;

– un ensemble vide (aucune solution) : les plans sont alors parallèles ;

– une droite ou un plan (infinité de solutions) : si les plans sont distincts, ils se couperont suivant une droite ; si tous les plans sont confondus, ils se couperont suivant un plan.

Pour chaque intersection illustrée ci-dessous, nous avons donné un exemple de système dont le graphe serait une représentation de la solution.

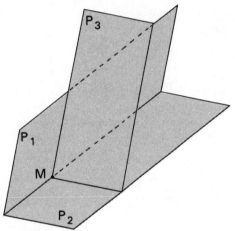

$$S_1 \begin{cases} x + y + z = 3 \\ 3x + y - z = 3 \\ -2x + y - z = -2 \end{cases}$$

Une solution unique : le point M de coordonnées $x = 1$, $y = 1$, $z = 1$.

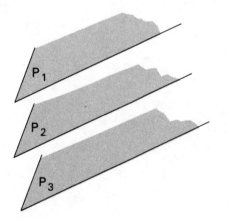

$$S_2 \begin{cases} x + y + z = 1 \\ x + y + z = 2 \\ x + y + z = 3 \end{cases}$$

Aucune solution : les trois plans sont parallèles.

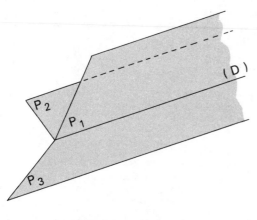

$$S_3 \begin{cases} x + y + z = 1 & (1) \\ 2x + 3y + z = 2 & (2) \\ 3x + 4y + 2z = 3, & (3) \end{cases}$$

(3) est obtenue par (1) + (2).
Une infinité de solutions : les points de la droite d'intersection (D).

$$S_4 \begin{cases} x + y + z = 1 & (1) \\ 2x + 2y + 2z = 2 & (2) \\ 3x + 3y + 3z = 3, & (3) \end{cases}$$

(2) est obtenue par 2 × (1) et (3) est obtenue par 3 × (1).
Une infinité de solutions : les points du plan.

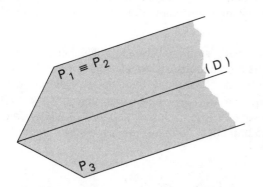

$$S_5 \begin{cases} x + y + z = 1 & (1) \\ 2x + 2y + 2z = 2 & (2) \\ 2x + 3y + 4y = 5 & (3) \end{cases}$$

(2) est obtenue par 2 × (1).
Une infinité de solutions : les points de la droite d'intersection (D).

7.9 EXERCICES RÉCAPITULATIFS

1. Résoudre chacun des systèmes suivants par la méthode de Gauss, la méthode de Cramer et la méthode de la matrice inverse.

a) $\begin{cases} 2x - y + 2z = -10 \\ x + z = -4 \; ; \\ 4x + 3y = 2 \end{cases}$

b) $\begin{cases} 2x + y & = 4 \\ x - y & = 8 \end{cases}$;

c) $\begin{cases} 6x - 3y + 2z = 26 \\ 4x + y + 2z = 24 \\ x + 2y - z = 8 \end{cases}$;

d) $\begin{cases} 2x + 3y - z + 2w = 3 \\ x + y - 2z - w = 0 \\ x - 2y + z + 3w = 1 \\ 3x - y + 3z - w = 5 \end{cases}$;

e) $\begin{cases} 3x + 2y + z = 4 \\ x - 2y + z = 8 \end{cases}$

2. Une tirelire contient des pièces de 0,05 $, 0,10 $ et 0,25 $ pour un montant total de 5,40 $. Le nombre de pièces de 0,05 $ est le double du nombre de pièces de 0,25 $; le nombre de pièces de 0,10 $ plus le nombre de pièces de 0,05 $ est le triple du nombre de pièces de 0,25 $. Combien y a-t-il de pièces de chaque sorte ? Combien y a-t-il de pièces dans la tirelire ?

3. Pierre a quatre fois l'âge de Jean; l'âge de Jean plus celui de Jacques est égal à la moitié de celui de Pierre et la somme des âges des trois garçons est égale à 24 ans. Quel est l'âge de chacun d'eux ?

4. Trouver l'équation de la parabole qui passe par les points (1, 3), (−1, −5) et (2, 1).

5. Trouver deux nombres dont la somme est 12 et dont la différence est 7.

6. Un liquide A contient 8 % d'alcool, un liquide B en contient 10 % et un liquide C, 20 %. Combien faut-il mélanger de litres de chacun pour avoir 20 litres de mélange contenant 13 % d'alcool, si le volume de B plus le volume de C égale trois fois le volume de A ?

7. En électricité, les lois de Kirchhoff utilisent la résolution des systèmes d'équations linéaires pour trouver les intensités de courant qui traversent chaque branche d'un circuit. Un réseau est composé d'un générateur G de 12 volts de force électromotrice et de 1 ohm de résistance, d'une cuve à électrolyse M de force contre-électromotrice de 2 volts et de résistance de 1,5 ohm, et des résistances AB = AD = 2 ohms, BC = 4 ohms, DC = 1 ohm. Ces appareils sont disposés selon le graphe ci-dessous. Calculer les courants i_1, i_2 et i_3 qui traversent les différentes branches, sachant que les lois de Kirchhoff ont donné les équations suivantes :

$\begin{cases} 7i_1 + i_2 - 4i = 12 \\ 6i_1 - 3i_2 - 5i = 0 \\ 2i_1 - 2i_2 + 1,5i = -2 \end{cases}$.

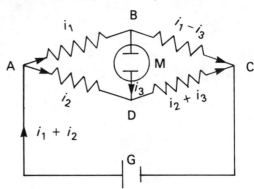

8. Un agriculteur veut répandre dans son jardin 100 kg d'engrais contenant 11,5 % de phosphore et 24,2 % d'azote. Il dispose des marques, A, B et C. A contient 5 % de phosphore et 18 % d'azote, B contient 10 % de phosphore et 27 % d'azote et C, 15 % de phosphore et 25 % d'azote. a) Mettre ces informations sous forme de matrice. b) Quelle quantité de chaque marque doit-il employer ?

9. Un ouvrier et son apprenti reçoivent ensemble 218,40 $, l'ouvrier ayant travaillé 7 heures et l'apprenti, 5 heures. À une autre occasion, l'ouvrier avait travaillé 6 heures et l'apprenti 4 heures, récoltant ensemble 184,20 $. Quels sont les salaires horaires de chacun ?

10. L'oxydation d'une solution aqueuse de SO_2 par le permanganate de potassium ($KMnO_4$) donne l'équation d'équilibre suivante :

$$a\ KMnO_4 + b\ SO_2 + c\ H_2O \rightarrow d\ MnSO_4 + e\ K_2SO_4 + f\ H_2SO_4.$$

Trouver les plus petites valeurs entières positives de a, b, c, d, e, et f qui équilibrent l'équation.

11. L'équation $y = ax + b$ est représentée dans le plan cartésien par une droite. Trouver son expression à l'aide d'un système d'équations si une droite passe par les points :

a) (4, 2) et (2, – 3) ;
b) (– 4, 1) et (3, – 5) ;
c) (3, 2) et (– 5, 2).

12. Dans l'espace, un plan est donné par l'équation $z = ax + by + c$. Donner l'équation du plan qui passe par les points (2, 1, 3), (4, 2, 1) et (– 1, – 2, 4).

Chapitre 8

Vecteurs géométriques

PRÉAMBULE

L'interprétation géométrique que l'on peut donner aux vecteurs joue un rôle important dans certaines sciences, en particulier la physique, la chimie, l'électronique, etc. Certains concepts comme le déplacement, la force, la vitesse, l'induction magnétique, et bien d'autres, doivent être regardés sous deux aspects, leur grandeur et leur orientation : les nombres réels ne suffisant pas pour décrire en même temps une grandeur et une orientation, on a alors introduit les vecteurs.

8.1 VECTEURS

La notion de *vecteur géométrique* est intuitivement facile à comprendre ; cependant, la définition que l'on peut donner d'un vecteur dans le plan ou l'espace n'est pas si évidente. Géométriquement, un vecteur est déterminé par sa longueur, sa direction et son sens. La direction et le sens d'un vecteur sont désignés la plupart du temps par un seul mot, l'*orientation*. La notation $\vec{u}$ (une lettre surmontée d'une flèche) s'appliquera à tous les vecteurs qui ont même longueur et même orientation que le vecteur $\vec{u}$. On appelle ces vecteurs les représentants du vecteur $\vec{u}$ et ils se déduisent les uns des autres par translations dans le plan ou dans l'espace.

Représentation graphique du vecteur

On représente le vecteur $\vec{u}$ à partir de n'importe quel point du plan ou de l'espace de la façon suivante :

- à partir d'un point M appelé *origine du vecteur*, on trace la droite (D) ayant la même direction que le vecteur $\vec{u}$;

- on place sur (D) le point N appelé *extrémité du vecteur*, tel que le segment MN ait la même longueur que celle de $\vec{u}$;

- le sens de M vers N est indiqué par la flèche et il est le même que celui de $\vec{u}$.
  Le vecteur $\vec{MN}$ est un représentant du vecteur $\vec{u}$ et on peut écrire : $\vec{MN} = \vec{u}$.

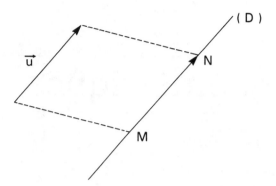

DÉFINITION : Deux vecteurs $\vec{u}$ et $\vec{v}$ sont dits *égaux* ou *équipollents* s'ils ont même direction, même sens et même longueur. On écrit alors $\vec{u} = \vec{v}$.

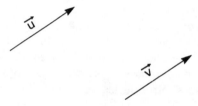

Un vecteur pourra être représenté dans le plan et dans l'espace par une infinité de vecteurs équipollents. C'est cette propriété qui est utilisée dans les opérations sur les vecteurs.

8.2   SOMME DE VECTEURS

La somme de vecteurs peut se faire selon une méthode appelée *méthode du triangle*. Lorsqu'on veut additionner deux vecteurs, $\vec{u}$ et $\vec{v}$, on place bout à bout des vecteurs équipollents à $\vec{u}$ et $\vec{v}$, de telle sorte que l'extrémité de $\vec{u}$ se confonde avec l'origine de $\vec{v}$. Le vecteur $\vec{u} + \vec{v}$ a la même origine que $\vec{u}$ et la même extrémité que $\vec{v}$.

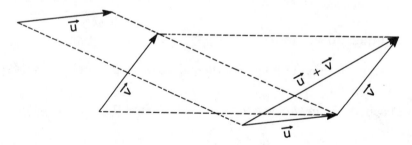

On obtient également la somme de deux vecteurs par la *méthode du parallélogramme*. À partir d'une origine commune, on mène des vecteurs équipollents à $\vec{u}$ et $\vec{v}$. On trace la diagonale du parallélogramme formé à partir des deux vecteurs, et on obtient ainsi le vecteur somme $\vec{u} + \vec{v}$,

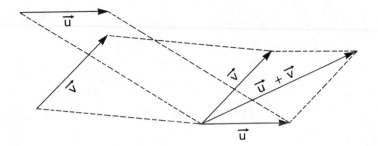

Les résultats obtenus par la méthode du triangle et celle du parallélogramme concordent parfaitement.

Si on veut faire la somme de plusieurs vecteurs, on utilise la méthode du triangle plusieurs fois de suite, et on obtient le vecteur somme en prenant comme origine celle du premier vecteur, et comme extrémité, celle du dernier vecteur.

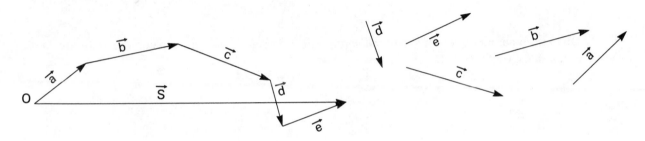

$$\vec{S} = \vec{a} + \vec{b} + \vec{c} + \vec{d} + \vec{e}.$$

8.3 VECTEURS OPPOSÉS ET DIFFÉRENCE DE VECTEURS

DÉFINITION : L'*opposé* du vecteur $\vec{u}$ est un vecteur de même direction, de même longueur mais de sens opposé. On le note $\overset{\rightarrow}{-u}$ ou $-\vec{u}$.

Le vecteur opposé du vecteur $\vec{AB}$ est $\vec{BA}$ et l'on a :

$$\vec{BA} = -\vec{AB}$$

Si on veut soustraire deux vecteurs, il suffit d'additionner au premier l'opposé du second.

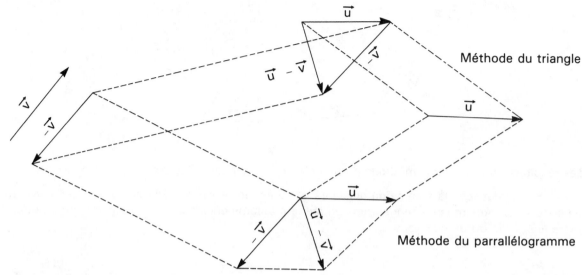

Méthode du triangle

Méthode du parrallélogramme

On peut remarquer que, dans le parallélogramme, une diagonale donne la somme et l'autre, la différence des deux vecteurs.

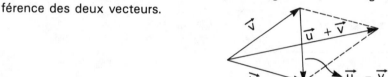

Le vecteur '' somme de deux vecteurs opposés '' est appelé *vecteur nul*. On a :

$$\vec{u} + (-\vec{u}) = \vec{0}.$$

Le vecteur nul est un vecteur dont l'origine et l'extrémité coïncident.

8.4   PRODUIT D'UN VECTEUR PAR UN SCALAIRE

On appelle *scalaire*, une quantité qui peut être représentée par un nombre réel.

DÉFINITION : Soit $\vec{u}$ un vecteur et p, un scalaire. Le produit du vecteur $\vec{u}$ par le scalaire p, noté $p\vec{u}$, est un vecteur
— de même direction que $\vec{u}$,

— de même sens que $\vec{u}$ si p > 0 et de sens opposé si p < 0,

— de longueur égale à $|\,p\,|\,|\,\vec{u}\,|$, où $|\,\vec{u}\,|$ désigne la longueur du vecteur $\vec{u}$ et $|\,p\,|$, la valeur absolue de p.

La longueur d'un vecteur $\vec{u}$, notée $|\vec{u}|$ est aussi appelée *module*. Ainsi le module de $2\vec{u}$, qui est de même direction, de même sens que $\vec{u}$, est donné par : $|2\vec{u}| = 2|\vec{u}|$. Le vecteur $-3\vec{u}$, qui a même direction que $\vec{u}$, mais de sens opposé, est de module $|-3\vec{u}| = |-3||\vec{u}| = 3|\vec{u}|$. Dans le cas du vecteur opposé $-\vec{u}$, nous avons un vecteur de même direction, de même longueur, mais de sens opposé, et $|-\vec{u}| = |\vec{u}|$.

Exercices (a):(1) Déterminer les vecteurs équipollents qui apparaissent dans le graphe ci-dessous. Énumérer les vecteurs opposés et les vecteurs qui ont un module deux fois plus grand que celui d'un autre vecteur.

(Il s'agit d'un hexagone régulier.)

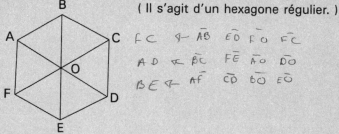

(2) Construire les vecteurs $\vec{a} + \vec{b}$, $\vec{b} - \vec{c}$, $\vec{a} + 2\vec{b} - \vec{c}$, si $\vec{a}$, $\vec{b}$, $\vec{c}$ ont la représentation suivante :

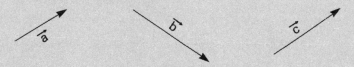

8.5   REPRÉSENTATION D'UN VECTEUR DANS LE PLAN CARTÉSIEN

Le plan cartésien est déterminé par deux axes perpendiculaires qui se rencontrent en un point O, appelé origine des axes. Les vecteurs $\vec{i}$ et $\vec{j}$, appelés *vecteurs de base* du système, sont respectivement placés sur les axes OX et OY de façon à ce que leurs origines coïncident avec le point O, et leurs extrémités avec les points (1, 0) pour $\vec{i}$ et (0, 1) pour $\vec{j}$. Les vecteurs $\vec{i}$ et $\vec{j}$ forment une *base orthonormée*, c'est-à-dire qu'ils sont perpendiculaires entre eux et de longueurs égales à 1 : $|\vec{i}| = |\vec{j}| = 1$.

On représente un vecteur dans le plan cartésien à l'aide des vecteurs de base $\vec{i}$ et $\vec{j}$. Pour cela, on projette ce vecteur, ramené à l'origine, sur chacun des axes, parallèlement à l'autre axe ; les valeurs de ces projections s'appellent les *composantes du vecteur* dans le repère orthonormé de base $\{\vec{i}, \vec{j}\}$. Les valeurs de ces composantes peuvent être : positives si elles sont orientées dans le même sens que l'axe (lorsqu'on va de la projection de l'origine du vecteur vers la projection de son extrémité), négatives dans le cas contraire, et même nulles dans le cas de projections orthogonales.

Si on projette le vecteur $\vec{u}$ sur les axes du système orthonormé $\{\vec{i}, \vec{j}\}$, et si ses composantes sont notées u_1 et u_2, on détermine alors le vecteur $u_1\vec{i}$ sur l'axe des X et le vecteur $u_2\vec{j}$ sur l'axe des Y.

La méthode du parallélogramme nous permet d'écrire :

$$\vec{u} = u_1\vec{i} + u_2\vec{j}.$$

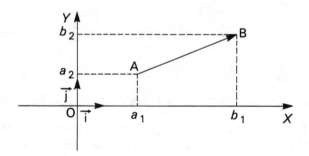

On représente fréquemment un vecteur sous forme d'un couple dans lequel les éléments sont les composantes du vecteur. On a :

$$\vec{u} = (u_1, u_2).$$

On peut remarquer que u_1 et u_2 représentent également les coordonnées du point M, extrémité du vecteur $\vec{u}$ dont l'origine est placée à l'origine des axes.

On peut représenter le vecteur $\vec{AB}$ dans le repère orthonormé, connaissant les coordonnées de son origine A (a_1, a_2) et de son extrémité B (b_1, b_2).

Les composantes du vecteur $\vec{AB}$ sont données par ($b_1 - a_1$) sur l'axe des X et par ($b_2 - a_2$) sur l'axe des Y. On a :

$$\vec{AB} = (b_1 - a_1)\vec{i} + (b_2 - a_2)\vec{j}$$

ou encore

$$\vec{AB} = (b_1 - a_1, b_2 - a_2).$$

On aura évidemment noté que le vecteur $\vec{AB}$, d'origine (a_1, a_2) et d'extrémité (b_1, b_2) est équipollent au vecteur $\vec{u}$, d'origine O et d'extrémité ($b_1 - a_1$, $b_2 - a_2$) :

$$\vec{u} = (b_1 - a_1, b_2 - a_2) = \vec{AB}.$$

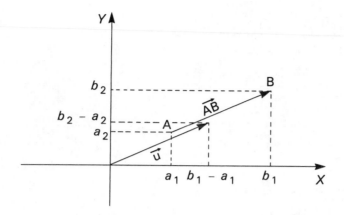

Dans le plan cartésien, on parle aussi de l'égalité de deux vecteurs. En effet, deux vecteurs du plan cartésien sont égaux si et seulement si leurs composantes correspondantes sont égales, c'est-à-dire :

$$\vec{u} = (u_1, u_2) \text{ est égal à } \vec{v} = (v_1, v_2) \text{ si et seulement si } u_1 = v_1 \text{ et } u_2 = v_2.$$

8.6   MODULE D'UN VECTEUR

Le *module* d'un vecteur est donné par la distance entre son origine et son extrémité. Le module du vecteur $\vec{u}$ est noté $|\vec{u}|$; le module de $\vec{AB}$ est noté $|\vec{AB}|$. Considérons dans un repère cartésien le vecteur $\vec{u} = u_1\vec{i} + u_2\vec{j}$. Le vecteur $\vec{u}$ est égal à la somme des vecteurs $u_1\vec{i}$ et $u_2\vec{j}$ portés respectivement par les axes OX et OY.

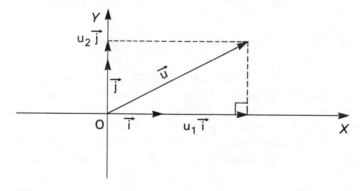

Le module du vecteur $\vec{u}$ se calcule au moyen du théorème de Pythagore qu'on applique au triangle dont $\vec{u}$ est l'hypoténuse. On a :

$$|\vec{u}|^2 = |u_1\vec{i}|^2 + |u_2\vec{j}|^2.$$

Mais,

$$|u_1\vec{i}| = |u_1||\vec{i}| \quad (\text{d'après la définition du produit d'un vecteur par un scalaire}),$$

$$= | u_1 | \ (\text{ car } | \vec{i} | = 1).$$

De la même façon,

$$| u_2\vec{j} | = | u_2 |.$$

On obtient donc

$$| \vec{u} |^2 = | u_1 |^2 + | u_2 |^2 = u_1{}^2 + u_2{}^2,$$

ou encore :

$$| \vec{u} | = \sqrt{ u_1{}^2 + u_2{}^2}.$$

Cette formule n'est valable que dans un repère orthonormé. Dans le cas d'un vecteur $\vec{AB}$, son module est donné par

$$| \vec{AB} | = \sqrt{ (b_1 - a_1)^2 + (b_2 - a_2)^2},$$

si les coordonnées de A et B sont A (a_1, a_2) et B (b_1, b_2).

Exemple : Le module du vecteur $\vec{u} = (2, 5)$ sera donné par :

$$| \vec{u} | = \sqrt{ 2^2 + 5^2 } = \sqrt{ 29 }.$$

Le module du vecteur $\vec{AB}$ ayant comme origine A $(5, 1)$ et comme extrémité B $(2, 7)$ est

$$| \vec{AB} | = \sqrt{ (2 - 5)^2 + (7 - 1)^2 } = \sqrt{ (-3)^2 + (6)^2 } = \sqrt{ 45 } = 3 \sqrt{ 5 }.$$

8.7 REPRÉSENTATION D'UN VECTEUR DANS L'ESPACE

Les propriétés dans l'espace à trois dimensions, noté $\mathbb{R}^3$, restent les mêmes que celles déterminées dans le plan cartésien, noté $\mathbb{R}^2$. La seule différence provenant d'un troisième axe, orthogonal au plan des deux autres, et de vecteur unitaire $\vec{k}$. Un vecteur est représenté par trois nombres réels qui sont les composantes du vecteur suivant les trois axes. Ainsi, $\vec{u} = (-1, 1, 3)$ peut se représenter à partir de l'origine des axes : son extrémité est alors située au point de coordonnées $(-1, 1, 3)$. Si on considère le vecteur ayant comme origine le point C $(3, 5, 2)$ et comme extrémité le point D $(2, 6, 5)$, on pourra écrire :

$$\vec{CD} = (2 - 3, 6 - 5, 5 - 2) = (-1, 1, 3) = \vec{u}.$$

Le module du vecteur CD sera donné par :

$$| \vec{CD} | = \sqrt{ (-1)^2 + (1)^2 + (3)^2}.$$

Évidemment $\vec{u} = \vec{CD}$.

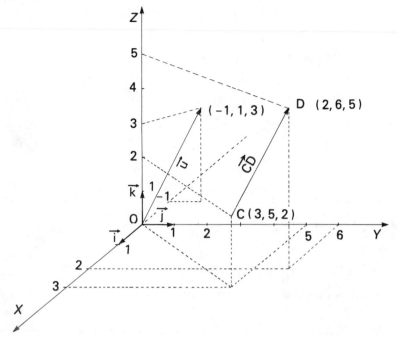

De façon générale, un vecteur $\vec{u}$ de composantes u_1, u_2 et u_3 aura comme module :

$$| \vec{u} | = \sqrt{(u_1)^2 + (u_2)^2 + (u_3)^2} ,$$

et un vecteur $\vec{AB}$ tel que A (a_1, a_2, a_3) et B (b_1, b_2, b_3) aura comme module :

$$| \vec{AB} | = \sqrt{(b_1 - a_1)^2 + (b_2 - a_2)^2 + (b_3 - a_3)^2}$$

Les vecteurs de la base $\{ \vec{i}, \vec{j}, \vec{k} \}$ peuvent s'écrire :

$$\vec{i} = (1, 0, 0), \quad \vec{j} = (0, 1, 0) \text{ et } \vec{k} = (0, 0, 1).$$

Un vecteur $\vec{u}$ de composantes u_1, u_2 et u_3 est égal à :

$$\vec{u} = u_1 \vec{i} + u_2 \vec{j} + u_3 \vec{k} .$$

De la même façon que dans le plan cartésien, deux vecteurs de l'espace de base $\{ \vec{i}, \vec{j}, \vec{k} \}$ sont égaux si leurs composantes correspondantes sont égales.

8.8 OPÉRATIONS DANS LE PLAN ET DANS L'ESPACE

Les opérations somme, différence, produit d'un vecteur par un scalaire, peuvent être définies de la façon suivante dans le plan et dans l'espace.

La *somme de deux vecteurs* $\vec{u}$ et $\vec{v}$ est un vecteur $\vec{u} + \vec{v}$ dont les composantes sont obtenues en additionnant les composantes correspondantes des vecteurs $\vec{u}$ et $\vec{v}$.

Le *produit d'un vecteur* $\vec{u}$ par un *scalaire p* donne un vecteur $p\vec{u}$ dont les composantes sont obtenues en multipliant chaque composante du vecteur $\vec{u}$ par p.

Dans le plan, la somme du vecteur $\vec{u} = (u_1, u_2)$ et du vecteur $\vec{v} = (v_1, v_2)$ est donnée par :

$$\vec{u} + \vec{v} = (u_1 + v_1, u_2 + u_2),$$

ou encore, en tenant compte des vecteurs unitaires $\vec{i}$ et $\vec{j}$, par

$$\vec{u} + \vec{v} = (u_1 + v_1)\vec{i} + (u_2 + v_2)\vec{j}.$$

Dans l'espace, la somme des vecteurs $\vec{u} = (u_1, u_2, u_3)$ et $\vec{v} = (v_1, v_2, v_3)$ est donnée par

$$\vec{u} + \vec{v} = (u_1 + v_1, u_2 + v_2, u_3 + v_3),$$

ou encore, par

$$\vec{u} + \vec{v} = (u_1 + v_1)\vec{i} + (u_2 + v_2)\vec{j} + (u_3 + v_3)\vec{k}.$$

De la même façon, le produit du vecteur $\vec{u}$ par un scalaire p est donné dans le plan par

$$p\vec{u} = p(u_1, u_2) = (pu_1, pu_2)$$

et dans l'espace, par

$$p\vec{u} = p(u_1, u_2, u_3) = (pu_1, pu_2, pu_3).$$

On peut remarquer la similitude qui existe entre les vecteurs et les matrices. En fait un vecteur du plan est une matrice de dimension 1×2 et un vecteur de l'espace est une matrice de dimension 1×3. De façon générale, un vecteur de dimension $1 \times n$ se représente avec n composantes, mais seuls les vecteurs de dimensions 1×2 et 1×3 peuvent être représentés géométriquement.

Exemple : Soit les vecteurs $\vec{u} = (2, 3)$ et $\vec{v} = (3, 1)$. Alors le vecteur somme est donné par

$$\vec{u} + \vec{v} = (2, 3) + (3, 1) = (5, 4);$$

le vecteur $-\vec{v} = -(3, 1) = (-3, -1)$. Le vecteur différence $\vec{u} - \vec{v}$ est donné par :

$$\vec{u} - \vec{v} = \vec{u} + (-\vec{v}) = (2, 3) + (-3, -1) = (-1, 2),$$

tandis que le vecteur $3\vec{u} = 3(2, 3) = (3 \times 2, 3 \times 3) = (6, 9)$. On aura aussi le vecteur $-2\vec{v} = -2(3, 1) = (-2 \times 3, -2 \times 1) = (-6, -2)$.

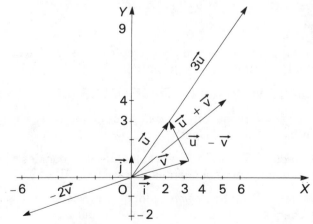

Exemple : La somme des trois vecteurs, $\vec{u}$ = (4, –2, 7), $\vec{v}$ = (–5, 6, 3) et $\vec{w}$ = (2, 3, 9) est donnée par

$$\vec{u} + \vec{v} + \vec{w} = (4, –2, 7) + (–5, 6, 3) + (2, 3, 9) = (1, 7, 19).$$

Exercices (b) : (1) Ramener à l'origine du plan ou de l'espace les vecteurs et faire le graphique :

   a) d'origine (2, 6) et d'extrémité (–1, 4) ;

   b) d'origine (0, 4) et d'extrémité (–2, 8) ;

   c) d'origine (–1, 2, 4) et d'extrémité (6, –4, 3).

(2) Calculer $\left| \vec{AB} \right|$ si :

   a) A (2, 3) et B (3, –1) ; $(5, 2)$

   b) A (2, 6) et B (8, 9) ; $(10, 15)$

   c) A (–1, –2, 3) et B (–6, 2, 8) ; $(-7, 0, 11)$

   d) $\vec{AB}$ = (2, 9). $(2, 9)$

(3) Si $\vec{u}$ = (2, 5), $\vec{v}$ = (–1, 3), $\vec{w}$ = (0, 3), calculer les composantes des vecteurs et faire le graphique :

   a) $3\vec{u}$;

   b) $2\vec{u} - 3\vec{v}$;

   c) $\dfrac{1}{2}\vec{v} - \dfrac{1}{4}\vec{w}$;

   d) $\vec{u} + \vec{v} + \vec{w}$.

(4) Quelles sont les coordonnées du point A si le vecteur $\vec{AB}$ = (5, 7, –3) et B (2, –4, 7) ?

(5) Une voiture se déplace de 5 km vers le nord, puis de 4 km vers le nord-est. Représenter ces deux déplacements par des vecteurs $\vec{a}$ et $\vec{b}$. Calculer graphiquement $\vec{a} + \vec{b}$ et vérifier géométriquement le résultat de $\left| \vec{a} + \vec{b} \right|$.

Il est important de remarquer qu'en topographie, l'orientation des angles est différente de celle vue dans ce chapitre. En effet, les angles sont comptés positivement dans le sens des aiguilles d'une montre. On parle également de *direction* et de *ligne* au lieu de vecteur. Lorsqu'on calcule le *gisement* d'une direction AB, il s'agit en fait de l'angle orienté dans le sens des aiguilles d'une montre, entre une direction arbitraire représentée par le vecteur $\vec{N}$ et le vecteur $\vec{AB}$. Le vecteur $\vec{N}$ doit toujours avoir la même origine que le vecteur dont on veut déterminer le gisement. Dans le cas où on doit calculer plusieurs gisements, on peut procéder de la façon suivante.

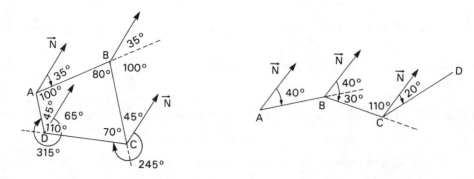

Si on considère le polygone fermé ABCDA, les gisements se calculent en faisant intervenir les propriétés des angles déterminés par des droites parallèles (*). Le gisement AB est de 35° ; le gisement BA est de 35° + 180° = 215° ; le gisement BC est de 35° + 180° – 80° = 135° ; le gisement CD est de 360° – (70° + 45°) = 245° ; le gisement DC est de 180° – 115° = 65° ; le gisement DA est de 360° – 45° = 315° et enfin le gisement AD est de 35° + 100° = 135°. Dans le cas de la ligne polygonale, on calcule les gisements de la même façon et on obtient : le gisement AB est de 40° ; le gisement BC est de 40° + 30° = 70° et le gisement CD est de 180° – 110° – 50° = 20°.

8.9   EXERCICES RÉCAPITULATIFS (1re partie)

1.   Calculer $\vec{u} + \vec{v}, 2\vec{u} - 3\vec{v}, \dfrac{3}{4}\vec{v}, \vec{u} + \dfrac{1}{3}\vec{v}$, dans les cas suivants :

a) $\vec{u} = (0, 1, 0)$, $\vec{v} = (2, 1, 0)$;

b) $\vec{u} = (-2, 4)$, $\vec{v} = (-4, 5)$;

c) $\vec{u} = (1, 2, -1)$, $\vec{v} = (-2, 3, -7)$.

2.   Calculer $k\vec{v}$ dans les cas suivants :

a) $k = -5$, $\vec{v} = (1, -2, 3)$;

b) $k = 1 / 3$, $\vec{v} = (1, 4, 5)$;

c) $k = \sqrt{3}$, $\vec{v} = (-1, 3, 4)$.

3.   Donner les valeurs de a, b, c si :

a) $\vec{v} = (a, b, c) = 2\vec{u}$ où $\vec{u} = (-1, 3, 2)$;

b) $\vec{v} = (a, b, c) = \vec{u} + \vec{w}$ où $\vec{u} = (0, 1, 2)$ et $\vec{w} = (2, 3, 4)$;

c) $\vec{v} = (2a, 3b, 5c) = \left(1, 3, \dfrac{1}{5} \right)$.

4.   Soit les vecteurs $\vec{u} = (1, -3, 2)$, $\vec{v} = (5, 3, 2)$, $\vec{w} = (0, 2, 4)$.

a)   Quelles seront les composantes du vecteur déterminé par $3\vec{u} - 2\vec{v} + \vec{w}$?

(*)   Voir page 79 la signification des angles correspondants et internes, et d'angles supplémentaires.

b) Déterminer les réels p et q tels que le vecteur défini par $p\,\vec{u}\ +\ q\,\vec{v}\ +\ 2\vec{w}$ ait ses 2 premières composantes nulles.

c) Quels sont les modules des vecteurs $\vec{u}$, $\vec{v}$ et $\vec{w}$?

5. En physique, les forces sont représentées à l'aide de vecteurs. Lorsqu'on a plusieurs forces appliquées en un même point, on trouve la résultante par la méthode du triangle (voir page 232). La trigonométrie des triangles permet de calculer la valeur de cette résultante. Nous avons réuni quelques exercices d'équilibres physiques.

a) LE PLAN INCLINÉ

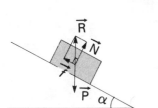

b) PLANS INCLINÉS

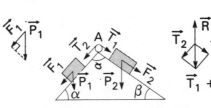

c) ÉTAGÈRE

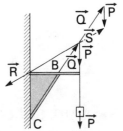

a) Considérons le plan incliné. La masse est en équilibre sur le plan incliné quand la force de frottement $\vec{f}$ l'empêche de glisser. On a $\vec{f}\ +\ \vec{N}\ =\ \vec{R}\ =\ -\,\vec{P}$. Calculer $|\,\vec{f}\,|$ et $|\,\vec{N}\,|$ si $|\,\vec{P}\,|$ = 77 N et α = 30°, la masse étant alors en équilibre.

b) Considérons les deux plans inclinés. Les forces $\vec{F_1}$ et $\vec{F_2}$ dues aux poids $\vec{P_1}$ et $\vec{P_2}$ tendent à faire descendre les masses le long des plans inclinés. Elles créent des forces de sens opposé (ou tensions) $\vec{T_1}$ et $\vec{T_2}$ dans le fil qui les relie. L'équilibre du système dépend des angles α et β et il sera réalisé lorsque les modules des tensions $\vec{T_1}$ et $\vec{T_2}$ seront égaux (la poulie change leur direction, mais pas leur intensité). Le vecteur somme $\vec{T_1}\ +\ \vec{T_2}$ sera alors vertical et son action sera annulée par la réaction $\vec{R}$ de la poulie, d'où équilibre. Calculer les angles β et α si $|\,\vec{P_1}\,|$ = 60 N, $|\,\vec{P_2}\,|$ = 40 N, α = 40°, ainsi que le module de la réaction de la poulie : $|\,\vec{R}\,|\ =\ |\,\vec{T_1}\ +\ \vec{T_2}\,|$.

c) Considérons l'étagère. Pour qu'elle soit en équilibre, il faut que la réaction $\vec{R}$ du mur soit égale et opposée à la somme $\vec{S}$ des forces qui s'appliquent sur l'étagère. Le poids de cette dernière étant négligeable, la seule force est le poids $\vec{P}$ qui s'exerce en son extrémité D. L'entretoise BC aide à supporter ce poids en créant une réaction $\vec{Q}$ dans la direction BC. Nous devons avoir : $\vec{S}\ =\ \vec{Q}\ +\ \vec{P}\ =\ -\,\vec{R}$. Calculer le module de $\vec{R}$ et l'angle qu'elle fait avec le mur, si on a $|\,\vec{AC}\,|$ = 0,8 m, $|\,\vec{AB}\,|$ = 0,6 m, $|\,\vec{AD}\,|$ = 1 m, $|\,\vec{P}\,|$ = 400 N, et $|\,\vec{Q}\,|$ = 840 N.

6. a) Calculer le gisement de chaque côté des polygones i) et ii) suivants, en cheminant dans le sens des aiguilles d'une montre.

b) Calculer le gisement de chacun des côtés de la ligne polygonale iii) suivante, en cheminant de A vers H.

c) Les gisements de chacun des côtés d'un polygone sont les suivants : AB : 30°, BC : 80°, CD : 120°, DE : 150°, EF : 210°, FA : 300°. Calculer les angles intérieurs du polygone. Tracer un polygone en prenant un vecteur arbitraire $\vec{N}$ et des longueurs quelconques AB, BC, etc.

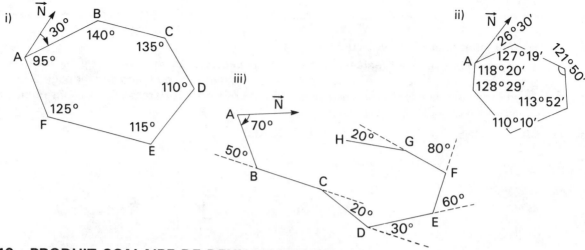

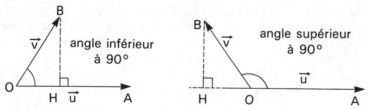

8.10   PRODUIT SCALAIRE DE DEUX VECTEURS

DÉFINITION : Le *produit scalaire* de deux vecteurs $\vec{u}$ et $\vec{v}$ est un scalaire donné par :

$\vec{u} \cdot \vec{v} = |\vec{u}|\,|\vec{v}|\cos(\vec{u},\vec{v})$, où $|\vec{u}|$, $|\vec{v}|$ sont les modules des vecteurs et $(\vec{u},\vec{v})$, l'angle non orienté entre les deux vecteurs, c'est-à-dire l'angle tel que

$$0° \leq (\vec{u},\vec{v}) \leq 180°.$$

Exemple : Calculons le produit scalaire des vecteurs $\vec{u}$ et $\vec{v}$ ayant comme module $|\vec{u}| = 3$ et $|\vec{v}| = 5$ et faisant entre eux un angle de 120°. Nous avons :

$$\vec{u} \cdot \vec{v} = |\vec{u}|\,|\vec{v}|\cos 120° = 3 \times 5 \times (-\tfrac{1}{2}) = -7,5.$$

On peut également déterminer le produit scalaire de deux vecteurs en projetant orthogonalement l'un des vecteurs sur la direction de l'autre. Selon l'angle entre les deux vecteurs $\vec{u}$ et $\vec{v}$, nous pouvons avoir une des représentations suivantes

Dans chacun des cas, le produit scalaire est donné par :

$$\vec{u} \cdot \vec{v} = |\vec{u}|\,|\vec{v}|\cos(\vec{u},\vec{v}).$$

Mais le triangle OBH étant rectangle, $|\vec{v}|\cos(\vec{u},\vec{v}) = \overline{OH}$ où $\overline{OH}$ représente la mesure algébrique de la projection de $\vec{v}$ sur $\vec{u}$. Dans le premier cas, $0° \leq (\vec{u},\vec{v}) < 90°$, alors $\cos(\vec{u},\vec{v}) > 0$ et :

$$\overline{OH} = \frac{\vec{u} \cdot \vec{v}}{|\vec{u}|} \text{ est positif.}$$

Dans le deuxième cas, $90° \leq (\vec{u}, \vec{v}) < 180°$ alors $\cos(\vec{u}, \vec{v}) < 0$ et :

$$\overline{OH} = \frac{\vec{u} \cdot \vec{v}}{|\vec{u}|} \text{ est négatif.}$$

Nous avons donc :

$$\vec{u} \cdot \vec{v} = |\vec{u}| \; \overline{OH}.$$

On aurait de la même façon, si $\overline{OK}$ représente la projection du vecteur $\vec{u}$ sur le vecteur $\vec{v}$:

$$\vec{u} \cdot \vec{v} = |\vec{v}| \; \overline{OK}.$$

Si les vecteurs $\vec{u}$ et $\vec{v}$ sont perpendiculaires, l'angle $(\vec{u}, \vec{v}) = 90°$, et $\cos(\vec{u}, \vec{v}) = 0$: alors le produit scalaire est nul.

Donnons quelques propriétés du produit scalaire :

(1) il est commutatif : $\vec{u} \cdot \vec{v} = \vec{v} \cdot \vec{u}$;

(2) distributif sur l'addition des vecteurs : $\vec{u} \cdot (\vec{v} + \vec{w}) = \vec{u} \cdot \vec{v} + \vec{u} \cdot \vec{w}$;

(3) si p est un nombre réel, $p(\vec{u} \cdot \vec{v}) = p\vec{u} \cdot \vec{v}$.

Ce sont ces propriétés que l'on emploie pour déterminer la forme algébrique du produit scalaire.

Forme algébrique du produit scalaire

Si on considère un repère orthonormé de vecteurs unitaires $\vec{i}$ et $\vec{j}$, on a

$$\vec{i} \cdot \vec{j} = |\vec{i}| \; |\vec{j}| \cos 90° = 0,$$

$$\vec{j} \cdot \vec{j} = |\vec{j}| \; |\vec{j}| \cos 0° = 1 \text{ car } \cos(\vec{j}, \vec{j}) = \cos 0° = 1 \text{ et } |\vec{j}| = 1,$$

$$\vec{i} \cdot \vec{i} = |\vec{i}| \; |\vec{i}| \cos 0° = 1 \text{ car } \cos(\vec{i}, \vec{i}) = \cos 0° = 1 \text{ et } |\vec{i}| = 1.$$

Effectuons le produit scalaire des vecteurs $\vec{u} = (u_1, u_2)$ et $\vec{v} = (v_1, v_2)$:

$$\vec{u} \cdot \vec{v} = (u_1\vec{i} + u_2\vec{j}) \cdot (v_1\vec{i} + v_2\vec{j})$$

D'après la propriété de distributivité du produit scalaire sur la somme de vecteurs, on peut écrire

$$\vec{u} \cdot \vec{v} = (u_1\vec{i} + u_2\vec{j}) \cdot v_1\vec{i} + (u_1\vec{i} + u_2\vec{j}) \cdot v_2\vec{j}$$

$$= u_1\vec{i} \cdot v_1\vec{i} + u_2\vec{j} \cdot v_1\vec{i} + u_1\vec{i} \cdot v_2\vec{j} + u_2\vec{j} \cdot v_2\vec{j}.$$

Les nombres u_1, u_2, v_1 et v_2 étant des réels, d'après la troisième propriété et la commutativité du produit scalaire, on a :

$$\vec{u} \cdot \vec{v} = u_1v_1\vec{i} \cdot \vec{i} + u_2v_1\vec{j} \cdot \vec{i} + u_1v_2\vec{i} \cdot \vec{j} + u_2v_2\vec{j} \cdot \vec{j}.$$

Comme $\vec{i} \cdot \vec{i} = \vec{j} \cdot \vec{j} = 1$ et $\vec{i} \cdot \vec{j} = \vec{j} \cdot \vec{i} = 0$, on obtient

$$\vec{u} \cdot \vec{v} = u_1v_1 + u_2v_2.$$

Ce résultat n'est valable que dans un repère orthonormé. Si on considère un espace à trois dimensions de base orthonormée $\{\vec{i}, \vec{j}, \vec{k}\}$, on arrive à un résultat similaire après avoir constaté que $\vec{i} \cdot \vec{j} = \vec{j} \cdot \vec{k} = \vec{k} \cdot \vec{i} = 0$ et $\vec{i} \cdot \vec{i} = \vec{j} \cdot \vec{j} = \vec{k} \cdot \vec{k} = 1$. Le produit scalaire est donné par

$$\vec{u} \cdot \vec{v} = u_1 v_1 + u_2 v_2 + u_3 v_3,$$

si $\vec{u} = (u_1, u_2, u_3)$ et $\vec{v} = (v_1, v_2, v_3)$.

Exemple : Si $\vec{u} = (2, 4)$ et $\vec{v} = (5, -3)$, le produit scalaire des deux vecteurs est donné par

$$\vec{u} \cdot \vec{v} = 2 \times 5 + 4 \times (-3) = -2.$$

Si $\vec{u} = (6, 0, 3)$ et $\vec{v} = (-2, 7, 5)$, on a :

$$\vec{u} \cdot \vec{v} = 6 \times (-2) + 0 \times 7 + 3 \times 5 = 3.$$

8.11 ANGLE ENTRE DEUX VECTEURS

On peut trouver l'angle entre deux vecteurs à partir du produit scalaire. En effet, si $\vec{u} = (u_1, u_2)$ et $\vec{v} = (v_1, v_2)$, alors

$$\vec{u} \cdot \vec{v} = |\vec{u}| |\vec{v}| \cos(\vec{u}, \vec{v}) = u_1 v_1 + u_2 v_2$$

et

$$\cos(\vec{u}, \vec{v}) = \frac{u_1 v_1 + u_2 v_2}{|\vec{u}| |\vec{v}|} = \frac{u_1 v_1 + u_2 v_2}{\sqrt{u_1^2 + u_2^2} \sqrt{v_1^2 + v_2^2}}.$$

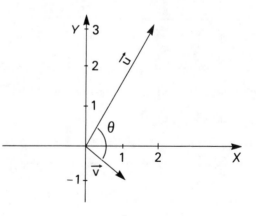

Exemple : Soit $\vec{u} = (2, 3)$ et $\vec{v} = (1, -1)$. L'angle θ entre $(2, 3)$ et $(1, -1)$ est donné par la relation $(2, 3) \cdot (1, -1) = |\vec{u}| |\vec{v}| \cos\theta$.

On obtiendra alors :

$$(2)(1) + (3)(-1) = \sqrt{2^2 + 3^2} \sqrt{1^2 + (-1)^2} \cos\theta,$$

c'est-à-dire

$$-1 = \sqrt{13} \sqrt{2} \cos\theta.$$

On détermine θ :

$$\theta = \arccos\left(-\frac{1}{\sqrt{26}}\right) \simeq 101{,}31 \text{ (en °)}.$$

8.12 ANGLE ENTRE DEUX DROITES

Pour pouvoir déterminer l'angle entre deux droites du plan cartésien, on doit introduire la notion de vecteur directeur d'une droite.

DÉFINITION : Un *vecteur directeur* d'une droite est un vecteur qui a la même direction que la droite.

Dans le plan, une droite est d'équation $f(x) = y = mx + p$. Pour déterminer un vecteur passant par cette droite, il suffit de choisir deux points A et B de cette droite : alors $\overrightarrow{AB}$ est un vecteur directeur de cette droite.

Exemple : Soit la droite $f(x) = 3x - 4$. Cette droite passe par les points A $(1, -1)$ et B $(3, 5)$. Par cette droite, on peut faire passer le vecteur

$$\overrightarrow{AB} = (3 - 1, 5 - (-1))$$
$$= (2, 6).$$

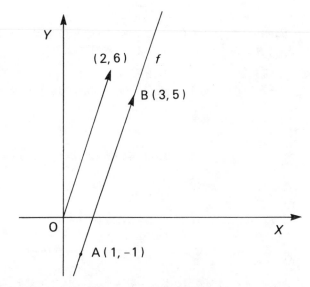

Par convention, on choisit toujours comme angle entre deux droites, l'angle compris entre 0° et 90°. Pour trouver cet angle, on prend un vecteur directeur de chaque droite et on cherche l'angle entre les deux vecteurs. Si on trouve un angle compris entre 0° et 90°, il s'agit de l'angle entre les droites ; si l'angle obtenu est situé entre 90° et 180°, on choisit son supplément.

Exemple : Soit $f(x) = 4x - 6$ et $g(x) = -x + 8$, deux droites du plan. Cherchons l'angle formé par ces deux droites.

Le vecteur $(1, 4)$ est un vecteur directeur de la droite f, tandis que $(1, -1)$ en est un de g.
D'où
$$(1, 4) \cdot (1, -1) = |(1,4)| \, |(1, -1)| \cos \theta,$$
c'est-à-dire
$$1 - 4 = \sqrt{1^2 + 4^2} \sqrt{1^2 + (-1)^2} \cos \theta.$$
On détermine alors θ :
$$\arccos \left(\frac{-3}{\sqrt{17} \sqrt{2}} \right) \simeq 120{,}96 \ (\text{en } °).$$
Comme θ est compris entre $\pi/2$ et π, l'angle φ cherché est le supplément de θ :
$$\varphi = 180 - \theta \simeq 59{,}04 \ (\text{en } °).$$

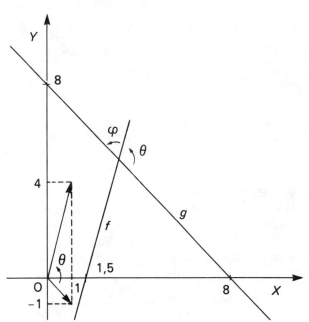

Exercices (c) : (1) Calculer les produits scalaires suivants : (2, −3)·(4, 6) ; (0, 9, −1)·(1, 2, −4) ;
(1, 2)·(2, 3, 6).

(2) Soit $\vec{a}$ = (1, 6) et $\vec{b}$ = (−1, −3), deux vecteurs du plan. Représenter ces vecteurs à partir de l'origine des axes, et déterminer l'angle entre $\vec{a}$ et $\vec{b}$.

(3) Soit $\vec{u}$ = (2, 5, −1) et $\vec{v}$ = (3, a, 4). Déterminer la valeur de a pour que les vecteurs $\vec{u}$ et $\vec{v}$ soient perpendiculaires.

(4) Soit les deux vecteurs $\vec{OA}$ et $\vec{OB}$ de modules $\left| \vec{OA} \right|$ = 4 et $\left| \vec{OB} \right|$ = 6.

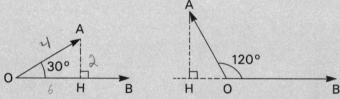

a) Calculer, pour chaque cas de dessin, le produit scalaire de $\vec{OA}$ et $\vec{OB}$.

b) Déterminer dans chaque cas la mesure algébrique $\overline{OH}$ de la projection orthogonale de $\vec{OA}$ sur la direction de $\vec{OB}$.

(5) Donner trois vecteurs directeurs distincts de la droite :

a) d'équation $y = x − 8$;

b) d'équation $f (x) = 8x + 7$;

c) passant par A (−1, 2) et B (22, 3) ;

d) de vecteur directeur (1, 4) passant par B (−2, 5).

(6) Donner l'angle entre les droites d'équation : $f (x) = 2x + 1$ et $g (x) = −3x + 2$.

Dans les problèmes de forces, de déplacement, de vitesse, d'accélération, etc., on donne souvent le module des vecteurs et l'angle qu'ils font entre eux, et on demande de trouver la longueur de la résultante ainsi que sa direction. Le problème est simplifié si on ramène ces forces dans le repère cartésien et que l'on détermine leurs composantes.

Exemple : Soit les deux forces $\vec{F}_1$ et $\vec{F}_2$ de modules 2 et 3 (en newton) dont les directions font un angle de 30° entre elles. On veut trouver la résultante $\vec{R}$ de ces deux forces et l'angle que fait $\vec{R}$ avec $\vec{F}_1$. Plaçons les deux forces dans un repère cartésien tel que, par exemple, la force $\vec{F}_1$ soit placée sur l'axe des X.
Les composantes de ces forces sont alors

$\vec{F}_1$ = (2, 0),

$\vec{F}_2$ = (3 cos 30°, 3 sin 30°) = $\left(\dfrac{3\sqrt{3}}{2}, \dfrac{3}{2} \right)$.

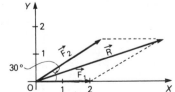

Les composantes de $\vec{R}$ peuvent maintenant être calculées :

$$\vec{R} = \vec{F}_1 + \vec{F}_2 = \left(2 + \frac{3\sqrt{3}}{2}, \frac{3}{2} \right).$$

On calcule le module de $\vec{R}$:

$$|\vec{R}| = \sqrt{\left(2 + \frac{3\sqrt{3}}{2} \right)^2 + \left(\frac{3}{2} \right)^2} \simeq 4,8366.$$

L'angle que fait $\vec{R}$ avec $\vec{F}_1$ peut s'évaluer à l'aide du produit scalaire :

$$\vec{R} \cdot \vec{F}_1 = \left(2 \left(2 + \frac{3\sqrt{3}}{2} \right) + 0 \right) = |\vec{R}||\vec{F}_1| \cos\varphi = 4 + 3\sqrt{3}$$

On en déduit l'angle φ entre $\vec{R}$ et $\vec{F}_1$:

$$\cos\varphi = \frac{4 + 3\sqrt{3}}{|\vec{R}||\vec{F}_1|} = 0,95069 \text{ et } \varphi = \arccos 0,95069 \simeq 18,07°.$$

Exemple : Une voiture parcourt 5 km en direction sud-est, 3 km en direction nord-ouest. On cherche le module et la direction du vecteur représentant le déplacement résultant. Les directions N, S, E, W (on choisit W au lieu de O qui pourrait être confondu avec l'origine) se trouvent suivant les axes, les directions NE, SE, etc. se trouvent à 45° et les angles se mesurent à partir de la direction positive de l'axe des X. (On trouve parfois des notations comme S30°E qui signifie : à partir de la direction Sud compter un angle de 30° vers l'Est.) Le vecteur résultant est $\vec{OC}$ et nous avons : $\vec{OC} = \vec{OA} + \vec{AB} + \vec{BC}$. Calculons les composantes de chaque vecteur :

$$\vec{OA} = (5 \cos 315°, 5 \sin 315°) = \left(\frac{5\sqrt{2}}{2}, \frac{-5\sqrt{2}}{2} \right);$$

$$\vec{AB} = (3 \cos 90°, 3 \sin 90°) = (0, 3);$$

$$\vec{BC} = (4 \cos 135°, 4 \sin 135°) = \left(\frac{-4\sqrt{2}}{2}, \frac{4\sqrt{2}}{2} \right)$$

$$= (-2\sqrt{2}, 2\sqrt{2}).$$

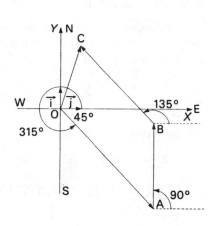

D'où

$$\vec{OC} = \left(\frac{5\sqrt{2}}{2}, \frac{-5\sqrt{2}}{2} \right) + (0, 3) + (-2\sqrt{2}, 2\sqrt{2})$$

$$= \left(\frac{\sqrt{2}}{2}, -\frac{\sqrt{2}}{2} + 3 \right).$$

Le module de $\vec{OC}$ est donné par :

$$| \vec{OC} | = \sqrt{\left(\frac{\sqrt{2}}{2}\right)^2 + \left(\frac{-\sqrt{2}}{2} + 3\right)^2} \simeq 2{,}399.$$

Pour savoir quel est l'angle que fait le vecteur $\vec{OC}$ avec la direction nord, par exemple, on fait le produit scalaire de $\vec{OC}$ avec $\vec{j} = (0, 1)$, et on calcule l'angle entre les deux vecteurs :

$$\vec{OC} \cdot \vec{j} = \left(\frac{\sqrt{2}}{2}, -\frac{\sqrt{2}}{2} + 3\right) \cdot (0, 1) = -\frac{\sqrt{2}}{2} + 3.$$

Et d'autre part,

$$\vec{OC} \cdot \vec{j} = | \vec{OC} | \, | \vec{j} | \cos (\vec{OC}, \vec{j}).$$

D'où

$$\cos (\vec{OC}, \vec{j}) = \frac{\vec{OC} \cdot \vec{j}}{| \vec{OC} | \, | \vec{j} |} \simeq \frac{-\frac{\sqrt{2}}{2} + 3}{2{,}399 \times 1}.$$

Alors l'angle que fait $\vec{OC}$ avec la direction nord est :

$$(\vec{OC}, \vec{j}) \simeq 17{,}14°.$$

Le produit scalaire est utilisé en physique pour le calcul du travail d'une force. Par définition, le *travail d'une force* dont le point d'application décrit un déplacement rectiligne est égal au produit de l'intensité de la force par la longueur du déplacement et par le cosinus de l'angle formé par les vecteurs force et déplacement. En fait, le travail est égal au produit scalaire des vecteurs force et déplacement :

$$W = \vec{F} \cdot \vec{d} = | \vec{F} | \, | \vec{d} | \cos (\vec{F}, \vec{d})$$

où W est le travail, $\vec{F}$, la force et $\vec{d}$, le déplacement.

Exemple : Un tracteur tire une péniche. La tension $\vec{T}$ du câble est de 981 newtons. L'angle du câble avec le chemin suivi par la péniche est de 30°. On cherche le travail effectué par la tension pour un déplacement de 2 km : $| \vec{AA'} | = 2000$ m.

Le travail W est donné par :

$$W = \vec{T} \cdot \vec{AA'} = | \vec{T} | \, | \vec{AA'} | \cos 30° = 981 \times 2000 \times \frac{\sqrt{3}}{2} \simeq 1\,699\,141{,}8 \text{ joules.}$$

8.13   EXERCICES RÉCAPITULATIFS (2ᵉ partie)

1. Calculer le produit scalaire des vecteurs $\vec{u}$ et $\vec{v}$ dans un repère cartésien si

    a) $\vec{u} = (1, 1)$ et $\vec{v} = (2, 3)$;

    b) $\vec{u} = (2, 3)$ et $\vec{v} = (-3, 2)$;

c) $\vec{u}$ = (– 1, 3, 5) et $\vec{v}$ = (2, 0, – 4).

2. Trouver la valeur de a si $\vec{u} \cdot \vec{v}$ = (3, a, – 1)·(2, – 5, 1) = 7.

3. Soit les vecteurs $\vec{a}$ = (1, 2, 3) et $\vec{b}$ = (0, – 1, 4).

   a) Calculer $\vec{a}$ + $\vec{b}$; $\vec{a}$ + 3$\vec{b}$; 5$\vec{a}$ – 4$\vec{b}$; $\vec{a} \cdot \vec{b}$; 3$\vec{a} \cdot 2\vec{b}$;

   b) Déterminer la mesure algébrique de la projection de $\vec{a}$ sur $\vec{b}$;

   c) Déterminer la mesure algébrique de la projection de $\vec{b}$ sur $\vec{a}$;

   d) Quel est l'angle entre $\vec{a}$ et $\vec{b}$?

4. Soit $\vec{t}$ = (a, b), un vecteur du plan. Soit θ, l'angle que t fait avec l'axe positif des X.

   a) Montrer que $\vec{t}$ = $|\vec{t}|$ (cos θ, sin θ).

   b) Trouver la valeur de θ si $\vec{t}$ = (1, 1); si $\vec{t}$ = (– 1, 3/2); si $\vec{t}$ = (– 8, – 9).

5. Calculer l'angle que fait le vecteur $\vec{AB}$ avec l'axe des X si A (2, – 1) et B (3, 2).

6. Soit $\vec{u}$ = (x, 3, – 6) et $\vec{v}$ = (2, y, 4). Trouver x et y si 3$\vec{u}$ – 4$\vec{v}$ = (1, 1, – 34).

7. Déterminer l'angle que font entre eux :

   a) les vecteurs (2, – 1) et (4, 7) ;

   b) les vecteurs (6, – 1, 2) et (4, 5, 6) ;

   c) les droites y = – 3x + 8 et 2y + x = 5.

8. Les points (1, 3, – 1), (2, 3, 4) et (– 2, 3, 6) sont-ils alignés ?

9. On applique sur un corps deux forces $\vec{F_1}$ et $\vec{F_2}$; l'angle entre $\vec{F_1}$ et $\vec{F_2}$ est de 75°, les modules de $\vec{F_1}$ et de $\vec{F_2}$ sont respectivement de 2 et 3 unités. Déterminer la force $\vec{F}$ annulant l'effet de $\vec{F_1}$ et de $\vec{F_2}$.

10. Un parachutiste descend verticalement à une vitesse constante de 3,5 m / s, tandis qu'un vent de 10 m / s souffle horizontalement. Donner la vitesse et l'angle de déviation par rapport à la verticale de la trajectoire du parachutiste.

11. Un bateau navigue vers le nord à 28 km / h et un courant de 9,5 km / h vers le sud-est le fait dériver. Déterminer le cap et la vitesse réels de ce bateau.

12. On décompose la force $\vec{F}$ de 130 unités en deux forces $\vec{F_1}$ et $\vec{F_2}$ de manière que l'angle entre $\vec{F_1}$ et $\vec{F_2}$ soit de 60° et que l'angle entre $\vec{F}$ et $\vec{F_1}$ soit de 20° : calculer $|\vec{F_1}|$ et $|\vec{F_2}|$.

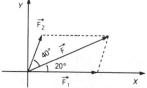

13. Un avion parcourt 400 km vers le sud-ouest, puis 100 km vers le sud. À quelle distance de son point de départ se trouve-t-il ? Quel angle fait-il par rapport à la direction nord-sud ?

14. Un cheval tire un chariot avec une force de 589 newtons. Calculer le travail qu'il effectue au cours d'un trajet de 12 m. (La force et le déplacement ont même direction et même sens.)

15. Une force $\vec{F}_1$ de 5 N, une force $\vec{F}_2$ de 4 N et une force $\vec{F}_3$ de 3 N, telles que $\vec{F}_1$ et $\vec{F}_2$ font entre elles un angle de 50°, et $\vec{F}_2$ et $\vec{F}_3$ font entre elles un angle de 35°, sont appliquées en un point A. Trouver la longueur de la résultante $\vec{R}$, et l'angle qu'elle fait avec $\vec{F}_2$.

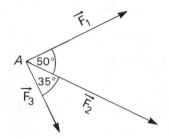

16. Une voiture se déplace de 6 km en direction nord-ouest, puis de 3 km en direction sud et enfin de 5 km vers le nord-est. Déterminer la position finale de la voiture par rapport à son point de départ, c'est-à-dire construire le vecteur représentant le déplacement résultant et donner sa direction et sa longueur.

8.14 PRODUIT VECTORIEL

Avant de définir le produit vectoriel qui n'existe que dans l'espace à trois dimensions, nous allons introduire la notion de trièdre direct.

Les trois axes de l'espace, OX, OY et OZ, engendrent ce que l'on appelle un *trièdre*, c'est-à-dire un angle solide limité par trois plans se rencontrant en un point commun : (le sommet O) et ayant

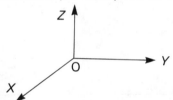

deux à deux un axe commun (l'axe OX, commun au plan XY et XZ ; l'axe OY, commun au plan YZ et XY ; l'axe OZ, commun au plan XZ et YZ). Pour éviter l'ambiguïté quant aux positions respectives des axes, on parle alors de trièdre *direct*, déterminé

suivant une convention. Cette convention s'obtient par divers moyens permettant de trouver la position de OZ, OX et OY étant fixés. Ainsi (OX, OY, OZ) forme un trièdre direct si la convention est respectée.

OBSERVATEUR D'AMPÈRE	VIS	TIRE-BOUCHON
(un observateur, placé sur OX et regardant OY, aura OZ à sa gauche)	(le sens de OZ est donné par déplacement d'une vis qui s'enfonce lorsqu'on la tourne dans le sens de OX vers OY)	(le sens de OZ est donné par le déplacement d'un tire-bouchon qui s'enfonce lorsqu'on le tourne dans le sens de OX vers OY)
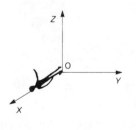	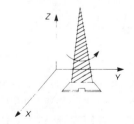	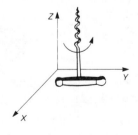

On parlera aussi de trièdre direct, avec la même convention, dans le cas de trois vecteurs ramenés au même point.

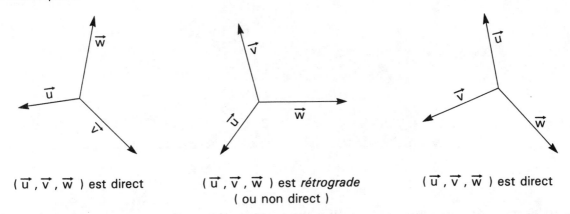

($\vec{u}$, $\vec{v}$, $\vec{w}$) est direct   ($\vec{u}$, $\vec{v}$, $\vec{w}$) est *rétrograde*   ($\vec{u}$, $\vec{v}$, $\vec{w}$) est direct
                                                                          (ou non direct)

DÉFINITION : Soit $\vec{u}$ et $\vec{v}$ deux vecteurs de l'espace ; le *produit vectoriel* de $\vec{u}$ par $\vec{v}$, noté $\vec{u} \times \vec{v}$, est un troisième vecteur de l'espace tel que :

— sa direction soit perpendiculaire au plan formé par $\vec{u}$ et $\vec{v}$ issus d'une même origine ;

— son sens est tel que le trièdre ($\vec{u}$, $\vec{v}$, $\vec{w}$) soit direct et

— son module est donné par $\left| \vec{u} \times \vec{v} \right| = \left| \vec{u} \right| \left| \vec{v} \right| \sin (\vec{u} , \vec{v})$

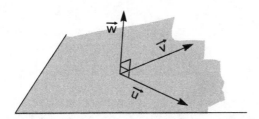

Exemple : Calculons le produit vectoriel des vecteurs $\vec{u}$ et $\vec{v}$ ayant comme modules $\left| \vec{u} \right| = 3$ et $\left| \vec{v} \right| = 4$, et faisant entre eux un angle de 30°. Le produit vectoriel est le vecteur $\vec{w}$ tel que :

$$\vec{w} = \vec{u} \times \vec{v}.$$

Son module est :

$$\left| \vec{w} \right| = \left| \vec{u} \right| \left| \vec{v} \right| \sin 30° = 3 \times 4 \times \frac{1}{2} = 6 ;$$

sa direction est perpendiculaire au plan formé par $\vec{u}$ et $\vec{v}$ et son sens est tel que le dièdre ($\vec{u}$, $\vec{v}$, $\vec{w}$) soit direct. Faisons la construction de $\vec{w}$. À partir d'un point, menons deux vecteurs équipollents à $\vec{u}$ et $\vec{v}$, et traçons $\vec{w}$ de façon que le trièdre ($\vec{u}$, $\vec{v}$, $\vec{w}$) soit direct.

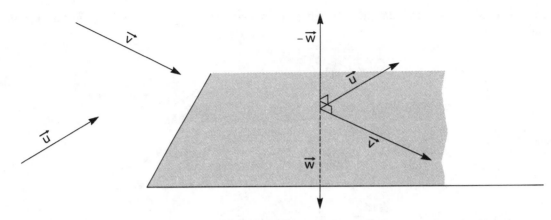

$$\vec{w} = \vec{u} \times \vec{v} \text{ et } -\vec{w} = \vec{v} \times \vec{u}$$

Interprétation géométrique du module du produit vectoriel

Considérons les vecteurs $\vec{u}$, $\vec{v}$ et $\vec{w}$ tels que $\vec{w} = \vec{u} \times \vec{v}$ et traçons les vecteurs $\vec{OA}$ et $\vec{OB}$ dans le plan à partir d'un point O tel que $\vec{OA} = \vec{u}$ et $\vec{OB} = \vec{v}$. Traçons AB et la hauteur issue de A sur le côté OB. Le module du produit vectoriel est donné par :

$$| \vec{w} | = | \vec{OA} | \; | \vec{OB} | \sin (\vec{OA}, \vec{OB})$$

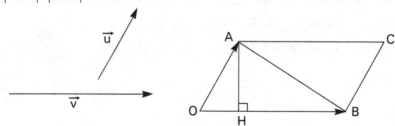

Si nous construisons le parallélogramme OABC, son aire est le double de celle du triangle OAB. L'aire du triangle OAB est donnée par :

$$S = \frac{1}{2} | \vec{OB} | \; | \vec{AH} |.$$

Mais dans le triangle OAH, nous avons :

$$| \vec{AH} | = | \vec{OA} | \sin (\vec{OA}, \vec{OB}).$$

L'aire du triangle peut s'écrire :

$$S = \frac{1}{2} | \vec{OB} | \; | \vec{OA} | \sin (\vec{OA}, \vec{OB}),$$

tandis que celle du parrallélogramme OABC est donnée par

$$2S = | \vec{OB} | \; | \vec{OA} | \sin (\vec{OA}, \vec{OB}) = | \vec{w} |.$$

Le module de $\vec{u} \times \vec{v}$ est égal à l'aire du parallélogramme construit sur les vecteurs $\vec{u}$ et $\vec{v}$.

Nous pouvons remarquer que si les vecteurs $\vec{u}$ et $\vec{v}$ ont même direction, alors l'angle ($\vec{u}$, $\vec{v}$)

est égal à 0° ou à 180° et dans les deux cas, sin ($\vec{u}$, $\vec{v}$) = 0. On a :

$$\left| \vec{u} \times \vec{v} \right| = \left| \vec{u} \right| \left| \vec{v} \right| \sin (\vec{u} , \vec{v}) = 0.$$

Propriétés du produit vectoriel

(1) Le produit vectoriel est anticommutatif : si $\vec{w} = \vec{u} \times \vec{v}$ alors $-\vec{w} = \vec{v} \times \vec{u}$;

(2) il est associatif pour la multiplication par un scalaire : $pq (\vec{u} \times \vec{v}) = (p\vec{u}) \times (q\vec{v})$;

(3) il est distributif sur l'addition vectorielle :

$$\vec{u} \times (\vec{v} + \vec{w}) = \vec{u} \times \vec{v} + \vec{u} \times \vec{w} \quad (\text{à droite}) ;$$

$$(\vec{v} + \vec{w}) \times \vec{u} = \vec{v} \times \vec{u} + \vec{w} \times \vec{u} \quad (\text{à gauche}).$$

Forme algébrique du produit vectoriel

Si on considère un repère orthonormé de vecteurs unitaires $\vec{i}$, $\vec{j}$, $\vec{k}$, nous avons

$$\vec{i} \times \vec{j} = \vec{k} ;$$
$$\vec{j} \times \vec{k} = \vec{i} ;$$
$$\vec{k} \times \vec{i} = \vec{j} .$$

Nous avons également

$$\vec{i} \times \vec{k} = -\vec{j} ,$$
$$\vec{k} \times \vec{i} = -\vec{i} ,$$
$$\vec{j} \times \vec{i} = -\vec{k} ,$$

et aussi

$$\vec{i} \times \vec{i} = \vec{0} ,$$
$$\vec{j} \times \vec{j} = \vec{0} ,$$
$$\vec{k} \times \vec{k} = \vec{0} .$$

Considérons maintenant, les vecteurs $\vec{u}$ et $\vec{v}$ tels que :

$$\vec{u} = (u_1, u_2, u_3) = u_1 \vec{i} + u_2 \vec{j} + u_3 \vec{k}$$

et

$$\vec{v} = (v_1, v_2, v_3) = v_1 \vec{i} + v_2 \vec{j} + v_3 \vec{k} .$$

Effectuons le produit vectoriel et utilisons ses propriétés :

$$\vec{u} \times \vec{v} = (u_1 \vec{i} + u_2 \vec{j} + u_3 \vec{k}) \times (v_1 \vec{i} + v_2 \vec{j} + v_3 \vec{k}).$$

D'après la propriété de distributivité du produit sur la somme, on a :

$$\vec{u} \times \vec{v} = u_1 \vec{i} \times v_1 \vec{i} + u_1 \vec{i} \times v_2 \vec{j} + u_1 \vec{i} \times v_3 \vec{k} + u_2 \vec{j} \times v_1 \vec{i} + u_2 \vec{j} \times v_2 \vec{j} + u_2 \vec{j} \times v_3 \vec{k}$$

$$+ u_3\vec{k} \times v_1\vec{i} + u_3\vec{k} \times v_2\vec{j} + u_3\vec{k} \times v_3\vec{k}.$$

D'après la propriété d'associativité, on a :

$$\vec{u} \times \vec{v} = u_1v_1\vec{i} \times \vec{i} + u_1v_2\vec{i} \times \vec{j} + u_1v_3\vec{i} \times \vec{k} + u_2v_1\vec{j} \times \vec{i} + u_2v_2\vec{j} \times \vec{j} + u_2v_3\vec{j} \times \vec{k}$$
$$+ u_3v_1\vec{k} \times \vec{i} + u_3v_2\vec{k} \times \vec{j} + u_3v_3\vec{k} \times \vec{k}.$$

En remplaçant les divers produits par les valeurs trouvées au début, on obtient :

$$\vec{u} \times \vec{v} = u_1v_2\vec{k} - u_1v_3\vec{j} - u_2v_1\vec{k} + u_2v_3\vec{i} + u_3v_1\vec{j} - u_3v_2\vec{i}$$
$$= (u_1v_2 - u_2v_1)\vec{k} + (u_3v_1 - u_1v_3)\vec{j} + (u_2v_3 - u_3v_2)\vec{i}$$

Remarque : Un moyen de calculer le produit vectoriel est d'utiliser la forme d'un déterminant, dans lequel on trouve $\vec{i}$, $\vec{j}$, $\vec{k}$ en première ligne et les composantes des vecteurs $\vec{u}$ et $\vec{v}$ aux lignes suivantes. On a :

$$\vec{u} \times \vec{v} = \begin{vmatrix} \vec{i} & \vec{j} & \vec{k} \\ u_1 & u_2 & u_3 \\ v_1 & v_2 & v_3 \end{vmatrix} = (-1)^{1+1} \begin{vmatrix} u_2 & u_3 \\ v_2 & v_3 \end{vmatrix} \vec{i} + (-1)^{1+2} \begin{vmatrix} u_1 & u_3 \\ v_1 & v_3 \end{vmatrix} \vec{j} + (-1)^{1+3} \begin{vmatrix} u_1 & u_2 \\ v_1 & v_2 \end{vmatrix} \vec{k}$$

$$= (u_2v_3 - u_3v_2)\vec{i} - (u_1v_3 - u_3v_1)\vec{j} + (u_1v_2 - u_2v_1)\vec{k}$$
$$= (u_2v_3 - u_3v_2)\vec{i} + (u_3v_1 - u_1v_3)\vec{j} + (u_1v_2 - u_2v_1)\vec{k}.$$

Il est évident que l'on n'obtient pas un déterminant ; mais ce calcul permet de retrouver facilement les composantes du vecteur $\vec{u} \times \vec{v}$.

Exercices (d) : (1) Trouver $\vec{u} \times \vec{v}$, donner son module et l'angle entre $\vec{u}$ et $\vec{v}$ si :

a) $\vec{u} = (1, -2, 3)$ et $\vec{v} = (-4, 3, 2)$;

b) $\vec{u} = (2, 3, 2)$ et $\vec{v} = (-1, 2, -2)$;

c) $\vec{u} = (1, 2, 3)$ et $\vec{v} = (-2, -4, -6)$;

d) $\vec{u} = (1, 0, 0)$ et $\vec{v} = (0, 1, 0)$.

(2) Soit les vecteurs $\overrightarrow{OA} = (2, 3, 1)$ et $\overrightarrow{OB} = (-1, 2, 1)$. Trouver le vecteur $\overrightarrow{OC} = \overrightarrow{OA} \times \overrightarrow{OB}$, et déterminer l'aire du triangle OAB.

8.15 PRODUIT MIXTE

Le produit mixte est une opération qui fait intervenir le produit scalaire et le produit vectoriel. Comme le produit vectoriel, il ne sera défini que dans l'espace à trois dimensions.

DÉFINITION : Le *produit mixte* des trois vecteurs $\vec{u}$, $\vec{v}$, $\vec{w}$ est égal au produit scalaire de $\vec{u}$ par le produit vectoriel $\vec{v} \times \vec{w}$. On le note :

$$\vec{u} \cdot \vec{v} \times \vec{w}.$$

Le résultat du produit mixte est un scalaire.

Interprétation géométrique du produit mixte

Considérons les vecteurs $\vec{u}$, $\vec{v}$ et $\vec{w}$. Le module du produit vectoriel $\vec{v} \times \vec{w}$ est donné par :

$$\left| \vec{v} \times \vec{w} \right| = \left| \vec{v} \right| \left| \vec{w} \right| \sin (\vec{v}, \vec{w}).$$

Le produit scalaire de $\vec{u}$ par $\vec{v} \times \vec{w}$ est

$$\vec{u} \cdot \vec{v} \times \vec{w} = \left| \vec{u} \right| \left| \vec{v} \times \vec{w} \right| \cos [\vec{u}, (\vec{v} \times \vec{w})],$$

ou encore

$$\vec{u} \cdot \vec{v} \times \vec{w} = \left| \vec{u} \right| \left| \vec{v} \right| \left| \vec{w} \right| \sin (\vec{v}, \vec{w}) \cos [\vec{u}, (\vec{v} \times \vec{w})].$$

En posant, $(\vec{v}, \vec{w}) = \beta$ et $[\vec{u}, (\vec{v} \times \vec{w})] = \phi$, on obtient :

$$\vec{u} \cdot \vec{v} \times \vec{w} = \left| \vec{u} \right| \left| \vec{v} \right| \left| \vec{w} \right| \sin \beta \cos \phi.$$

La valeur absolue du produit mixte nous donne un nombre positif soit :

$$\left| \vec{u} \cdot \vec{v} \times \vec{w} \right| = \left| \left| \vec{u} \right| \left| \vec{v} \right| \left| \vec{w} \right| \sin \beta \cos \phi \right| = \left| \vec{u} \right| \left| \vec{v} \right| \left| \vec{w} \right| \left| \sin \beta \right| \left| \cos \phi \right|. \ (1)$$

Construisons maintenant un parallélépipède dont trois des côtés sont $\vec{u}$, $\vec{v}$ et $\vec{w}$ et cherchons son volume.

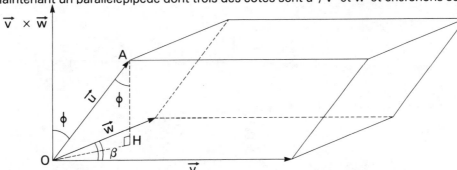

Le volume du parallélépipède se trouve en multipliant l'aire de la base par la hauteur. L'aire de la base est celle du parallélogramme engendré par $\vec{w}$ et $\vec{v}$; sa valeur, positive, est donnée par :

$$\left| \vec{v} \times \vec{w} \right| = \left| \vec{v} \right| \left| \vec{w} \right| \sin \beta.$$

La hauteur du parallélépipède est AH, et si on considère le triangle OAH rectangle en H, on a :

$$\left| AH \right| = \left| \vec{OA} \right| \cos \widehat{OAH} = \left| \vec{u} \right| \cos [\vec{u}, (\vec{v} \times \vec{w})] = \left| \vec{u} \right| \cos \phi.$$

La longueur du segment AH est bien positive car, dans le triangle rectangle, l'angle ϕ est un angle aigu et $\cos \phi > 0$. Le volume du parallélépipède est égal à

$$V = \left| \vec{v} \times \vec{w} \right| \left| AH \right| = \left| \vec{v} \right| \left| \vec{w} \right| \left| \vec{u} \right| \sin (\vec{v}, \vec{w}) \cos \phi.$$

Comme $\sin (\vec{v}, \vec{w}) > 0$ car $0° \leq (\vec{v}, \vec{w}) \leq 180°$ d'après la définition du produit scalaire, et comme $(\vec{v}, \vec{w}) = \beta$ on a,

$$V = \left| \vec{u} \right| \left| \vec{v} \right| \left| \vec{w} \right| \sin \beta \cos \phi. \ (2)$$

Et, en comparant (1) et (2), nous obtenons :

$$V = \left| \vec{u} \cdot \vec{v} \times \vec{w} \right|.$$

La valeur absolue du produit vectoriel des trois vecteurs $\vec{u}$, $\vec{v}$ et $\vec{w}$ est égale au volume du parallélépipède construit à partir des vecteurs $\vec{u}$, $\vec{v}$, $\vec{w}$.

Expression analytique du produit mixte

Si on considère, dans un repère orthonormé, les vecteurs

$$\vec{u} = u_1\vec{i} + u_2\vec{j} + u_3\vec{k},$$
$$\vec{v} = v_1\vec{i} + v_2\vec{j} + v_3\vec{k},$$
$$\vec{w} = w_1\vec{i} + w_2\vec{j} + w_3\vec{k},$$

le produit mixte des trois vecteurs peut s'écrire :

$$\vec{u} \cdot \vec{v} \times \vec{w} = (u_1\vec{i} + u_2\vec{j} + u_3\vec{k})\begin{vmatrix} \vec{i} & \vec{j} & \vec{k} \\ v_1 & v_2 & v_3 \\ w_1 & w_2 & w_3 \end{vmatrix}$$

$$= (u_1\vec{i} + u_2\vec{j} + u_3\vec{k}) \cdot \left((-1)^{1+1}\begin{vmatrix} v_2 & v_3 \\ w_2 & w_3 \end{vmatrix}\vec{i} + (-1)^{1+2}\begin{vmatrix} v_1 & v_3 \\ w_1 & w_3 \end{vmatrix}\vec{j} + (-1)^{1+3}\begin{vmatrix} v_1 & v_2 \\ w_1 & w_2 \end{vmatrix}\vec{k} \right)$$

$$= u_1\begin{vmatrix} v_2 & v_3 \\ w_2 & w_3 \end{vmatrix} - u_2\begin{vmatrix} v_1 & v_3 \\ w_1 & w_3 \end{vmatrix} + u_3\begin{vmatrix} v_1 & v_2 \\ w_1 & w_2 \end{vmatrix}$$

car, $\vec{i} \cdot \vec{i} = \vec{j} \cdot \vec{j} = \vec{k} \cdot \vec{k} = 1$ et $\vec{i} \cdot \vec{j} = \vec{j} \cdot \vec{k} = \vec{k} \cdot \vec{i} = 0$. Alors

$$\vec{u} \cdot \vec{v} \times \vec{w} = u_1\begin{vmatrix} v_2 & v_3 \\ w_2 & w_3 \end{vmatrix} + u_2\begin{vmatrix} v_3 & v_1 \\ w_3 & w_1 \end{vmatrix} + u_3\begin{vmatrix} v_1 & v_2 \\ w_1 & w_2 \end{vmatrix}$$

On peut obtenir le même résultat en développant le déterminant ci-dessous suivant la première ligne et on a

$$\vec{u} \cdot \vec{v} \times \vec{w} = \begin{vmatrix} u_1 & u_2 & u_3 \\ v_1 & v_2 & v_3 \\ w_1 & w_2 & w_3 \end{vmatrix}.$$

Exercices (e) : (1) Trouver le produit mixte $\vec{u} \cdot \vec{v} \times \vec{w}$ si :

a) $\vec{u} = (1, -2, 3), \vec{v} = (3, -2, 5), \vec{w} = (5, -4, 2)$;

b) $\vec{u} = (2, 4, 6), \vec{v} = (-1, 2, 3), \vec{w} = (4, 8, 5)$.

(2) Quel est le volume du parallélépipède dont AB, AC et AD sont trois arêtes, sachant que A (-1, 1, 2), B (-2, 0, 1), C (1, 2, 3) et D (4, 1, 0) ?

Le produit vectoriel et le produit mixte se rencontrent en physique lorsqu'on fait l'étude des forces et inductions électromagnétiques, du moment d'une force et du travail effectué par ces forces lors de leur déplacement, etc.

Exemple : Nous cherchons la force $\vec{F}$ qui s'exerce sur un élément rectiligne $\vec{L}$ de 30 cm de longueur, parcouru par un courant constant i de 10 ampères et placé dans un champ magnétique uniforme $\vec{B}$ de 0,1 tesla, faisant avec l'élément de courant $\vec{L}$ un angle de 30°. Cette force est donnée par la loi de Laplace. Elle est perpendiculaire au plan formé par $\vec{L}$ et $\vec{B}$; son sens est tel que le trièdre ($\vec{L}$, $\vec{B}$, $\vec{F}$) soit direct et son intensité est donnée par :

$$|\vec{F}| = i\,|\vec{L}|\,|\vec{B}|\,\sin(\vec{L}, \vec{B}) = 10 \times 0,3 \times 0,1 \times \sin(30°) = 0,15 \text{ newton.}$$

En fait, nous avons, i étant constant,

$$F = i\,\vec{L} \times \vec{B}.$$

Le travail W de cette force est donné par le produit scalaire de la force par le vecteur déplacement de l'élément de courant. Soit $\vec{d}$ ce vecteur, nous avons donc

$$W = \vec{d} \cdot \vec{F} = \vec{d} \cdot (i\,\vec{L} \times \vec{B}) = i\vec{d} \cdot \vec{L} \times \vec{B}.$$

Nous devons effectuer le produit mixte des trois vecteurs $\vec{d}$, $\vec{L}$ et $\vec{B}$ afin de trouver le travail effectué par la force $\vec{F}$. Dans notre exemple, si l'élément de courant se déplace de 5 cm, et si l'angle entre le déplacement et $\vec{F}$ est de 45°, le travail sera donné par :

$$W = \vec{d} \cdot \vec{F} = |\vec{d}|\,|\vec{F}|\,\cos(\vec{d}, \vec{F}) = 0,05 \times 0,15 \times \cos(45°) \approx 0,0053 \text{ joules.}$$

En fait,

$$W = \vec{d} \cdot \vec{F} = \vec{d} \cdot i\vec{L} \times \vec{B} :$$

le travail est donné par le produit mixte des vecteurs $\vec{d}$, $i\vec{L}$ et $\vec{B}$.

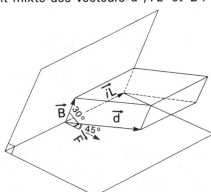

Exemple : Le moment d'une force par rapport à un axe se trouve en calculant le produit vectoriel de la force $\vec{F}$ et de sa distance $\vec{d}$ à l'axe de rotation, soit : $\vec{M} = \vec{d} \times \vec{F}$. Si on considère le système de poulies, illustré plus loin, le poids $\vec{P}_1$ tend à faire tourner l'ensemble dans le sens antihoraire, le poids $\vec{P}_2$ tend à le faire tourner dans le sens horaire. Ces effets sont dus aux moments $\vec{M}_1$ et $\vec{M}_2$ tels que : $\vec{M}_1 = \vec{OA} \times \vec{P}_1$ et $\vec{M}_2 = \vec{OB} \times \vec{P}_2$. Leurs intensités sont données par : $|\vec{M}_1| = |\vec{OA}| \cdot |\vec{P}_1| \cdot \sin(90°) =$

$|\overrightarrow{OA}|$ · $|\overrightarrow{P_1}|$ et $|\overrightarrow{M_2}|$ = $|\overrightarrow{OB}|$ · $|\overrightarrow{P_2}|$ · sin (90°) = $|\overrightarrow{OB}|$ · $|\overrightarrow{P_2}|$. Pour que le système soit en équilibre il faut que les deux moments soient égaux et de sens opposés. Leurs intensités nous donnent l'équation $|\overrightarrow{OA}|$ · $|\overrightarrow{P_1}|$ = $|\overrightarrow{OB}|$ · $|\overrightarrow{P_2}|$ de laquelle on peut déduire la valeur de $|\overrightarrow{P_2}|$ si on connaît $|\overrightarrow{P_1}|$ = 480 N : $|\overrightarrow{OA}|$ = 10 cm et $|\overrightarrow{OB}|$ = 4 cm. On trouve $|\overrightarrow{P_2}|$ = $\dfrac{|\overrightarrow{P_1}| \cdot |\overrightarrow{OA}|}{|\overrightarrow{OB}|}$ =

$\dfrac{480 \times 10}{4}$ = 1200 N.

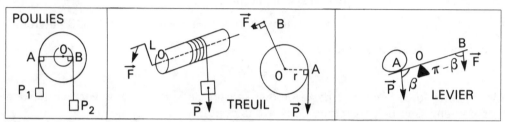

L'équilibre d'un treuil, d'un levier, se trouve également en appliquant l'égalité des moments des forces. Dans le cas du treuil, les angles entre les forces et leurs distances à l'axe de rotation étant de 90°, on applique la formule : $|\overrightarrow{L}|$ · $|\overrightarrow{F}|$ = $|\overrightarrow{r}|$ · $|\overrightarrow{P}|$, où $\overrightarrow{F}$ est la force appliquée pour remonter le poids $\overrightarrow{P}$, $\overrightarrow{L}$ la distance de la force à l'axe de rotation du treuil et $\overrightarrow{r}$ le rayon du cylindre. Dans le cas du levier, le moment de $\overrightarrow{P}$ par rapport au point d'appui est donné par $\overrightarrow{M_1}$ = $\overrightarrow{OA} \times \overrightarrow{P}$, son module est $|\overrightarrow{M_1}|$ = $|\overrightarrow{OA}|$ · $|\overrightarrow{P}|$ · sin β. Le moment de $\overrightarrow{F}$ par rapport à 0 a comme module : $|M_2|$ = $|\overrightarrow{OB}|$ · $|\overrightarrow{P}|$ · sin (π − β) = $|\overrightarrow{OB}|$ · $|\overrightarrow{P}|$ · sin β. L'équilibre des moments donne : $|\overrightarrow{OA}|$ · $|\overrightarrow{F}|$ = $|\overrightarrow{OB}|$ · $|\overrightarrow{P}|$.

8.16   EXERCICES RÉCAPITULATIFS (3e partie)

1. Soit $\overrightarrow{u}$ = (1, 2, 3), $\overrightarrow{v}$ = (−1, 3, 0) et $\overrightarrow{w}$ = (2, −1, 2). Calculer :

    a) $\overrightarrow{u} \times \overrightarrow{v}$,   b) $\overrightarrow{u} \times \overrightarrow{w}$,   c) $\overrightarrow{v} \times \overrightarrow{w}$,

    d) $\overrightarrow{u} \times (\overrightarrow{v} + \overrightarrow{w})$,   e) $\overrightarrow{u} \times \overrightarrow{v} + \overrightarrow{u} \times \overrightarrow{w}$,   f) $\overrightarrow{u} \times \overrightarrow{v} \times \overrightarrow{w}$.

2. Soit $\overrightarrow{u}$ = (1, −1, 3) et $\overrightarrow{v}$ = (2, 3, −1). Calculer le produit vectoriel $\overrightarrow{u} \times \overrightarrow{v}$ et trouver l'angle entre les deux vecteurs.

3. À l'aide du produit vectoriel, trouver l'aire du triangle ABC si A (1, 2, 1), B (4, 2, −1) et C (2, 1, 3).

4. Soit $\overrightarrow{u}$ = (2, 1, 3), $\overrightarrow{v}$ = (1, −3, −1) et $\overrightarrow{w}$ = (2, −2, −1). Calculer :

    a) $\overrightarrow{u} \cdot \overrightarrow{v} \times \overrightarrow{w}$,   b) $\overrightarrow{v} \cdot \overrightarrow{u} \times \overrightarrow{w}$,   c) $\overrightarrow{v} \cdot \overrightarrow{w} \times \overrightarrow{u}$,

    d) $\overrightarrow{u} \cdot \overrightarrow{v} \times \overrightarrow{u}$,   e) $\overrightarrow{u} \cdot (\overrightarrow{v} + \overrightarrow{w}) \times \overrightarrow{v}$,   f) $5\overrightarrow{u} \cdot 3\overrightarrow{v} \times 2\overrightarrow{w}$.

5. Trouver le volume du parallélépipède construit à partir des vecteurs $\overrightarrow{u}$, $\overrightarrow{v}$, $\overrightarrow{w}$ si $\overrightarrow{u}$ = (1, −1, 1), $\overrightarrow{v}$ = (2, −3, 4) et $\overrightarrow{w}$ = (−1, 1, 0).

6. Quel est le volume du parallélépipède dont AB, AC et AD sont trois arêtes, sachant que A (1, 1, 1) B (4, 8, 2) C (2, −3, 1) et D (6, 5, 1) ?

Chapitre **9**

Initiation à la programmation linéaire

PRÉAMBULE

Les systèmes d'inéquations linéaires sont surtout utilisés en programmation linéaire. La programmation linéaire est une technique mathématique qui permet de déterminer la solution optimale d'un problème dont les données et les inconnues satisfont à une série de contraintes, traduites par des équations ou des inéquations linéaires. On retrouve des applications de la programmation linéaire principalement en gestion scientifique des entreprises (planification de la production, gestion des stocks, approvisionnements, etc.).

9.1 RÉSOLUTION GRAPHIQUE D'UNE INÉQUATION LINÉAIRE

Dans un premier temps, nous allons apprendre à résoudre graphiquement une inéquation linéaire à deux inconnues. Celle-ci se présente sous l'une des quatre formes suivantes :

$$ax + by \geqslant c$$
ou $ax + by \leqslant c$
ou $ax + by > c$
ou $ax + by < c$
avec $a, b, c \in \mathbb{R}$.

L'ensemble-solution d'une inéquation linéaire est un demi-plan ouvert ou fermé délimité par la droite $ax + by = c$.

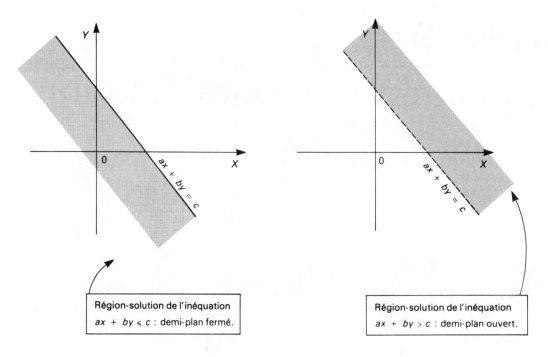

Région-solution de l'inéquation
$ax + by \leqslant c$: demi-plan fermé.

Région-solution de l'inéquation
$ax + by > c$: demi-plan ouvert.

Exemple : Voyons comment résoudre graphiquement l'inéquation $2x - 3y \leqslant 6$:

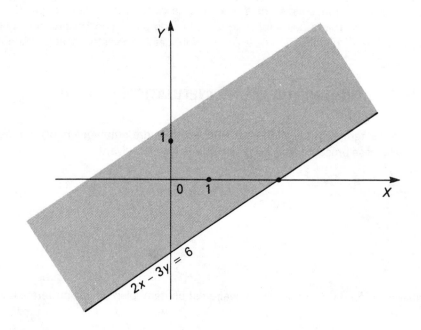

$$\begin{cases} a_m x + b_m y = c_m \\ a_n x + b_n y = c_n \end{cases} \quad (\text{avec } m \neq n).$$

Les *côtés* d'un polygone convexe sont soit une droite, soit une demi-droite, soit un segment de droite. Un polygone convexe peut être borné ou non borné.

Exemple : Avec le système d'inéquations

$$\begin{cases} 2x - 3y + 6 \geqslant 0 \\ 5x + 6y \leqslant 30 \\ x \geqslant 0 \\ y \geqslant 1 \end{cases}$$

on obtiendrait un polygone convexe borné. Les droites-frontières ont comme équations : $2x - 3y + 6 = 0$, $5x + 6y = 30$, $x = 0$, $y = 1$. Les sommets sont les points :

$(0, 1)$, $(0, 2)$, $\left(\dfrac{24}{5}, 1\right)$ et $\left(2, \dfrac{10}{3}\right)$.

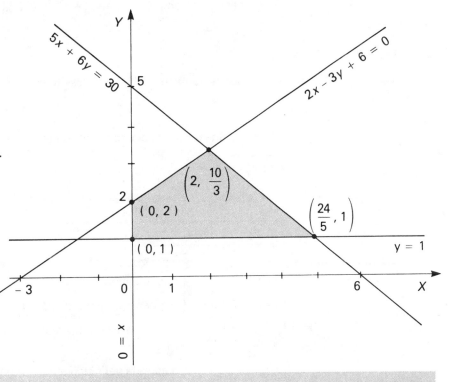

Exercices (c) : (1) Soit les systèmes d'inéquations des exercices précédents (Exercices (b) : (2)).

a) Quels sont ceux qui représentent un polygone convexe borné ? un polygone convexe non borné ?

b) Donner les coordonnées des sommets de chacun des polygones convexes.

(2) Soit le système d'inéquations suivant :

$$\begin{cases} x + y - 4 \geqslant 0 \\ y \geqslant 4 \\ x - y + 1 \leqslant 0 \end{cases}.$$

a) Résoudre graphiquement ce système d'inéquations.

b) Calculer les coordonnées des points d'intersection des droites-frontières prises 2 à 2.

c) Est-ce que la région-solution est un polygone convexe ? borné ou non borné ?

d) Donner les coordonnées des sommets de ce polygone.

9.4   FORME LINÉAIRE

DÉFINITION : Si a et b sont des nombres réels, l'expression $ax + by$ est appelée *forme linéaire* et notée :

$$f (x, y) = ax + by.$$

PROPRIÉTÉS : Soit $f (x, y)$ une forme linéaire et $k \in \mathbb{R}$. Alors

1° $\boxed{f (kx, ky) = k f (x, y)}$

et

2° $\boxed{f (x_1 + x_2, y_1 + y_2) = f (x_1, y_1) + f (x_2, y_2).}$

Démonstration : On a :

1° $f (kx, ky) = a (kx) + b (ky)$ (par définition)

$\qquad = k (ax) + k (by)$ (d'après la commutativité et l'associativité dans $\mathbb{R}$)

$\qquad = k (ax + by)$ (d'après la distributivité de la multiplication sur l'addition dans $\mathbb{R}$)

$\qquad = k f (x, y)$ (d'après la définition d'une forme linéaire);

2° $f (x_1 + x_2, y_1 + y_2) = a (x_1 + x_2) + b (y_1 + y_2)$
(par définition de la forme linéaire)

$\qquad = ax_1 + ax_2 + by_1 + by_2$
(d'après la distributivité du produit sur la somme dans $\mathbb{R}$)

$\qquad = ax_1 + by_1 + ax_2 + by_2$
(d'après la commutativité dans $\mathbb{R}$)

$\qquad = f (x_1, y_1) + f (x_2, y_2)$
(d'après la définition de la forme linéaire).

En chaque point du plan, la forme linéaire prend la valeur obtenue en remplaçant x et y par les coordonnées du point.

Exemple : Soit la forme linéaire $f (x, y) = - 2x + 4y$. Calculons sa valeur :

- au point A (2, 3)   : $f(2, 3) = - 2(2) + 4(3) = 8$;
- au point B (– 1, 4) : $f(– 1, 4) = – 2(– 1) + 4(4) = 18$;
- au point C (0, 2)   : $f(0, 2) = – 2(0) + 4(2) = 8$;
- au point D (– 4, 0) : $f(– 4, 0) = – 2(– 4) + 4(0) = 8$.

On remarque que la forme linéaire prend la même valeur aux points A, C et D. Si nous considérons la droite d'équation $– 2x + 4y = 8$, elle passe par ces trois points car leurs coordonnées vérifient l'équation de la droite.

On peut donc représenter la forme linéaire passant par les points A, C, D par la droite d'équation $– 2x + 4y = 8$. Cette droite représente l'ensemble de tous les points du plan pour lesquels la forme linéaire $f(x, y) = –2x + 4y$ est égale à 8. De la même façon, le point B se trouve sur la droite d'équation $–2x + 4y = 18$. Graphiquement on représente la forme linéaire $f(x, y) = –2x + 4y$ par une famille de droites parallèles. Chaque droite représente l'ensemble des points qui donnent la même valeur à la forme linéaire.

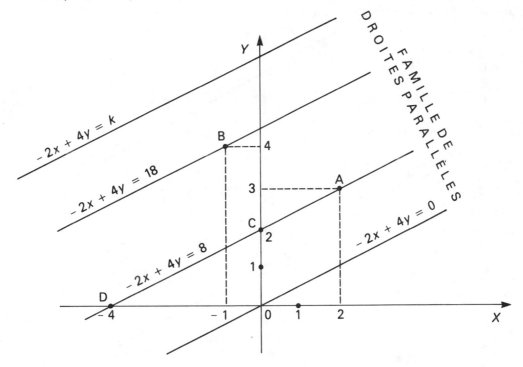

Exercice (d) :   Soit la forme linéaire $f(x, y) = 3x – y$.

a)   Calculer la valeur de f aux points A (– 1, 3), B (0, 1), C (2, 1).

b)   Calculer la valeur de f aux points D, milieu de AB, et E, milieu de BC.

c)   Calculer la valeur de f en 2 points situés à l'intérieur du triangle ABC.

d) En quel point du triangle ABC la forme linéaire est-elle maximale ?

e) Représenter graphiquement la forme linéaire aux points A, B, C, D et E.

9.5 THÉORÈME FONDAMENTAL DE LA PROGRAMMATION LINÉAIRE

Présentons un théorème liant les notions de polygone convexe et de forme linéaire. Nous l'admettrons sans démonstration.

Théorème fondamental de la programmation linéaire : Si on a un polygone convexe borné et si $f(x, y) = ax + by$ est une forme linéaire, alors de toutes les valeurs que peut prendre f en des points du polygone convexe, aussi bien le maximum que le minimum est atteint en un sommet.

Exemple : Soit le système d'inéquations :

$$\begin{cases} y - x - 2 \leqslant 0 \\ y + 3x - 10 \leqslant 0 \\ x \geqslant 0 \\ x \leqslant 3 \\ y \geqslant 0 \end{cases}$$

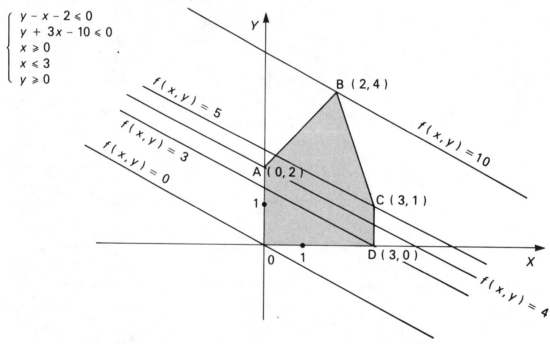

La solution de ce système est représentée par le polygone convexe borné OABCD. Soit la forme linéaire $f(x, y) = x + 2y$. Elle peut être représentée par une série de droites parallèles entre elles. Calculons les valeurs de $f(x, y)$ en chacun des sommets du polygone convexe :

- au sommet A $(0, 2)$, $f(0, 2) = 0 + 2(2) = 4$;
- au sommet B $(2, 4)$, $f(2, 4) = 2 + 2(4) = 10$;
- au sommet C $(3, 1)$, $f(3, 1) = 3 + 2(1) = 5$;
- au sommet D $(3, 0)$, $f(3, 0) = 3 + 2(0) = 3$;
- au sommet O $(0, 0)$, $f(0, 0) = 0$.

D'après le théorème fondamental, on peut être assuré que la valeur maximale que peut prendre $f(x, y)$ sur le polygone convexe est obtenue au sommet B et que la valeur minimale que peut prendre $f(x, y)$ est obtenue au sommet O. Pour n'importe quel autre point situé à l'intérieur du polygone ou sur n'importe quelle droite-frontière, la valeur de $f(x, y)$ est telle que $0 \leqslant f(x, y) \leqslant 10$.

Dans cet exemple, nous avons trouvé le maximum en un seul sommet. Serait-il possible de trouver le maximum en plusieurs sommets ? Pour cela, reprenons le système d'inéquations linéaires précédent, en changeant toutefois la forme linéaire. Posons

$f(x, y) = y + 3x$.

Calculons sa valeur en chacun des sommets du polygone convexe :

en A, $f(x, y) = 2$,
en B, $f(x, y) = 10$,
en C, $f(x, y) = 10$,
en D, $f(x, y) = 9$,
en O, $f(x, y) = 0$.

On constate qu'en B et C, la forme linéaire prend la même valeur, ce qui signifie que le segment AB est parallèle à $f(x, y) = 10$. La forme linéaire atteint son maximum en chaque point du segment AB et, en particulier, en A et B qui sont des sommets du polygone. Le théorème fondamental se vérifie encore dans ce cas-là.

Théorème fondamental de la programmation linéaire (cas d'un polygone convexe non borné) : Soit un polygone convexe non borné. Si une forme linéaire admet un maximum ou un minimum sur ce polygone, elle prend cette valeur optimale en un des sommets.

Exemple : Soit le système :

$$\begin{cases} y + x \geqslant 1 \\ x \geqslant 0 \\ y \geqslant 0 \end{cases}.$$

Soit la forme linéaire $f(x, y) = 3x + y$. Elle n'a pas de maximum, mais elle admet une valeur minimale en A :

- au sommet A $(0, 1)$: $f(0, 1) = 3(0) + 1 = 1$,
- au sommet B $(1, 0)$: $f(1, 0) = 3(1) + 0 = 3$.

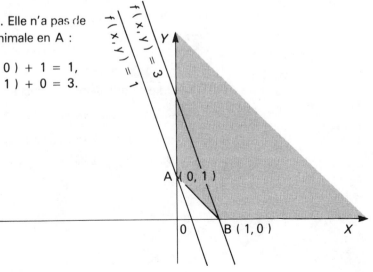

Exemple : Soit l'inéquation $x + y - 2 \geqslant 0$ et la forme linéaire $f(x, y) = 2x - y$. Le demi-plan fermé étant un polygone convexe qui n'a aucun sommet, la forme linéaire n'admet ni maximum, ni minimum.

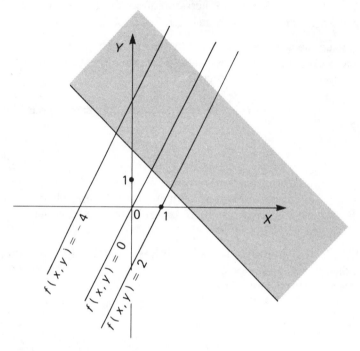

Exercices (e) : (1) Soit le système d'inéquations suivant et la forme linéaire $f(x, y) = 4x - y$:

$$\begin{cases} 2x + y \leqslant 1 \\ x - y \geqslant 2 \\ x \geqslant 0 \\ y \geqslant -3 \end{cases}.$$

a)   Résoudre graphiquement ce système.

b)   Déterminer le polygone convexe ainsi que les coordonnées des sommets.

c)   En quel sommet la forme linéaire est-elle maximale ? minimale ?

(2) Procéder comme dans l'exercice 1, avec $f(x, y) = 2x - 3y$ et

$$\begin{cases} x + y \geqslant 2 \\ 5x + y \geqslant 5 \\ y \geqslant 0 \\ x \geqslant 0. \end{cases}.$$

9.6   EXERCICES RÉCAPITULATIFS (1re partie)

1.   Soit la forme linéaire $f (x , y) = 3x - 5y$ et le segment AB joignant les points A (– 2, 1) et B (4, 2).

a)   Quelles sont les valeurs de f en A, en B et au milieu du segment AB ?

b)   En quel point du segment AB la forme linéaire f est-elle maximale ? minimale ?

c)   Donner l'équation cartésienne de la droite qui passe par les points A et B.

d)   Représenter graphiquement la droite qui passe par A et B, ainsi que $f (x , y)$ en A et en B.

2.   Soit la forme linéaire $f (x , y) = 3x - 2y$ et le segment AB joignant les points A (1, 1) et B (3, 4).

a)   Quelles sont les valeurs de f en A et en B ?

b)   Donner l'équation cartésienne de la droite qui passe par A et B. Que remarque-t-on entre la forme linéaire f et l'équation de la droite ?

c)   Représenter graphiquement la droite qui passe par A et B, et la forme linéaire f en A et en B.

3.   Soit : la forme linéaire $f (x , y) = x + 4y$, les segments AB et BC joignant les points A (2, 3), B (– 1, 4), C (– 3, 1).

a)   Calculer la valeur de f en A, B et C.

b)   Trouver les équations cartésiennes des droites qui passent par AB, AC et BC.

c)   Trouver le système d'inéquations qui a pour solution le triangle ABC.

4.   Soit le système d'inéquations

$$\begin{cases} 2y - x - 6 \leqslant 0 \\ 2y + x - 10 \leqslant 0 \\ - y - 3x + 15 \geqslant 0 \\ x \geqslant 0 \\ y \geqslant 0 \end{cases}$$

et la forme linéaire $f (x , y) = x + y$:

a)   Résoudre graphiquement le système d'inéquations linéaires.

b)   Donner les coordonnées des sommets du polygone convexe. Le polygone est-il borné ou non borné ?

c)   Calculer la valeur de la forme linéaire $f (x , y)$ en chacun des sommets du polygone convexe. En quel sommet est-elle maximale ? minimale ?

d)   Représenter graphiquement la forme linéaire au sommet où sa valeur est maximale.

9.7   PROGRAMMATION LINÉAIRE

Abordons la programmation linéaire par le biais d'un problème concret.

Énoncé du problème : Pour une vente de charité, le stand de pâtisserie dispose de 300 choux, 240 biscuits et 180 tartes. Le responsable du stand pense vendre ses gâteaux dans des assiettes de deux types différents :

$1°$: une assiette à 4 $ contenant 5 choux, 2 biscuits et 1 tarte;

$2°$: une assiette à 3 $ contenant 3 choux, 3 biscuits et 3 tartes. Combien doit-il préparer d'assiettes de chaque type afin de réaliser un profit maximal ?

Résolution du problème : La première idée qui lui vient à l'esprit est évidemment de ne proposer que des assiettes n° 1, car elles lui rapportent davantage. Dans ce cas, il en préparerait 60; il utiliserait alors $60 \times 5 = 300$ choux, $60 \times 2 = 120$ biscuits et $60 \times 1 = 60$ tartes. Il gagnerait alors $60 \times 4 = 240$ $. Mais en agissant ainsi, utiliserait-il au mieux les ressources dont il dispose ? Une autre répartition des assiettes ne rapporterait-elle pas plus d'argent ?

Mise en équation : Soit x, le nombre d'assiettes n° 1, et y, le nombre d'assiettes n° 2. Alors, le responsable utilisera

$$\begin{cases} 5x + 3y \text{ choux;} \\ 2x + 3y \text{ biscuits;} \\ x + 3y \text{ tartes.} \end{cases}$$

Il fera face aux contraintes de disponibilité suivantes (à cause de la quantité limitée de chacun des gâteaux) qui se traduiront par des inéquations :

$$\begin{cases} 5x + 3y \leqslant 300 \quad (1); \\ 2x + 3y \leqslant 240 \quad (2); \\ x + 3y \leqslant 180 \quad (3). \end{cases}$$

Il existe également des contraintes naturelles telles que :

$$\begin{cases} x \geqslant 0 \quad (4); \\ y \geqslant 0 \quad (5). \end{cases}$$

Quant au profit que le responsable veut rendre maximal, il sera donné par la forme linéaire

$$f(x, y) = 4x + 3y.$$

Le problème consiste donc à trouver x et y qui réaliseront les inéquations (1), (2), (3), (4), (5) et maximiseront f.

Résolution graphique du système d'inéquations : Soit :

$$\begin{cases} 5x + 3y \leqslant 300 \\ 2x + 3y \leqslant 240 \\ x + 3y \leqslant 180 \\ x \geqslant 0 \\ y \geqslant 0 \end{cases}$$

Traçons les droites-frontières :

$$D_1 : 5x + 3y = 300,$$
$$D_2 : 2x + 3y = 240,$$
$$D_3 : x + 3y = 180.$$

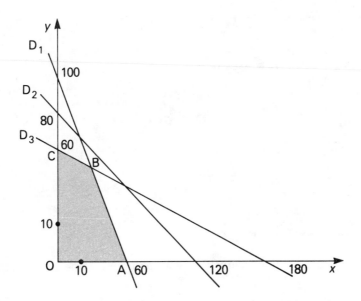

Le quadrilatère OABC est la solution du système d'inéquations. Les sommets du polygone convexe sont :
    O (0, 0), A (60, 0), C (0, 60) et B (30, 50).
B est le point d'intersection de D_1 et D_3. On doit maintenant chercher le sommet du polygone convexe qui rendra $f (x, y) = 4x + 3y$ maximale.

Calculons la valeur de f en chacun de ces sommets :
    O : $f (0, 0)$ = 0,
    A : $f (60, 0)$ = 4 (60) + 3 (0) = 240,
    C : $f (0, 60)$ = 4 (0) + 3 (60) = 180,
    B : $f (30, 50)$ = 4 (30) + 3 (50) = 270 .

Le profit maximal est atteint au point B (30, 50) : le responsable proposera 30 assiettes n° 1 et 50 assiettes n° 2 et il gagnera 270 $. Si nous reprenons les inéquations et remplaçons x par 30 et y par 50, nous obtenons :
    $5x + 3y \leqslant 300$: $\underbrace{5 (30) + 3 (50)}_{300}$ $\leqslant 300$ (on a utilisé tous les choux);

    $2x + 3y \leqslant 240$: $\underbrace{2 (30) + 3 (50)}_{210}$ $\leqslant 240$ (il restera 30 biscuits);

    $x + 3y \leqslant 180$: $\underbrace{30 + 3 (50)}_{180}$ $\leqslant 180$ (on a utilisé toutes les tartes).

    Cet exemple trace la voie à suivre pour résoudre un problème concret de programmation linéaire. En calquant toute résolution sur l'exemple ci-dessus, on arrivera à trouver, sous les contraintes données, la meilleure solution. Le tableau suivant schématise la marche à suivre.

MARCHE À SUIVRE
POUR RÉSOUDRE UN PROBLÈME
DE PROGRAMMATION LINÉAIRE

Pour un problème donné,

- on identifie les VARIABLES ;

- on détermine la FONCTION À OPTIMISER ;

- on représente les CONTRAINTES sous forme d'inéquations linéaires;

- on résout GRAPHIQUEMENT le système d'inéquations;

- on détermine les SOMMETS du polygone convexe;

- on calcule la VALEUR de la fonction à optimiser en chacun des sommets;

- on choisit la valeur OPTIMALE .

Les deux exemples suivants vont nous permettre d'aborder un problème de minimisation et un problème de transport.

Exemple: Une compagnie de véhicules s'est engagée à fournir 30 camions, 160 automobiles, et 250 motos. Elle possède deux usines dont la production quotidienne est donnée par le tableau suivant:

véhicule ╲ usine	A	B
camion	2	1
auto	5	10
moto	10	10

Le coût d'opération quotidien de l'usine A est de 380 \$ et celui de l'usine B, 450 \$. Combien de jours chaque usine doit-elle fonctionner pour satisfaire la demande en minimisant le coût de production?

Identification des variables

Soit x, le nombre de jours de fonctionnement de l'usine A et y, le nombre de jours de fonctionnement de l'usine B.

Fonction à optimiser

Il s'agit d'un problème dans lequel on veut minimiser la fonction du coût qui est donnée par

$f(x, y) = 380x + 450y.$

Contraintes

Les contraintes se traduisent par les inéquations suivantes:

$2x + y \geqslant 30,$ (camions)
$5x + 10y \geqslant 160,$ (autos)
$10x + 10y \geqslant 250,$ (motos)
$x \geqslant 0,$
$y \geqslant 0.$

Résolution graphique

Le système d'inéquations donne le polygone convexe non borné ci-contre.

Sommets

Les sommets du polygone sont :
A (0, 30), B (5, 20), C (18, 7)
et D (32, 0).

Valeurs

La valeur de *f* en chaque sommet est:

A : $f(0, 30) = 13\,500$ (en \$),
B : $f(5, 20) = 10\,900$ (en \$),
C : $f(18, 7) = 9\,990$ (en \$),
D : $f(32, 0) = 12\,160$ (en \$).

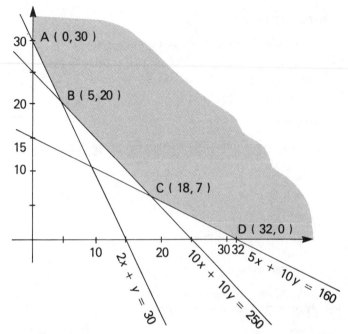

Valeur optimale

Le coût sera minimal lorsque l'usine A fonctionnera 18 jours et l'usine B, 7 jours. Selon cette solution, les deux usines produiront 43 camions, 160 autos et 250 motos, respectant ainsi la demande. L'usine A, par exemple, produira $10 \times 18 = 180$ motos et l'usine B $7 \times 10 = 70$ motos.

Exemple : La compagnie précédente doit livrer les 250 motos à trois entrepôts situés à Sherbrooke, Montréal et Chicoutimi. Les frais de transport des usines aux entrepôts sont donés dans le tableau suivant. On y trouve aussi les demandes de chaque entrepôt, ainsi que les disponibilités de chaque usine.

usine \ entrepôt	Sherbrooke	Montréal	Chicoutimi	disponibilités
A	10	25	10	180
B	15	20	25	70
demandes	125	75	50	

Comment peut-on organiser le transport pour en minimiser le coût total ?

Identification des variables

Soit x, y, z, t, u et v, le nombre de motos allant d'une usine vers un entrepôt. Plaçons dans un tableau ces variables et les relations qui les lient entre elles.

usine \ entrepôt	Sherbrooke	Montréal	Chicoutimi	disponibilités
A	x	y	$z = 180 - x - y$	180
B	$t = 125 - x$	$u = 75 - y$	$v = 50 - z = x + y - 130$	70
demandes	125	75	50	

Fonction à optimiser

Il s'agit de la fonction coût donnée par

$$C = 10x + 25y + 10z + 15t + 20u + 25v,$$

ou encore, seulement en fonction de x et de y,

$$f(x, y) = 10x + 20y + 1925.$$

Contraintes

Les inéquations s'obtiennent par les seules contraintes naturelles:

$x \geqslant 0$,
$y \geqslant 0$,
$z \geqslant 0$, c'est-à-dire $180 - x - y \geqslant 0$,
$t \geqslant 0$, c'est-à-dire $125 - x \geqslant 0$,
$u \geqslant 0$, c'est-à-dire $75 - y \geqslant 0$,
$v \geqslant 0$, c'est-à-dire $x + y - 130 \geqslant 0$.

Résolution graphique

Le système d'inéquations donne le polygone convexe borné ci-contre :

Sommets

Les sommets du polygone sont :
A (55, 75), B (105, 75), C (125, 55)
et D (125, 5).

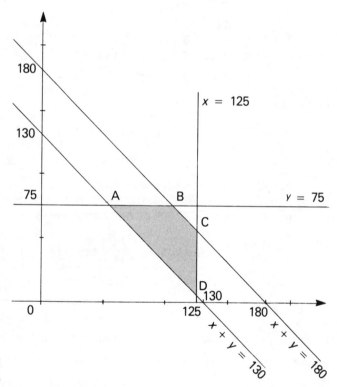

Valeurs

La valeur de f en chacun des sommets est:

A : $f(55, 75) = 3975$,
B : $f(105, 75) = 4475$,
C : $f(125, 55) = 4275$,
D : $f(125, 5) = 3275$ (en $).

Valeur optimale

Le tranport se fera le plus économiquement possible (3275 $) en organisant les expéditions selon le tableau suivant :

usine \ entrepôt	Sherbrooke	Montréal	Chicoutimi
A	125	5	50
B	0	70	0

9.8 EXERCICES RÉCAPITULATIFS (2e partie)

1. Une usine spécialisée dans la fabrication de bulldozers et de tracteurs partage le travail en deux ateliers, soit l'atelier A d'assemblage-montage et l'atelier B de finissage. L'atelier A emploie 5 journées de travail par bulldozer et 2 journées de travail par tracteur. L'atelier B emploie 3 jours de travail par bulldozer et 3 jours de travail par tracteur. En raison de limitations de machine et de personnel, l'atelier A peut fournir l'équivalent de 180 journées de travail par semaine et l'atelier B, de 135 journées. Si le fabricant réalise un profit de 900 $ par bulldozer et de 600 $ par tracteur, combien doit-il produire de chaque type de véhicules pour maximiser son profit hebdomadaire ? Quel sera ce profit ?

2. La compagnie " Délices " possède deux entrepôts de stockage pour 3 variétés de produits : A-Délices, B-Délices, C-Délices. Lors de la signature d'un contrat, la compagnie s'est engagée à fournir, par semaine, au moins 10 tonnes du produit A, 12 tonnes du produit B et 20 tonnes du produit C. Cependant, à cause de l'éloignement et du nombre de camions affectés à chaque entrepôt, le coût de manutention s'élève à 400 $ par jour pour le premier entrepôt et à 320 $ pour le deuxième. En une journée d'exploitation, le premier entrepôt peut fournir 5 tonnes de A, 2 tonnes de B et 2 tonnes de C ; le second entrepôt peut fournir 2 tonnes de A, 3 tonnes de B et 10 tonnes de C. Combien de journées par semaine faudrait-il exploiter chaque entrepôt afin que le contrat soit respecté de la façon la plus économique possible ?

3. Une compagnie de produits naturels vient de lancer sur le marché deux nouvelles capsules pour traiter l'insomnie : la Siel et la Siel-Plus. La Siel contient 2 mg d'ail, 5 mg de menthe et 1 mg de tilleul; la Siel-Plus contient 1 mg d'ail, 8 mg de menthe et 6 mg de tilleul. La compagnie assure que, pour bien dormir, il faut prendre au moins 12 mg d'ail, 74 mg de menthe et 28 mg de tilleul. Combien de capsules l'insomniaque doit-il prendre pour bien dormir ?

4. Un manufacturier a un inventaire de 600 fauteuils de modèle Alpha et de 700 fauteuils de modèle Oméga. Trois magasins A, B et C commandent respectivement 300, 500 et 500 fauteuils. Les frais de transport de chaque fauteuil vers chaque magasin apparaissent dans le tableau suivant (en $) :

	vers A	vers B	vers C
α	7,50	5,00	10,00
ω	10,00	5,00	5,00

Puisque les magasins acceptent indifféremment le modèle Alpha ou Oméga, de quelle façon le manufacturier distribuera-t-il ses fauteuils pour avoir un coût minimal de transport ?

5. Un fabricant de chocolats veut produire un chocolat composé de cacao A, de sucre B et de liqueur de cerises C. Dans le produit, par unité de poids, on veut avoir au moins 20 % de A, mais pas plus de 50 %; au moins 30 % de B dont la quantité doit être plus grande ou égale à celle de A. La quantité de C ajoutée à la quantité de A doit être au moins égale à 30 % du mélange. Les prix de A, B, C sont respectivement, par kilo, de 25 $, 15 $ et 20 $. Quels doivent-être les pourcentages de A, B et C par unité de poids pour que le coût soit minimal ?

6. Une compagnie fabrique 2 modèles de lampes, A et B, ayant une base en bois. Pour cela, elle utilise 3 sortes d'appareils : un tour, une ponceuse et une machine à appliquer la teinture. Les temps de passage sur chaque machine sont inscrits dans le tableau suivant :

	tour	ponceuse	teinture
lampe A	20 mn	15 mn	5 mn
lampe B	10 mn	25 mn	15 mn

Du fait que le tour ne peut être utilisé que 80 heures par semaine, la ponceuse, 75 heures, et la machine à appliquer la teinture, 40 heures, combien la compagnie doit-elle produire de lampes de chaque modèle pour maximiser son profit ? Une lampe de modèle A apporte un profit de 5 $ et celle de modèle B, un profit de 3 $.

7. Un industriel possède l'usine A et l'usine B. La production est acheminée vers trois entrepôts, I, II et III. Le tableau ci-dessous contient toutes les informations concernant le coût du transport (par tonne) de l'usine à l'entrepôt, les quantités disponibles à l'usine, ainsi que les quantités nécessaires à chaque entrepôt :

entrepôt / usine	I	II	III	quantités disponibles
A	15 $	90 $	75 $	15 t
B	67,50 $	97,50 $	75 $	4,5 t
quantités nécessaires	10,5 t	6 t	3 t	

Comment peut-il organiser le transport pour en minimiser le coût total ?

Chapitre **10**

Géométrie analytique:

les coniques

PRÉAMBULE

Les coniques, dont l'étude remonte à la Grèce antique, trouvent des applications importantes dans des problèmes d'optique, de mécanique ou d'astronomie. Les coniques sont ainsi appelées car elles sont obtenues en prenant l'intersection d'un cône double et d'un plan. Analytiquement, elles sont représentées dans le plan cartésien par des équations du deuxième degré.

10.1 ORIGINE DES CONIQUES

On appelle *coniques*, ou *sections coniques*, les courbes obtenues par l'intersection de la surface latérale d'un cône double et d'un plan. Suivant l'inclinaison, que nous noterons α, du plan par rapport à l'axe *ZZ'* du cône, on peut obtenir un cercle, une parabole, une ellipse, une hyperbole, une ou deux droites et même un point. Les différentes intersections ont été illustrées ci-dessous.

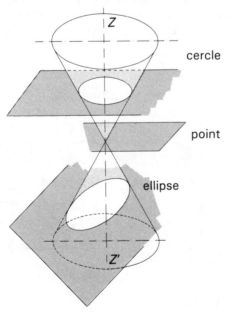

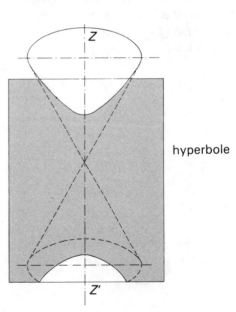

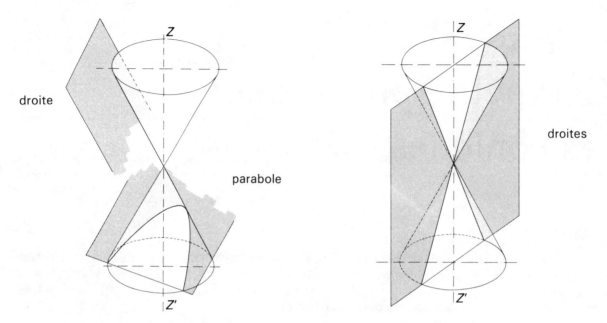

droite

parabole

droites

Nous allons maintenant reprendre chacune de ces représentations, afin d'en étudier la courbe d'intersection, d'en donner l'équation et les propriétés dans le plan cartésien.

10.2   LE CERCLE

Le cercle est obtenu par l'intersection de la surface latérale d'un cône et d'un plan perpendiculaire à l'axe du cône; on a donc $\hat{\alpha} = 90°$. On peut constater que tous les points M qui se trouvent sur le cercle sont à égale distance de l'axe ZZ' du cône. Nous allons faire une étude plus approfondie du cercle dans le plan (P). Ce plan étant perpendiculaire à l'axe ZZ', la rencontre de l'axe sur le plan se trouvera au point C.

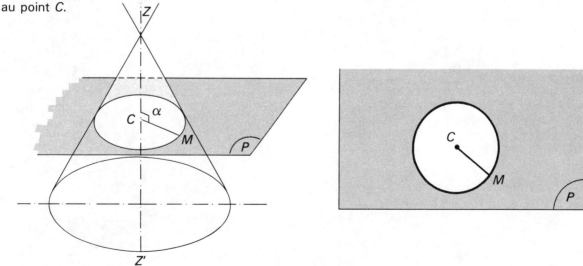

Nous pouvons donner la définition suivante du cercle.

DÉFINITION : Le *cercle* est le lieu de tous les points *M* du plan qui sont à une distance constante *r*, appelée le *rayon*, d'un point fixe *C*, appelé le *centre*.

Nous allons maintenant trouver l'équation d'un cercle dans le plan cartésien.

Représentation du cercle dans le plan cartésien

Traçons dans le plan (*P*) un système de coordonnées cartésiennes. Représentons le cercle de centre *C* et de rayon *CM*, où *M* est un point quelconque du cercle :

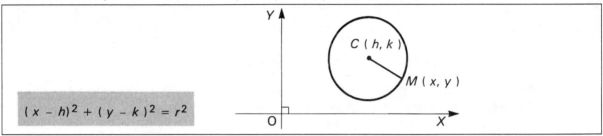

$$(x - h)^2 + (y - k)^2 = r^2$$

Les coordonnées des points *C* et *M* dans le repère cartésien sont, *h* et *k* pour *C*, *x* et *y* pour *M* : on a donc *C* (*h*, *k*) et *M* (*x*, *y*). Si nous notons |CM| la distance* entre *C* et *M*, nous avons

$$|CM| = \sqrt{(x - h)^2 + (y - k)^2},$$

ou encore en élevant au carré chaque membre de l'égalité :

$$|CM|^2 = (x - h)^2 + (y - k)^2.$$

La distance |CM| correspondant à la longueur *r* du rayon du cercle, l'équation d'un cercle de centre *C* et de rayon *r*, est donnée par :

$$(x - h)^2 + (y - k)^2 = r^2.$$

Si le cercle est centré à l'origine des axes, nous avons alors *C* (0, 0) et l'équation devient :

$$x^2 + y^2 = r^2.$$

Exemple : Trouvons l'équation du cercle de centre *C* (3, 2) et de rayon 4. Nous avons en remplaçant *h*, *k* et *r*, respectivement, par 3, 2 et 4,

$$(x - 3)^2 + (y - 2)^2 = 4^2,$$

ou encore

$$(x - 3)^2 + (y - 2)^2 = 16.$$

Exemple : Trouvons les coordonnées du centre et le rayon du cercle d'équation $x^2 + 4x + y^2 - 2y + 4 = 0$. Nous devons retrouver la forme générale de l'équation d'un cercle. Pour

---

* La formule exprimant, en fonction des coordonnées, la distance entre deux points du plan cartésien découle du théorème de Pythagore. Voir page 104.

cela, nous allons regrouper les termes en x et ceux en y de manière à compléter les carrés. Nous avons donc

$$(x^2 + 4x) + (y^2 - 2y) + 4 = 0$$

ou encore

$$(x + 2)^2 - 4 + (y - 1)^2 - 1 + 4 = 0,$$

soit :

$$(x + 2)^2 + (y - 1)^2 = 1.$$

Le cercle est donc centré au point $(-2, 1)$ et a comme rayon $r = 1$.

Exemple : Trouvons l'équation du cercle qui passe par les points $(2, 3)$, $(2, 1)$ et $(4, 1)$. L'équation cherchée est de la forme $(x - h)^2 + (y - k)^2 = r^2$, ou encore
$$x^2 - 2xh + y^2 - 2yk + (h^2 + k^2 - r^2) = 0.$$

Si on pose $A = h^2 + k^2 - r^2$, on obtient :

$$x^2 + y^2 - 2xh - 2yk + A = 0.$$

Il nous faut déterminer h, k, A. En remplaçant x et y par les coordonnées des points, on obtient un système de trois équations à trois inconnues que l'on peut résoudre par une des méthodes étudiées dans le chapitre 7. On obtient donc

$$4h + 6k - A = 13,\ \text{avec le point } (2, 3),$$

$$4h + 2k - A = 5,\ \text{avec le point } (2, 1),$$

$$8h + 2k - A = 17,\ \text{avec le point } (4, 1).$$

Le système peut se mettre sous la forme d'une matrice et on peut le résoudre par la méthode de Gauss.

$$\begin{pmatrix} 4 & 6 & -1 & \vdots & 13 \\ 4 & 2 & -1 & \vdots & 5 \\ 8 & 2 & -1 & \vdots & 17 \end{pmatrix} \sim \begin{pmatrix} 4 & 6 & -1 & \vdots & 13 \\ 0 & -4 & 0 & \vdots & -8 \\ 0 & -10 & 1 & \vdots & -9 \end{pmatrix} \quad (\text{par } A_{21}^{-1} \text{ et par } A_{31}^{-2}).$$

De la deuxième équation, on déduit $-4k = -8$, d'où $k = 2$. On peut trouver A dans la troisième équation, soit, $-10k + A = -9$ c'est-à-dire $A = 11$. Et enfin on peut trouver h dans la première équation et on obtient $h = 3$. Nous avons un cercle qui est centré au point $(3, 2)$ et dont on peut trouver le rayon r dans l'expression $A = h^2 + k^2 - r^2 = 3^2 + 2^2 - r^2 = 11$, d'où $r^2 = 2$ et $r = \sqrt{2}$.

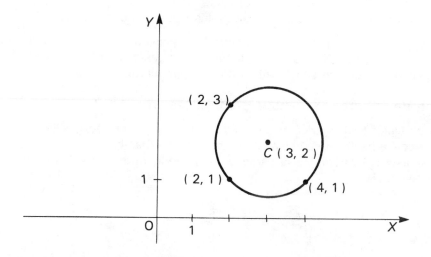

Exercices (a) : (1) Trouver l'équation du cercle de rayon 2 et centré en (1, −3). Faire son graphe.

(2) Quelles sont les coordonnées du centre et le rayon du cercle d'équation :
$x^2 + y^2 - 2x + 4y = 4$?

(3) Quelles sont les coordonnées des points d'intersection du cercle d'équation
$(x - 2)^2 + (y - 1)^2 - 2 = 0$ et de la droite $y = 2x$?

(4) Trouver l'équation du cercle qui passe par les points (0, 2), (2, 2) et (2, 0).

10.3 LA PARABOLE

La parabole est obtenue par l'intersection de la surface latérale du cône et d'un plan parallèle à une génératrice du cône. Ce plan fait avec ZZ' un angle égal à la moitié de l'angle au sommet : on a donc $\hat{\alpha} = \hat{\beta}$. On peut constater que la courbe présente une symétrie par rapport à son sommet. Comme pour le cercle, nous allons étudier la parabole dans le plan (P).

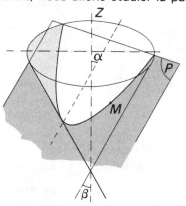

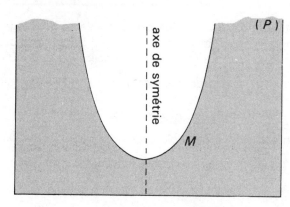

Donnons la définition de la parabole qui est bien moins évidente que celle du cercle !

DÉFINITION :   La *parabole* est le lieu des points *M* du plan qui sont à la même distance d'un point fixe *F* et d'une droite fixe *L*. Le point *F* s'appelle le *foyer* de la parabole et *L*, la *droite directrice*. Comme pour le cercle, nous allons trouver son équation dans le plan cartésien.

Représentation de la parabole dans le plan cartésien

Traçons dans le plan (*P*) un système de coordonnées cartésiennes, tel que l'axe des *Y* soit parallèle à l'axe de symétrie de la parabole. Appelons *S* le sommet de la parabole ; *L*, la droite directrice qui est perpendiculaire à l'axe de symétrie de la parabole et qui rencontre cet axe au point *H* ; *M*, un point quelconque de la parabole.

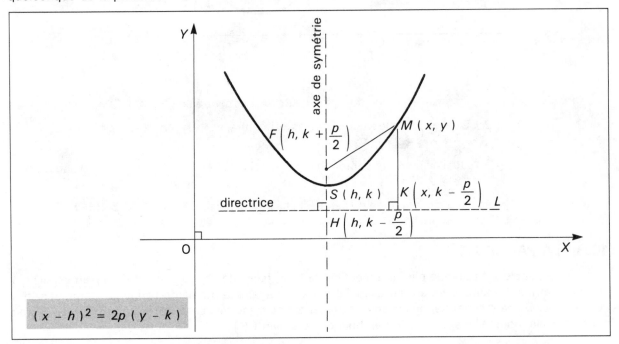

$$(x - h)^2 = 2p (y - k)$$

On notera par *h* et *k* les coordonnées de *S*, *x* et *y* les coordonnées de *M* et par *p*, la distance entre le foyer *F* et la droite directrice *L*. On a $\left| \text{HF} \right| = p$ et $p > 0$. Le point *S* appartenant à la parabole, sa distance au foyer doit être la même que celle à la droite directrice : *S* est donc situé à la distance *p*/2 de *F* et de *H*. Si les coordonnées de *S* sont *h* et *k*, alors celles de *F* sont *h* sur l'axe des *X* et $\left(k + \dfrac{p}{2} \right)$ sur l'axe des *Y* ; et celles de *H*, *h* sur l'axe des *X* et $\left(k - \dfrac{p}{2} \right)$ sur l'axe des *Y*. Si *M*, de coordonnées *x* et *y*, est un point de la parabole, alors, par définition, nous devons avoir $\left| \text{MF} \right| = \left| \text{MK} \right|$, où *K* représente la projection du point *M* sur la droite *L*. Les coordonnées du point *K* sont *x* et $\left(k - \dfrac{p}{2} \right)$. Écrivons que les distances $\left| \text{MF} \right|$ et $\left| \text{MK} \right|$ sont égales ou encore que les carrés de ces distances sont égaux : $\left| MK \right|^2 = \left| MF \right|^2$. Exprimons cette relation à l'aide des coordonnées des points et nous obtenons, sachant que $M(x; y)$, $F(h, (k + p/2))$ et $K(x, (k - p/2))$,

$$(x_M - x_K)^2 + (y_M - y_K)^2 = (x_M - x_F)^2 + (y_M - y_F)^2,$$

et, en remplaçant par leurs valeurs

$$(x - x)^2 + [y - (k - p/2)]^2 = (x - h)^2 + [y - (k + p/2)]^2,$$

c'est-à-dire

$$y^2 - 2y(k - p/2) + (k - p/2)^2 = (x - h)^2 + y^2 - 2y(k + p/2) + (k + p/2)^2$$

ou encore

$$y^2 - 2yk + yp + k^2 - pk + p^2/4 = (x - h)^2 + y^2 - 2yk - yp + k^2 + pk + p^2/4.$$

En simplifiant, on obtient,

$$2yp - 2pk = (x - h)^2$$

et enfin :

$$\boxed{(x - h)^2 = 2p(y - k).}$$

Dans cette forme générale, apparaissent les coordonnées du sommet h et k ainsi que la distance p entre le foyer F et la droite directrice L.

On peut remarquer que cette forme générale correspond aux paraboles orientées vers les valeurs positives de Y. Si le sommet est placé à l'origine des axes, alors on a $S(0, 0)$. L'équation devient,

$$\boxed{x^2 = 2py,}$$

et la parabole, orientée vers les valeurs positives de Y, a son sommet en $(0, 0)$. Sa droite directrice a comme équation, $y = -p/2$. Les paraboles, orientées vers les valeurs négatives de Y, ont des équations de la forme

$$\boxed{(x - h)^2 = -2p(y - k),}$$

et si le sommet est à l'origine des axes,

$$\boxed{x^2 = -2py.}$$

Dans le premier chapitre, nous avons déjà rencontré des paraboles dont l'équation était donnée par :

$$y = ax^2 + bx + c.$$

Cette équation ne met pas en évidence les coordonnées du sommet et la distance p entre le foyer et la droite directrice L. Cependant dans un repère cartésien, l'équation bien connue $y = ax^2 + bx + c$ est la plus générale, car elle représente toutes les paraboles orientées vers les valeurs positives ou négatives de Y.

Géométriquement, il existe aussi des paraboles, orientées suivant l'axe des X. Elles ont des équations de la forme

$$\boxed{(y - k)^2 = \pm 2p(x - h),}$$

ou encore, si le sommet est à l'origine des axes,

$$y^2 = \pm\, 2px.$$

On peut alors remarquer que ces équations ne représentent plus des fonctions mais des relations que l'on peut écrire sous la forme plus générale suivante :

$$x = ay^2 + by + c.$$

Nous avons illustré les différents cas que l'on peut rencontrer, et nous avons donné pour chacun les principales caractéristiques. On a $p > 0$.

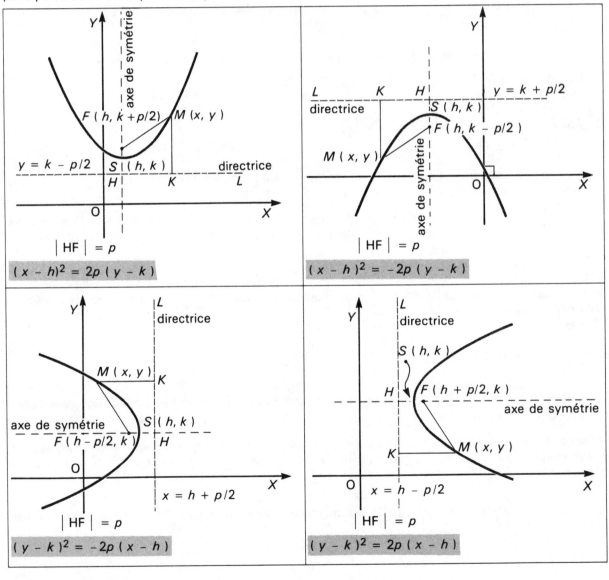

Exemple : Trouvons l'équation de la parabole de sommet (2, 3), orientée vers les valeurs de Y positives et ayant comme droite directrice $y = 1$. L'équation demandée est de la forme $(x - h)^2 = 2p (y - k)$. Nous avons $h = 2$, $k = 3$ et nous devons trouver p. Puisque $y = 1$ est l'équation de la droite directrice, la distance de cette droite au sommet de la parabole, est égale à $p/2$. On a donc :

$$p/2 = 3 - 1 = 2,$$

c'est-à-dire

$$p = 4.$$

L'équation est alors

$$(x - 2)^2 = 2 \times 4 (y - 3),$$

ou encore :

$$(x - 2)^2 = 8 (y - 3).$$

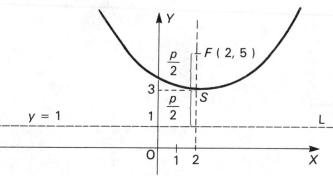

Exemple : Soit l'équation $y^2 - 4y - 6x + 10 = 0$. Nous cherchons les coordonnées du sommet et du foyer, ainsi que l'équation de la droite directrice. Nous allons compléter le carré des termes en y, comme nous l'avons fait pour le cercle, et nous obtenons

$$(y^2 - 4y) - 6x + 10 = 0,$$

ou encore

$$(y - 2)^2 - 4 = 6x - 10,$$

soit

$$(y - 2)^2 = 6x - 6 = 6 (x - 1).$$

On identifie cette équation à $(y - k)^2 = 2p (x - h)$, et on trouve, $h = 1$, $k = 2$, $p = 3$. Le sommet est le point (1, 2), la parabole étant orientée vers les X positifs ; le foyer a comme coordonnées $\left(h + \dfrac{p}{2} \right) = 1 + \dfrac{3}{2} = \dfrac{5}{2}$ et $k = 2$. La droite directrice a comme équation :

$$x = h - p/2 = 1 - 3/2 = -1/2.$$

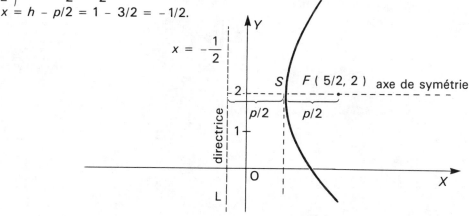

Exercices (b) : (1) Déterminer le foyer et l'équation de la droite directrice des paraboles suivantes, puis tracer :

a) $y^2 - 2y - 3x + 13 = 0$;

b) $x^2 - 4x - 5y - 11 = 0$.

(2) Donner les équations des deux paraboles, dont la droite directrice est parallèle à l'axe des Y, qui ont comme sommet (2, 4) avec $p = 3$. Tracer les deux paraboles sur le même graphe.

(3) Trouver l'équation de la parabole dont l'axe de symétrie est parallèle à OX, et qui passe par les points (4, 1), (−2, −1) et (−1, 0). Donner les coordonnées du foyer et l'équation de la droite directrice. (Utiliser la forme générale $x = ay^2 + by + c$, pour trouver l'équation, puis la transformer pour trouver le foyer et la droite directrice.)

10.4 L'ELLIPSE

L'ellipse est obtenue par l'intersection d'un plan dont l'angle α avec l'axe ZZ' du cône est compris entre $\hat{\beta}$ et 90°, c'est-à-dire $\hat{\beta} < \hat{\alpha} < 90°$. Nous allons faire l'étude de l'ellipse dans le plan (P). On peut remarquer que l'ellipse a deux sommets et deux axes de symétrie, l'un passant par les deux sommets et l'autre lui étant perpendiculaire en un point (appelé le centre de symétrie de l'ellipse).

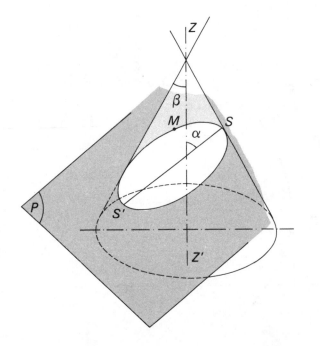
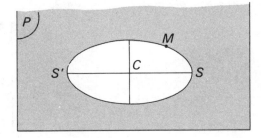

Nous allons donner la définition de l'ellipse.

DÉFINITION : L'*ellipse* est le lieu des points M du plan pour lesquels la somme des distances à deux points fixes F et F', appelés *foyers*, est constante.

Comme pour les coniques précédentes, nous allons faire l'étude de l'ellipse dans le plan cartésien.

Représentation de l'ellipse dans le plan cartésien

Traçons dans le plan (P) un système de coordonnées cartésiennes, tel que, par exemple, les axes OX et OY soient confondus avec les axes de symétrie de l'ellipse. Appelons S et S' les sommets et F et F' les foyers de l'ellipse. Pour des raisons de symétrie, les quatre points se trouvent sur l'axe des X. Comme pour le cercle et la parabole, M sera un point quelconque de l'ellipse.

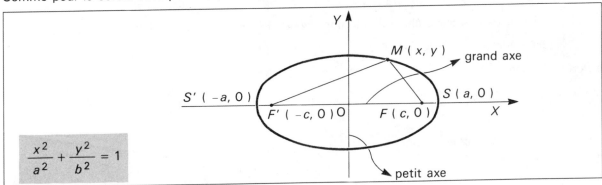

On désignera par a la distance entre le centre de l'ellipse et un des sommets, et par c, la distance entre le centre de l'ellipse et un des foyers. On détermine les coordonnées de chaque point en tenant compte que a et c sont positifs et on obtient :

$$S(a, 0), S'(-a, 0), F(c, 0), F'(-c, 0).$$

Si M, de coordonnées x et y, est un point de l'ellipse, alors par définition nous devons avoir $|MF| + |MF'|$ égale à une constante que nous allons déterminer tout d'abord. Les points M et S appartenant à l'ellipse, les sommes de leurs distances aux foyers doivent être égales à la même constante, donc égales entre elles, et on peut écrire,

$$|MF| + |MF'| = |SF| + |SF'|.$$

On a $|SF'| = |SF| + |FF'|$ et de plus, $|SF| = |S'F'|$ par symétrie, d'où :

$$|MF| + |MF'| = |SF| + (|SF| + |FF'|) = |SF| + |S'F'| + |FF'| = |SS'| = 2a.$$

Écrivons la relation $|MF| + |MF'| = 2a$ à l'aide des coordonnées des points et nous obtenons,

$$\sqrt{(x_M - x_F)^2 + (y_M - y_F)^2} + \sqrt{(x_M - x_{F'})^2 + (y_M - y_{F'})^2} = 2a,$$

$$\sqrt{(x - c)^2 + (y - 0)^2} + \sqrt{(x + c)^2 + (y - 0)^2} = 2a$$

ou encore

$$\sqrt{(x - c)^2 + y^2} = 2a - \sqrt{(x + c)^2 + y^2}.$$

En élevant au carré chaque membre de l'égalité, on obtient

$$(x - c)^2 + y^2 = 4a^2 - 4a\sqrt{(x + c)^2 + y^2} + (x + c)^2 + y^2,$$

et, en effectuant le calcul des termes qui ne sont pas sous le radical,

$$x^2 - 2cx + c^2 + y^2 = 4a^2 - 4a\sqrt{(x + c)^2 + y^2} + x^2 + 2xc + c^2 + y^2.$$

En simplifiant et en isolant le radical on a

$$4a\sqrt{(x + c)^2 + y^2} = 4xc + 4a^2,$$

ou encore, après avoir divisé par 4,

$$a\sqrt{(x + c)^2 + y^2} = xc + a^2.$$

On élève de nouveau au carré chacun des membres de l'équation et on obtient

$$a^2 [(x + c)^2 + y^2] = (xc + a^2)^2,$$

et, en effectuant

$$a^2x^2 + 2a^2xc + a^2c^2 + a^2y^2 = x^2c^2 + 2xca^2 + a^4,$$

soit

$$a^2x^2 + a^2y^2 = x^2c^2 + a^4 - a^2c^2.$$

On peut aussi écrire

$$x^2 (a^2 - c^2) + a^2y^2 = a^2 (a^2 - c^2),$$

ou encore en divisant par $a^2 (a^2 - c^2)$,

$$\frac{x^2}{a^2} + \frac{y^2}{a^2 - c^2} = 1. \qquad (1)$$

Dans la relation précédente, nous allons remplacer $(a^2 - c^2)$ par b^2, dont la signification apparaît dans le graphe suivant.

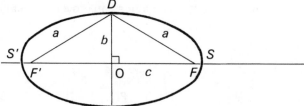

Le point D étant un point de l'ellipse, nous pouvons écrire, par définition,

$$| DF | + | DF' | = 2a.$$

Mais $| DF | = | DF' |$, donc $| DF | = a$. Le théorème de Pythagore, appliqué au triangle rectangle ODF, nous donne :

$$b^2 = a^2 - c^2.$$

En substituant cette valeur dans (1), nous obtenons l'équation générale de l'ellipse centrée à l'origine des axes :

$$\frac{x^2}{a^2} + \frac{y^2}{b^2} = 1.$$

Dans cette équation, le terme a représente la longueur du demi-grand axe, et b, la longueur du demi-petit axe et $a > b$. Le grand axe de l'ellipse se trouve sur l'axe OX, ainsi que les foyers F et F'.

Dans le cas où le centre de l'ellipse est situé au point O' de coordonnées h et k, l'équation de l'ellipse est alors :

$$\frac{(x - h)^2}{a^2} + \frac{(y - k)^2}{b^2} = 1.$$

Le grand axe de l'ellipse est parallèle à l'axe des X et il porte les foyers F et F'.

On rencontre également des équations de la forme

$$\frac{x^2}{b^2} + \frac{y^2}{a^2} = 1,$$

ou encore

$$\frac{(x - h)^2}{b^2} + \frac{(y - k)^2}{a^2} = 1.$$

Nous avons, dans ces cas-là, des ellipses dont le grand axe est confondu ou parallèle à l'axe des Y et porte les foyers F et F'. Il est évident que a est toujours plus grand que b, étant l'hypoténuse d'un triangle rectangle dont b est un des côtés.

Nous avons illustré les différents cas que l'on peut rencontrer, et nous avons donné pour chacun les principales caractéristiques.

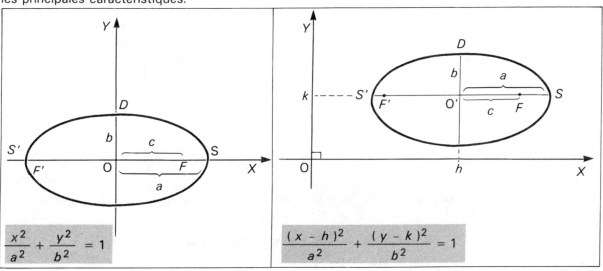

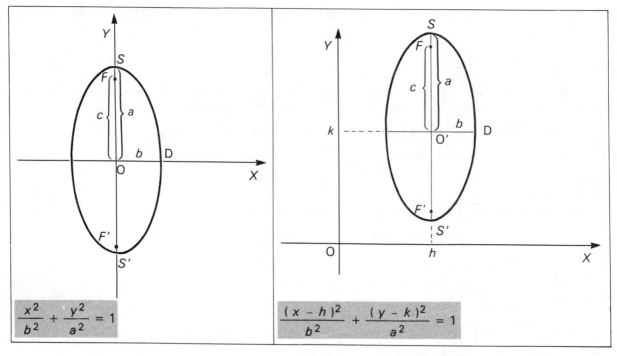

$$\frac{x^2}{b^2} + \frac{y^2}{a^2} = 1$$

$$\frac{(x-h)^2}{b^2} + \frac{(y-k)^2}{a^2} = 1$$

Exemple : Trouvons la longueur du grand axe et celle du petit axe de l'ellipse d'équation : $9x^2 + 16y^2 - 144 = 0$. Divisons chaque terme par 144 et on obtient

$$\frac{x^2}{16} + \frac{y^2}{9} = 1.$$

Le dénominateur le plus grand représente a^2 et le plus petit, b^2. Nous avons donc $a^2 = 16$, soit $a = 4$, et $b^2 = 9$, c'est-à-dire $b = 3$ (a et b sont tous deux positifs car ils représentent des longueurs). La longueur du grand axe est $2a = 8$ et la longueur du petit axe est $2b = 6$. Si nous voulons maintenant déterminer les coordonnées des foyers, nous pouvons trouver c à partir de la relation

$$b^2 = a^2 - c^2,$$

d'où

$$c^2 = a^2 - b^2 = 16 - 9 = 7.$$

On a donc :

$$c = \sqrt{7}.$$

L'ellipse étant centrée à l'origine des axes, les coordonnées de ses foyers sont $\sqrt{7}$ et 0 pour F et $-\sqrt{7}$ et 0 pour F', c'est-à-dire, $F(\sqrt{7}, 0)$ et $F'(-\sqrt{7}, 0)$.

Exemple : Trouvons les caractéristiques de l'ellipse d'équation :

$$9x^2 + 4y^2 - 72x + 48y + 144 = 0.$$

Nous allons retrouver la forme générale de l'ellipse en regroupant les termes en x et en y et en complétant leurs carrés. On obtient

$$9 (x^2 - 8x) + 4 (y^2 + 12y) + 144 = 0,$$

$$9 [(x - 4)^2 - 16] + 4 [(y + 6)^2 - 36] + 144 = 0,$$

$$9 (x - 4)^2 - 144 + 4 (y + 6)^2 - 144 + 144 = 0,$$

ou encore

$$9 (x - 4)^2 + 4 (y + 6)^2 = 144,$$

et enfin en divisant chaque terme par 144 on obtient :

$$\frac{(x - 4)^2}{16} + \frac{(y + 6)^2}{36} = 1.$$

Le centre de l'ellipse est le point O' (4, −6) ; le grand axe, parallèle à OY, est de longueur $2a$ donnée par

$$a^2 = 36 ;$$

ainsi,

$$a = 6,$$

et

$$2a = 12.$$

Le petit axe est parallèle à OX, et sa longueur $2b$ est donnée par

$$b^2 = 16.$$

Alors

$$b = 4,$$

et

$$2b = 8.$$

La distance c du centre de l'ellipse aux foyers est donnée par

$$b^2 = a^2 - c^2,$$

soit

$$c^2 = a^2 - b^2 = 36 - 16 = 20.$$

Nous avons donc $c = \sqrt{20}$. Faisons le graphique de l'ellipse et déterminons les coordonnées des foyers et des sommets c'est-à-dire $F (h, k + c)$, $F' (h, k - c)$, $S (h, k + a)$, $S' (h, k - a)$, sachant que $h = 4$, $k = -6$, $c = \sqrt{20}$, $a = 6$ et $b = 4$.

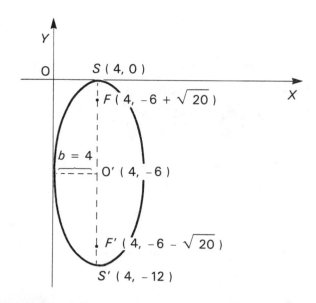

10.5 L'HYPERBOLE

L'hyperbole est obtenue par l'intersection d'un plan parallèle à l'axe du cône (on a donc $\hat{\alpha} = 0°$) et coupant la surface latérale du double cône en deux sections. L'hyperbole est symétrique par rapport à l'axe passant par les deux sommets et par rapport à la droite perpendiculaire à cet axe, passant par le centre de symétrie C.

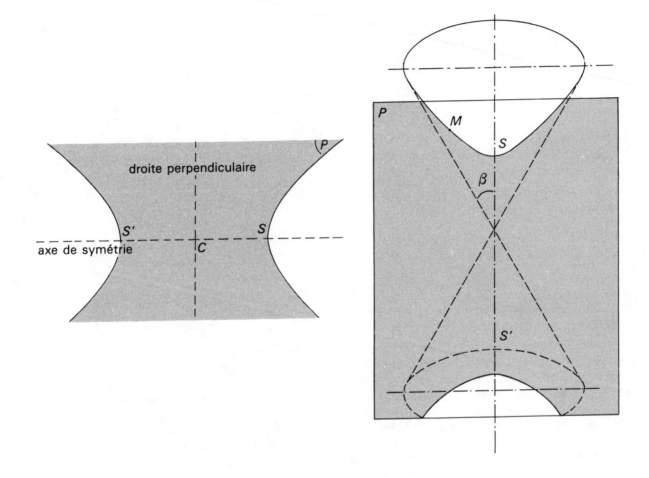

Nous pouvons donner la définition suivante de l'hyperbole.

DÉFINITION : L'*hyperbole* est le lieu de tous les points M du plan pour lesquels la différence des distances à deux points fixes F et F', appelés *foyers*, est constante.

Nous allons maintenant trouver l'équation de l'hyperbole dans le plan cartésien.

Représentation de l'hyperbole dans le plan cartésien

Traçons dans le plan (P) un système de coordonnées cartésiennes tel que par exemple, l'axe de symétrie de l'hyperbole soit confondu avec l'axe des X et le centre de symétrie, avec O. Appelons S et S' les deux sommets et F et F', les foyers de l'hyperbole. Pour des raisons de symétrie, les quatre points se trouvent sur l'axe des X. On appellera M un point quelconque de l'hyperbole.

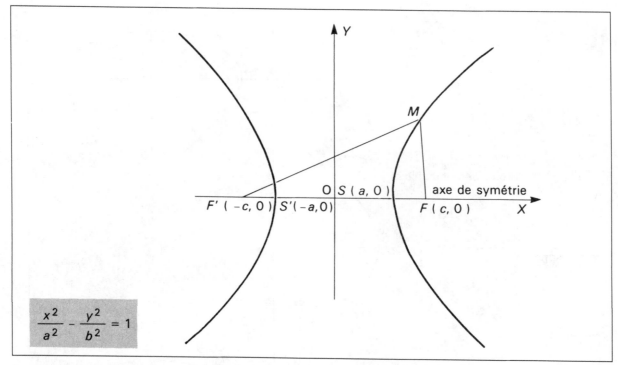

$$\frac{x^2}{a^2} - \frac{y^2}{b^2} = 1$$

On désignera par $2a$ la distance $\big|$ SS′ $\big|$ entre les deux sommets, et par $2c$ la distance $\big|$ FF′ $\big|$ entre les deux foyers. Les foyers, ainsi que les sommets, sont symétriques par rapport à O. En tenant compte que a et c sont positifs et que $a < c$, on détermine les coordonnées de chaque point : on obtient $S(a, 0)$, $S′(-a, 0)$, $F(c, 0)$ et $F′(-c, 0)$. Si M, de coordonnées x et y, est un point de l'hyperbole, alors, par définition, la distance $\big|$ MF′ $\big|$ − $\big|$ MF $\big|$ doit égaler une constante, que nous allons tout d'abord déterminer. Le point S, appartenant à l'hyperbole, la différence des distances de S aux foyers est constante : d'autre part, cette différence doit être positive. Nous devons prendre la valeur absolue de cette différence, et nous avons alors

$$\big|\,|\,\text{SF}′\,| - |\,\text{SF}\,|\,\big| = \big|\,|\,\text{SS}′\,| + |\,\text{S}′\text{F}′\,| - |\,\text{SF}\,|\,\big|,$$

car $\big|$ SF′ $\big|$ = $\big|$ SS′ $\big|$ + $\big|$ S′F′ $\big|$. Comme $\big|$ S′F′ $\big|$ = $\big|$ SF $\big|$, on obtient

$$\big|\,|\,\text{SF}′\,| - |\,\text{SF}\,|\,\big| = |\,\text{SS}′\,| = 2a.$$

La constante étant égale à $2a$, nous pouvons écrire

$$\big|\,|\,\text{MF}′\,| - |\,\text{MF}\,|\,\big| = 2a.$$

Si nous écrivons cette relation à l'aide des coordonnées des points, nous obtenons

$$\left| \sqrt{(x_M - x_{F′})^2 + (y_M - y_{F′})^2} - \sqrt{(x_M - x_F)^2 + (y_M - y_F)^2} \right| = 2a,$$

c'est-à-dire :

$$\left| \sqrt{(x + c)^2 + (y - 0)^2} - \sqrt{(x - c)^2 + (y - 0)^2} \right| = 2a.$$

En procédant de la même manière que pour l'ellipse, nous obtenons l'équation :

$$\frac{x^2}{a^2} - \frac{y^2}{c^2 - a^2} = 1. \qquad (1)$$

Dans la relation précédente, nous allons remplacer ($c^2 - a^2$) par b^2 dont la signification apparaît dans le graphe suivant.

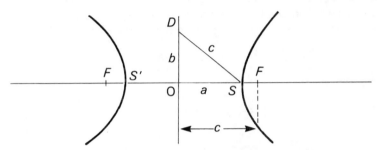

Déterminons sur l'axe des Y le point D tel que $\mid DS \mid$ soit égal à c. Le théorème de Pythagore appliqué au triangle ODS nous donne

$$\mid OD \mid^2 + \mid OS \mid^2 = \mid DS \mid^2,$$

ou encore

$$\mid OD \mid^2 = c^2 - a^2.$$

On pose $\mid OD \mid = b$, et on obtient ainsi :

$$b^2 = c^2 - a^2 \text{ avec } c > a.$$

En substituant cette valeur dans l'équation (1), nous obtenons l'équation générale de l'hyperbole dont le centre de symétrie coïncide avec l'origine des axes :

$$\boxed{\frac{x^2}{a^2} - \frac{y^2}{b^2} = 1.}$$

L'axe portant les foyers et les sommets s'appelle l'*axe de symétrie* de l'hyperbole ou encore l'*axe principal* ou *focal*. Dans le cas où le centre de symétrie se trouve au point O' de coordonnées h et k l'équation de l'hyperbole, dont l'axe principal est parallèle à OX, est donnée par :

$$\boxed{\frac{(x - h)^2}{a^2} - \frac{(y - k)^2}{b^2} = 1.}$$

On rencontre également des équations de la forme,

$$\boxed{\frac{y^2}{a^2} - \frac{x^2}{b^2} = 1,}$$

ou encore

$$\boxed{\frac{(y - k)^2}{a^2} - \frac{(x - h)^2}{b^2} = 1.}$$

Ce sont des hyperboles dont l'axe principal est confondu ou parallèle à O*Y*.

On peut remarquer que *a* peut être plus grand ou plus petit que *b*, sans que cela n'influence l'orientation de l'hyperbole. On appelle toujours a^2 le nombre qui se trouve sous le x^2 ou le y^2 précédé du signe '' + ''. D'autre part, pour tracer le graphe de l'hyperbole avec plus de précision, on utilise les diagonales du rectangle de côtés 2*a* et 2*b* centré au centre de symétrie. On obtient deux droites appelées *asymptotes*, desquelles se rapproche le graphe de l'hyperbole, lorsque *x* devient très grand ou très petit. Nous avons illustré les différentes représentations d'hyperboles, et nous avons donné leurs principales caractéristiques.

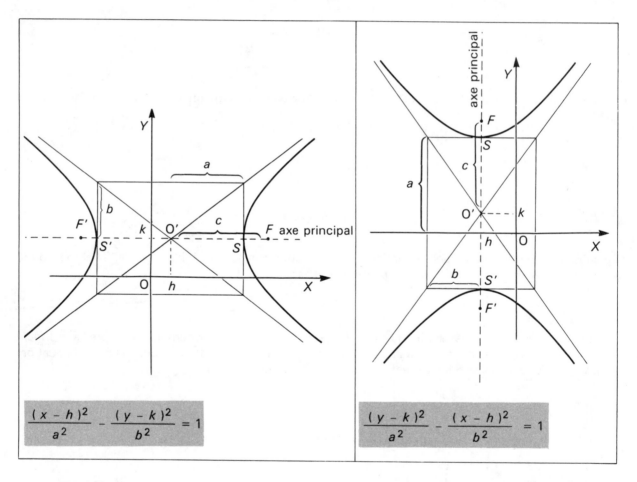

$$\frac{(x-h)^2}{a^2} - \frac{(y-k)^2}{b^2} = 1$$

$$\frac{(y-k)^2}{a^2} - \frac{(x-h)^2}{b^2} = 1$$

Exemple : Trouvons les caractéristiques de l'hyperbole d'équation $4x^2 - 9y^2 - 36 = 0$. En divisant chaque terme par 36, on obtient

$$\frac{x^2}{9} - \frac{y^2}{4} - 1 = 0,$$

ou encore

$$\frac{x^2}{9} - \frac{y^2}{4} = 1.$$

C'est une hyperbole dont l'axe de symétrie est confondu avec OX et le centre de symétrie, avec O. Nous avons $a^2 = 9$, soit $a = 3$; d'autre part, $b^2 = 4$, c'est-à-dire $b = 2$, et $c^2 = a^2 + b^2 = 9 + 4 = 13$, soit $c = \sqrt{13}$. La distance entre les foyers est $2c = 2\sqrt{13}$ et celle entre les sommets est $2a = 6$. Si on veut les coordonnées des points, on obtient, sachant que $F(c, 0)$, $F'(-c, 0)$, $S(a, 0)$ et $S'(-a, 0)$,

$$F(\sqrt{13}, 0), F'(-\sqrt{13}, 0), S(3, 0) \text{ et } S'(-3, 0).$$

Exemple : Trouvons les caractéristiques de l'hyperbole d'équation : $9y^2 - 16x^2 - 18y - 64x - 199 = 0$. Nous allons retrouver la forme générale de l'hyperbole, en regroupant les termes en x et y, et en complétant leurs carrés. Nous obtenons

$$9(y^2 - 2y) - 16(x^2 + 4x) - 199 = 0,$$
$$9[(y - 1)^2 - 1] - 16[(x + 2)^2 - 4] - 199 = 0,$$
$$9(y - 1)^2 - 9 - 16(x + 2)^2 + 64 - 199 = 0,$$

ou encore

$$9(y - 1)^2 - 16(x + 2)^2 = 144.$$

Enfin, en divisant chacun des termes par 144, on a

$$\frac{(y - 1)^2}{16} - \frac{(x + 2)}{9} = 1.$$

L'axe de symétrie est parallèle à l'axe des Y ; le centre de symétrie est placé au point O'$(-2, 1)$. La distance entre les sommets est donnée par $2a$ tel que $a^2 = 16$: d'où $a = 4$ (car $a > 0$). Le calcul de c nous donne la distance entre le centre de symétrie et les foyers : on a

$$c^2 = a^2 + b^2,$$

c'est-à-dire :

$$c^2 = 16 + 9 = 25.$$

Nous avons donc $c = 5$. Faisons le graphe et déterminons les coordonnées des foyers et des sommets, $F(h, k + c)$, $F'(h, k - c)$, $S(h, k + a)$, $S'(h, k - a)$, sachant que $h = -2$, $k = 1$, $a = 4$, $b = 3$ et $c = 5$.

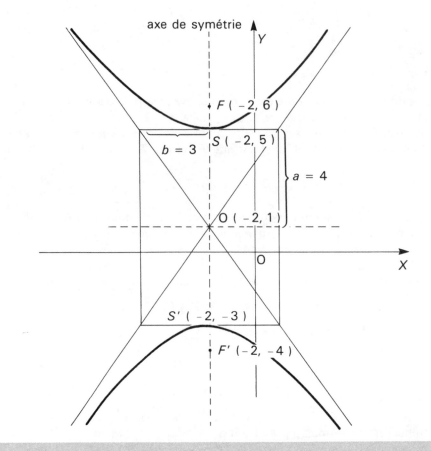

10.6   FORME GÉNÉRALE DE L'ÉQUATION D'UNE CONIQUE

L'équation générale du second degré, $Ax^2 + Bxy + Cy^2 + Dx + Ey + F = 0$ représente toujours une conique dans le plan cartésien. Selon les valeurs des coefficients *A*, *B*, *C*, *D*, *E* et *F*, nous obtiendrons des coniques de natures différentes. Nous n'étudierons que les cas où *B* = 0, et nous obtiendrons ainsi des courbes dont les axes de symétrie seront parallèles aux axes de coordonnées.

Intéressons-nous au moyen de trouver la nature des coniques représentées par l'équation :

$Ax^2 + Cy^2 + Dx + Ey + F = 0$, où $B = 0$.

— Si A et C sont égaux, nous obtenons un cercle ou un point (cercle dégénéré) ;

— si A et C sont de mêmes signes, nous obtenons une ellipse ou un point (ellipse dégénérée) ;

— si A et C sont de signes différents, nous obtenons une hyperbole ou deux droites concourantes (hyperbole dégénérée) ;

— si A ou C est égal à zéro, nous obtenons une parabole ou une droite (parabole dégénérée).

La méthode pour identifier les coniques à partir d'une équation du second degré consiste à regrouper les termes en x et y, puis à compléter les carrés.

À l'aide d'exemples, nous allons illustrer chacun des cas.

1) **$A = C$**

Exemple : Identifions la conique représentée par l'équation : $2x^2 + 2y^2 + 4x - 2 = 0$. Les coefficients A et C sont égaux, on a un cercle (ou un cercle dégénéré). En appliquant la méthode on obtient :

$$2 (x^2 + 2x) + 2y^2 - 2 = 0,$$
$$2 [(x + 1)^2 - 1] + 2y^2 - 2 = 0,$$
$$2 (x + 1)^2 - 2 + 2y^2 - 2 = 0,$$

ou encore

$$2 (x + 1)^2 + 2y^2 = 4,$$

soit, en divisant par 2,

$$(x + 1)^2 + y^2 = 2.$$

On obtient un cercle, centré au point (– 1, 0), et de rayon $r = \sqrt{2}$.

Exemple : Identifions la conique d'équation $x^2 + y^2 - 2x - 2y + 2 = 0$. C'est un cercle, car A et C sont égaux. En complétant les carrés, nous obtenons

$$(x - 1)^2 - 1 + (y - 1)^2 - 1 + 2 = 0,$$

ou encore

$$(x - 1)^2 + (y - 1)^2 = 0.$$

Nous trouvons $r^2 = 0$, c'est-à-dire le cercle de rayon nul qui, en fait, est un point. Nous sommes dans le cas d'une conique dégénérée.

Un autre cas de cercle dégénéré que nous pourrions trouver est celui où on obtiendrait un nombre négatif pour r^2, par exemple :

$$(x - 2)^2 + (y - 3)^2 = -5.$$

À ce moment-là, aucune valeur de x et de y ne vérifie cette équation : on dit qu'on a un cercle '' imaginaire ''.

2) **A et C sont de mêmes signes**

    Exemple : Identifions la conique représentée par l'équation $16x^2 - 64x + 25y^2 - 50y - 311 = 0$. En complétant les carrés on obtient :

$$16 (x - 2)^2 + 25 (y - 1)^2 = 400,$$

ou encore en divisant par 400, on a :

$$\frac{(x - 2)^2}{25} + \frac{(y - 1)^2}{16} = 1.$$

C'est une ellipse, comme on pouvait le prévoir, car A et C sont de mêmes signes. Elle est centrée au point (2, 1) et le grand axe est parallèle à OX.

    Comme pour le cercle, nous pouvons avoir des ellipses qui sont des points ou même des ellipses '' imaginaires ''. Par exemple, si après avoir transformé une équation, on arrive à la forme

$$\frac{(x - 4)^2}{4} + \frac{(y - 3)^2}{9} = 0,$$

les seules valeurs de x et de y qui vérifient cette équation sont $x = 4$ et $y = 3$. Ce sont les coordonnées du centre de symétrie de l'ellipse.

    De la même façon, si on trouve une équation de la forme

$$\frac{(x - 2)^2}{4} + \frac{(y - 4)^2}{9} = -10,$$

aucune valeur de x et de y ne vérifie cette équation : on a une ellipse '' imaginaire ''.

3) **A et C sont de signes différents**

    Exemple : Identifions la conique représentée par l'équation $9x^2 - 25y^2 - 18x + 100y - 316 = 0$. Les coefficients devant x^2 et y^2 sont de signes contraires : on a donc une hyperbole. En complétant les carrés on obtient :

$$\frac{(x - 1)^2}{25} - \frac{(y - 2)^2}{9} = 1.$$

C'est une hyperbole dont l'axe principal est parallèle à l'axe des X.

    Nous pouvons également avoir des hyperboles dégénérées. Le cas où on obtiendrait

$$\frac{(x - 1)^2}{16} - \frac{(y + 2)^2}{25} = 0$$

peut aussi s'écrire

$$\frac{(y + 2)^2}{25} = \frac{(x - 1)^2}{16}$$

ou

$$(y + 2)^2 = \frac{25}{16} (x - 1)^2.$$

Cette relation représente deux droites concourantes d'équations.

$$y + 2 = \pm \frac{5}{4} (x - 1) ,$$

c'est-à-dire

$$y = \frac{5}{4}x - \frac{13}{4}$$

et

$$y = - \frac{5}{4}x - \frac{3}{4}.$$

4)   **A ou C est égal à zéro**

Exemple : Identifions la conique représentée par l'équation $x^2 - 2x - 10y + 21 = 0$. Le coefficient de y^2 étant nul, $C = 0$, nous avons une parabole (ou une parabole dégénérée) dont l'axe de symétrie est parallèle à l'axe des Y. En complétant le carré, on obtient

$$(x - 1)^2 = 10 (y - 2).$$

C'est une parabole dont le sommet se trouve sur une parallèle à OY, au point (1, 2) ; la distance entre le foyer et la droite directrice est $p = 5$ et la droite directrice a comme équation $y = -1/2$.

Regardons le cas où $C = 0$ et $E = 0$. On trouve à ce moment-là une équation du second degré avec une seule inconnue. C'est le cas de dégénérescence qui donne une droite ou deux droites parallèles. Par exemple, après avoir transformé l'équation, on peut obtenir

$$(x - 1)^2 = 0,$$

ou encore

$$(x - 1) = 0,$$

soit $x = 1$: il s'agit du cas de la parabole dégénérée qui est confondue avec son axe de symétrie. Le plan (P) est tangent au cône.

Dans le cas où l'équation du second degré serait sous la forme

$$(x - 1)^2 = 4,$$

on aurait alors deux droites parallèles d'équations

$$x - 1 = \pm 2,$$

ou encore

$$x = 3 \text{ et } x = -1.$$

10.7   TRANSLATION DES AXES

Certaines équations peuvent être considérablement simplifiées si on effectue une translation des axes. Dans cette transformation, la courbe garde la même position, mais on place les axes de façon à simplifier l'équation.

Par *translation des axes*, on entend tout déplacement parallèle du système de coordonnées. Soit XOY, le système initial, et soit $X'O'Y'$, le nouveau système. Les axes correspondants sont parallèles entre eux et le point O' a pour coordonnées (a, b) dans le système initial. Soit le point P : il s'écrit P (x, y) dans XOY, et P (x', y') dans $X'O'Y'$. Alors

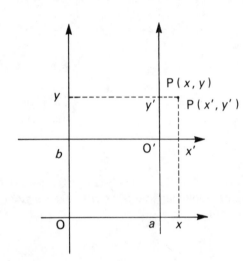

$$x = a + x',$$
$$y = b + y'.$$

On peut écrire matriciellement :

$$\begin{pmatrix} x \\ y \end{pmatrix} = \begin{pmatrix} a \\ b \end{pmatrix} + \begin{pmatrix} x' \\ y' \end{pmatrix}.$$

La transformation inverse est donnée par :

$$\begin{pmatrix} x' \\ y' \end{pmatrix} = \begin{pmatrix} x \\ y \end{pmatrix} - \begin{pmatrix} a \\ b \end{pmatrix}.$$

Exemple : Soit la parabole $y = x^2 + 4x + 1$. Procédons à une translation des axes amenant O en O' (–2, –3). Alors

$$\begin{pmatrix} x \\ y \end{pmatrix} = \begin{pmatrix} -2 \\ -3 \end{pmatrix} + \begin{pmatrix} x' \\ y' \end{pmatrix}.$$

Changeons dans l'équation initiale x par $-2 + x'$ et y par $-3 + y'$. L'équation deviendra alors

$$(-3 + y') = (-2 + x')^2 + 4(-2 + x') + 1,$$

c'est-à-dire

$$y' = (x')^2.$$

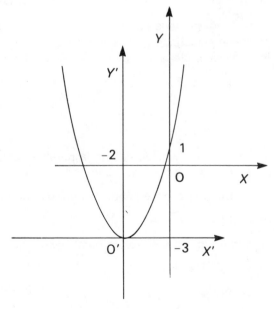

C'est une parabole dont le sommet est à l'origine des axes.

Exemple : Soit le cercle $x^2 - 6x + y^2 + 10y + 30 = 0$. Procédons à une translation des axes amenant O en O' (3, -5). Alors,

$$\begin{pmatrix} x \\ y \end{pmatrix} = \begin{pmatrix} 3 \\ -5 \end{pmatrix} + \begin{pmatrix} x' \\ y' \end{pmatrix}.$$

Changeons dans l'équation initiale x par $3 + x'$ et y par $-5 + y'$. L'équation deviendra

$$(x' + 3)^2 - 6 (x' + 3) + (y' - 5)^2 + 10 (y' - 5) + 30 = 0$$

ou encore :

$$x'^2 + y'^2 = 4.$$

On obtient l'équation d'un cercle centré à l'origine des nouveaux axes.

Exercices (e) : (1) Par une translation des axes amenant O en O' (3, -1), simplifier

$$x^2 + y^2 - 6x + 2y = 14.$$

(2) Donner l'équation de $f (x) = 5x - 3$ après une translation amenant O en

$$O' \left(\frac{3}{5}, 0 \right).$$

(3) Donner l'équation de $f (x) = 6x^2 - 6x + 8$ après une translation des axes amenant O en O' (-2, 6).

10.8 EXERCICES RÉCAPITULATIFS

1. Trouver le centre et le rayon du cercle d'équation :

a) $x^2 + 4x + y^2 - y = 11/4$;

b) $2x^2 - 12x + 2y^2 - 16y = -42$.

2. Trouver l'équation du cercle qui passe par A (1, 4) et centré au point (3, 2).

3. Trouver l'équation du cercle qui passe par les points A (3, 4), B (5, 4), C (5, 2).

4. Trouver les points d'intersection du cercle et de la droite dans les cas suivants :

a) $x^2 + y^2 - 16 = 0$ avec $y = x - 2$;

b) $(x - 1)^2 + (y - 2)^2 = 1$ avec $y = x + 2$;

c) $(x - 1)^2 + (y - 1)^2 = 5$ avec $y = 4$.

5. Trouver l'équation du cercle circonscrit au triangle formé par les droites d'équations :

$$y = -x + 3, \ y = 3x - 9 \text{ et } 3y - x - 5 = 0.$$

6. Pour les paraboles suivantes, trouver les coordonnées du foyer, du sommet, et l'équation de la directrice :

a) $x^2 + 4y - 4x - 20 = 0$;

b) $y^2 + 5y - 4x = 0$;

c) $8y^2 - 3x = 0$;

d) $y^2 - 8y + 5x + 10 = 0$.

7. Trouver l'équation de la parabole qui :

a)   a son sommet au point (2, 3) et son foyer au point (3, 3) ;

b)   a son foyer au point (3, 2) et dont l'équation de sa droite directrice est $x = 1$;

c)   a son sommet au point (3, 4), son axe de symétrie parallèle à OY et qui passe par le point (5, 6) ;

d)   passe par les points (5, -8), (8, 4), (-7, 16), et dont l'axe de symétrie est vertical.

8. Un phare parabolique est fabriqué de façon à ce que l'ampoule se trouve au foyer de la parabole. Les rayons issus de cette ampoule sont alors réfléchis et sortent du phare parallèles entre eux. Si la profondeur du phare est de 15 cm, et sa largeur de 5 cm, trouver la distance entre le foyer et le fond du phare. (Placer la parabole dans un repère cartésien dont l'origine se trouve par exemple au sommet de la parabole.)

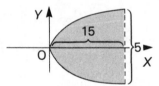

Note : Le graphe n'est pas à l'échelle. Le refaire après avoir obtenu la solution.

9. Une arche, en forme de parabole, a 9 m de hauteur et 14 m de largeur à la base. Si on place un repère cartésien tel qu'indiqué sur le graphe, déterminer les coordonnées du foyer et l'équation de la droite directrice et l'équation de la parabole. Quelle est la hauteur d de l'arche à la distance de 5 m d'un des côtés de l'arche ?

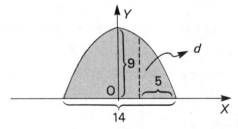

10. Trouver le lieu géométrique d'un point tel que sa distance au point (4, 3) soit égale à sa distance à la droite d'équation $x = 6$.

11. Déterminer pour les ellipses suivantes les longueurs du grand et du petit axe, ainsi que les coordonnées des foyers. Tracer leur graphe si :

a) $9x^2 + 4y^2 - 36 = 0$;

b) $16x^2 + 4y^2 - 32x + 24y = 12$;

c) $5x^2 + 9y^2 - 45 = 0$;

d) $6x^2 + 16y^2 - 24x - 32y - 56 = 0$.

12.   Trouver l'équation de l'ellipse qui :

a)   a un foyer au point (2, 7), le grand axe de longueur 10 et son centre au point (2, 3) ;

b)   a son centre au point (1, 2), un foyer au point (−4, 2) et qui passe par (8, 2) ;

c)   passe par l'origine, est de centre (4, 0) et de petit axe de longueur 6.

13.   La terre décrit une orbite elliptique, ayant le soleil à un de ses foyers. Si le grand axe de l'ellipse a environ 296×10^6 km et si le soleil se trouve à $2,4 \times 10^6$ km du centre de l'ellipse, calculer la plus grande (apogée) et la plus petite (périgée) distance entre la terre et le soleil.

14.   Tracer les hyperboles suivantes, et donner les coordonnées de leurs foyers :

a) $y^2 - x^2 = 16$;

b) $16x^2 - 25y^2 = 400$;

c) $16x^2 - 4y^2 + 32x - 8y - 52 = 0$.

15.   Trouver l'équation de l'hyperbole qui :

a)   est centrée à l'origine, dont les axes coïncident avec les axes de coordonnées, qui passe par le point (5, 3) et a un sommet au point (3, 0) ;

b)   a son centre au point (2, 3), un foyer au point (10, 3) et un sommet au point (8, 3).

16.   Identifier les courbes données par les équations suivantes. Quelles sont leurs caractéristiques ?

a) $3x^2 + 12x + 3y^2 - 6y + 3 = 0$;

b) $x^2 + 6x - 4y = -1$;

c) $7x^2 + 9y^2 + 28x - 36y + 1 = 0$;

d) $36x^2 + 36x + 36y^2 - 48y + 25 = 0$;

e) $3 (y - 3)^2 + 4 (x + 2)^2 - 3y^2 + 18y - 36 = 0$;

f) $9x^2 - 36x + 9y^2 - 6y + 46 = 0$;

g) $3y^2 - 7x^2 - 24y - 14x + 20 = 0$;

h) $5x^2 + 4y^2 + 30x + 16y + 61 = 0$;

i) $4y^2 - 24y - 9x^2 + 18x + 27 = 0$.

17.   Donner l'équation de $5x^2 - 10x + 4y^2 - 24y + 21 = 0$, après une translation amenant O en O' (1, 3).

18. Donner l'équation de $5y^2 - 40y - 3x^2 + 6x + 62 = 0$, après une translation des axes amenant O en O' (1, 4).

19. Quelle translation doit-on effectuer pour que l'équation $4x^2 + 4x - 3y^2 - 6y - 14 = 0$ se mette sous la forme $\dfrac{x'^2}{3} - \dfrac{y'^2}{4} = 1$?

Chapitre **11**

Analyse combinatoire

et probabilités

PRÉAMBULE

L'analyse combinatoire est cette partie des mathématiques s'occupant, entre autres, des problèmes de dénombrement et d'énumération. Si l'on veut compter, par exemple, de combien de façons différentes cinq personnes peuvent s'asseoir autour d'une table circulaire, on résout un problème de dénombrement, tandis que donner la liste de toutes les façons possibles, c'est résoudre un problème d'énumération. L'un et l'autre problème relèvent de l'analyse combinatoire dont nous présenterons, dans la première partie de ce chapitre, les rudiments. Ceux-ci nous serviront à l'étude des probabilités, tout en nous fournissant des modèles simples correspondant à des situations concrètes. La deuxième partie de ce chapitre portera justement sur la notion de probabilité. La probabilité est un nombre exprimant le caractère aléatoire d'un événement. Devant un pari, une loterie, un jeu de hasard, une situation problématique, il est naturel de quantifier les possibilités de réalisation de telle ou telle situation. La théorie des probabilités, assez récente dans l'histoire des mathématiques, a permis de jeter les bases des statistiques, dont les champs d'application sont presque illimités. Nous nous bornerons dans ce chapitre à présenter la notion de probabilité et celle de probabilité conditionnelle.

11.1 RAPPELS SUR LES ENSEMBLES

La notion d'ensemble en est une familière et naturelle. Un *ensemble* est une collection d'objets bien déterminée. On le désigne habituellement par une lettre majuscule, par exemple A, B, C, ... Les objets que contient un ensemble sont appelés ses *éléments*. Si on considère l'ensemble des voyelles de l'alphabet, on se donne un ensemble A ayant comme éléments a, e, i, o, u et y. On note alors

A = { a, e, i, o, u, y }

(se lit '' l'ensemble A est formé des éléments a, e, i, o, u et y '').
On écrira

a ∈ A

(se lit '' a appartient à A ''). Par contre, on écrira

b ∉ A

(se lit '' b n'appartient pas à A '') pour signifier que b ne fait pas partie de A.

On admet l'existence d'un ensemble, noté ∅ , ne contenant aucun élément. On pourra écrire

∅ = { }

et on appellera ∅ l'*ensemble vide*. On admet aussi, dans le cours d'un exposé, l'existence d'un ensemble contenant tous les éléments étudiés. Cet ensemble, noté E, est appelé *ensemble référentiel, ensemble universel* ou *ensemble fondamental*.

Si tous les éléments d'un ensemble A sont des éléments d'un ensemble B, on dit que A est un *sous-ensemble* de B, ce qui s'écrit

A ⊂ B

(se lit '' A est un sous-ensemble de B ''). On notera que ∅ est sous-ensemble de tout ensemble et que tout ensemble est sous-ensemble du référentiel E :

∅ ⊂ A ⊂ E.

Lorsque A ⊂ B et B ⊂ A, il faut conclure que

A = B

(se lit '' A égale B ''). On parle alors d'*égalité des ensembles* A et B, A et B ayant les mêmes éléments.

On représente très souvent les ensembles au moyen de diagrammes, appelés *diagrammes de Venn*. Ces figures situent les ensembles au moyen de courbes fermées et, à l'intérieur de celles-ci, leurs éléments. Les figures suivantes mettent en évidence, au moyen de diagrammes de Venn, diverses opérations sur les ensembles :

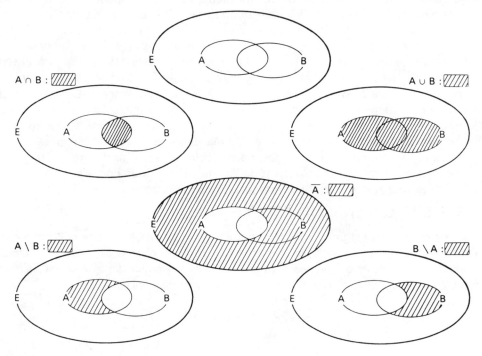

Ces opérations sont :
- réunion : la *réunion* de deux ensembles A et B est l'ensemble, noté

  A ∪ B

  (se lit '' A réunion B ''), formé des éléments appartenant à A ou à B;
- intersection : l'*intersection* de deux ensembles A et B est l'ensemble, noté

  A ∩ B

  (se lit '' A inter B ''), formé des éléments appartenant à A et à B;

- complémentation : le *complémentaire* de A, noté

    $\overline{A}$

    (se lit " complémentaire de A "), est l'ensemble des éléments de E n'appartenant pas à A;
- différence : la *différence* de A et de B, notée

    A \ B

    (se lit " A moins B "), est l'ensemble formé des éléments de A qui n'appartiennent pas à B : en général A \ B ≠ B \ A.

Les opérations sur les ensembles possèdent plusieurs propriétés. Le tableau suivant contient les plus remarquables. Ces propriétés se visualisent facilement sur des diagrammes de Venn.

Quels que soient A, B et C, des ensembles,

i) $\emptyset \subset A \subset E$;

ii) $A \subset A$;

iii)   si $A \subset B$ et si $B \subset C$, alors $A \subset C$;

iv) $A \cup B = B \cup A$ (commutativité de la réunion);

v) $A \cup (B \cup C) = (A \cup B) \cup C$ (associativité de la réunion);

vi) $A \cap B = B \cap A$ (commutativité de l'intersection);

vii) $A \cap (B \cap C) = (A \cap B) \cap C$ (associativité de l'intersection);

viii) $A \cap (B \cup C) = (A \cap B) \cup (A \cap C)$ (distributivité de l'intersection sur la réunion);

ix) $A \cup (B \cap C) = (A \cup B) \cap (A \cup C)$ (distributivité de la réunion sur l'intersection);

x) $\overline{A \cap B} = \overline{A} \cup \overline{B}$ (loi de Morgan);

xi) $\overline{A \cup B} = \overline{A} \cap \overline{B}$ (loi de Morgan);

xii) $A \cap \overline{A} = \emptyset$;

xiii) $A \cup \overline{A} = E$;

xiv) $\overline{\overline{A}} = A$;

xv) $\overline{\emptyset} = E$;

xvi) $A \setminus B = A \cap \overline{B}$;

xvii) $A \setminus A = \emptyset$;

xviii) $A \setminus \emptyset = A$;

xix) $E \setminus A = \overline{A}$.

Exemple : Montrons que A ∪ (B ∩ C) = (A ∪ B) ∩ (A ∪ C). Les trois ensembles A, B et C se décrivent, de façon générale, par le diagramme de Venn suivant:

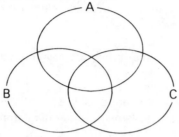

Pour montrer l'égalité de A ∪ (B ∩ C) et de (A ∪ B) ∩ (A ∪ C), il suffit de construire deux diagrammes de Venn, le premier représentant A ∪ (B ∩ C) et le second, (A ∪ B) ∩ (A ∪ C) :

A ∪ (B ∩ C) : 　　　　　　　　　　　　　　(A ∪ B) ∩ (A ∪ C) :

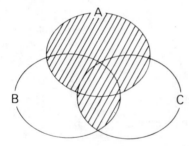　　　　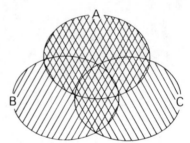

On constate que les deux régions délimitées sont égales.

Notre étude ne portera que sur des ensembles finis. Par ensemble *fini*, on entend un ensemble dont le nombre d'éléments est nul (l'ensemble vide) ou un entier. Par exemple { 0 }, { 1, 2, 3, 4 }, { 2, 3, 7, 8, 12 } sont tous des ensembles finis. Le nombre d'éléments d'un ensemble A est noté # (A) (se lit " cardinal de A ") : A est fini si et seulement si # (A) ∈ ℕ. Ainsi,

$$\# (\{ 0 \}) = 1,$$
$$\# (\{ 1, 2, 3, 4 \}) = 4,$$
$$\# (\{ 2, 3, 7, 8, 12 \}) = 5,$$
$$\# (\varnothing) = 0.$$

Nous utiliserons le symbole " factorielle " (!) pour simplifier l'écriture de certaines expressions. Pour noter

$$1 \times 2 \times 3 \times 4 \times \ldots \times 100,$$

on écrira simplement

100 ! (se lit " 100 factorielle ").

Par exemple,

$$1 \times 2 \times 3 \times ... \times 8 = 8!\,,$$
$$12 \times 13 \times 14 \times 15 \times ... \times 22 = \frac{22!}{11!}\,.$$

Par convention, $0!$ égale 1. Le symbole factorielle ne sera utilisé que pour un entier : une expression du genre $12,5!$ n'a pas de signification.

Exercices (a) : Calculer :

a) $8! - 5!$;

b) $\left(\dfrac{6! + 5!}{11!} \right)$

c) $\dfrac{(n + 1)!}{(n + 2)!}$;

d) $(3!)^{4! - 20}$;

e) $\dfrac{17!}{15!} + 16! - 14!$;

f) $\dfrac{n!}{(n - 3)!}$.

11.2   FORMULE DE LA SOMME ET DU PRODUIT

Nous aborderons l'analyse combinatoire par des problèmes élémentaires de dénombrement. Puis, peu à peu, nous améliorerons nos techniques. Commençons par établir une règle permettant de calculer le nombre d'éléments de certains ensembles.

PROPRIÉTÉ 1 : Si $A \cap B = \emptyset$, $\#(A \cup B) = \#(A) + \#(B)$.

Démonstration : Soit $x_1, x_2, x_3, ..., x_n$, les éléments de A. Alors, $\#(A) = n$. Soit $y_1, y_2, y_3, ..., y_r$, les éléments de B; $\#(B) = r$. Comme $A \cap B = \emptyset$, $A \cup B = \{ x_1, x_2, x_3, ..., x_n, y_1, y_2, y_3, ..., y_r \}$. Donc $\#(A \cup B) = n + r = \#(A) + \#(B)$.

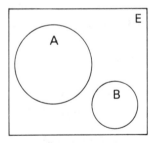

Généralisons cette propriété, appelée **formule de la somme**, au cas où A et B ont des éléments communs.

PROPRIÉTÉ 2 : $\#(A \cup B) = \#(A) + \#(B) - \#(A \cap B)$.

Démonstration : Comme $A \cup B = A \cup (B \setminus A)$ et comme $A \cap (B \setminus A) = \emptyset$, on applique la formule de la somme aux ensembles A et $B \setminus A$:

$$\#(A \cup B) = \#(A) + \#(B \setminus A). \qquad (1)$$

Comme $B = (B \cap A) \cup (B \setminus A)$ et comme $(B \cap A)$ et $B \setminus A$ sont d'intersection vide, on obtient, à l'aide de la formule de la somme,

$$\#(B) = \#(B \cap A) + \#(B \setminus A),$$

c'est-à-dire

$$\#(B \setminus A) = \#(B) - \#(B \cap A). \qquad (2)$$

En remplaçant (2) dans (1), on obtient que

$$\#(A \cup B) = \#(A) + \#(B) - \#(A \cap B).$$

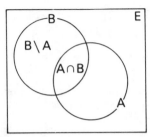

La formule de la somme se généralise au cas de 3, 4, 5, ... ensembles :

pour trois ensembles : $\#(A \cup B \cup C)$

$$= \#(A) + \#(B) + \#(C)$$
$$- \#(A \cap B) - \#(A \cap C) - \#(B \cap C)$$
$$+ \#(A \cap B \cap C);$$

pour quatre ensembles : $\#(A \cup B \cup C \cup D) = \#(A) + \#(B) + \#(C) + \#(D)$
$$- \#(A \cap B) - \#(A \cap C) - \#(A \cap D)$$
$$- \#(B \cap C) - \#(B \cap D) - \#(C \cap D)$$
$$+ \#(A \cap B \cap C) + \#(A \cap B \cap D)$$
$$+ \#(A \cap C \cap D) + \#(B \cap C \cap D)$$
$$- \#(A \cap B \cap C \cap D).$$

On constate que la formule de la somme s'obtient selon le cheminement suivant :
- on *additionne* d'abord le cardinal de *chaque ensemble* ;
- on *soustrait* le cardinal de toutes les *intersections* possibles de *deux ensembles* ;
- on *additionne* le cardinal de toutes les *intersections* possibles de *trois ensembles* ;
- on *soustrait* le cardinal de toutes les *intersections* possibles de *quatre ensembles* ;
    etc.

On s'arrête avec l'intersection de tous les ensembles.

Exemple 1 : Pour aller de la ville S à la ville T, il y a 2 routes possibles par train et 3 routes possibles par voiture. De combien de façons différentes peut-on se rendre de S à T ? Notons t_1 et t_2, les routes par train, v_1, v_2 et v_3, les routes par voiture. Soit $A = \{ t_1, t_2 \}$ et $B = \{ v_1, v_2, v_3 \}$, l'ensemble des trajets par train et par voiture. On peut calculer $\#(A \cup B)$. Comme $A \cap B = \emptyset$, $\#(A \cup B) = \#(A) + \#(B) = 2 + 3 = 5$.

Exemple 2 : On interroge 20 personnes parlant anglais ou français : 2 sont bilingues, 13 parlent français. Combien parlent anglais ? Notons F, l'ensemble des personnes parlant français et A, l'ensemble des personnes parlant anglais. On veut calculer $\#(A)$.

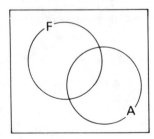

Par hypothèse,

$$\# \, (\, A \cup F \,) = 20,$$
$$\# \, (\, A \cap F \,) = 2,$$
$$\# \, (\, F \,) = 13.$$

La formule de la somme permet d'écrire

$$\# \, (\, A \cup F \,) = \# \, (\, A \,) + \# \, (\, F \,) - \# \, (\, A \cap F \,)$$

c'est-à-dire

$$20 = \# \, (\, A \,) + 13 - 2.$$

D'où # (A) = 9. Il y a 11 personnes qui ne parlent que français, 7 qui ne parlent qu'anglais.

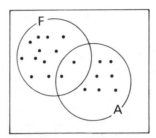

Exemple 3 : On jette deux dés sur une table, un dé rouge et un dé vert. On observe alors les numéros de chacune des faces. Notons A, l'ensemble des cas où le numéro du dé rouge est pair, B, l'ensemble des cas où la somme des numéros égale 6, et C, l'ensemble des cas où le numéro du dé rouge égale celui du dé vert. Le tableau suivant décrit tous les cas possibles :

dé vert \ dé rouge	1	2	3	4	5	6
1	(1,1)	(1,2)	(1,3)	(1,4)	(1,5)	(1,6)
2	(2,1)	(2,2)	(2,3)	(2,4)	(2,5)	(2,6)
3	(3,1)	(3,2)	(3,3)	(3 4)	(3,5)	(3,6)
4	(4,1)	(4,2)	(4,3)	(4,4)	(4,5)	(4,6)
5	(5,1)	(5,2)	(5,3)	(5,4)	(5,5)	(5,6)
6	(6,1)	(6,2)	(6,3)	(6,4)	(6,5)	(6,6)

Ainsi, le couple (5,3) décrit le cas où le dé vert porte le numéro 5 et le dé rouge, 3. Comptons le nombre d'éléments dans A ∪ B ∪ C. Pour y arriver, il faut compter le nombre d'éléments dans A, B, C, A ∩ B, A ∩ C, B ∩ C et A ∩ B ∩ C, puisque

$$\#(A \cup B \cup C) = \#(A) + \#(B) + \#(C) - \#(A \cap B)$$
$$- \#(A \cap C) - \#(B \cap C) + \#(A \cap B \cap C).$$

Il y a 18 éléments dans A, c'est-à-dire # (A) = 18. On retrouve en effet dans A tous les éléments de la 2e, 4e et 6e colonne du tableau.

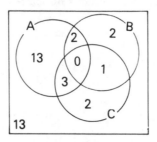

On trouvera aussi, en étudiant le tableau de la page précédente, que

$$\#(B) = 5,$$
$$\#(C) = 6,$$
$$\#(A \cap B) = 2,$$
$$\#(A \cap C) = 3,$$
$$\#(B \cap C) = 1,$$
$$\#(A \cap B \cap C) = 0.$$

D'où,

$$\#(A \cup B \cup C) = \#(A) + \#(B) + \#(C) - \#(A \cap B) - \#(A \cap C)$$
$$- \#(B \cap C) + \#(A \cap B \cap C)$$

c'est-à-dire

$$\#(A \cup B \cup C) = 18 + 5 + 6 - 2 - 3 - 1 + 0$$
$$= 23.$$

Exercices (b) :   (1) Combien y a-t-il d'éléments dans A ∪ B si :

a) # (A) = 12, # (B) = 4, # (A ∩ B) = 2;
b) # (A \ B) = 4, # (A ∩ B) = 3, # (B) = 6;
c) # (A ∩ B) = 4, # (A) = # (B) − 4.

(2) Sur 100 lecteurs de journaux, on a noté que :
- 51 achètent le journal A;
- 33 achètent le journal B;
- 7 achètent le journal A et B;
- 10 achètent le journal B et C;

- 11 achètent le journal A et C;
- 2 achètent le journal A, B et C.

Combien achètent le journal C ?

Combien n'achètent qu'un journal ?

Combien n'achètent pas A ?

Nous allons maintenant voir une nouvelle formule, celle du produit. On rappelle que si A et B sont des ensembles, A × B désigne le produit cartésien de A et de B. Par exemple, si A = $\{$ 1, 2, 3 $\}$ et B = $\{$ 6, 8 $\}$, A × B = $\{$ (1, 6), (2, 6),(3, 6), (1, 8), (2, 8), (3, 8) $\}$. On peut aussi parler de produit cartésien de 3, 4, 5, … ensembles. Ainsi, si A = $\{$ 1, 2, 3 $\}$, B = $\{$ 6, 8 $\}$ et C = $\{$ 1, 2 $\}$, alors

$$A \times B \times C = \{ \ (1, 6, 1), (2, 6, 1), (3, 6, 1), (1, 8, 1), (2, 8, 1),$$
$$(3, 8, 1), (1, 6, 2), (2, 6, 2), (3, 6, 2), (1, 8, 2),$$
$$(2, 8, 2), (3, 8, 2) \ \}.$$

De façon générale, on peut écrire que

$$(x_1, x_2, x_3, …, x_n) \in A_1 \times A_2 \times A_3 \times … \times A_n$$

si et seulement si $x_1 \in A_1$, $x_2 \in A_2$, $x_3 \in A_3$, …, $x_n \in A_n$. Le n-uplet $(x_1, x_2, x_3, …, x_n)$ peut être considéré comme un vecteur-ligne de dimension n. Dans l'exemple précédent, on peut écrire

(1, 6, 8) $\in$ A × B × B,

(3, 8, 6, 3) $\in$ A × B × B × A,

etc.

Combien y a-t-il d'éléments dans A × B ? dans A × B × B ? dans A × B × B × A ? dans A × A × A × A ? La formule du produit nous permettra d'y répondre.

Le tableau suivant illustre comment se construisent les éléments d'un produit cartésien, en l'occurrence ceux de A × B × C où A = $\{ a_1, a_2, a_3 \}$, B = $\{ b_1, b_2 \}$, C = $\{ c_1, c_2, c_3 \}$. Les éléments de A × B × C sont ainsi formés :

- on choisit une première composante dans A,
- pour chaque 1re composante choisie, on prend la 2e composante dans B,
- les deux premières composantes étant déterminées, on choisit la 3e composante dans C.

On aura compris que le cardinal de A × B × C égale le produit des cardinaux de A, de B et de C.

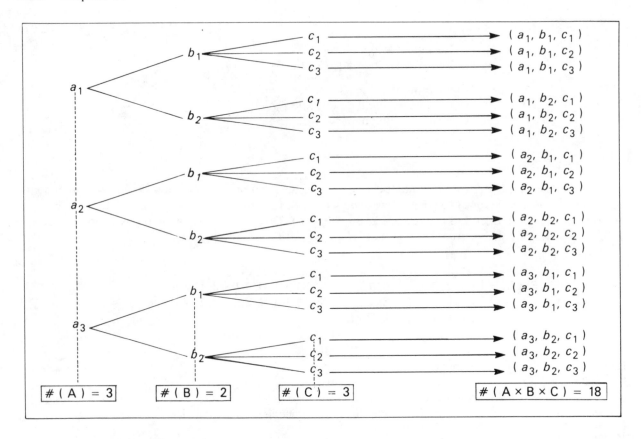

$\boxed{\# (A) = 3}$ $\boxed{\# (B) = 2}$ $\boxed{\# (C) = 3}$ $\boxed{\# (A \times B \times C) = 18}$

PROPRIÉTÉ 3 : $\# (A \times B) = \# (A) \times \# (B)$.

Démonstration : Pour chacun des $\# (A)$ éléments de A, on peut choisir $\# (B)$ éléments de B. Au total, il y a donc $\# (A) \times \# (B)$ couples dont la première composante est dans A et la deuxième, dans B.

La propriété 3, appelée **formule du produit**, se généralise au produit cartésien de 3, 4, 5, ..., ensembles :
cas de trois ensembles : $\# (A \times B \times C) = \# (A) \times \# (B) \times \# (C)$,
cas de quatre ensembles : $\# (A \times B \times C \times D) = \# (A) \times \# (B) \times \# (C) \times \# (D)$, etc.

Ces résultats sont faciles à comprendre. Si on veut, par exemple, calculer le nombre d'éléments de $A \times B \times C \times D \times E$, on forme des vecteurs-lignes (ou des 5-uplets) de dimension 5, où la première composante est dans A, la deuxième dans B, la troisième dans C, etc. Pour la première composante, on a $\# (A)$ choix possibles. Pour chacun de ces $\# (A)$ choix, on a $\# (B)$ choix possibles pour la deuxième composante. Au total, on a donc $\# (A) \times \# (B)$ choix pour les deux premières composantes. Pour chacun de ces $\# (A) \times \# (B)$ choix des 2 premières composantes, on aura $\# (C)$ choix possibles pour la troisième : au total, on aura $\# (A) \times \# (B) \times \# (C)$ choix possibles pour les trois premières composantes. En continuant ainsi, on aura $\# (A) \times \# (B) \times \# (C) \times \# (D) \times \# (E)$ choix possibles pour les 5 composantes.

Donnons quelques exemples d'utilisation de la formule du produit.

Exemple 4 : Combien peut-on former de nombres distincts de 4 chiffres avec 1, 2, 3, 5 ou 7 ? Soit A = { 1, 2, 3, 5, 7 }. On cherche à compter, en somme, le nombre d'éléments de A × A × A × A. En effet le 4-uplet (1, 2, 5, 7) peut être regardé comme le nombre 1257. Puisque
$\#(A \times A \times A \times A) = \#(A) \times \#(A) \times \#(A) \times \#(A)$, on a alors 5^4 éléments.

Exemple 5 : Combien peut-on former de mots de 3 lettres si les seules lettres utilisées doivent être a, b, d, f, h et t ? La réponse est 6^3.

Exemple 6 : Combien peut-on former de numéros de téléphone de 7 chiffres, si les deux premiers chiffres sont 5 et 6 ? On cherche à compter le nombre d'éléments de A × B × C × C × C × C × C, où A = { 5 }, B = { 6 } et C = { 0, 1, 2, 3, 4, ..., 9 }. La réponse est 10^5, c'est-à-dire, 1 × 1 × 10 × 10 × 10 × 10 × 10.

Exemple 7 : Combien peut-on former de numéros distincts de plaques d'immatriculation si l'on utilise 7 symboles, les 3 premiers étant des chiffres autres que 0 ou 1, le 4e étant une lettre autre que O, I et J, et les 3 derniers symboles étant des chiffres, sauf 1 ? On compte le nombre d'éléments dans $\Gamma \times \Gamma \times \Gamma \times \Delta \times \psi \times \psi \times \psi$, où Γ = { 2, 3, 4, ..., 9 }, Δ = { A, B, C, D, ..., Z } \ { O, I, J } et ψ = { 0, 2, 3, 4, ..., 9 }. La réponse est 8 584 704, c'est-à-dire 8 × 8 × 8 × 23 × 9 × 9 × 9.

Très souvent, on doit, pour résoudre un problème de dénombrement, utiliser à la fois la formule du produit et celle de la somme.

Exemple 8 : Combien de mots de 3 lettres peut-on former en faisant alterner voyelles et consonnes ? Notons Δ, l'ensemble des voyelles, et Γ, l'ensemble des consonnes. On cherche le nombre d'éléments de ($\Delta \times \Gamma \times \Delta$) ∪ ($\Gamma \times \Delta \times \Gamma$). Comme $\Delta \times \Gamma \times \Delta$ et $\Gamma \times \Delta \times \Gamma$ sont d'intersection vide,
$$\#((\Delta \times \Gamma \times \Delta) \cup (\Gamma \times \Delta \times \Gamma)) = \#(\Delta \times \Gamma \times \Delta) + \#(\Gamma \times \Delta \times \Gamma)$$
$$= (6 \times 20 \times 6) + (20 \times 6 \times 20)$$
$$= 3\ 120.$$

Exemple 9 : Combien peut-on former de mots de 6 lettres ou moins où voyelles et consonnes alternent ? En appliquant à la fois la formule de la somme et celle du produit, on obtiendra 3 862 586, en additionnant :

- les mots d'une lettre :   26;
- les mots de deux lettres :
    - commençant par une voyelle : 6 × 20;
    - commençant par une consonne : 20 × 6;
- les mots de trois lettres :
    - commençant par une voyelle : 6 × 20 × 6;
    - commençant par une consonne : 20 × 6 × 20;
- les mots de quatre lettres :
    - commençant par une voyelle : 6 × 20 × 6 × 20;
    - commençant par une consonne : 20 × 6 × 20 × 6;
- les mots de cinq lettres :
    - commençant par une voyelle : 6 × 20 × 6 × 20 × 6;
    - commençant par une consonne : 20 × 6 × 20 × 6 × 20;
- les mots de six lettres :
    - commençant par une voyelle : 6 × 20 × 6 × 20 × 6 × 20;
    - commençant par une consonne : 20 × 6 × 20 × 6 × 20 × 6.

Exercices (c) :

(1) Quelle est la capacité théorique d'un réseau téléphonique si un numéro d'appel est constitué de 7 chiffres ?

(2) Reprendre l'exercice précédent en y ajoutant les conditions suivantes : le numéro ne peut commencer par 0; le numéro ne peut commencer par 1; le numéro doit se terminer par un 5 ou un 8.

(3) Trois personnes lancent chacune un dé. Combien y a-t-il de résultats différents ?

(4) Trois personnes lancent chacune un dé. Combien y a-t-il de résultats où la somme des numéros des 3 dés dépasse 8 ?

Avant de terminer cette section, signalons que les k-uplets, éléments de $\underbrace{A \times A \times A \times ... \times A}_{k \text{ fois}}$, où $\#(A) = n$, sont appelés des **arrangements avec répétition** de n objets pris k à k. Par exemple, si $A = \{1, 2, 3\}$, les éléments de $A \times A$ sont des arrangements avec répétition de 3 objets pris 2 à 2, tandis que les éléments de $A \times A \times A \times A$ sont des arrangements avec répétition de 3 objets pris 4 à 4. La propriété suivante n'est qu'un cas particulier de la propriété 3.

PROPRIÉTÉ 4 : Il y a n^k arrangements avec répétition de n objets pris k à k. (*)

Dans l'exemple 4, nous avons compté le nombre d'arrangements avec répétition de 5 objets pris 4 à 4. Dans l'exemple 5, nous avons compté le nombre d'arrangements avec répétition de 6 objets pris 3 à 3. Dans les autres exemples, il ne s'agissait pas d'arrangements avec répétition de n objets pris k à k.

Exercices (d) :

(1) Combien y a-t-il d'arrangements avec répétition de 2 objets pris 5 à 5 ?

(2) Déceler les cas d'arrangements avec répétition de n objets pris k à k (préciser la valeur de k et n) :
- on calcule de combien de façons différentes une voiture peut être choisie, si on offre 20 couleurs, 7 modèles et 3 qualités de finition intérieure;
- on compte combien on peut former de nombres de 2 chiffres avec 1, 2, 3, 4 et 5;
- on compte combien on peut former de nombres de 3 chiffres non répétés avec 1, 2, 3, 4, 5, et 6;
- on compte combien de pizzas différentes on peut choisir, s'il y a 5 choix de grandeur et 6 choix de garniture.

11.3 ARRANGEMENTS SANS RÉPÉTITION

Si on cherche combien de nombres de 3 chiffres on peut former avec 1, 2, 3, 6 ou 8, on obtient 5^3. Il s'agit d'arrangements avec répétition de 5 objets pris 3 à 3, c'est-à-dire 5^3 au total. Chaque mot dans l'expression '' arrangement avec répétition de 5 objets pris 3 à 3 '' a un sens :
- *arrangement* : pour signifier qu'il s'agit d'un triplet, donc d'une façon ordonnée de choisir des objets (dans l'exemple 123 peut s'écrire (1, 2, 3) et n'a pas le même sens que 321, d'où le mot arrangement);

---

* On dit aussi simplement «arrangements avec répétition de k objets choisis parmi n ».

- *avec répétition* : on peut considérer 122, 323, ..., formés de chiffres se répétant;
- *de 5 objets* : on choisit les chiffres parmi 1, 2, 3, 6 ou 8;
- *pris 3 à 3* : on les choisit par groupe de 3.

Si on demandait plutôt combien peut-on former de nombres, toujours avec 1, 2, 3, 6 ou 8, de 3 chiffres différents ? On ne devrait alors considérer que les nombres du genre 123, 321, 128, ..., mais non 122, 323, 334, 828, ... Il s'agirait dans ce cas d'arrangements sans répétition de 5 objets pris 3 à 3.

Évidemment, pour pouvoir parler d'**arrangements sans répétition** de n objets pris k à k, il faut que $k \leqslant n$. On ne pourrait parler, par exemple, d'arrangements sans répétition de 5 objets pris 6 à 6 : on ne peut former aucun nombre de 6 chiffres non répétés avec 1, 2, 3, 6 ou 8.

PROPRIÉTÉ 5 : Il y a $\dfrac{n!}{(n-k)!}$ arrangements sans répétition de n objets pris k à k ($k \leqslant n$). (*)

Démonstration : Notons a_1, a_2, a_3, ..., a_n, les n éléments avec lesquels on formera des arrangements sans répétition. Un arrangement sans répétition de n objets pris k à k est un k-uplet.

$$\underbrace{(\ ,\ ,\ ,\ ...,\ )}_{k \text{ positions}} .$$

Pour la 1re composante du k-uplet, on a n choix possibles. Ayant choisi un élément comme 1re composante (ex. : a_1), on a $n-1$ choix possibles pour la 2e composante (ex. : tous, sauf a_1). Au total, on a donc $n \times (n-1)$ choix pour les deux premières composantes. Ayant choisi les deux premières composantes (ex. : a_1 et a_2), on a $n-2$ choix possibles pour la 3e composante (ex. : tous, sauf a_1 et a_2). Pour les trois premières composantes, on a donc $n \times (n-1) \times (n-2)$ choix possibles. On continue ainsi jusqu'à la k^e composante. On aura donc, au total, $n \times (n-1) \times (n-2) \times ... \times (n-k+1)$ arrangements sans répétition de n objets pris k à k. Le terme $n \times (n-1) \times (n-2) \times ... \times (n-k+1)$ peut s'écrire

$$\frac{n \times (n-1) \times (n-2) \times ... \times (n-k+1) \times (n-k) \times (n-k-1) \times ... \times 3 \times 2 \times 1}{(n-k) \times (n-k-1) \times ... \times 3 \times 2 \times 1}$$

c'est-à-dire

$$\frac{n!}{(n-k)!} .$$

Exemple 10 : Combien peut-on former de nombres de 3 chiffres non répétés avec 2, 4, 6, 8 ? On cherche le nombre d'arrangements de 4 objets pris 3 à 3. On peut donc en former $\dfrac{4!}{(4-3)!} = 4! = 24$. On aurait aussi pu le faire sans la formule : $4 \times 3 \times 2 = 24$.

Exemple 11 : Combien peut-on former de mots de 6 lettres, aucune lettre n'étant répétée ? Il s'agit de compter les arrangements sans répétition de 26 objets pris 6 à 6 : $\dfrac{26!}{(26-6)!}$, c'est-à-dire $\dfrac{26!}{20!}$ (ou encore $26 \times 25 \times 24 \times 23 \times 22 \times 21$).

Exemple 12 : De combien de façons différentes 6 personnes peuvent-elles occuper les 5 places d'une voiture ? Pour utiliser le modèle des arrangements sans répétition, il faut admettre que chaque façon, pour 5 personnes d'occuper les 5 places, est nouvelle si une personne a changé de position. Par exemple, si (1, 2, 3, 5, 6) désigne le cas où la personne 1 occupe le siège avant à droite, 2 occupe le siège avant à gauche, 3 occupe

---

* On dit aussi simplement « arrangements sans répétition de k objets choisis parmi n ». La valeur $n!/(n-k)!$ est parfois notée A_k^n.

le siège arrière à droite, 5 le siège arrière au centre et 6, le siège arrière à gauche, le cas (1, 3, 2, 5, 6) serait un nouveau cas. On aurait donc $\dfrac{6\,!}{(\,6-5\,)\,!} = 6\,!$ façons pour ces 6 personnes d'occuper les 5 sièges. Supposons qu'en plus, deux de ces personnes seulement savent conduire. Combien y aurait-il alors de possibilités ? Pour fixer les idées, nous posons que 1 et 2 sont les seules personnes sachant conduire. Si c'est la personne 1 qui conduit, il restera $\dfrac{5\,!}{(\,5-4\,)\,!}$ façons d'occuper les 4 autres sièges. Si c'est la personne 2, il y aura aussi $\dfrac{5\,!}{(\,5-4\,)\,!}$ façons d'occuper les autres sièges. En appliquant la formule de la somme, on trouve $5\,! + 5\,!$ façons, c'est-à-dire 240. Évidemment, quel que soit l'arrangement choisi, il restera toujours une personne qui ne pourra s'asseoir dans la voiture.

Les arrangements sans répétition de n objets pris n à n s'appellent des **permutations**. Il y a donc $n\,!$ permutations de n objets $\left(\text{c'est-à-dire } \dfrac{n\,!}{(\,n-n\,)\,!} = \dfrac{n\,!}{0\,!} = n\,!\right)$.

Exemple 13 : Les 23 étudiants d'une classe décident de quitter la classe dans un ordre différent à chaque jour. Combien de jours cela leur prendra-t-il ? Cela revient à calculer le nombre de permutations de 23 objets : 23 !. Il leur faudrait donc 23 ! jours pour épuiser tous les cas possibles. Ce nombre est colossal : $\simeq 2{,}58 \times 10^{22}$. C'est à peu près 70 mille millions de millions de millénaires…

Exercices (e) :   (1) Vingt personnes postulent un emploi. À la suite des entrevues, le jury doit choisir 3 candidats dans l'ordre. Combien y a-t-il de cas possibles ?

(2) Combien y a-t-il de nombres écrits avec 3 chiffres distincts, autres que 0 ?

(3) Combien peut-on former de mots de 6 lettres, aucune lettre n'étant répétée ?

(4) De combien de façons différentes 5 personnes peuvent-elles occuper les 5 sièges d'une rangée ?

(5) Quand a-t-on utilisé, dans les exercices précédents, le modèle des permutations ?

(6) Combien y a-t-il d'anagrammes du mot DÉFAIT ? du mot MATHS ?

11.4 COMBINAISONS

La formule du produit, le modèle des arrangements avec répétition, celui des arrangements sans répétition et les permutations s'appliquent à des situations où les cas possibles peuvent se représenter au moyen de k-uplets. Un k-uplet a en effet l'avantage de mettre un ordre entre ses composantes. Mais, il arrive très souvent que les cas possibles ne peuvent se représenter adéquatement par des k-uplets. Prenons le cas d'une classe de 30 étudiants désirant s'élire un conseil de classe. Combien y a-t-il de cas possibles si ce conseil est formé de 3 personnes ? Notons 1, 2, 3, …, 30, les 30 étudiants ($n = 30$). Entre les membres du conseil choisis, il n'y a pas d'ordre. Aussi, si on utilise un k-uplet pour représenter un conseil, on devra ajouter que deux k-uplets sont égaux s'ils sont formés des mêmes composantes : ainsi le conseil (1, 2, 3), (3, 2, 1), (1, 3, 2), …, ne forment qu'un seul et même cas… Ce serait un peu trahir la notion de k-uplet que d'agir ainsi. C'est pourquoi nous préférons représenter les cas possibles par des ensembles. Ainsi, le cas $\{1, 2, 3\}$ décrit la situation où les étudiants 1, 2 et 3 ont été choisis. Combien de conseils de classe peut-on former ? Autant qu'on peut former de sous-ensembles à 3 éléments ($k = 3$) à partir d'un ensemble de 30 éléments ($n = 30$).

Pour décrire le choix d'un sous-ensemble de k éléments parmi n ($k \leqslant n$), on parlera d'une **combinaison** de n objets pris k à k. Compter le nombre de conseils de classe de 3 membres choisis parmi 30 étudiants revient à compter le nombre de combinaisons de 30 objets pris 3 à 3.

PROPRIÉTÉ 6 : Il y a $\dfrac{n!}{k!(n-k)!}$ combinaisons de n objets pris k à k ($k \leqslant n$). (*)

$\left(\text{Le terme } \dfrac{n!}{k!(n-k)!} \text{ se note } \dbinom{n}{k} \text{ ce qui se lit '' } k \text{ parmi } n \text{ ''} \right).$

Démonstration : Soit A, un ensemble de n éléments : $A = \{x_1, x_2, x_3, ..., x_k, x_{k+1}, ..., x_n\}$. Soit ($x_{i_1}, x_{i_2}, ..., x_{i_k}$) un k - uplet formé à partir d'éléments de A où toutes les composantes sont distinctes : en fait, il s'agit d'un arrangement sans répétition des n éléments de A choisis k à k. Si à chaque k - uplet on associe l'ensemble $\{x_{i_1}, x_{i_2}, ..., x_{i_k}\}$, on obtient donc k ! fois trop d'ensembles puisque toutes les permutations des composantes d'un k - uplet donné seront associées au même ensemble. Il y a donc

$$\frac{\dfrac{n!}{(n-k)!}}{k!} = \frac{n!}{k!(n-k)!}$$

sous-ensembles de A ayant k éléments.

Dans l'exemple plus haut, on aurait donc $\dfrac{30!}{3!(30-3)!} = \dfrac{30!}{3!\,27!}$ conseils de classe distincts. Le calcul de $\dfrac{30!}{3!\,27!}$ peut se faire rapidement : $\dfrac{30!}{3!\,27!} = \dfrac{(27!)\,28 \times 29 \times 30}{3!\,27!} = \dfrac{28 \times 29 \times 30}{6} = 4\,060.$

Exemple 14 : Tout le monde connaît la composition d'un jeu de cartes ordinaire : il y a 13 trèfles, 13 piques, 13 carreaux, 13 coeurs, ayant comme valeurs 2 à 10, le valet, la dame, le roi et l'as. On appelle '' main '' un ensemble de ces cartes : ainsi, une main de 4 cartes est formée de 4 cartes choisies parmi les 52. Une main se représente facilement au moyen d'un ensemble, puisqu'il n'y a pas d'ordre. Par exemple, on représente par $\{a_p, r_k, 10_c, 9_t\}$, la main formée de l'as de pique, du roi de carreau, du 10 de coeur et du 9 de trèfle. On utilise un ensemble pour représenter une main puisque ce qui compte, c'est d'avoir dans son jeu telle ou telle carte, peu importe l'ordre dans lequel on l'a reçue ou on l'a placée. Combien de mains distinctes de 4 cartes peut-on former ? On calcule, à l'aide de la propriété 6

$$\binom{52}{4} = \frac{52!}{4!(52-4)!} = \frac{52!}{4!\,48!}.$$

On peut calculer la valeur de cette expression :

$$\begin{aligned}
\frac{52!}{4!\,48!} &= \frac{(48!)\,49 \times 50 \times 51 \times 52}{4 \times 3 \times 2 \times (48!)} \\
&= \frac{49 \times 50 \times 51 \times 52}{4 \times 3 \times 2} \\
&= 270\,725.
\end{aligned}$$

---

* On dit aussi simplement «combinaisons de k objets choisis parmi n».

Combien de mains ne comportent que des as ? Il s'agit de choisir les 4 cartes parmi les 4 as : $\begin{pmatrix} 4 \\ 4 \end{pmatrix} = 1$.

Combien de mains de 4 cartes ne sont formées que de cartes de couleur noire ? $\begin{pmatrix} 26 \\ 4 \end{pmatrix} = 14\ 950$. Combien de mains de 4 cartes ne sont formées que de cartes d'une même couleur (noire ou rouge) ? Les cartes sont, ou toutes noires, ou toutes rouges. Il y a donc, en appliquant la formule de la somme et la propriété 6,

$$\begin{pmatrix} 26 \\ 4 \end{pmatrix} + \begin{pmatrix} 26 \\ 4 \end{pmatrix} = 29\ 900$$

cas possibles. Combien y a-t-il de mains de 4 cartes n'ayant que 2 as ? Il y a $\begin{pmatrix} 4 \\ 2 \end{pmatrix}$ façons de choisir les 2 as et $\begin{pmatrix} 48 \\ 2 \end{pmatrix}$ façons de choisir les 2 autres cartes. En appliquant la formule du produit, on obtient $\begin{pmatrix} 4 \\ 2 \end{pmatrix} \begin{pmatrix} 48 \\ 2 \end{pmatrix}$ mains. Combien y a-t-il de mains ayant au moins 2 as ? On doit compter les mains qui ont 2 as, 3 as ou 4 as :

$$\begin{pmatrix} 4 \\ 2 \end{pmatrix} \begin{pmatrix} 48 \\ 2 \end{pmatrix} + \begin{pmatrix} 4 \\ 3 \end{pmatrix} \begin{pmatrix} 48 \\ 1 \end{pmatrix} + \begin{pmatrix} 4 \\ 4 \end{pmatrix} \begin{pmatrix} 48 \\ 0 \end{pmatrix} .$$

Exercices (f) :   (1) Combien peut-on former de comités de 3 personnes dans une classe de 25 étudiants ?

(2) Évaluer $\begin{pmatrix} 12 \\ 3 \end{pmatrix}$ et $\begin{pmatrix} 8 \\ 6 \end{pmatrix}$.

(3) Combien peut-on former de triangles ayant pour sommets trois des sommets d'un octogone ?

(4) Combien de mains différentes de 5 cartes peut-on former à partir d'un jeu de 52 cartes s'il doit n'y avoir aucun as ? au moins un as ? ni as, ni roi ? seulement des as ou des rois ? autant d'as que de rois ?

11.5   LE TRIANGLE DE PASCAL

Attardons-nous à la notation $\begin{pmatrix} n \\ k \end{pmatrix}$ ($k \leqslant n$). On a vu que [*]

$$\boxed{\begin{pmatrix} n \\ k \end{pmatrix} = \frac{n\ !}{k\ !\ (\ n - k\ )\ !}} .$$

On peut établir quelques règles permettant le calcul rapide de cette expression. N'oublions pas que $\begin{pmatrix} n \\ k \end{pmatrix}$ désigne le nombre de sous-ensembles à k éléments d'un ensemble de n éléments ou, ce qui est équivalent, le nombre de combinaisons de n objets pris k à k.

RÈGLE 1 : $\boxed{\begin{pmatrix} n \\ 0 \end{pmatrix} = 1}$.

---

[*]   On rencontre aussi à la place de $\begin{pmatrix} n \\ k \end{pmatrix}$ la notation C_k^n.

Démonstration : $\begin{pmatrix} n \\ 0 \end{pmatrix} = \dfrac{n!}{0!(n-0)!} = \dfrac{n!}{0!\, n!} = \dfrac{1}{0!} = \dfrac{1}{1} = 1.$

Cette première règle est bien normale : il n'y a qu'un ensemble à 0 élément tiré d'un ensemble à n éléments, l'ensemble vide. On a donc bien fait de définir 0 ! comme étant 1. La règle suivante paraîtra aussi évidente : d'un ensemble A à n éléments, on ne peut tirer qu'un seul sous-ensemble à n éléments, l'ensemble A lui-même.

RÈGLE 2 : $\boxed{\begin{pmatrix} n \\ n \end{pmatrix} = 1}$.

Démonstration : $\begin{pmatrix} n \\ n \end{pmatrix} = \dfrac{n!}{n!(n-n)!} = \dfrac{n!}{n!\, 0!} = 1.$

Soit un ensemble A à n éléments. On calcule le nombre de sous-ensembles de A ayant k éléments. On en trouve donc $\begin{pmatrix} n \\ k \end{pmatrix}$. Pour chacun de ces $\begin{pmatrix} n \\ k \end{pmatrix}$ sous-ensembles, le complémentaire a $n - k$ éléments. Il devrait donc y avoir aussi $\begin{pmatrix} n \\ k \end{pmatrix}$ sous-ensembles ayant $n - k$ éléments. D'où la règle suivante.

RÈGLE 3 : $\boxed{\begin{pmatrix} n \\ n-k \end{pmatrix} = \begin{pmatrix} n \\ k \end{pmatrix}}$.

Démonstration :
$$\begin{aligned}
\begin{pmatrix} n \\ n-k \end{pmatrix} &= \frac{n!}{(n-k)!\,(n-(n-k))!} \\[2mm]
&= \frac{n!}{(n-k)!\,k!} \\[2mm]
&= \frac{n!}{k!\,(n-k)!} \\[2mm]
&= \begin{pmatrix} n \\ k \end{pmatrix}.
\end{aligned}$$

Présentons une autre règle dont le résultat nous permettra de construire une table des valeurs de $\begin{pmatrix} n \\ k \end{pmatrix}$.

RÈGLE 4 : $\boxed{\begin{pmatrix} n \\ k-1 \end{pmatrix} + \begin{pmatrix} n \\ k \end{pmatrix} = \begin{pmatrix} n+1 \\ k \end{pmatrix}}$.

Démonstration :
$$\begin{aligned}
\begin{pmatrix} n \\ k-1 \end{pmatrix} + \begin{pmatrix} n \\ k \end{pmatrix} &= \frac{n!}{(k-1)!\,(n-k+1)!} + \frac{n!}{k!\,(n-k)!} \\[2mm]
&= \frac{n!}{(k-1)!\,(n-k)!\,(n-k+1)} \\[2mm]
&\quad + \frac{n!}{(k-1)!\,(n-k)!\,k}
\end{aligned}$$

$$= \frac{k\,(n!) + (n-k+1)\,(n!)}{(k-1)!\,(n-k)!\,(n-k+1)\,k}$$

$$= \frac{k\,(n!) + n\,(n!) - k\,(n!) + n!}{k!\,(n-k+1)!}$$

$$= \frac{n!\,(n+1)}{(n-k+1)!\,k!}$$

$$= \frac{(n+1)!}{k!\,(n+1-k)!}$$

$$= \binom{n+1}{k}.$$

Construisons une table des valeurs $\binom{n}{k}$. Quel que soit n, $\binom{n}{0}$ et $\binom{n}{n}$ valent 1, en vertu des règles 1 et 2. Donc $\binom{1}{0} = \binom{1}{1} = 1$. La règle 4 permet de calculer $\binom{2}{1}$, puisque $\binom{1}{0} + \binom{1}{1} = \binom{2}{1} = 2$. Elle permet aussi de calculer $\binom{3}{1}$ et $\binom{3}{2}$, puisque

$$\binom{3}{1} = \binom{2}{0} + \binom{2}{1} \qquad (\text{règle 4})$$

$$= \ 1 \ + \ 2 \qquad\qquad (\text{règle 1 et résultat précédent})$$

$$\binom{3}{2} = \binom{2}{1} + \binom{2}{2} \qquad (\text{règle 4})$$

$$= \ 2 \ + \ 1 \qquad\qquad (\text{résultat précédent et règle 1}).$$

De proche en proche, on peut ainsi trouver toutes les valeurs de $\binom{n}{k}$ qu'on peut grouper dans une table de forme triangulaire, appelée *triangle de Pascal*.

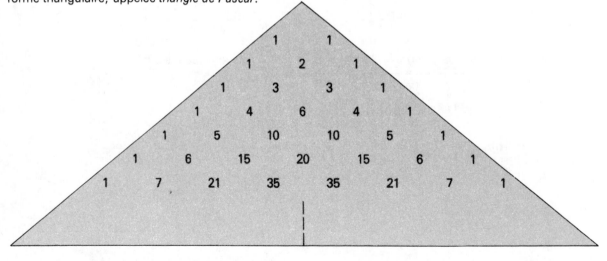

Pour connaître la valeur de $\begin{pmatrix} 6 \\ 4 \end{pmatrix}$, on va en 6e ligne : les valeurs 1, 6, 15, 20, ... représentent $\begin{pmatrix} 6 \\ 0 \end{pmatrix}$, $\begin{pmatrix} 6 \\ 1 \end{pmatrix}$, $\begin{pmatrix} 6 \\ 2 \end{pmatrix}$, $\begin{pmatrix} 6 \\ 3 \end{pmatrix}$, ... Donc $\begin{pmatrix} 6 \\ 4 \end{pmatrix}$ = 15. Le tableau est symétrique à cause de la règle 3. La présence des 1 sur les côtés s'explique par les règles 1 et 2. La règle 4 justifie la raison pour laquelle une valeur s'obtient par l'addition des deux valeurs placées au-dessus. Voici une illustration des différentes règles expliquant la formation de la 8e ligne à partir de la 7e ligne :

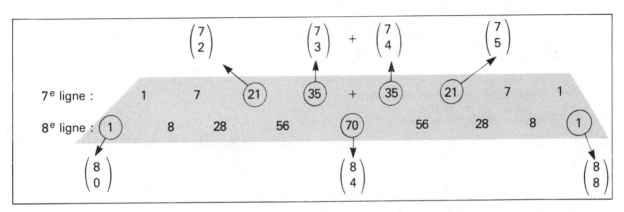

Le triangle de Pascal permet également de trouver les coefficients des divers termes en a et b lors du calcul de $(a + b)^n$. Il est facile de vérifier que
$$(a + b)^4 = a^4 + 4a^3b + 6a^2b^2 + 4ab^3 + b^4.$$
Les coefficients des termes en a et b, 1, 4, 6, 4, 1, sont ceux de la 4e ligne du triangle de Pascal. On pourrait de la même façon vérifier que
$$(a + b)^7 = a^7 + 7a^6b + 21a^5b^2 + 35a^4b^3 + 35a^3b^4 + 21a^2b^5 + 7ab^6 + b^7.$$
Si nous écrivons ce résultat sous forme générale, nous avons la règle appelée **formule du binôme**. Nous l'admettrons sans démonstration :

RÈGLE 5 : $\boxed{(a + b)^n = \begin{pmatrix} n \\ 0 \end{pmatrix}a^n + \begin{pmatrix} n \\ 1 \end{pmatrix}a^{n-1}b + \begin{pmatrix} n \\ 2 \end{pmatrix}a^{n-2}b^2 + ... + \begin{pmatrix} n \\ n-1 \end{pmatrix}ab^{n-1} + \begin{pmatrix} n \\ n \end{pmatrix}b^n}$.

La règle 5 peut se réécrire avec le symbole Σ :

$$\boxed{(a + b)^n = \sum_{i=0}^{n} \begin{pmatrix} n \\ i \end{pmatrix}a^{n-i}b^i}$$.

Exercices (g) :   (1) Donner la valeur de $\begin{pmatrix} 16 \\ 13 \end{pmatrix}$, $3\begin{pmatrix} 9 \\ 3 \end{pmatrix}$ et $\begin{pmatrix} 52 \\ 48 \end{pmatrix}$.

(2) Développer, à l'aide de la formule du binôme, $(a - b)^5$, $(a + 2b)^4$, $(1 - 2x)^7$.

(3) Montrer que $(1 + 1)^n = \begin{pmatrix} n \\ 0 \end{pmatrix} + \begin{pmatrix} n \\ 1 \end{pmatrix} + \begin{pmatrix} n \\ 2 \end{pmatrix} + \dots + \begin{pmatrix} n \\ n \end{pmatrix}$.

En déduire que :

a) la somme d'une ligne, dans le triangle de Pascal, donne 2^n;

b) il y a 2^n sous-ensembles d'un ensemble à n éléments.

11.6 EXERCICES RÉCAPITULATIFS (1re partie)

1. Combien de mots différents de 6 lettres ou moins peut-on former avec un alphabet de 3 lettres ?

2. Avec les lettres a, b, c, d, e, combien peut-on former de mots de 3 lettres ?

3. Avec les lettres a, e, i, o, u, s, t, f, combien peut-on former de mots de 4 lettres non répétées se terminant par e et commençant par une consonne ?

4. Combien peut-on former de mots de 5 lettres ou moins où voyelles et consonnes alternent ?

5. Reprendre l'exercice précédent en supposant qu'aucune lettre n'est répétée.

6. Combien y a-t-il d'anagrammes du mot COLLÈGE ? du mot HISTOIRE ? du mot NOMBRE ?

7. Combien de nombres de 4 chiffres peut-on former (le premier chiffre ne peut être 0) ?

8. Un autobus contient 20 sièges individuels. De combien de façons différentes 10 personnes peuvent-elles les occuper ?

9. De combien de façons 5 personnes peuvent-elles occuper les 5 sièges d'une rangée ?

10. De combien de façons 5 personnes peuvent-elles occuper les 5 places autour d'une table circulaire ?

11. De combien de façons différentes peut-on enfiler 5 perles distinctes autour d'une corde de façon à en faire un collier ?

12. Combien peut-on former de mains de 5 cartes tirées d'un jeu de 52 cartes :

a) si la main contient l'as de pique ?

b) si la main contient au moins 2 as ?

c) si la main ne contient pas l'as de pique ?

d) si la main contient une valeur complète (c'est-à-dire 4 as, 4 rois, 4 dames, 4 valets, 4 dix, etc.) ?

e) si la main contient seulement des cartes rouges ?

f) si la main contient 2 cartes d'une même valeur et les 3 autres d'une autre valeur ?

13. À la loterie 6 / 36, il faut choisir 6 nombres distincts entre 1 et 36. Combien y a-t-il de choix possibles ?

14. Une ligue de hockey est formée de 5 équipes. Combien de classements différents peut-on obtenir à la fin de la saison ?

15. De combien de façons différentes peut-on former une équipe de 9 joueurs parmi 16 ?

16. Une assemblée doit choisir 5 personnes, parmi 10, pour former un comité. De combien de façons différentes peut-elle le faire, si au sein du comité, les rôles sont identiques ?

17. Une classe est composée de 12 étudiants et de 14 étudiantes. On forme un comité de 5 membres. Combien de comités différents peut-on former si les étudiantes refusent d'être minoritaires au sein du comité ?

18. Refaire l'exercice précédent en supposant en plus que le comité doit comprendre au moins un étudiant.

19. La classe est composée de 25 personnes. On forme un comité de classe composé d'un président, d'un secrétaire et d'un trésorier. Combien de comités peut-on former si 5 personnes refusent la présidence ?

20. Combien peut-on former de mots de 5 lettres ayant 3 consonnes et 2 voyelles ?

21. Un examen comprend une partie de 5 questions ayant chacune 5 réponses possibles et une deuxième partie de 10 questions " vrai ou faux ". De combien de façons différentes peut-on répondre à cet examen ?

22. Donner la valeur de :

a) $\dfrac{(n - r + 1) !}{(n - r - 1) !}$;

b) $\dbinom{16}{13}$;

c) $\dbinom{52}{3}$.

23. Calculer : $\dfrac{\dbinom{4}{2} \dbinom{48}{3}}{\dbinom{52}{5}}$.

24. Écrire différemment : $\dbinom{r + n - 1}{r - 1}$.

25. Que vaut $\dbinom{4}{0} + \dbinom{4}{1} + \dbinom{4}{2} + \dbinom{4}{3}$? (Ne pas calculer directement.)

26. À la loterie 6/36, l'ordinateur, à la fin de chaque période d'inscription, choisit 6 nombres entre 1 et 36, ainsi qu'un 7e nombre, appelé " nombre complémentaire ", aussi entre 1 et 36. Pour gagner un lot, il faut avoir choisi au moins 4 nombres parmi les 6. Le lot est plus important pour ceux ayant choisi 5 nombres parmi les 6, plus le complémentaire et, enfin, pour ceux ayant choisi les 6 nombres. De combien de façons différentes peut-on gagner ? (Note : Une même combinaison ne donne qu'un lot, le plus important.)

27. Une personne possède 3 chemises, 4 cravates, 3 pantalons. De combien de façons différentes peut-elle choisir de s'habiller ?

28. On veut inviter 5 personnes. On peut choisir d'inviter 1, 2, 3, 4 ou 5 personnes à la fois. De combien de façons différentes peut-on le faire ?

29. Refaire l'exercice précédent en ajoutant que, parmi les 5 personnes, il y en a 2 qui n'acceptent de venir qu'à la condition d'être ensemble.

 30. Reprendre l'exercice 28 en ajoutant que 2 de ces 5 personnes ne s'entendent pas et refusent d'être invitées ensemble.

31. La classe est composée de 15 garçons et de 15 filles. On décide de former un comité de 6 personnes. De combien de façons différentes peut-on le faire si les 2 garçons X et Y ne peuvent faire partie en même temps du comité ?

32. Refaire l'exercice précédent en y supposant en plus que chaque groupe, étudiants et étudiantes, doit occuper au moins 2 postes dans le comité.

33. Ajouter à l'hypothèse des deux exercices précédents que 5 personnes, toutes des étudiantes, refusent de faire partie du comité.

34. Un examen comporte 20 questions. Pour chaque question, on doit choisir la réponse parmi 5 choix possibles.

a) De combien de façons peut-on répondre à l'examen ?

b) De combien de façons différentes peut-on obtenir au moins 12 sur 20 ?

c) Si on connaît la bonne réponse à 5 questions, de combien de façons différentes peut-on répondre ?

35. Une urne contient 10 boules numérotées de 1 à 10. On tire successivement deux boules de l'urne sans remettre la première après tirage. Combien y a-t-il de façons de tirer deux boules dont les numéros vont en croissant ? en décroissant ?

36. Combien peut-on former de nombres de 5 chiffres avec 1, 2, 3, 4, 5, 6 ou 7 où on retrouve la séquence 345 ?

37. Combien peut-on former de nombres entre 6 000 et 9 999 avec les chiffres 1, 2, 6, 7, 8 ou 9.

38. Reprendre l'exercice précédent en supposant qu'aucun chiffre n'est répété.

39. Additionner tous les nombres de 5 chiffres entre 20 000 et 99 999 formés des chiffres 2, 3, 5, 7 et 9.

40. Combien d'anagrammes peut-on former du mot MATHÉMATIQUES ? du mot ANTICONSTITUTIONNELLEMENT ? (Pour chaque lettre répétée k fois, on divise par $k!$).

41. Quel est le 8e terme du développement de $(x + k)^{15}$?

42. Trouver le 5e terme de :

a) $(x + 2y)^8$; b) $(2x - 3y)^9$.

11.7 GÉNÉRALITÉS SUR LA NOTION DE PROBABILITÉ

Dans les premières sections du chapitre, nous avons appris à résoudre des problèmes de dénombrement. Nous savons, par exemple, comment compter le nombre de mains possibles de 5 cartes comprenant au moins 2 as, formées à partir d'un jeu de 52 cartes : il y en a

$$\binom{4}{2}\binom{48}{3} + \binom{4}{3}\binom{48}{2} + \binom{4}{4}\binom{48}{1} = 108\ 336,$$

résultat qu'on obtient aussi en faisant

$$\binom{52}{5} - \left[\binom{4}{0}\binom{48}{5} + \binom{4}{1}\binom{48}{4} \right].$$

Toutes les mains possibles de 5 cartes, quant à elles, sont au nombre de

$$\binom{52}{5} = 2\ 598\ 960.$$

On peut donc dire que, sur les 2 598 960 mains possibles de 5 cartes, seulement 108 336 contiendront au moins 2 as.

Si une main de 5 cartes est prise au hasard, nous aurons 108 336 '' possibilités '' sur 2 598 960 d'avoir une main ayant au moins 2 as, ce qui est équivalent approximativement à 42 cas sur 1 000, puisque

$$p = \frac{108\ 336}{2\ 598\ 960} \simeq 0{,}041684366.$$

Sur 100 000 personnes choisissant au hasard une main de 5 cartes, on s'attend à en trouver 4 168 qui obtiendraient au moins 2 as. Cela ne veut pas dire que sur les 100 000, il y en aurait exactement 4 168, mais à peu près 4 168. Et plus on choisirait de personnes (1 million, 10 millions, 100 millions ...), plus la proportion de gens ayant obtenu au moins 2 as se rapprocherait de 0,041684366. On dira — c'est le type de problème qu'on abordera dans ce chapitre — que la probabilité d'obtenir une main contenant au moins 2 as, lorsque la main est choisie au hasard, est $p \simeq 0{,}041684366$.

Avant d'arriver à cette notion de probabilité, il faudra développer tout un langage propre à cette partie des mathématiques.

11.8   NOTION D'EXPÉRIENCE ALÉATOIRE

Quand on choisit au hasard une main de 5 cartes d'un jeu de 52 cartes, on procède à ce qu'on appelle une *expérience aléatoire*, c'est-à-dire à une expérience dont on ne peut prédire le résultat, mais dont on connaît l'ensemble S_1 des résultats possibles. On pourrait en effet donner tous les cas possibles; il nous faudrait certes un peu de temps, car il y en a 2 598 960 :

$$S_1 = \{\{ a_p, a_t, a_c, a_k, r_p \}, \{ a_p, a_t, a_c, 10_c, 9_k \}, \{ 2_c, 7_k, 9_t, d_k, r_k \}, ... \}.$$

On sait que le résultat se trouvera dans l'ensemble S_1 (voir exemple 14, page 325, pour l'écriture des cartes).

Lorsque l'on joue à pile ou face, on procède aussi à une expérience aléatoire. L'ensemble des cas possibles est plus restreint :

$$S_2 = \{ P, F \}.$$

Si on lance un dé dont on note le numéro de la face obtenue, l'ensemble des résultats possibles sera

$$S_3 = \{ 1, 2, 3, 4, 5, 6 \}.$$

Si on lance deux dés, un dé rouge et un dé vert, on peut aussi déterminer l'ensemble des cas possibles :

$$S_4 = \{ (1, 1), (1, 2), (1, 3), (1, 4), (1, 5), (1, 6), (2, 1), (2, 2), (2, 3), (2, 4), (2, 5),$$
$$(2, 6), (3, 1), (3, 2), (3, 3), (3, 4), (3, 5), (3, 6), (4, 1), (4, 2), (4, 3), (4, 4),$$
$$(4, 5), (4, 6), (5, 1), (5, 2), (5, 3), (5, 4), (5, 5), (5, 6), (6, 1), (6, 2), (6, 3),$$
$$(6, 4), (6, 5), (6, 6) \}.$$

Dans ce cas, le couple (i, j) désigne la situation où le dé rouge fait apparaître la face i et le dé vert, la face j. Si on lance deux dés indiscernables dont on note la somme des numéros obtenus, on procède aussi à une expérience aléatoire dont on connaît l'ensemble des résultats possibles :

$$S_5 = \{ 2, 3, 4, 5, 6, 7, 8, 9, 10, 11, 12 \}.$$

L'ensemble des résultats possibles d'une expérience aléatoire porte le nom d'*ensemble fondamental*. Ainsi S_1, S_2, S_3, S_4, S_5 en sont tous des exemples. Habituellement, l'ensemble fondamental est désigné par le symbole S : il peut être *fini* (c'est le cas pour S_1, S_2, S_3, S_4 et S_5) ou *infini*. Dans ce dernier cas, l'ensemble des résultats possibles d'une expérience aléatoire, tout en restant connu, ne peut s'écrire au complet. Par exemple, si l'expérience consiste à noter le nombre de coups nécessaires, lorsque l'on lance une pièce de monnaie, pour obtenir une face, on aura comme ensemble fondamental $\mathbb{N}^*$:

$$S_6 = \{ 1, 2, 3, 4, 5, 6, ... \} = \mathbb{N}^*.$$

Dans S_6, le résultat 8 désigne le cas où on a obtenu PPPPPPPF, c'est-à-dire 7 piles d'affilée, puis une face.

Dans ce chapitre, nous ne nous intéresserons qu'aux cas où l'ensemble fondamental est fini. Il faut tout de même savoir qu'il y a deux types d'ensembles infinis, les ensembles infinis *dénombrables* et les ensembles infinis *non dénombrables*. On dit d'un ensemble infini qu'il est *dénombrable* lorsqu'on peut trouver une façon d'énumérer *tous* ses éléments *un à un* de sorte qu'ils apparaîtraient tous si on pouvait continuer ainsi jusqu'à l'infini. L'ensemble S_6 est dénombrable, car on peut donner le 1er élément, le 2e, le 3e, ..., le n^e, ..., sans qu'on en oublie un :

1er : 1,
2e : 2,
3e : 3,
4e : 4,
.
.
.
n^e : n,
.
.
.

Lorsqu'il est impossible de trouver une façon d'énumérer tous ses éléments un à un, on dit d'un ensemble qu'il est *non dénombrable*. C'est notamment le cas lorsque l'ensemble est (ou comprend) un intervalle. L'ensemble [0, 1], l'ensemble $\mathbb{R}$, l'ensemble [8, 12 [, ..., sont des ensembles non dénombrables. Quelle que soit la façon d'énumérer leurs éléments, on en '' oubliera '' certains.

Soit l'expérience aléatoire consistant à noter l'angle θ d'arrêt d'une aiguille lancée au hasard sur un cadran.

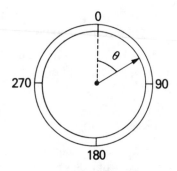

L'ensemble fondamental sera

$S_7 = [\,0, 360\,[$ (en degrés).

C'est un ensemble infini non dénombrable.

Le tableau suivant résume les cas possibles.

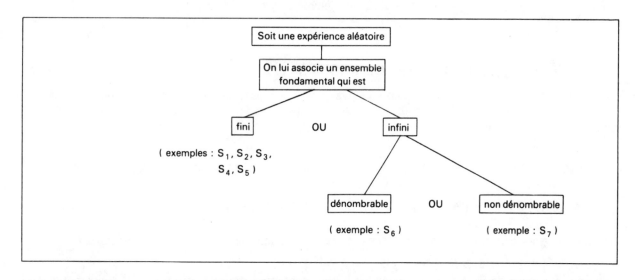

Exercices (h) : (1) Pour chacune des expériences aléatoires suivantes, donner l'ensemble fondamental :

a) E_1 : '' noter la somme des résultats de 3 dés '';

b) E_2 : '' noter le nombre de piles, si on lance 5 pièces de monnaie '';

c) E_3 : " choisir au hasard une main de 5 cartes dont on note le nombre de rois ";

d) E_4 : " d'un lot de 50 pièces contenant 10 pièces défectueuses, on choisit 5 pièces dont on note le nombre de défectueuses ";

e) E_5 : " on note le nombre de bonnes pièces d'un lot de 10 boulons produits par une machine dont le taux d'erreur (mauvais calibrage) est de 3 % ";

f) E_6 : " on note la position d'arrêt d'un module qui se déplace au hasard sur l'intervalle [0, 10] ";

g) E_7 : " on note le nombre de filles d'un comité de trois personnes choisies au hasard, dans une classe comportant 22 garçons et 11 filles ".

(2) Une urne contient 5 boules rouges et 2 boules noires. On tire trois boules de l'urne dont on note la couleur. Donner l'ensemble fondamental :

a) si les boules sont tirées une à une, sans remise;

b) si les boules sont tirées une à une, avec remise;

c) si les boules sont tirées en même temps.

11.9 ÉVÉNEMENTS ET NOTION DE PROBABILITÉ

Soit une expérience aléatoire quelconque. On peut donc y associer l'ensemble des résultats possibles, appelé ensemble fondamental. Tout sous-ensemble d'un ensemble fondamental porte le nom d'*événement*. Par exemple, si l'on lance un dé, l'ensemble fondamental est

$$S_8 = \{ 1, 2, 3, 4, 5, 6 \}.$$

Tout sous-ensemble de S_8 est un événement. On peut considérer, dans cet exemple, 64 événements distincts :

$$\emptyset, \{ 1 \}, \{ 2 \}, \{ 3 \}, \{ 4 \}, \{ 5 \}, \{ 6 \}, \{ 1, 2 \}, \{ 1, 3 \}, \{ 1, 4 \}, \{ 1, 5 \}, \{ 1, 6 \}, \{ 2, 3 \}, \{ 2, 4 \},$$
$$..., \quad \{ 1, 2, 3, 4, 5, 6 \}.$$

Si l'expérience consiste plutôt à lancer deux dés et à en noter la somme, l'ensemble fondamental est

$$S_9 = \{ 2, 3, 4, 5, 6, 7, 8, 9, 10, 11, 12 \}.$$

Tout sous-ensemble de S_9 est un événement. On peut considérer pour cet exemple, 2^{11} événements distincts. Pourquoi 2^{11} ? Ce résultat a déjà été vu en exercice (voir page 330 : exercice (g) (3) b).

Comme les événements sont des ensembles, on peut utiliser les mêmes opérateurs que sur les ensembles habituels. $\cup, \cap, \bar{}, \setminus$. Revenons à l'expérience consistant à lancer un dé et à en noter le résultat. L'ensemble fondamental est

$$S_8 = \{ 1, 2, 3, 4, 5, 6 \}.$$

Considérons quelques événements :

$A = \varnothing$,
$B = \{ 1, 3, 5 \}$,
$C = \{ 2, 4, 6 \}$,
$D = \{ 2, 3, 4, 5, 6 \}$,
$E = S_8$.

Il y en a d'autres. On peut considérer, par exemple,

$A \cup B = \{ 1, 3, 5 \} = B$,
$B \cup C = \{ 1, 3, 5 \} \cup \{ 2, 4, 6 \} = \{ 1, 2, 3, 4, 5, 6 \} = S_8$,
$B \setminus C = B$,
$B \cap C = \varnothing$,
etc.

Lorsqu'on lance un dé, on obtient forcément un résultat. C'est ainsi que l'événement $\varnothing$ est impossible. C'est pour cela qu'on dira d'un événement A quelconque qu'il est *impossible* si $A = \varnothing$. Si on lance un dé, on peut obtenir un résultat pair (c'est l'événement C) ou un résultat impair (c'est l'événement B), et non les deux résultats à la fois. On dira alors que B et C sont incompatibles : deux événements B et C sont *incompatibles* si $B \cap C = \varnothing$.

Il faudrait maintenant chercher à associer à chaque événement résultant d'une expérience aléatoire, une valeur qui indique la '' possibilité '' qu'il se produise. Par exemple, si on lance une pièce de monnaie, on a comme ensemble fondamental

$S = \{ P, F \}$,

ce qui détermine $2^2 = 4$ événements :

$A = \{ P \}$,
$B = \{ F \}$,
$C = \varnothing$,
$D = S$.

Comme le cas pile et le cas face ont une égale possibilité de se produire (à moins que la pièce ne soit truquée), il est raisonnable de dire que la possibilité de l'événement '' obtenir pile '' égale celle de l'événement '' obtenir face ''. On dira que la *probabilité* d'obtenir pile est de 50 %, et que celle d'obtenir face est aussi de 50 %. La probabilité de n'obtenir aucun résultat est de 0 %, tandis que celle d'obtenir pile ou face est de 100 %. Pour abréger, on écrit :

$p (A) = 0,5$ (se lit '' la probabilité de A égale 0,5 ''),
$p (B) = 0,5$,
$p (C) = 0$,
$p (D) = 1$.

Il faudrait trouver une façon plus systématique de définir cette notion de probabilité. Par exemple, si on lance deux dés dont on note la somme des résultats, l'ensemble fondamental est :

$S = \{ 2, 3, 4, 5, 6, 7, 8, 9, 10, 11, 12 \}$.

Il y a $2^{11} = 2\ 048$ événements dont il faudrait calculer la probabilité. Il faut absolument trouver un moyen de faire ces calculs autrement que de manière intuitive, comme dans le cas de pile ou face ... Nous allons faire appel à la théorie des probabilités. Elle est basée sur trois axiomes que nous allons énoncer immédiatement et qui paraîtront aussi naturels qu'évidents.

Soit une expérience aléatoire et S, l'ensemble fondamental qui lui est associé. Soit A et B, des événements de S, c'est-à-dire A ⊂ S et B ⊂ S.

Axiome 1 $\boxed{p(A) \geqslant 0}$.

(On ne peut évidemment parler de probabilité négative d'un événement.)

Axiome 2 $\boxed{p(S) = 1}$.

(L'événement S va se produire : sa probabilité doit donc être de 1 ou de 100 %.)

Axiome 3 $\boxed{\text{Si A et B sont incompatibles (c'est-à-dire } A \cap B = \varnothing \text{),} \\ p(A \cup B) = p(A) + p(B)}$.

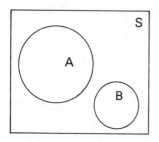

(Lorsque A et B sont deux événements d'intersection vide, il est raisonnable de dire que la probabilité que l'un ou l'autre se produise doit égaler la somme des probabilités de l'un et l'autre : il est facile de s'en convaincre à l'aide d'exemples.)

Ces trois axiomes permettent de déduire quelques propriétés facilitant le calcul de probabilités d'événements.

PROPRIÉTÉ 1 : $\boxed{p(\varnothing) = 0}$.

Démonstration : Puisque $S \cap \varnothing = \varnothing$, on a, en vertu de l'axiome 3,
$$p(S \cup \varnothing) = p(S) + p(\varnothing).$$
Or, $p(S \cup \varnothing) = p(S)$, puisque $S \cup \varnothing = S$.
On peut en déduire que
$$p(S) = p(S) + p(\varnothing).$$
On trouve donc :
$$p(\varnothing) = 0.$$

PROPRIÉTÉ 2 : $\boxed{p(\overline{A}) = 1 - p(A)}$.

Démonstration : On a que
$$A \cup \overline{A} = S \text{ et } A \cap \overline{A} = \varnothing.$$
D'où, d'après l'axiome 3,
$$p(A \cup \overline{A}) = p(A) + p(\overline{A}).$$
Comme $A \cup \overline{A} = S$,
$$p(S) = p(A) + p(\overline{A}),$$
c'est-à-dire, en vertu de l'axiome 2,
$$1 = p(A) + p(\overline{A}).$$
D'où
$$p(\overline{A}) = 1 - p(A).$$

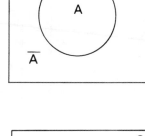

PROPRIÉTÉ 3 : $\boxed{\text{Si } A \subset B, p(A) \leqslant p(B)}$.

Démonstration : Comme $A \subset B$,
$$B = A \cup (B \setminus A)$$
et
$$(B \setminus A) \cap A = \varnothing.$$
D'où, en vertu de l'axiome 3,

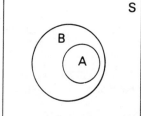

$$p(B) = p(A) + p(B \setminus A).$$
En vertu de l'axiome 1, $p(B \setminus A) \geqslant 0$. D'où le résultat.

PROPRIÉTÉ 4 : $\boxed{p(A \cup B) = p(A) + p(B) - p(A \cap B)}$.

Démonstration : On sait que
$$A \cup B = A \cup (B \setminus A)$$
où $A \cap (B \setminus A) = \varnothing$. D'où, en vertu de l'axiome 3,
$$p(A \cup B) = p(A) + p(B \setminus A). \qquad (1)$$
Or $B = (B \setminus A) \cup (B \cap A)$, où
$$(B \setminus A) \cap (B \cap A) = \varnothing.$$

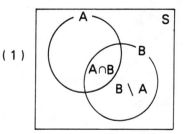

De nouveau en vertu de l'axiome 3,
$$p(B \setminus A) + p(B \cap A) = p(B).$$
Cette dernière équation s'écrit :
$$p(B \setminus A) = p(B) - p(A \cap B). \qquad (2)$$
En remplaçant (2) dans (1), on obtient le résultat cherché.

On peut généraliser la propriété 4 au cas de 3, 4, ... ensembles.

PROPRIÉTÉ 5 :

$$\boxed{\begin{aligned} p(A \cup B \cup C) = {} & p(A) + p(B) + p(C) \\ & - p(A \cap B) - p(A \cap C) \\ & - p(B \cap C) + p(A \cap B \cap C) \end{aligned}}$$

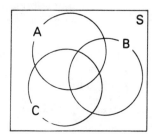

PROPRIÉTÉ 6 :

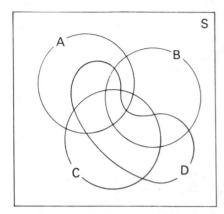

$$p(A \cup B \cup C \cup D) = p(A) + p(B) + p(C) + p(D)$$
$$- p(A \cap B) - p(A \cap C)$$
$$- p(A \cap D) - p(B \cap C)$$
$$- p(B \cap D) - p(C \cap B)$$
$$+ p(A \cap B \cap C) + p(A \cap B \cap D)$$
$$+ p(A \cap C \cap D) + p(B \cap C \cap D)$$
$$- p(A \cap B \cap C \cap D)$$

Les axiomes 1, 2 et 3 ainsi que les propriétés 1 à 6 qui en découlent permettent de poser certaines règles qui régissent le calcul de la probabilité d'un événement :

- la probabilité d'un événement est comprise entre 0 et 1 (axiomes 1 et 2);

- la probabilité d'un événement impossible est 0 (propriété 1), tandis que celle d'un événement certain égale 1 (axiome 2);

- la probabilité d'une réunion de deux événements incompatibles est la somme de la probabilité de chacun de ces événements (axiome 3);

- la probabilité d'un événement augmentée de la probabilité de son événement complémentaire est égale à 1 (propriété 2);

- la probabilité d'un événement dépasse la probabilité de tout événement qui lui est contenu (propriété 3);

- la probabilité de réunions d'événements quelconques suit certaines règles (propriétés 4, 5 et 6) semblables aux règles de calcul des cardinaux d'ensembles (voir section 9.2).

Ces axiomes et propriétés n'établissent tout de même pas une technique pour calculer la probabilité d'un événement donné ; ils donnent un cadre qui doit être respecté pour bien la calculer. Aussi, devons-nous, lorsque cela est possible, ajouter une hypothèse, celle de l'équiprobabilité. Cette hypothèse nous permettra de résoudre bon nombre de problèmes, si ce n'est la plupart de ceux que nous rencontrerons. Quelle est-elle ? Lorsque chaque événement élémentaire (c'est-à-dire qui soit un singleton) d'un ensemble fondamental est également possible, on peut supposer que chacun de ces événements a une probabilité égale. Par exemple, lorsqu'on lance une pièce de monnaie, on a comme ensemble fondamental :

$$S = \{ P, F \}.$$

On peut supposer que $\{ P \}$ et $\{ F \}$ sont des événements également possibles. On peut donc faire l'hypothèse d'équiprobabilité et écrire que

$$p(\{ P \}) = p(\{ F \}).$$

Si on lance un dé, on obtient comme ensemble fondamental

$$S = \{ 1, 2, 3, 4, 5, 6 \}.$$

Chacun des événements élémentaires $\{1\}$, $\{2\}$, $\{3\}$, $\{4\}$, $\{5\}$ et $\{6\}$ est également possible. D'où, en faisant l'hypothèse d'équiprobabilité :

$$p(\{1\}) = p(\{2\}) = p(\{3\}) = \ldots = p(\{6\}).$$

Comme $p(S) = 1$, et que $\{1\}$, $\{2\}$, $\{3\}$, $\{4\}$, $\{5\}$ et $\{6\}$ sont tous d'intersection vide,

$$p(\{1\}) = p(\{2\}) = \ldots = p(\{6\}) = \frac{1}{6}.$$

On peut généraliser. D'où la propriété suivante.

PROPRIÉTÉ 7 : Soit $S = \{a_1, a_2, \ldots, a_n\}$, un ensemble fondamental. Si on peut faire l'hypothèse d'équiprobabilité, $p(\{a_i\}) = \dfrac{1}{n}$

La démonstration de cette propriété est immédiate. Ainsi donc, si on peut faire l'hypothèse d'équiprobabilité, la probabilité de chaque événement élémentaire égale $\dfrac{1}{n}$ où n est le cardinal de l'ensemble fondamental. Si on lance un dé, la probabilité d'obtenir 2 est $\dfrac{1}{6}$, la probabilité d'obtenir 5 est aussi $\dfrac{1}{6}$, etc. Si on lance une pièce de monnaie, la probabilité d'obtenir pile est $\dfrac{1}{2}$.

Quelle serait, dans le cas d'équiprobabilité, la probabilité d'un événement quelconque A ? Si A est élémentaire, c'est $1/\#(S)$, où S est l'ensemble fondamental. Qu'arrive-t-il si A n'est pas un événement élémentaire ? C'est l'objet de la propriété suivante.

PROPRIÉTÉ 8 : Soit S, un ensemble fondamental, et A, un événement. Si on peut faire l'hypothèse d'équiprobabilité, alors

$$p(A) = \frac{\#(A)}{\#(S)}$$

Démonstration : Supposons que $\#(A) = t$ et $\#(S) = n$ (où $t \leqslant n$). A peut s'écrire comme réunion de t événements élémentaires dont la probabilité de chacun est $\dfrac{1}{n}$. Puisque

$$A = \{a_1, a_2, a_3, \ldots, a_t\}$$
$$= \{a_1\} \cup \{a_2\} \cup \{a_3\} \cup \ldots \cup \{a_t\},$$

on pourra écrire en vertu de l'axiome 3 :

$$p(A) = p(\{a_1\}) + p(\{a_2\}) + p(\{a_3\}) + \ldots + p(\{a_t\}),$$

$$= \underbrace{\frac{1}{n} + \frac{1}{n} + \frac{1}{n} + \ldots + \frac{1}{n}}_{t \text{ fois}},$$

$$= \frac{t}{n}$$

$$= \frac{\#(A)}{\#(S)} .$$

Voyons quelques exemples où l'on met à profit l'hypothèse d'équiprobabilité.

Exemple 15 : Un lot de 15 ampoules électriques en contient 5 de défectueuses. On choisit trois ampoules au hasard. Calculons les probabilités suivantes :

1)   aucune n'est défectueuse;

2)   exactement une est défectueuse;

3)   au moins une est défectueuse.

Il y a, dans l'ensemble fondamental, $\binom{15}{3}$ = 455 éléments ou résultats possibles. Chacun de ces résultats est également possible : on peut donc poser l'hypothèse d'équiprobabilité. Notons :

A_1, l'événement '' aucune n'est défectueuse '';

A_2, l'événement '' exactement une est défectueuse '';

A_3, l'événement '' au moins une est défectueuse ''.

Combien y a-t-il d'éléments dans A_1 ? dans A_2 ? dans A_3 ? Dans A_1, il y en a $\binom{10}{3}$ = 120. D'où, en vertu de la propriété 8,

$$p(A_1) = \frac{120}{455} \simeq 0,2637.$$

On trouvera que

$$p(A_2) = \frac{\#(A_2)}{\#(S)} = \frac{\binom{5}{1}\binom{10}{2}}{\binom{15}{3}} = \frac{225}{455} \simeq 0,4945 ;$$

$$p(A_3) = \frac{\#(A_3)}{\#(S)} = \frac{\binom{5}{1}\binom{10}{2} + \binom{5}{2}\binom{10}{1} + \binom{5}{3}}{\binom{15}{3}} = \frac{335}{455} \simeq 0,7363.$$

Exemple 16 : Un couple décide d'avoir 4 enfants. Quelle est la probabilité qu'il ait

1)   quatre filles ?

2)   quatre garçons ?

3)   autant de filles que de garçons ?

4)   au moins deux filles ?

Notons FFFF, FGFG, GGFF, ..., chacun des cas possibles. Il y en a, au total, $2 \times 2 \times 2 \times 2$ = 16. Chacun de ces cas étant également possible, on peut faire l'hypothèse d'équiprobabilité. Si on note A_1, A_2, A_3, A_4, les quatre événements dont on veut calculer la probabilité, on peut écrire que

$$A_1 = \{ \text{FFFF} \},$$
$$A_2 = \{ \text{GGGG} \},$$

et en déduire que $p (A_1) = \dfrac{1}{16} = 0,0625$ et, aussi, que $p (A_2) = \dfrac{1}{16} = 0,0625$. Combien y a-t-il d'éléments dans A_3, événement consistant à avoir autant de filles que de garçons ? On peut trouver tous les éléments possibles : FFGG, FGFG, GFGF, GFFG, FGGF, GGFF. Il y en a donc 6. (On pourrait aussi le trouver d'une autre façon : il y a $\begin{pmatrix} 4 \\ 2 \end{pmatrix}$ = 6 façons de choisir la position des deux filles : aînée, 2e, 3e ou cadette). D'où $p (A_3) = \dfrac{6}{16} = 0,375$. Pour A_4, on peut utiliser la propriété 2 :

$$p (A_4) = 1 - P (\overline{A_4}).$$

Or, $\overline{A_4}$ est l'événement '' obtenir au plus une fille ''. On a $\# (\overline{A_4}) = \begin{pmatrix} 4 \\ 0 \end{pmatrix} + \begin{pmatrix} 4 \\ 1 \end{pmatrix} = 1 + 4 = 5$. D'où

$$p (A_4) = 1 - \dfrac{5}{16} = \dfrac{11}{16} = 0,6875.$$

Exemple 17 : Parmi les 10 808 habitants d'un quartier, 6 030 parlent français, 4 213 parlent anglais et 2 027 parlent les deux langues. Si on choisit une personne au hasard, quelle est la probabilité qu'elle parle français ? anglais ? français et anglais ? ni français, ni anglais ? Notons F, l'événement '' parler français '', et A, l'événement '' parler anglais ''. Comme on choisit une personne au hasard, on peut assumer l'hypothèse d'équiprobabilité et écrire

$$p (F) = \dfrac{\# (F)}{\# (S)} = \dfrac{6\ 030}{10\ 808} \simeq 0,5579,$$

$$p (A) = \dfrac{\# (A)}{\# (S)} = \dfrac{4\ 213}{10\ 808} \simeq 0,3898.$$

Pour calculer, $p (A \cup F)$, il faut utiliser la propriété 4 :

$$p (A \cup F) = p (A) + p (F) - p (A \cap F),$$

$$= \dfrac{4\ 213}{10\ 808} + \dfrac{6\ 030}{10\ 808} - \dfrac{2\ 027}{10\ 808} = \dfrac{8\ 216}{10\ 808} \simeq 0,7602.$$

Pour calculer la probabilité qu'elle ne parle ni français, ni anglais, on utilise la propriété 2 :

$$p (\overline{A \cup F}) = 1 - p (A \cup F) = 1 - \dfrac{8\ 216}{10\ 808} = \dfrac{2\ 592}{10\ 808} \simeq 0,2398.$$

Exercices (i) :   (1) Calculer la probabilité des événements suivants :

   a)   un nombre pair apparaît lors du jet d'un dé;

   b)   on tire un roi d'un jeu de 52 cartes;

c) on lance trois pièces de monnaie et au moins une face apparaît;

d) une urne contient 4 boules rouges, 2 boules noires et 3 boules blanches; on tire en même temps deux boules : elles sont rouges;

e) une urne contient 4 boules rouges, 3 boules noires et 3 boules blanches; on tire en même temps deux boules : elles ne sont pas de même couleur;

f) une urne contient 5 boules rouges et 6 boules blanches; on tire trois boules l'une après l'autre, avec remise : les boules sont toutes de même couleur.

(2) Soit A et B, des événements, tels que $p(A) = 0,25$, $p(B) = 0,5$ et $p(A \cap B) = 0,15$. Calculer :

a) $p(A \cup B)$;

b) $p(A \cap B)$;

c) $p(\overline{A})$;

d) $p(\overline{A} \cap B)$;

e) $p(\overline{A \cap B})$;

f) $p(A \cap \overline{B})$;

g) $p(A \setminus B)$.

11.10   EXERCICES RÉCAPITULATIFS (2ᵉ partie)

1. D'un jeu de 52 cartes, on tire au hasard une main de 4 cartes. Calculer la probabilité :

a) d'obtenir au moins un as;

b) de n'obtenir aucun as;

c) d'obtenir les quatre as;

d) d'obtenir deux as et deux rois;

e) d'obtenir deux trèfles et deux coeurs.

2. La classe contient 10 garçons et 20 filles. On forme au hasard un comité de 3 personnes. Calculer la probabilité que, dans le comité :

a) il y ait plus de garçons que de filles;

b) il y ait deux garçons et une fille;

c) il n'y ait aucune fille.

3. On lance une pièce de monnaie six fois de suite. Quelle est la probabilité :

a) qu'il n'y ait aucune pile;

b)   qu'il n'y ait aucune face;

c)   qu'il y ait alternance des piles et des faces;

d)   que, au dernier lancer, on obtienne pile;

e)   qu'il y ait plus de piles que de faces.

4.   À la mini-loto, on peut gagner 50 000 $, 5 000 $, 250 $, 50 $ et 5 $, selon que le numéro du billet corresponde aux 6, aux 5 derniers, aux 4 derniers, aux 3 derniers et aux 2 derniers chiffres du numéro gagnant. Quelle est la probabilité de gagner un lot de 5, 50, 250, 5 000 ou 50 000 $, si Loto-Québec imprime des billets portant des numéros entre 0 et 999 999 ? Quelle est la probabilité de gagner un lot ? Quelle est la probabilité de ne rien gagner ?

5.   À la loterie 6/36, le boulier détermine 6 nombres, entre 1 et 36, et un 7e, aussi entre 1 et 36, appelé le complémentaire. Un participant gagne un lot si, parmi les 6 nombres qu'il a choisis, il a obtenu :

a)   les 6 nombres gagnants;

b)   5 nombres, parmi les 6 gagnants, plus le complémentaire;

c)   5 nombres parmi les 6 gagnants;

d)   4 nombres parmi les 6 gagnants.

Évaluer les probabilités de gagner chacun des lots.

6.   Au 6/49, on procède comme au 6/36, mais avec des nombres entre 1 et 49. Il y aussi un lot pour le participant qui a choisi 3 nombres parmi les 6 gagnants. Évaluer les probabilités de gagner. Comparer avec le 6/36.

11.11   PROBABILITÉS CONDITIONNELLES ET INDÉPENDANCE

Supposons qu'on veuille calculer la probabilité d'un événement A quelconque. En cas d'équiprobabilité, on peut poser que $p (A) = \dfrac{\# (A)}{\# (S)}$. Supposons qu'en plus, on sache qu'un certain événement B s'est produit.

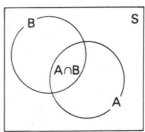

Alors, la probabilité de A se trouve changée. Notons

$p (A \mid B)$ (se lit '' probabilité de A, sachant que B s'est produit '' ou, en abrégé, '' p de A si B ''), la probabilité de l'événement A, conditionnée par la réalisation de l'événement B. Dans ce cas, l'ensemble fondamental n'est plus S, mais B. On peut donc écrire, toujours dans le cas d'équiprobabilité,

$$p (A \mid B) = \frac{\# (A \cap B)}{\# (B)} \ .$$

En divisant, en haut et en bas, par $\# (S)$, on a

$$p (A \mid B) = \frac{\# (A \cap B)}{\# (B)} = \frac{\# (A \cap B) / \# (S)}{\# (B) / \# (S)} \ ,$$

$$= \frac{p (A \cap B)}{p (B)} \ .$$

D'où la définition suivante, vraie aussi dans le cas où il n'y a pas équiprobabilité.

DÉFINITION : Soit A et B, deux événements. Si $p (B) \neq 0$, on définit la *probabilité conditionnelle* de A, sachant que B est réalisé, par le nombre

$$p (A \mid B) = \frac{p (A \cap B)}{p (B)} \ .$$

Pour démontrer que cette nouvelle façon de définir une probabilité est raisonnable et vraie en général, il suffirait de démontrer qu'elle respecte les axiomes 1, 2 et 3.

1 : $p (A \mid B) \geqslant 0$, quel que soit l'événement $A \subset S$.

$$\left(\text{En effet } p (A \mid B) = \frac{p (A \cap B)}{p (B)} \geqslant 0. \right)$$

2 : $p (S \mid B) = 1$, où S est l'ensemble fondamental.

$$\left(\text{En effet } p (S \mid B) = \frac{p (S \cap B)}{p (B)} = \frac{p (B)}{p (B)} = 1. \right)$$

3 : Si A_1 et A_2 sont incompatibles,

$$p (A_1 \mid B) + p (A_2 \mid B) = p (A_1 \cup A_2 \mid B).$$

$$\left(\text{En effet, } p (A_1 \cup A_2 \mid B) = \frac{p ((A_1 \cup A_2) \cap B)}{p (B)} \right. \quad (\text{par définition})$$

$$= \frac{p ((A_1 \cap B) \cup (A_2 \cap B))}{p (B)} \quad (\text{distributivité de } \cap \text{ sur } \cup)$$

$$= \frac{p (A_1 \cap B) + p (A_2 \cap B)}{p (B)} \quad (\text{axiome 3})$$

$$= \frac{p (A_1 \cap B)}{p (B)} + \frac{p (A_2 \cap B)}{p (B)}$$

$$\left. = p (A_1 \mid B) + p (A_2 \mid B). \right)$$

Exemple 18 : Soit un lot de 174 voitures classées en quatre catégories :

Voitures	(M) manuelles	(A) automatiques
(N) neuves	42	68
(O) d'occasion	23	41

Si on choisit une voiture au hasard, on aura :

$$p (M) = \frac{42 + 23}{174} = \frac{65}{174} ,$$

$$p (A) = \frac{68 + 41}{174} = \frac{109}{174} ,$$

$$p (N) = \frac{42 + 68}{174} = \frac{110}{174} ,$$

$$p (O) = \frac{23 + 41}{174} = \frac{64}{174} ,$$

$$p (M \cap N) = \frac{42}{174} ,$$

$$p (N \cap A) = \frac{68}{174} ,$$

$$p (O \cap M) = \frac{23}{174} ,$$

$$p (O \cap A) = \frac{41}{174} .$$

Supposons qu'on choisisse au hasard une voiture : elle est manuelle. Quelle est la probabilité qu'elle soit neuve ? On cherche, en fait, $p (N \mid M)$:

$$p (N \mid M) = \frac{p (N \cap M)}{p (M)} = \frac{42/174}{65/174} = \frac{42}{65} .$$

De façon semblable, on peut calculer

$$p (M \mid N) = \frac{p (M \cap N)}{p (N)}$$

la probabilité qu'une voiture soit manuelle, en sachant qu'elle est neuve. Que vaudrait $p (M \mid A)$? Ce devrait être 0. Voyons :

$$p (M \mid A) = \frac{p (M \cap A)}{p (A)} = \frac{0}{109/174} = 0.$$

Exemple 19 : On tire d'un lot comptant 10 pièces dont 2 défectueuses, une première, puis une deuxième pièce. Quelle est la probabilité que la 2e soit défectueuse, en sachant que la 1re l'était ? Notons :

A : '' la 1re pièce est défectueuse '',

B : '' la 2e pièce est défectueuse ''.

On recherche $p(B \mid A)$:

$$p(B \mid A) = \frac{p(B \cap A)}{p(A)}.$$

Il est facile de calculer $p(B \cap A)$ et $p(A)$, puis $p(B \mid A)$:

$$p(B \cap A) = p(A \cap B) = \frac{2 \times 1}{10 \times 9} = \frac{2}{90},$$

$$p(A) = \frac{2}{10},$$

$$p(B \mid A) = \frac{p(B \cap A)}{p(A)} = \frac{2/90}{2/10} = \frac{2 \times 10}{90 \times 2} = \frac{1}{9}.$$

Cette notion de probabilité conditionnelle nous permet d'introduire une nouvelle notion, celle d'événements indépendants. Il arrive que le fait de savoir que B s'est produit ne change rien au calcul de A, ce qui s'écrit

$$p(A \mid B) = p(A).$$

On dit alors que A et B sont *indépendants*. Si

$$p(A \mid B) = p(A),$$

cela signifie que $p(A \cap B) = p(A)p(B)$. En effet,

$$p(A \mid B) = \frac{p(A \cap B)}{p(B)} = p(A).$$

On pose alors la définition suivante.

> **DÉFINITION** : On dit de deux événements A et B qu'ils sont *indépendants* si et seulement si $p(A \cap B) = p(A)p(B)$.

On pourrait aussi prendre la définition suivante, tout à fait équivalente.

> **DÉFINITION** : On dit de deux événements A et B qu'ils sont indépendants si et seulement si
> $$p(A \mid B) = p(A) \qquad (p(B) \neq 0)$$
> ou
> $$p(B \mid A) = p(B) \qquad (p(A) \neq 0).$$

Donnons quelques exemples.

Exemple 20 : On lance une pièce de 5 cents, une pièce de 10 cents et une pièce de 25 cents. Notons :

A : l'événement '' obtenir pile avec le 5 cents '',

B : l'événement '' obtenir pile avec le 10 cents '',

C : l'événement '' obtenir pile avec le 25 cents ''.

Montrons que les événements A et B sont indépendants. Si, par exemple, on note PFP le cas où on a pile avec le 5 cents, face avec le 10 cents et pile avec le 25 cents, on obtient comme ensemble fondamental :

$$S = \{ PPP, PPF, PFP, FPP, PFF, FPF, FFP, FFF \}.$$

Pour prouver que A et B sont indépendants, il faut montrer que

$$p(A \cap B) = p(A)p(B).$$

Or

$$A = \{ PPP, PPF, PFP, PFF \},$$

B = { PPP, PPF, FPP, FPF },
A ∩ B = { PPP, PPF }.

Ainsi,

$$p (A \cap B) = \frac{\#(A \cap B)}{\#(S)} = \frac{2}{8} = \frac{1}{4},$$

$$p (A) = \frac{\#(A)}{\#(S)} = \frac{4}{8},$$

$$p (B) = \frac{\#(B)}{\#(S)} = \frac{4}{8}.$$

Comme

$$p (A)\, p (B) = \frac{4}{8} \times \frac{4}{8} = \frac{1}{4} = p (A \cap B),$$

A et B sont indépendants. Donc, $p (A \mid B) = p (A)$ et $p (B \mid A) = p (B)$.

On pourrait prouver de la même façon que A et C sont indépendants et que B et C sont indépendants. On aurait alors :

$$p (A \cap C) = p (A)\, p (C) = \frac{1}{2} \times \frac{1}{2} = \frac{1}{4},$$

$$p (B \cap C) = p (B)\, p (C) = \frac{1}{2} \times \frac{1}{2} = \frac{1}{4}.$$

Exemple 21 : Reprenons l'exemple 18 portant sur le choix au hasard d'une voiture.

	Voitures	(M) manuelles	(A) automatiques
(N)	neuves	42	68
(O)	d'occasion	23	41

Les événements M, '' choisir une voiture manuelle '' et A, '' choisir une voiture automatique '' sont-ils indépendants ? M et N, '' choisir une voiture neuve '' ? Il s'agit de calculer $p (M \cap A)$ et $p (M)\, p (A)$. On a

$$p (M \cap A) = 0,$$

$$p (M)\, p (A) = \frac{65}{174} \times \frac{109}{174} = \frac{7\ 085}{30\ 276}.$$

Il est clair qu'il s'agit d'événements non indépendants (on dit *dépendants*) car

$$p (M \cap A) \neq p (M)\, p (A).$$

C'est facile à comprendre. Si on sait qu'on a choisi une voiture manuelle, le calcul de la probabilité de choisir une voiture automatique se trouve modifiée. Qu'en est-il pour M et N ?

$$p (M \cap N) = \frac{42}{174} \simeq 0{,}24138,$$

$$p(M)\,p(N) = \frac{65}{174} \times \frac{110}{174} = \frac{7\,150}{30\,376} \simeq 0,23616,$$

les événements M et N ne sont pas indépendants. Savoir que M s'est réalisé, influence le calcul de N et vice-versa.

Exemple 22 : Une pièce peut être produite par deux machines différentes, A et B. Un lot de pièces a été produit

à 30 % par A,

à 70 % par B.

Le taux de pièces défectueuses, pour la machine A, est de 5 % et, pour la machine B, de 15 %. Dans le lot, on choisit une pièce au hasard. Notons :

A : événement " la pièce est produite par A ",

B : événement " la pièce est produite par B ",

D : événement " la pièce est défectueuse ".

Calculons $p(A)$, $p(B)$, $p(D\,|\,A)$, $p(D\,|\,B)$, $p(D)$, $p(A\,|\,D)$, $p(B\,|\,D)$. Les hypothèses nous amènent à conclure immédiatement que

$p(A) = 0,3,$

$p(B) = 0,7,$

$p(D\,|\,A) = 0,05,$

$p(D\,|\,B) = 0,15.$

On peut remarquer que $\overline{A} = B$. Calculons $p(A\,|\,D)$. Si la pièce est défectueuse, quelle est la probabilité qu'elle ait été produite par A ? Il faut calculer $p(A \cap D)$ et $p(D)$, puisque

$$p(A\,|\,D) = \frac{p(A \cap D)}{p(D)}.$$

On connaît $p(D\,|\,A) = 0,05$:

$$p(D\,|\,A) = \frac{p(D \cap A)}{p(A)} = \frac{p(D \cap A)}{0,3} = 0,05.$$

D'où

$$p(D \cap A) = 0,3 \times 0,05 = 0,015.$$

On a donc

$$p(A\,|\,D) = \frac{p(A \cap D)}{p(D)} = \frac{0,015}{p(D)}.$$

Il manque toujours $p(D)$. On sait autre chose :

$$p(A\,|\,D) + p(B\,|\,D) = 1$$

puisque $A \cap B = \emptyset$, $p(A\,|\,D) + p(B\,|\,D) = p(A \cup B\,|\,D) = p(S\,|\,D) = 1)$.

Si elle est défectueuse, elle ne peut venir que de A ou de B, d'où :

$$\frac{0,015}{p(D)} + \frac{p(B \cap D)}{p(D)} = 1.$$

Comme

$$p(D\,|\,B) = \frac{p(D \cap B)}{p(B)} = \frac{p(B \cap D)}{0,7} = 0,15,$$

on aura

$$p(B \cap D) = 0,7 \times 0,15 = 0,105.$$

D'où
$$\frac{0,015}{p(D)} + \frac{0,105}{p(D)} = 1.$$

On aura donc
$$\frac{1}{p(D)} (0,015 + 0,105) = 1,$$

c'est-à-dire
$$p(D) = 0,12.$$

On voit que
$$p(A \mid D) = \frac{0,015}{0,12} = 0,125.$$

On trouvera que
$$p(B \mid D) = 1 - 0,125 = 0,875,$$

les événements A et D sont-ils indépendants ?
$$p(A \mid D) = 0,125,$$
$$p(A) = 0,3.$$

Non.

La solution de l'exemple précédent peut être beaucoup simplifiée par la propriété suivante.

PROPRIÉTÉ 9 : $\boxed{p(D) = p(D \mid A)p(A) + p(D \mid \overline{A})p(\overline{A})}$

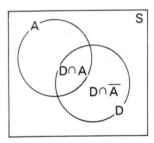

Démonstration : On a :
$$p(D \mid A)p(A) + p(D \mid \overline{A})p(\overline{A}),$$
$$= \frac{p(D \cap A)}{p(A)}p(A) + \frac{p(D \cap \overline{A})}{p(\overline{A})}p(\overline{A}),$$
$$= p(D \cap A) + p(D \cap \overline{A}),$$
$$= p(D),$$
(puisque $(D \cap A) \cap (D \cap \overline{A}) = \emptyset$ et $(D \cap A) \cup (D \cap \overline{A}) = D$).

Dans l'exemple 8, on a que :
$$p(D \mid A) = 0,05,$$
$$p(A) = 0,3,$$
$$p(D \mid \overline{A}) = p(D \mid B) = 0,15,$$
$$p(\overline{A}) = p(B) = 0,7.$$

D'où
$$p(D) = 0,05 \times 0,3 + 0,15 \times 0,7,$$
$$= 0,12.$$

Le calcul de $p(A \mid D)$ est simplifié
$$p(A \mid D) = \frac{p(A \cap D)}{p(D)} = \frac{p(D \cap A)}{p(A)} \times \frac{p(A)}{p(D)},$$
$$= p(D \mid A) \times \frac{p(A)}{p(D)},$$

$$= 0,05 \times \frac{0,3}{0,12} = 0,125.$$

Tout ce qui a été fait depuis le début de cette section pourrait être résumé par la **règle de la multiplication**. Cette règle se déduit directement des formules de probabilité conditionnelle et de probabilité d'événements indépendants. Elle nous permet de calculer la probabilité de l'intersection des événements A et B. La règle de la multiplication est donnée par :

> $$p(A \cap B) = p(A \mid B)\,p(B)$$
> dans le cas d'événements dépendants, et
> $$p(A \cap B) = p(A)\,p(B),$$
> si les événements sont indépendants

La règle de la multiplication va s'appliquer lorsque l'on représentera un problème sous forme d'arbre. Pour construire l'arbre, on trace des segments de droite. A l'extrémité de chaque segment (appelé branche de l'arbre) on trouve la lettre qui identifie l'événement, et au-dessus du segment on met la probabilité de réalisation de l'événement.

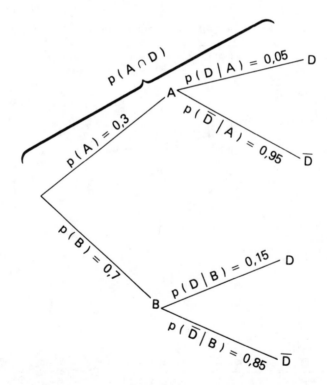

Reprenons l'exemple 22 et déterminons p (A / D) après avoir traduit et schématisé les hypothèses du problème. Soit :

A : l'événement '' la pièce est produite par A '',

B : l'événement '' la pièce est produite par B '',

D : l'événement '' la pièce est défectueuse ''.

Par hypothèse, on pose :

$p (A) = 0,3,$

$p (B) = 0,7,$

$p (D \mid A) = 0,05,$

$p (D \mid B) = 0,15.$

Deux *règles fondamentales* sont appliquées.

- La somme des probabilités écrites sur les segments partant d'un même sommet doit être égale à 1.

- La probabilité de l'intersection d'événements se trouvant sur une suite de segments se calcule à l'aide de la règle de la multiplication.

En effet, on a par exemple :

$p (A) + p (B) = 1.$

Cela s'explique par le fait que la réalisation de A est incompatible avec celle de B ($A \cap B = \emptyset$). De même, nous avons :

$p (D) + p (\overline{D}) = 1.$

Si on considère les deux branches supérieures de l'arbre, on obtient par la règle de la multiplication :

$p (A \cap D) = p (A) p (D \mid A)$

$= 0,3 \times 0,05 = 0,015.$

Revenons à l'exemple 8 où on veut calculer $p (A \mid D)$. Or,

$$p (A \mid D) = \frac{p (A \cap D)}{p (D)} .$$

Nous avons calculé $p (A \cap D) = 0,015$, trouvons maintenant $p (D)$. L'événement D : '' la pièce est défectueuse '' peut être obtenu de deux façons, selon que la pièce provient de A ou de B. Soit

$D = (A \cap D) \cup (B \cap D)$

Les événements $A \cap D$ et $B \cap D$ étant incompatibles, nous écrirons en vertu de l'axiome 3 :

$p (D) = p (A \cap D) + p (B \cap D)$

mais d'après la règle de la multiplication, nous aurons :

$p (A \cap D) = p (A) p (D \mid A) = 0,3 \times 0,05 = 0,015;$

$p (B \cap D) = p (B) p (D \mid B) = 0,7 \times 0,15 = 0,105.$

D'où :

$p (D) = 0,12.$

Alors :

$$p (A \mid D) = \frac{0,015}{0,12} = 0,125 .$$

Exercices (j) : (1) Soit A et B, deux événements. Calculer $p (A \cap B)$, $p (A \cup B)$, $p (A \mid B)$, $p (A \cap \overline{B})$ et $p (A \setminus B)$ en fonction (si possible) de $p (A)$ et $p (B)$, lorsque

a) A et B sont indépendants;

b) A et B sont incompatibles;

c)   A et B sont dépendants;

d) $A = \overline{B}$;

e) $A \subset B$.

(2)   Une urne contient 12 boules rouges et 5 boules vertes. On en tire 4 boules au hasard. Quelle est la probabilité que les 3 premières soient rouges et la 4e, verte, si : a) on remet les boules dans l'urne après chaque tirage; b) on ne les replace pas dans l'urne.

(3)   L'urne I contient 7 billes jaunes et 4 bleues. L'urne II contient 2 billes jaunes et 5 billes bleues. a) Si on tire deux billes de chaque urne avec remise, quelle est la probabilité d'avoir 2 jaunes et 2 bleues ? b) Si on tire deux billes de chaque urne sans remise, quelle est la probabilité qu'elles soient toutes de même couleur ?

11.12   EXERCICES RÉCAPITULATIFS (3e partie)

1.   On lance deux dés, un dé rouge et un dé vert. Les deux numéros obtenus sont distincts. Que vaut la probabilité que :

a)   la somme soit 6 ?

b)   la somme soit 7 ?

c)   un des dés soit 1 ?

d)   les deux dés aient une différence d'au plus 3 ?

e)   les deux dés aient une différence d'au moins 4 ?

2.   Soit A et B, des événements tels que $p (A) = \dfrac{1}{2}$, $p (B) = \dfrac{1}{3}$, $p (A \cap B) = \dfrac{1}{4}$. Calculer

a) $p (A \mid B)$;

b) $p (B \mid A)$;

c) $p (A \cup B)$;

d) $p (\overline{A} \cap B)$;

e) $p (B \mid \overline{A})$.

3.   Dans une classe, 22 % des étudiants échouent en informatique, 15 % en mathématiques et 13 % échouent dans les deux matières à la fois. On choisit un étudiant au hasard :

i)   si on sait qu'il a échoué en mathématiques, quelle est la probabilité qu'il échoue en informatique ?

ii)   si on sait qu'il a échoué en informatique, quelle est la probabilité qu'il échoue aussi en mathématiques ?

iii)   quelle est la probabilité qu'il ait un échec en mathématiques ou en informatique ?

4.   Au collège, 40 % des hommes et 8 % des femmes ont une taille supérieure à 1,75 mètre. On sait que

60 % des étudiants sont des femmes. On choisit un étudiant au hasard : il mesure 1,80 mètre. Quelle est la probabilité que cet étudiant soit une femme ?

5. La probabilité de gagner à la mini-loto en achetant un billet est, disons, de 0,01. Si on achète un billet chaque semaine durant un an, quelle est la probabilité de gagner au moins une fois ?

6. On prend au hasard 2 chiffres parmi 1, 2, 3, ..., 9. Si la somme des chiffres choisis est paire, quelle est la probabilité qu'ils soient tous deux impairs ?

7. Quatre personnes jouent aux cartes : A est le partenaire de B, et C celui de D. On donne à chacun, au hasard, 13 cartes tirées d'un jeu de 52 cartes.

1) Si A n'a pas d'as, quelle est la probabilité que B en ait au moins un ?

2) Si A et B ont ensemble 9 cartes de coeur, calculer la probabilité que C et D aient chacun 2 coeurs.

8. On lance un dé rouge et un dé vert.

a) Quelle est la probabilité que la somme des résultats soit supérieure à 10, étant donné qu'on a 5 sur le dé rouge ?

b) Quelle est la probabilité que la somme des dés égale 7, étant donné qu'on a un nombre inférieur à 4 avec le dé vert ?

c) Quelle est la probabilité que la somme soit inférieure à 6, étant donné qu'un (et un seul) des deux dés donne 2 ?

9. Une compagnie a trois usines qui produisent des pièces :

l'usine A : 60 % de la production; 2 % de pièces défectueuses;

l'usine B : 35 % de la production; 1 % de pièces défectueuses;

l'usine C : 5 % de la production; 0,05 % de pièces défectueuses.
On choisit une pièce fabriquée par cette compagnie : elle est défectueuse. Quelle est la probabilité qu'elle vienne de A ? de B ? de C ?

10. Une compagnie d'assurance automobile classe ses clients en 3 catégories : A_1 (risque élevé), A_2 (risque modéré), A_3 (risque faible). Ces catégories regroupent, respectivement, 30 %, 50 % et 20 % de la clientèle. La probabilité d'une réclamation, pour chacune des catégories, est, pour l'année, 0,10, 0,03 et 0,01. Si vous êtes assuré par cette compagnie et avez fait une réclamation au cours des 12 derniers mois, quelle est la probabilité que vous soyez dans la catégorie A_1 ? A_2 ? A_3 ?

Chapitre **12**

Erreurs et incertitudes

PRÉAMBULE

Dans ce chapitre, nous aborderons la notion d'erreur. Lorsqu'on traite des données, la précision des résultats est directement liée à la précision des données et à l'exactitude des calculs, que le traitement soit fait manuellement ou par ordinateur. Pour interpréter correctement un résultat, il est important de connaître et de savoir évaluer toutes les sources d'erreur et d'incertitude.

12.1 GÉNÉRALITÉS SUR LE CALCUL D'ERREURS

Chiffres significatifs

On appelle *chiffres significatifs*, le nombre de chiffres constituant un nombre. Beaucoup de nombres réels ne sont pas des nombres décimaux limités ; aussi faut-il faire appel à une approximation décimale, c'est-à-dire remplacer le nombre réel par un nombre décimal qui néglige un certain nombre de chiffres. Le degré de précision d'une approximation est donné par le nombre de chiffres significatifs restants. Par exemple, le réel $1,\overline{3} = 1,3333$ ... peut être remplacé par le nombre décimal 1,3 de 2 chiffres significatifs, ou bien 1,33 de 3 chiffres significatifs, ou bien 1,3333 de 5 chiffres significatifs. Évidemment, le nombre 1,3333 est plus précis que 1,33 ou 1,3.

Les zéros placés en tête d'un nombre ne jouent pas le rôle de chiffres significatifs : par exemple, 0,0000432 n'a que 3 chiffres significatifs. Les zéros encadrés comptent comme chiffres significatifs. Par exemple, 3,050701 a 7 chiffres significatifs. Les zéros placés à la fin d'un nombre comptent comme chiffres significatifs ; ainsi, 963 000 000, écrit sous cette forme, a 9 chiffres significatifs. Si on l'écrit en virgule flottante (*) $9,63 \times 18^8$, il y a 3 chiffres significatifs et, sous la forme $96\ 300 \times 10^4$, il y a 5 chiffres significatifs. La notation en puissance de 10 permet de mettre en évidence le nombre de chiffres significatifs d'un nombre.

Exercice (a) : Donner dans chacun des cas le nombre de chiffres significatifs :

a) $4,823 \times 10^7$;

b) $8,4 \times 10^{-6}$;

c) $70\ 000 \times 10^{-10}$;

d) $- 149,80$;

e) 0,00123 ;

f) 1,00280.

---

* Un nombre écrit sous forme exponentielle de base 10 (exemple : $8,45 \times 10^3$ au lieu de 8450) est dit être sous forme de *virgule flottante*. La notation standardisée consiste à garder un nombre compris entre 1 et 9 devant la virgule. Ainsi, l'écriture $8,45 \times 10^3$ est standardisée, mais non $84,5 \times 10^2$. La forme de virgule flottante standardisée est aussi appelée *notation scientifique*.

Erreur absolue et erreur relative

Au cours d'opérations numériques, il peut être nécessaire d'arrondir des données afin de faciliter certains calculs. Il en est de même pour l'ordinateur, car le nombre de chiffres significatifs est limité par le nombre de bits mis à la disposition de l'utilisateur. Dans chacun de ces cas, on commet une erreur en remplaçant la vraie valeur par un nombre ayant moins de chiffres significatifs.

DÉFINITION : Soit a, la valeur exacte d'un nombre réel, et a', la valeur approchée de a. En substituant à la valeur exacte de a la valeur approchée a', on commet une *erreur* notée Δa qui est la différence :

$$\boxed{\Delta a = a' - a} \quad .$$

Pour éviter toute confusion, l'erreur Δa est appelée *erreur absolue*. On a:

$a > a' \iff a' - a < 0 \iff \Delta a < 0.$

Alors a' est une valeur approchée de a *par défaut*.

On a aussi :

$a < a' \iff a' - a > 0 \iff \Delta a > 0.$

Alors a' est une valeur approchée de a *par excès*.

Dans un premier temps, on ne travaillera qu'avec des nombres décimaux. De ce fait, on pourra toujours déterminer la valeur exacte de l'erreur absolue Δa lorsqu'on fera une approximation décimale.

DÉFINITION : L'*erreur relative* commise sur le nombre a, quand on lui substitue la valeur approchée a', est le quotient de l'erreur $\Delta a = a' - a$ sur la valeur exacte de a :

$$\boxed{\frac{\Delta a}{a} = \frac{a' - a}{a}} \quad .$$

Si on veut remplacer le nombre $a = 9,8753$ par le nombre $a' = 10$, on commet une erreur absolue $\Delta a = a' - a = 10 - 9,8753 = 0,1247$. On a donc que 10 est une valeur approchée par excès de 9,8753. L'erreur relative

$$\frac{\Delta a}{a} = \frac{a' - a}{a} = \frac{0,1247}{9,8753} \simeq 0,0126.$$

Ou encore $\dfrac{\Delta a}{a}$ s'exprime en pourcentage :

$$\frac{\Delta a}{a} \simeq 1,26\ \%.$$

(En général, on ne garde que 2 chiffres après la virgule lorsqu'on exprime un pourcentage.) L'erreur relative est intéressante dans la mesure où elle permet de comparer l'erreur absolue commise par rapport à la grandeur à mesurer. Par exemple, si on fait une erreur absolue de 1 cm, en mesurant 100 cm, et une erreur absolue de 1 cm, en mesurant 10 000 cm, il est bien évident que, pour deux erreurs absolues égales, dans le premier cas on a fait une mesure bien moins précise que dans le deuxième cas. Les pourcentages d'erreur, ou erreurs relatives respectives, sont :

$$\frac{1}{100} = 0,01 = 1\,\% \quad \text{et} \quad \frac{1}{10\ 000} = 0,0001 = 0,01\,\%.$$

12.2 APPROXIMATIONS ET INCERTITUDES

Approximation décimale (arrondissage)

Lorsqu'on remplace un nombre réel ou décimal par un nombre décimal ayant moins de chiffres significatifs, on fait une *approximation décimale* ou on *arrondit*. On doit toujours spécifier la précision avec laquelle on veut arrondir le nombre considéré.

Exemple : Considérons les deux tableaux suivants :

Nombre	Nature de l'approximation	Nombre arrondi
981,7434	à une unité près	981 par défaut
		(982) par excès
981,7434	à un dixième près	(981,7) par défaut
		981,8 par excès
981,7434	à une centaine près	900 par défaut
		(1 000) par excès
0,001832	au millième près	0,001 par défaut
		(0,002) par excès
– 42,673	à une unité près	(– 43) par défaut
		– 42 par excès
– 42,673	au centième près	– 42,68 par défaut
		(– 42,67) par excès

Nombre	Nature de l'approximation	Nombre arrondi	
81,65	à un dixième près	(81,6)	par défaut
		81,7	par excès
49,975	au centième près	49,97	par défaut
		(49,98)	par excès
49,9850	au centième près	(49,98)	par défaut
		49,99	par excès
49,99500	au centième près	49,99	par défaut
		(50,00)	par excès
50,015000	au centième près	50,01	par défaut
		(50,02)	par excès
50,025007	au centième près	(50,03)	par excès
		50,02	par défaut

Dans chacun des cas, on trouve deux arrondis possibles, une par défaut, l'autre par excès. On choisit la meilleure approximation, c'est-à-dire la valeur la plus proche du nombre considéré (la valeur entourée dans le tableau de la page 359).

Lorsqu'on doit prendre une décision et que le nombre se termine par un 5 ou éventuellement par un 5 suivi de zéros, on utilise la convention de l'entier pair, dite *règle de Gauss*, consistant à choisir le nombre se terminant par un chiffre pair (la valeur entourée dans le tableau ci-dessus).

Exercices (b) : (1) Arrondir chacun des nombres suivants avec la précision requise :

a)   57,05 au dixième près;

b)   – 243,135 au centième près;

c)   5,64 à l'unité près;

d)   21,45105 au millième près;

e) $1,\overline{2}$ au centième près;

f) $\sqrt{3}$ au millième près.

(2) Dans chacun des cas précédents, déterminer l'erreur absolue commise et donner sa nature (par excès ou par défaut).

(3) Dans chacun de ces cas, déterminer l'erreur relative commise.

Incertitude absolue ou borne supérieure de l'erreur

Dans le cas de mesures expérimentales ou de valeurs données par des tables numériques, on ne peut pas déterminer exactement l'erreur commise. On sait seulement que la valeur absolue de l'erreur est inférieure à un nombre positif ε. Ce nombre ε est appelé la *borne supérieure* de l'erreur absolue ou encore l'*incertitude absolue*. On a donc $\boxed{|\Delta a| < \varepsilon}$. Or,

$$|\Delta a| < \varepsilon \Longleftrightarrow |a' - a| < \varepsilon \Longleftrightarrow -\varepsilon < a' - a < \varepsilon \Longleftrightarrow a' - \varepsilon < a < a' + \varepsilon.$$

Cela signifie que la vraie valeur a se trouve dans l'intervalle $] a' - \varepsilon, a' + \varepsilon [$:

Si $|\Delta a| < \varepsilon$, on dit que $a' = a$ à *moins de ε près*. Si $|\Delta a| \leqslant \varepsilon$ on dit que $a' = a$ à ε *près*. Une notation couramment utilisée est $a = a' \pm \varepsilon$.

Dans le cas des tables et des calculatrices les plus courantes, la borne supérieure de l'erreur absolue ε sera égale à une demi-unité de la dernière décimale écrite. Par exemple, dans une table de logarithme de base 10 on trouve :

$$\log 3{,}813 = 0{,}58127.$$

Il existe une incertitude de 0,5 sur la dernière unité, soit :

$$\varepsilon = 0{,}5 \times 10^{-5}.$$

Alors

$$\log 3{,}813 = 0{,}58127 \pm 0{,}5 \times 10^{-5}.$$

La vraie valeur de $\log 3{,}813$ va se trouver dans l'intervalle :

$$] 0{,}58127 - 0{,}5 \times 10^{-5}, 0{,}58127 + 0{,}5 \times 10^{-5} [,$$

c'est-à-dire

$$] 0{,}581265, \quad 0{,}581275 [.$$

En sciences expérimentales, la borne supérieure de l'erreur absolue commise sur une mesure sera indiquée dans l'écriture de la mesure. Par exemple, les nombres $x' = 3{,}47$, $y' = 4{,}7$ et $z' = 1{,}700$ obtenus expérimentalement doivent être considérés comme valeurs approchées des mesures de x, y et z. Comme précédemment, leur incertitude est donnée par :

$$|\Delta x| = |x - 3{,}47| \leqslant 0{,}5 \times 10^{-2};$$
$$|\Delta y| = |y - 4{,}7| \leqslant 0{,}5 \times 10^{-1};$$
$$|\Delta z| = |z - 1{,}700| \leqslant 0{,}5 \times 10^{-3}.$$

On pourrait écrire :

$$x = x' \pm \varepsilon_x = 3{,}47 \pm 0{,}5 \times 10^{-2};$$
$$y = y' \pm \varepsilon_y = 4{,}7 \pm 0{,}5 \times 10^{-1};$$
$$z = z' \pm \varepsilon_z = 1{,}700 \pm 0{,}5 \times 10^{-3}.$$

Incertitude relative

On définit également l'*incertitude relative* ε' comme étant la borne supérieure de l'erreur relative

$$\boxed{\left|\frac{\Delta a}{a}\right| < \varepsilon'}$$. Comme nous ne connaissons ni Δa, ni a, nous calculerons ε' à l'aide de ε et a'. Alors :

$$\varepsilon' \simeq \frac{\varepsilon}{|a'|}.$$

Exemple : Si nous reprenons les valeurs :

$x = 3,47 \pm 0,5 \times 10^{-2}$,
$y = 4,7 \pm 0,5 \times 10^{-1}$,
$z = 1,700 \pm 0,5 \times 10^{-3}$,

les incertitudes relatives sur chacune des mesures seront :

$$\left|\frac{\Delta x}{x}\right| \leqslant \varepsilon'_x \quad \text{avec } \varepsilon'_x = \frac{0,5 \times 10^{-2}}{3,47} \simeq 1,44 \times 10^{-3} \simeq 0,14\,\%,$$

$$\left|\frac{\Delta y}{y}\right| \leqslant \varepsilon'_y \quad \text{avec } \varepsilon'_y = \frac{0,5 \times 10^{-1}}{4,7} \simeq 1,06 \times 10^{-2} = 1,06\,\%,$$

$$\left|\frac{\Delta z}{z}\right| \leqslant \varepsilon'_z \quad \text{avec } \varepsilon'_z = \frac{0,5 \times 10^{-3}}{1,700} \simeq 2,94 \times 10^{-4} \simeq 0,03\,\%.$$

> **Exercices (c)** (1) Dans chacun des cas, donner l'incertitude absolue des mesures suivantes, ainsi que l'intervalle dans lequel se trouve la vraie valeur :
>
> a)   8,30 millions;   b)   0,00003745;
>
> c)   2 508;   d) $5,0 \times 10^8$;
>
> e)   296 000;   f)   345,3.
>
> (2) Déterminer l'incertitude relative de chacune de ces mesures.

Calculs d'incertitudes absolues

Nous allons calculer l'incertitude sur le résultat de différentes opérations numériques. Les calculs d'incertitude étant basés en grande partie sur le calcul différentiel, nous ne verrons ici que les quatre cas les plus simples, l'incertitude sur le résultat d'une somme, d'une différence, du produit par un réel et du produit de deux mesures.

> **1°   Supposons que la grandeur S résulte de la somme des grandeurs a et b :**
>
> $S = a + b$.

Pour a et b, nous avons obtenu respectivement les valeurs a' et b' avec les incertitudes ε_a et ε_b telles que :

$a = a' \pm \varepsilon_a$,
$b = b' \pm \varepsilon_b$.

Nous allons déterminer l'incertitude absolue sur S, notée ε_S. La valeur la plus petite atteinte par S sera :

$$a' - \varepsilon_a + b' - \varepsilon_b = a' + b' - (\varepsilon_a + \varepsilon_b).$$

La valeur la plus grande atteinte par S sera :

$$a' + \varepsilon_a + b' + \varepsilon_b = a' + b' + (\varepsilon_a + \varepsilon_b).$$

La valeur réelle de S se trouve donc comprise entre la valeur maximale et la valeur minimale, soit :

$$a' + b' - (\varepsilon_a + \varepsilon_b) < S < a' + b' + (\varepsilon_a + \varepsilon_b).$$

Ou encore, en posant $\varepsilon_S = \varepsilon_a + \varepsilon_b$, on peut écrire :

$$\boxed{S = a' + b' \pm (\varepsilon_a + \varepsilon_b) = a' + b' \pm \varepsilon_S}.$$

L'incertitude absolue d'une somme est égale à la somme des incertitudes absolues de chacun des termes.

Exemple : Soit

$$a = 12,5 \pm 0,5 \times 10^{-1}$$

et

$$b = 7,82 \pm 0,5 \times 10^{-2}.$$

Calculons l'incertitude absolue sur $a + b$:

$$a + b = 12,5 + 7,82 \pm (0,5 \times 10^{-1} + 0,5 \times 10^{-2}),$$

$$a + b = 20,32 \pm 0,055.$$

On a donc que :

$$\varepsilon_{a+b} = 0,055.$$

Vérifions :

- la valeur maximale atteinte par $a + b$ est :

    $$12,55 + 7,825 = 20,375;$$

- la valeur minimale atteinte par $a + b$ est :

    $$12,45 + 7,815 = 20,265;$$

    alors :

    $$20,265 < a + b < 20,375;$$

    $$20,32 - 0,055 < a + b < 20,32 + 0,055.$$

2°   Supposons que la grandeur D résulte de la différence des grandeurs a et b :

$$D = a - b.$$

Pour a et b, nous avons obtenu respectivement les valeurs a et b avec les incertitudes absolues ε_a et ε_b telles que :

$$a = a' \pm \varepsilon_a$$

$$b = b' \pm \varepsilon_b.$$

Nous allons déterminer l'incertitude absolue sur D, notée ε_D. La plus petite valeur atteinte par D sera :

$$a' - \varepsilon_a - (b' + \varepsilon_b) = a' - b' - (\varepsilon_a + \varepsilon_b).$$

La plus grande valeur atteinte par D sera :

$$a' + \varepsilon_a - (b' - \varepsilon_b) = a' - b' + (\varepsilon_a + \varepsilon_b).$$

La valeur réelle de D se trouve comprise entre la valeur maximale et la valeur minimale, soit :

$$a' - b' - (\varepsilon_a + \varepsilon_b) < D < a' - b' + (\varepsilon_a + \varepsilon_b).$$

Ou encore, en posant $\varepsilon_D = \varepsilon_a + \varepsilon_b$, on peut écrire :

$$\boxed{D = a' - b' \pm (\varepsilon_a + \varepsilon_b) = a' - b' \pm \varepsilon_D}.$$

L'incertitude absolue d'une différence est égale à la somme des incertitudes absolues de chacun des termes.

Exemple : Soit

$$a = 12,5 \pm 0,5 \times 10^{-1};$$
$$b = 7,82 \pm 0,5 \times 10^{-2}.$$

Calculons l'incertitude sur $a - b$:

$$a - b = 12,5 - 7,82 \pm (0,5 \times 10^{-1} + 0,5 \times 10^{-2}) = 4,68 \pm 0,055.$$

On a donc :

$$\varepsilon_{a-b} = 0,055.$$

Vérifions :

- la valeur maximale atteinte par $a - b$ est :

$$12,55 - 7,815 = 4,735;$$

- la valeur minimale atteinte par $a - b$ est :

$$12,45 - 7,825 = 4,625;$$

- alors :

$$4,625 < a - b < 4,735;$$
$$4,68 - 0,055 < a - b < 4,68 + 0,055.$$

3° Supposons que la grandeur M résulte du **produit** de la grandeur a par le **nombre exact** k : $M = ka$.

Pour a, nous avons obtenu la valeur a' avec l'incertitude ε_a telle que :

$$a = a' \pm \varepsilon_a.$$

Nous allons déterminer l'incertitude absolue sur M, notée ε_M. La plus petite valeur atteinte par M sera :

$$k (a' - \varepsilon_a) = ka' - k\varepsilon_a.$$

La plus grande valeur atteinte par M sera :

$$k (a' + \varepsilon_a) = ka' + k\varepsilon_a.$$

La valeur réelle de M sera comprise entre la valeur maximale et la valeur minimale, soit :

$$ka' - k\varepsilon_a < M < ka' + k\varepsilon_a.$$

Ou encore, en posant $\varepsilon_M = k\varepsilon_a$, on peut écrire

$$\boxed{M = ka' \pm k\varepsilon_a = ka' \pm \varepsilon_M} \ .$$

L'incertitude absolue sur le produit de la mesure d'une grandeur par un nombre exact est égale au produit de l'incertitude de la grandeur par le nombre exact.

Exemple : Soit

$$a = 21,75 \pm 0,007$$

et

$$k = 6.$$

Calculons l'incertitude absolue sur ka :

$$ka = 6 \times 21,75 \pm 6 \times 0,007$$
$$ka = 130,5 \pm 0,042.$$

Vérifions :

- la valeur maximale atteinte par ka est :

$$6 \times 21,757 = 130,542;$$

- la valeur minimale atteinte par ka est :

$$6 \times 21,743 = 130,458;$$

- alors :

$$130,458 < ka < 130,542;$$
$$130,5 - 0,042 < ka < 130,5 + 0,042.$$

4°   Supposons que la grandeur P résulte du produit des grandeurs a et b :

$P = ab$.

Pour a et b, nous avons obtenu respectivement les valeurs a' et b' avec les incertitudes absolues ε_a et ε_b telles que :

$$a = a' \pm \varepsilon_a,$$
$$b = b' \pm \varepsilon_b.$$

Nous allons déterminer l'incertitude absolue sur P, notée ε_P. La valeur la plus grande atteinte par P sera :

$$(a' + \varepsilon_a) (b' + \varepsilon_b) = a'b' + a' \cdot \varepsilon_b + b' \cdot \varepsilon_a + \varepsilon_a \cdot \varepsilon_b \cdot$$

La valeur la plus petite atteinte par P sera :

$$(a' - \varepsilon_a) (b' - \varepsilon_b) = a'b' - a'\varepsilon_b - b'\varepsilon_a + \varepsilon_a\varepsilon_b.$$

Traçons un graphique représentant chacune de ces valeurs.

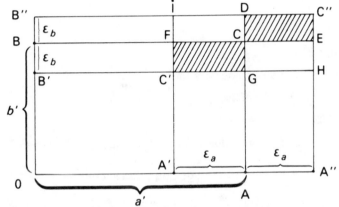

Les produits sont représentés par des aires. La valeur maximale du produit est l'aire du rectangle OA'' C'' B''. La valeur minimale du produit est l'aire du rectangle OA' C' B'. Le produit ε_a et ε_b est représenté par le rectangle hachuré CEC'' D ou C' GCF. Si ϵ_a et ϵ_b sont suffisamment petits devant a' et b', les deux rectangles hachurés ont une aire négligeable. Alors la valeur maximale sera approximativement donnée par :

$$(a' + \varepsilon_a) (b' + \varepsilon_b) \simeq a'b' + a'\varepsilon_b + b'\varepsilon_a,$$

tandis que la valeur minimale sera donnée approximativement par :

$$(a' - \varepsilon_a) (b' - \varepsilon_b) \simeq a'b' - a'\varepsilon_b - b'\varepsilon_a = a'b' - (a'\varepsilon_b + b'\varepsilon_a).$$

La valeur réelle de P se trouve donc comprise entre la valeur maximale et la valeur minimale :

$$a'b' + (a'\varepsilon_b + b'\varepsilon_a) < P < a'b' - (a'\varepsilon_b + b'\varepsilon_a).$$

On peut écrire, en posant $\epsilon_p = a'\epsilon_b + b'\epsilon_a$:

$$P = a'b' \pm (a'\varepsilon_b + b'\varepsilon_a) = a'b' \pm \varepsilon_P .$$

Exemple : Soit

$$a = 12,5 \pm 0,5 \times 10^{-1}$$

et

$$b = 7,82 \pm 0,5 \times 10^{-2}.$$

Calculons les incertitudes absolues sur ab :

$$ab = 12,5 \times 7,82 \pm (12,5 \times 0,5 \times 10^{-2} + 7,82 \times 0,5 \times 10^{-1}),$$
$$ab = 97,75 \pm (6,25 \times 10^{-2} + 3,91 \times 10^{-1}),$$
$$ab = 97,75 \pm (0,0625 + 0,391),$$
$$ab = 97,75 \pm 0,4535.$$

Vérifions :

- la valeur maximale atteinte par ab est :

$$12,55 \times 7,825 = 98,20375;$$

- la valeur minimale atteinte par ab est :

$$12,45 \times 7,815 = 97,29675;$$

- alors :

$$97,29675 < ab < 98,20375.$$

Si on le compare avec ce qu'on a trouvé à l'aide de la formule

$$97,75 - 0,4535 < ab < 97,75 + 0,4535,$$

$$97,2965 < ab < 98,2035,$$

on s'aperçoit qu'il existe une légère différence due au terme $\varepsilon_a \varepsilon_b$ que l'on a négligé.

5° On peut aussi calculer l'incertitude sur une puissance :

$$B = a^n.$$

En négligeant certains termes comme pour le produit, on obtiendra :

$$B = a'^n \pm n a'^{n-1} \varepsilon_a.$$

Illustrons ce résultat par deux exemples.

Exemple : Si $B = a^2$ et $a = a' \pm \varepsilon_a$, on applique la règle du produit et on obtient

$$\varepsilon_B = a' \varepsilon_a + a' \varepsilon_a = 2a' \varepsilon_a.$$

On a donc le résultat

$$B = a'^2 \pm 2a' \varepsilon_a.$$

Par exemple, si $a = 23,4 \pm 0,05$, alors $B = 547,56 \pm 2 \times 23.4 \times 0,05 = 547,56 \pm 2,34$.

Exemple : Si $B = a^3$ et $a = a' \pm \varepsilon_a$, on peut appliquer la règle du produit en considérant $B = (a^2) (a)$ avec une incertitude sur a^2 de $\varepsilon_{a^2} = 2a' \varepsilon_a$ et une incertitude sur a de ε_a. On obtient donc

$$B = a' \varepsilon_{a^2} + a'^2 \varepsilon_a$$

et, en remplaçant ε_{a2} par sa valeur, on a :

$$\varepsilon_B = 2a'^2\varepsilon_a + a'^2\varepsilon_a = 3a'\varepsilon_a.$$

> **6°** En appliquant les résultats de l'incertitude sur le produit par un nombre exact et l'incertitude sur une puissance, on peut calculer l'incertitude sur
>
> $$B = ka^n.$$

On trouvera :

$$\boxed{\varepsilon_B = kna'^{n-1}\varepsilon_a.}$$

> **7°** Il est également possible de calculer l'incertitude sur le quotient
>
> $$Q = \frac{a}{b}.$$

En procédant comme pour le produit et en considérant que la plus petite valeur atteinte par Q est $\dfrac{a' - \varepsilon_a}{b' + \varepsilon_b}$, tandis que la plus grande est $\dfrac{a' + \varepsilon_a}{b' - \varepsilon_b}$, on obtiendra en négligeant certains termes :

$$\boxed{Q = \frac{a'}{b'} \pm \frac{b'\varepsilon_a + a'\varepsilon_b}{b'^2}}$$

> *Exercice (d)* : Faire les calculs demandés et donner l'incertitude sur chacun des résultats, en sachant que $a = 2,75 \pm 0,5 \times 10^{-2}$, $b = 45,6 \pm 0,1$ et $c = 0,47 \pm 5 \times 10^{-3}$:
>
> a) $a + b$;   b) $b - a$;   c) $b + c$;   d) $3a$;   e) $4c - 1$;
>
> f) $3a - 10c$;   g) ab ;   h) bc ;   i) $ac - 5b$;   j) a^2 ;
>
> k) $5b^4$;   l) $6c^3 + b$.

12.3   APPLICATION AUX CALCULS D'AIRES ET DE VOLUMES

Appliquons les notions vues dans la section précédente aux calculs d'aires et de volumes.

Exemple : Évaluons l'incertitude commise en calculant l'aire d'un cercle dont le rayon de 2 cm est mesuré avec une incertitude de 0,04 cm. Nous avons

$$A = \pi r'^2.$$

En appliquant le résultat en 6° de la section précédente, nous obtenons

$$\varepsilon_A = 2\pi r'\varepsilon_{r'}$$

c'est-à-dire

$$\varepsilon_A = 2\pi (2) (0,04) = 0,16\,\pi\ (\text{en cm}^2).$$

On peut écrire

$$A = 16\pi \pm 0,16\pi\ (\text{en cm}^2).$$

Exemple : Le volume d'une sphère étant donné par $V = \dfrac{4}{3} \pi r^3$, trouvons l'incertitude sur le volume si, pour un rayon de 3 cm, l'incertitude est 0,01 cm. Nous avons

$$\varepsilon_V = \frac{4}{3} \pi 3 r'^2 \varepsilon_r = 4\pi r'^2 \varepsilon_r = 4\pi\,(\,3\,)^2\,0{,}01 = 0{,}36\,\pi\,(\text{ en cm}^3\,).$$

On peut donc écrire :

$$V = \frac{4}{3} \pi r'^3 \pm 0{,}36\,\pi = 36\pi \pm 0{,}36\,\pi\,(\text{ en cm}^3\,).$$

Exemple : L'aire d'un triangle étant donnée par $A = \dfrac{1}{2} bh$, si $b = 3 \pm 0{,}5$ cm et $h = 2 \pm 0{,}3$ cm, trouvons l'incertitude sur l'aire. D'après les incertitudes sur le produit par un nombre exact et sur le produit de deux nombres, on obtient

$$\varepsilon_A = \frac{1}{2}\,(\,b'\varepsilon_h + h'\varepsilon_b\,),$$

c'est-à-dire

$$\varepsilon_A = \frac{1}{2}\,(\,3\,(\,0{,}3\,) + 2\,(\,0{,}5\,)\,) = 0{,}95\,(\text{ en cm}^2\,).$$

Exercices (e) : (1) Soit un rectangle de côtés $c = 4 \pm 0{,}3$ cm et $C = 10 \pm 0{,}5$ cm.

      a) Quelle est l'incertitude sur le périmètre ?

      b) Quelle est l'incertitude sur l'aire ?

(2) Soit un parallélépipède rectangle de côtés $c = 5 \pm 0{,}1$ cm, $C = 4 \pm 0{,}3$ cm et $h = 3 \pm 0{,}2$ cm.

      a) Quelle est l'incertitude sur l'aire latérale ? ($A = 2h\,(\,c + C\,)$)

      b) Quelle est l'incertitude sur le volume ? ($V = cCh$)

12.4   OPÉRATIONS SUR DES NOMBRES DÉJÀ ARRONDIS

Lorsqu'on effectue des opérations sur des nombres préalablement arrondis, on ne s'intéresse pas toujours au calcul des erreurs que l'on commet, mais plutôt au résultat que l'on obtient qui ne doit avoir ni trop, ni pas assez de chiffres significatifs.

On utilisera certaines règles.

Première règle :   Dans le cas d'une addition ou d'une soustraction, le résultat obtenu ne doit pas avoir plus de décimales que le nombre qui en a le moins.

Exemple : Additionnons les nombres arrondis suivants :
27,95324 + 48,7 + 15,23 + 9,475 = 101,35824.

Le nombre 48,7 étant arrondi au dixième près, on ne doit pas donner un résultat avec plus d'une décimale. La somme sera 101,4. Effectivement, si on suppose que chaque nombre présente une incertitude d'une demi-unité sur sa dernière décimale, la valeur maximale atteinte par cette somme sera

$$27,953245 + 48,75 + 15,235 + 9,4755 = 101,413745, (*)$$

tandis que la valeur minimale sera

$$27,953235 + 48,65 + 15,225 + 9,4745 = 101,302735.$$

Nous constatons que seuls les trois premiers chiffres restent inchangés et que la première décimale est incertaine : il est donc inutile de garder plus de chiffres significatifs. On peut arrondir à 101,4; il faut être bien conscient que, si on avait besoin de ce nombre pour d'autres calculs, il ne faudrait pas considérer que son incertitude est d'une demi-unité sur sa dernière décimale !

Deuxième règle : Dans le cas d'un produit ou d'un quotient, le résultat ne doit pas avoir plus de chiffres significatifs que la donnée la moins précise.

Exemple : Calculons le produit suivant en supposant que les nombres sont arrondis :

$$23,56 \times 156,34 = 3\ 683,3704.$$

Le nombre 23,56 ayant 4 chiffres significatifs, le résultat final ne peut pas avoir plus de 4 chiffres significatifs. Ce produit sera 3 683. En effet, prenons le nombre 23,56 approximé au centième : sa vraie valeur est sûrement plus grande que 23,555 et plus petite que 23,565. De la même façon, la vraie valeur du nombre 156,34, arrondi au centième, est plus grande que 156,335 et plus petite que 156,345. La plus petite valeur obtenue pour le produit sera :

$$23,555 \times 156,335 = 3\ 682,470925.$$

La plus grande valeur obtenue pour le produit sera :

$$23,565 \times 156,345 = 3\ 684,269925.$$

Ces deux résultats nous montrent que les trois premiers chiffres du produit restent inchangés, mais qu'à partir du quatrième chiffre, le développement décimal n'est plus exact. Pour le résultat, on ne garde donc qu'un seul chiffre incertain et on peut prendre **3683** comme valeur arrondie.

Troisième règle : Lorsqu'un nombre est exact, il n'influence pas le nombre de chiffres significatifs du résultat.

Exemple : Soit

$$r = 2,4567,$$

un nombre arrondi avec 5 chiffres significatifs. Calculons $6r$. Puisque 6 est un nombre exact, on rendra le résultat de $6r$ avec 5 chiffres significatifs :

$$6r = 6 \times 2,4567 = 14,7402.$$

On arrondit à 5 chiffres significatifs :

$$6r = 14,740.$$

En effet, la plus petite valeur atteinte par $6r$ est :

$$6 \times 2,45665 = 14,7399.$$

La plus grande valeur atteinte par $6r$ est :

$$6 \times 2,45675 = 14,7405.$$

---

* Si on calcule $\varepsilon_s = 0,055505$, qu'on l'ajoute et le retranche à 101,35824, on retrouve les valeurs maximale et minimale de la somme.

Lorsqu'on donne un résultat arrondi et son incertitude, cette dernière, d'après la première règle, ne devrait pas avoir plus de décimales que le résultat. On arrondit alors l'incertitude en la majorant afin que le nouvel intervalle obtenu recouvre entièrement l'intervalle de valeurs dans lequel se trouve le résultat réel. Reprenons les exemples précédents. Dans le cas de la somme, on avait obtenu :

- valeur maximale : 101,413745;
- valeur minimale : 101,302735;
- valeur arrondie : 101,4.

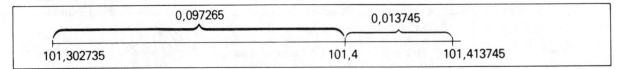

Il suffit de prendre pour l'incertitude une valeur plus grande que 0,097265 présentant une seule décimale, par exemple 0,1. Alors,

$$S = 101{,}4 \pm 0{,}1 \text{ et }]\,101{,}302735,\ 101{,}413745\,[\subset]\,101{,}3,\ 101{,}5\,[.$$

Dans le cas du produit, on avait obtenu
- valeur maximale : 3 684,269925;
- valeur minimale : 3 682,470925;
- valeur arrondie : 3 683.

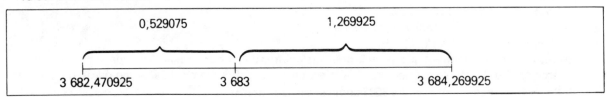

On devra prendre une incertitude plus grande que 1,269925 et entière. Alors :

$$P = 3\,683 \pm 2.$$

Dans le cas du produit par un nombre exact, on avait obtenu :
- valeur maximale : 14,7405;
- valeur minimale : 14,7399;
- valeur arrondie : 14,740.

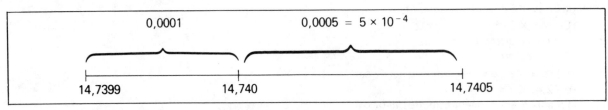

On devra prendre une incertitude plus grande que 0,0005 et présentant 3 décimales :

$$M = 14{,}740 \pm 0{,}001$$

et

$$]\,14{,}7399,\ 14{,}7405\,[\subset]\,14{,}739,\ 14{,}741\,[.$$

Exercice (f) :   Effectuer les opérations suivantes, en sachant que les nombres considérés sont arrondis :

a) $2,365 \times 1,87$;

b) $25,753 - 6,81$;

c) $\dfrac{81,75}{12,31}$.

12.5   EXERCICES RÉCAPITULATIFS

1.   Donner, dans chacun des cas, le nombre de chiffres significatifs :

a)   4,3150;

b) $5,1345 \times 10^{-3}$;

c)   – 0,010023;

d)   1,00301;

e) -413×10^{5};

f)   5,101000.

2.   Arrondir chacun des nombres suivants avec la précision requise :

a)   48,6 à une unité près;

b)   136,5 à une unité près;

c)   – 2,484 au centième près;

d)   0,0435 au millième près;

e)   4,50001 à une unité près;

f)   – 143,95 à un dixième près;

g)   368 à une centaine près;

h)   24 448 à un millier près;

i)   5,56500 au centième près;

j)   – 5,56501 au centième près.

3.   Pour chacun des cas de l'exercice précédent, déterminer l'erreur absolue et l'erreur relative commise en faisant l'approximation demandée.

4.   Arrondir les nombres périodiques suivants, avec la précision requise, et calculer l'erreur absolue commise :

a) $1,\overline{3}$ au centième;

b) $1,\overline{245}$ au millième;

c) $-31,\overline{567}$ au millième.

d)   Peut-on calculer l'erreur absolue commise en arrondissant $\sqrt{2}$ au centième près ?

5.   Faire les calculs demandés et donner l'incertitude absolue sur chacun des résultats obtenus si
$a = 3,45 \pm 0,5 \times 10^{-2}$,
$b = 345,1 \pm 0,3$,
$c = 14,2 \pm 0,05$:

a) $2a - b$;

b) $3c + a$;

c) $4c - 2a + b$;

d) $2a \times b$.

e) $5a + b^{2} + 3c^{3}$;

f) $\sqrt{a}$;

g) $\dfrac{3c}{b}$.

6. Avec quelle incertitude calcule-t-on le volume d'une sphère de rayon $r = 5 \pm 0,05$ cm ?

7. Avec quelle incertitude calcule-t-on le volume d'un cube de côté $a = 7 \pm 0,6$ cm ? (Le volume d'un cube de côté a est donné par $V = a^3$.)

8. Quelle incertitude a-t-on sur le périmètre d'un carré de côté $a = 3 \pm 0,5$ cm ?

9. Quelle incertitude a-t-on sur l'aire d'un parallélogramme ayant comme côtés $c = 3 \pm 0,1$ cm et $C = 4 \pm 0,2$ cm ? (L'aire est donnée par $A = cC$.)

10. Quelle incertitude commet-on sur le volume d'un cylindre dont l'aire de la base est $B = 3\pi \pm 0,05$ cm^2 et dont la hauteur est donnée par $h = 5 \pm 0,1$ cm ? (Le volume est donné par $V = Bh$.)

11. Quelle incertitude commet-on sur l'aire totale d'un cylindre, le rayon de la base étant $r = 2 \pm 0,5$ cm et la hauteur étant $h = 6 \pm 0,1$ cm ? (L'aire totale est donnée par $S = 2\pi rh + 2\pi r^2$, si on considère l'aire du fond, du couvercle et l'aire latérale.)

12. Effectuer les opérations suivantes, en sachant que les nombres considérés sont arrondis :

a) $0,36 \times 781,4$;

b) $\dfrac{873,00}{4,881}$;

c) $5,67 \times 2\,300 \times 13,00$;

d) $\dfrac{0,00535 \times 3\,200}{0,4024}$;

e) $120 \times 0,4386 \times 0,5614$;

f) $\dfrac{516,000 \times 0,000871}{81,73}$;

g) $14,8641 + 4,48 - 8,168 + 0,36125$;

h) $245,5 - 0,47$;

i) $475 \times 10^6 + 12\,684 \times 10^3 - 1\,372\,410$;

j) $28 \times 4193 \times 182$.

Annexe

Valeurs trigonométriques

remarquables

α (en degrés)	α (en radians)	$\sin \alpha$	$\cos \alpha$	$\tan \alpha$
0	0	0	1	0
15	$\pi/12$	$(\sqrt{6} - \sqrt{2})/4$	$(\sqrt{6} + \sqrt{2})/4$	$2 - \sqrt{3}$
30	$\pi/6$	$1/2$	$\sqrt{3}/2$	$\sqrt{3}/3$
45	$\pi/4$	$\sqrt{2}/2$	$\sqrt{2}/2$	1
60	$\pi/3$	$\sqrt{3}/2$	$1/2$	$\sqrt{3}$
75	$5\pi/12$	$(\sqrt{6} + \sqrt{2})/4$	$(\sqrt{6} - \sqrt{2})/4$	$2 + \sqrt{3}$
90	$\pi/2$	1	0	—
105	$7\pi/12$	$(\sqrt{6} + \sqrt{2})/4$	$-(\sqrt{6} - \sqrt{2})/4$	$-2 - \sqrt{3}$
120	$2\pi/3$	$\sqrt{3}/2$	$-1/2$	$-\sqrt{3}$
135	$3\pi/4$	$\sqrt{2}/2$	$-\sqrt{2}/2$	-1
150	$5\pi/6$	$1/2$	$-\sqrt{3}/2$	$-\sqrt{3}/3$
165	$11\pi/12$	$(\sqrt{6} - \sqrt{2})/4$	$-(\sqrt{6} + \sqrt{2})/4$	$-2 + \sqrt{3}$
180	π	0	-1	0
195	$13\pi/12$	$-(\sqrt{6} - \sqrt{2})/4$	$-(\sqrt{6} + \sqrt{2})/4$	$2 - \sqrt{3}$
210	$7\pi/6$	$-1/2$	$-\sqrt{3}/2$	$\sqrt{3}/3$
225	$5\pi/4$	$-\sqrt{2}/2$	$-\sqrt{2}/2$	1
240	$4\pi/3$	$-\sqrt{3}/2$	$-1/2$	$\sqrt{3}$
255	$17\pi/12$	$-(\sqrt{6} + \sqrt{2})/4$	$-(\sqrt{6} - \sqrt{2})/4$	$2 + \sqrt{3}$
270	$3\pi/2$	-1	0	—
285	$19\pi/12$	$-(\sqrt{6} + \sqrt{2})/4$	$(\sqrt{6} - \sqrt{2})/4$	$-2 - \sqrt{3}$
300	$5\pi/3$	$-\sqrt{3}/2$	$1/2$	$-\sqrt{3}$
315	$7\pi/4$	$-\sqrt{2}/2$	$\sqrt{2}/2$	-1
330	$11\pi/6$	$-1/2$	$\sqrt{3}/2$	$-\sqrt{3}/3$
345	$23\pi/12$	$-(\sqrt{6} - \sqrt{2})/4$	$(\sqrt{6} + \sqrt{2})/4$	$-2 + \sqrt{3}$
360	2π	0	1	0

Réponses

CHAPITRE 1 : FONCTIONS

1.2 **(a)** **(1)** **a)** $\{(1,1),(1,2),(1,3),(1,4),(1,5),(1,6),(2,1),(2,2),(2,3),(2,4),(2,5),(2,6),$
$(3,1),(3,2),(3,3),(3,4),(3,5),(3,6),(4,1),(4,2),(4,3),(4,4),(4,5),(4,6),(5,1),$
$(5,2),(5,3),(5,4),(5,5),(5,6),(6,1),(6,2),(6,3),(6,4),(6,5),(6,6)\}$.

b) $S = \{(1,3),(3,1),(2,2)\}$.

(2) **a)** $\{(0,-1),(0,3),(0,6),(2,-1),(2,3),(2,6),(8,-1),(8,3),(8,6),(12,-1),(12,3),$
$(12,6)\}$.

b) $\{(-1,0),(-1,2),(-1,8),(-1,12),(3,0),(3,2),(3,8),(3,12),(6,0),(6,2),(6,8),$
$(6,12)\}$.

c) Par exemple, $T = \{(2,-1),(8,-1),(12,-1)\}$, qui pourrait se donner par la loi de correspondance
" $a \; \varepsilon$ A est en relation avec $b \; \varepsilon$ B si $\dfrac{a}{b} < 0$ ".

(3) $R_1 = \emptyset, R_2 = \{(-1,-1)\}, R_3 = \{(-1,1)\}, R_4 = \{(1,-1)\}, R_5 = \{(1,1)\}, R_6 = \{(-1,-1),$
$(-1,1)\}, R_7 = \{(-1,-1),(1,-1)\}, R_8 = \{(-1,-1),(1,1)\}, R_9 = \{(-1,1),(1,-1)\},$
$R_{10} = \{(-1,1),(1,1)\}, R_{11} = \{(1,-1),(1,1)\}, R_{12} = \{(-1,-1),(-1,1),(1,-1)\},$
$R_{13} = \{(-1,-1),(-1,1),(1,1)\}, R_{14} = \{(-1,-1),(1,-1),(1,1)\},$
$R_{15} = \{(-1,1),(1,-1),(1,1)\}, R_{16} = A \times A$.

1.4 **(b)** **(1)** **a)** Oui. **b)** Non. **c)** Non. **d)** Une fonction: oui. Une application: non.

1.5 **(c)** **c)** **i)** Dans l'ordre, $\mathbb{R}$, $\mathbb{R}$ et $\mathbb{R}^*$.

ii) $f + g : \mathbb{R} \to \mathbb{R}$ où $(f+g)(x) = 5x+6$;

$f - g : \mathbb{R} \to \mathbb{R}$ où $(f-g)(x) = x - 6$;

$2f : \mathbb{R} \to \mathbb{R}$ où $(2f)(x) = 6x$;

$f + 3g : \mathbb{R} \to \mathbb{R}$ où $(f+3g)(x) = 9x+18$;

$\dfrac{f}{g} : \mathbb{R} \setminus \{-3\} \to \mathbb{R}$ où $\left(\dfrac{f}{g}\right)(x) = \dfrac{3x}{2x+6}$;

$|g| : \mathbb{R} \to \mathbb{R}$ où $|g|(x) = |2x+6|$;

$\dfrac{g}{h} : \mathbb{R}^* \to \mathbb{R}$ où $\left(\dfrac{g}{h}\right)(x) = 2x^2 + 6x$;

$fg : \mathbb{R} \to \mathbb{R}$ où $(fg)(x) = 6x^2 + 18x$.

(d) **(1)** $(h \circ g)(x) = \dfrac{1}{2x+6}$ (domaine : $\mathbb{R} \setminus \{-3\}$);

$$(g \circ h) (x) = \frac{2}{x} + 6 \quad (\text{ domaine : } \mathbb{R}^{*});$$

$$(f \circ g) (x) = 6x + 18 \quad (\text{ domaine : } \mathbb{R});$$

$$(h \circ f) (x) = \frac{1}{3x} \quad (\text{ domaine : } \mathbb{R}^{*}).$$

(2) $(f \circ g) (x) = 3 (2x + 1)^2$ (domaine : $\mathbb{R}$) ;

$(g \circ f) (x) = 6x^2 + 1$ (domaine : $\mathbb{R}$).

1.6   (e)   De gauche à droite :   non ;   non ;   oui ;   non ;   non ;   non ;   non   non ;   oui.

(f) (1)   A)

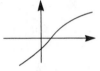

B)

C)

D)

a) $f^{-1} : \mathbb{R} \rightarrow \mathbb{R}$ où $f^{-1} (x) = \frac{1}{6}x + \frac{5}{2}$;

b) $f^{-1} : \mathbb{R}_{+} \rightarrow \mathbb{R}_{+}$ où $f^{-1} (x) = \left| x \right|$
(ou, encore, $f^{-1}(x) = x$) :

c) $f^{-1} : [0, 2] \rightarrow [0, 1]$ où $f^{-1} (x) = \sqrt{\frac{x}{2}}$;

d) $f^{-1} : \mathbb{R} \rightarrow \mathbb{R}$ où $f^{-1} (x) = \sqrt[3]{x - 5}$;

e) $f^{-1} : \mathbb{R} \setminus \{ 2 \} \rightarrow \mathbb{R} \setminus \{ 1 \}$ où $f^{-1} (x) = \frac{x + 1}{x - 2}$.

1.7   1.   a) $f (-1) = f (0) = f (\sqrt{2}) = f (2) = 4$; Dom $f = \mathbb{R}$; $f (-x) = f (x + k) = f (3x + 1) = f (x^2) = 4$;

b) $f (-1) = 9 ; f (0) = 6 ; f (\sqrt{2}) = 10 - \sqrt{2}, f (2) = 12$; Dom $f = \mathbb{R}$; $f (-x) = 2x^2 + x + 6$;

$f (x + k) = 2 (x + k)^2 - (x + k) + 6 ; f (3x + 1) = 2 (3x + 1)^2 - (3x + 1) + 6 ; f (x^2) = 2x^4 - x^2 + 6$;

c) $f (-1) = 1 ; f (0) = 2 ; f (\sqrt{2}) = \sqrt{2} + 2 ; f (2) = 4$; Dom $f = \mathbb{R}$; $f (-x) = \left| -x + 2 \right|$;

$f (x + k) = \left| x + k + 2 \right| ; f (3x + 1) = \left| 3x + 3 \right| ; f (x^2) = x^2 + 2$;

d) $f (-1) = 4 ; f (0) = 2 ; f (\sqrt{2}) = 4 / (\sqrt{2} + 2) ; f (2) = 1$; Dom $f = \mathbb{R} \setminus \{ -2 \}$;

$f (-x) = 4 / (-x + 2) ; f (x + k) = 4 / (x + k + 2) ; f (3x + 1) = 4 / (3x + 3) ; f (x^2) = 4 / (x^2 + 2)$.

e) $f (-1) = 3 ; f (0)$ n'existe pas ; $f (\sqrt{2}) = 4 + \frac{1}{\sqrt{2}} ; f (2) = \frac{9}{2}$; Dom $f = \mathbb{R} \setminus \{ 0 \}$;

$f (-x) = 4 - \frac{1}{x} ; f (x + k) = 4 + \frac{1}{x + k} ; f (3x + 1) = 4 + \frac{1}{3x + 1} ; f (x^2) = 4 + \frac{1}{x^2}$;

f) $f (-1) = -\frac{1}{5} ; f (0) = -\frac{3}{4} ; f (\sqrt{2}) = \frac{2\sqrt{2} + 3}{\sqrt{2} - 4} ; f (2) = -\frac{7}{2}$; Dom $f = \mathbb{R} \setminus \{ 4 \}$;

$f (-x) = \frac{-2x + 3}{-x - 4} ; f (x + k) = \frac{2x + 2k + 3}{x + k - 4} ; f (3x + 1) = \frac{6x + 5}{3x - 3} ; f (x^2) = \frac{2x^2 + 3}{x^2 - 4}$;

g) $f (-1)$ n'existe pas ; $f (0) = -1 ; f (\sqrt{2}) = \frac{1}{\sqrt{2} - 1} ; f (2) = 1$; Dom $f = \mathbb{R} \setminus \{ -1, 1 \}$;

$f (-x) = \frac{1}{\left| x \right| - 1} ; f (x + k) = \frac{1}{\left| x + k \right| - 1} ; f (3x + 1) = \frac{1}{\left| 3x + 1 \right| - 1}$;

$f (x^2) = \frac{1}{\left| x^2 \right| - 1} = \frac{1}{x^2 - 1}$.

2. $(f + g)(x) = 2x + \dfrac{1}{x} + 1$ (domaine : $]\,0, 8\,]$);

$(f + 3h)(x) = 2x + 13$ (domaine : $[\,0, 8\,]$);

$\left(\dfrac{f}{h}\right)(x) = \dfrac{2x + 1}{4}$ (domaine : $[\,0, 8\,]$);

$\left(\dfrac{f}{g}\right)(x) = 2x^2 + x$ (domaine : $]\,0, 8\,]$);

$(f \circ h)(x) = 9$ (domaine : $\mathbb{R}$);

$(h \circ f)(x) = 4$ (domaine : $[\,0, 8\,]$);

$(g \circ h)(x) = \dfrac{1}{4}$ (domaine : $\mathbb{R}$);

$(f \circ g)(x) = \dfrac{2}{x} + 1$ (domaine : $[\,\dfrac{1}{8}\,, \infty\,)$);

$(fg)(x) = 2 + \dfrac{1}{x}$ (domaine : $]\,0, 8\,]$);

$f^{-1}(x) = \dfrac{x - 1}{2}$ (domaine : $[\,1, 17\,]$);

$g^{-1}(x) = \dfrac{1}{x}$ (domaine : $\mathbb{R}_+^*$);

h^{-1} n'est pas une fonction;

$|\,fg\,|(x) = \left|\,2 + \dfrac{1}{x}\,\right|$ (domaine : $]\,0, 8\,]$).

3. A) Ensembles de départ et d'arrivée : $\mathbb{R}$.
    Domaine : R*. Image : R*.
    Bijective.

B) Ensembles de départ et d'arrivée : $\mathbb{R}$.
    Domaine : R*. Image : R_+^*.
    Non bijective.

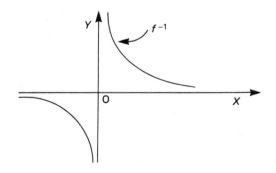

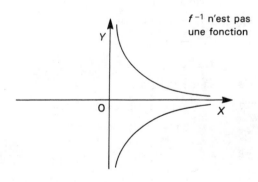

f⁻¹ n'est pas une fonction

$f^{-1} : \mathbb{R}^* \to \mathbb{R}^*$ où $f^{-1}(x) = \dfrac{1}{x}$.

C) Ensembles de départ et d'arrivée : $\mathbb{R}$.
Domaine : $\mathbb{R}^*_+$. Image : $\mathbb{R}$.
Bijective.

D) Ensembles de départ et d'arrivée : $\mathbb{R}$.
Domaine : $\mathbb{R}$.
Image : $[\,-1,\,1\,]$.
Non bijective

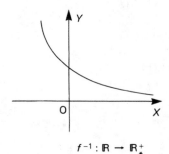

$f^{-1} : \mathbb{R} \rightarrow \mathbb{R}^+_*$

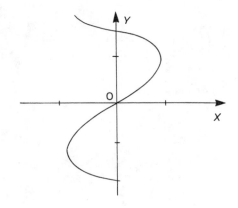

4. $V(3) = 15{,}5$ volts.

5. $Q(10) = 1320$ m^3.

6.   193,75 km.

1.8   **(g)**   (1) 62 ;   (2) 7400 ;   (3) 41,28 \$;   (4) 40 % ;   (5) 450 ;

(6) 167,40 \$;   (7) 10240 m^2 ;   (8) 22,50.

1.9   **(h)**   (1) $-\dfrac{3}{5}$;   (2) $y = 5x + 9$;   (3) $y = \dfrac{1}{9}x + \dfrac{5}{9}$;   (4) $y = 2x + 13$;   (5) $y = -\dfrac{1}{2}x + 5$.

(6) $\Delta y = 9$; $\Delta y = 9$; on obtient le même résultat car $\Delta x = 3$ lorsque x passe de 2 à 5.

1.10   **1.**   7,2.

2. $\simeq 102{,}04$.

3.   183,6 g.

4.   a) $\simeq 103{,}28$ l/min ;

b) $\simeq 1{,}17$ m.

5.   362 500 m^2.

6.   8,1 % ; 12,96 % ;

7.   a)   21,142 ml ; 126,852 ml ; 124 ml ;

b)   3,1 % ; 3,1 % ; 10,571 ml ; 3,1 ml ; 682 ml.

8.   a) $y = -\dfrac{7}{3}x$;   b) $y = \dfrac{32}{21}x - \dfrac{121}{21}$.

9.   a)   (1, 1) ;   b)   aucun point d'intersection.

10. $Q(t) = -300t + 1200$.

11.   a) $F = \dfrac{9}{5}\,C + 32$;   b) -40.

12.   60,5.

13. $k = 20$.

14.   a)   40.

  c) $P(x) = 12x - 480$.

  d)   Profit de 120 \$; perte de 180 \$.

15.   a) $C(x) = \begin{cases} 2,5x \text{ si } 0 < x < 30. \\ 2x \text{ si } x \geq 30 \end{cases}$;

  b)   72,50 \$ pour 29 personnes et 60 \$ pour 30 personnes ; le groupe de 29 a intérêt à trouver une personne de plus afin d'économiser 12,50 \$.

16.   a) $v(t) = -\dfrac{8000}{7}\,t + 10\,000$;

  b) $\simeq 6571,43$ \$;

  c)   4,375 années.

17. $C_1(x) = 0,05x + 7$ et $C_2(x) = 0,1x + 2$.

  Si le client fait moins de 100 chèques, la 2e banque est plus intéressante pour lui. Cela apparaît nettement en traçant les graphes de C_1 et C_2.

1.11   (i)   (1) $\dfrac{1 \pm \sqrt{61}}{6}$; aucune ;

  (2)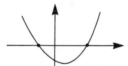

  (3) $\left] -\infty, \dfrac{1 - \sqrt{61}}{6} \right[\cup \left] \dfrac{1 + \sqrt{61}}{6}, +\infty \right[$; $\mathbb{R}$.

1.12   (j)   (1)   a) $17(2x + 1)^3 \left(x + \dfrac{22 - \sqrt{76}}{34} \right)\left(x + \dfrac{22 + \sqrt{76}}{34} \right)$;   b) $-\dfrac{(x + 1)(x - 4)}{\sqrt{2 - x}}$.

  (2)   a) $\dfrac{-11}{9 - x^2}$;   b) $\dfrac{1 - 2a}{x - 3y}$.

1.13   1.   a) $x = 1$; $-5(x - 1)^2$;   b)   pas de racine ;   c) $\dfrac{-3 \pm \sqrt{41}}{4}$.

  2.

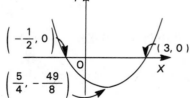

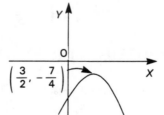

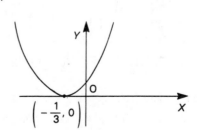

3. a) $\left] -\dfrac{1}{3}, 1 \right[$; b) $\mathbb{R}$; c) $\mathbb{R} \setminus \left\{ \dfrac{1}{2} \right\}$.

4. $(2 + \sqrt{6}, 2\sqrt{6} + 1)$ et $(2 - \sqrt{6}, 1 - 2\sqrt{6})$.

5. $\left(\dfrac{1}{2}, \dfrac{17}{4} \right)$ et $(-2, -2)$.

6. 36 ; 6 et 6.

7. $-\dfrac{9}{4}$; $\dfrac{3}{2}$ et $-\dfrac{3}{2}$.

8. a) 15,1 m ; $\simeq$ 2,04 s ; $\simeq$ 20,41 m ; b) $\simeq$ 3,16 s ;

c) $\simeq$ 1,53 s ; $\simeq$ 51,48 m ; $\simeq$ 3,06 s ; $\simeq$ 4,77 s.

9. 60 et 30 m.

10. a) Pas de racine ; b) $2 \pm \dfrac{3}{2}\sqrt{2}$; c) $4, -4, \sqrt{3}$ et $-\sqrt{3}$; d) $\dfrac{27}{8} \pm \dfrac{\sqrt{585}}{8}$;

e) $0{,}1, -\dfrac{3}{5}$; f) $-\dfrac{1}{30}$; g) $\dfrac{9 \pm \sqrt{65}}{2}$.

11. a) $x = 0$ et $x = 15$; b) $P (x) = x N (x) - (15\,000 + 3{,}5\, N (x))$; d) 11 450 $.

12. a) $P (x) = -2{,}5x^2 + 10x + 80$; b) 80 $; 87,5 $; 87,5 $. c) $x = 2$; 90 $; 60 livres à 6,50 $ l'unité

13. 0,90 $; 1500 jouets ; 350 $.

14. a) $3x^2 (x - \sqrt{2})(x + \sqrt{2})$; b) $x^2 (x + 1)(x + 4)$; c) $(x - 1)(x^2 + x + 1)$;

d) $x (2x^2 - x + 5)$; e) $(x^2 + 4)(x - 2)(x + 2)$; f) $(x + 1)^3 (3x - 2)$;

g) $\sqrt{x + 2} \, (3x + 8)$.

16. a) $\dfrac{25}{6}$; b) $\dfrac{5}{21}$; c) $\dfrac{7}{20}$; d) $\dfrac{73}{63}$; e) $\dfrac{3}{35}$; f) $\dfrac{21}{5}$;

g) $\dfrac{23}{8}$; h) $\dfrac{50}{21}$; i) $\dfrac{549}{130}$; j) $-\dfrac{3370}{591}$; k) $\dfrac{85}{13}$; l) $4\sqrt{2}$;

m) $\dfrac{32}{\sqrt{6}}$.

17. a) 1 ; b) 0 ; c) $\dfrac{21bc}{5a (2a - 3)}$.

18. a) $(x + 2)^2 - 2^2$; b) $(x + 3)^2 - 3^2$; c) $2 (x - 1)^2 - 3$ ou $[\sqrt{2} \, (x - 1)]^2 - [\sqrt{3}]^2$;

d) $(x + 3)^2 - 4^2$; e) $\left(x - \dfrac{9}{2} \right)^2 - \left(\dfrac{9}{2} \right)^2$;

f) $3 \left[\left(x - \dfrac{3}{2} \right)^2 - \left(\dfrac{3}{2} \right)^2 \right]$ ou $\left[\sqrt{3} \left(x - \dfrac{3}{2} \right) \right]^2 - \left[\dfrac{\sqrt{3} \times 3}{2} \right]^2$.

CHAPITRE 2 : FONCTIONS EXPONENTIELLES ET LOGARITHMIQUES

2.1 (a) (1) $\sqrt{1/14^7}$. (2) Impossible car -2 négatif. (3) Voir conditions de calcul de $a^{p/q}$.

(4) $2^{-6} = 1/64$; $3^{17/6}$; $2^{1/20}$; $3 \times 2^{-7/3}$. (5) i) 1/3 ; ii) 10/3.

2.2 1. a) non défini ; b) 0,25 ; c) 1040 ; d) 1 ; e) 0,01 ; f) 2 ; g) 0 ;

h) 256 ; i) 0,185 ; j) 16 ; k) 0,25 ; l) 675/8 ; m) $0,\overline{3}$; n) 2048 ;

o) 6561 ; p) 0,00001.

2. a) 29/6 ; b) 8/3 ; c) 3 ; d) −17/4.

3. i) $a + b$; ii) $b^3 a^{-5}$; iii) 4 ; iv) 2^{-5x-1} ; v) $5^{6x-6} + 5^{9x-4}$.

2.3 (b)

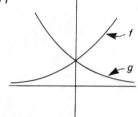

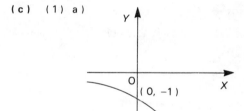

car $f (-x) = 4^{-x} = \left(\dfrac{1}{4} \right)^x = g (x)$

(c) (1) a)

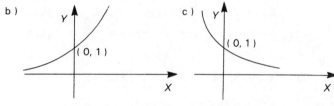

b)

c)

d)

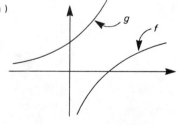

e)

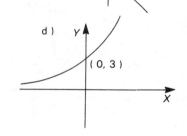

f)

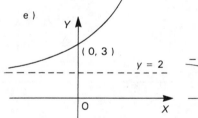

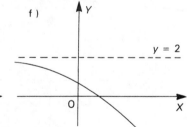

(2) La 5e décimale.

2.4 (d) (1) a)

b)

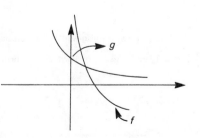

(2) a) $\log_3 9 = 2$; b) $\log_{16} 4 = \dfrac{1}{2}$; c) $\log_{32} 64 = 6/5$; d) $\log_{10} 0,01 = -2$;

e) $\log_{216} 1/36 = -2/3$; f) $\log_3 1 = 0$.

(3) a) $2^2 = 4$;   b) $3^3 = 27$;   c) $2^3 = 8$;   d) $9^{\frac{1}{2}} = 3$;   e) $8^3 = 512$;

f) $\left(\dfrac{1}{5} \right)^{-2} = 25.$

2.5 (e)   a) $t = \dfrac{3 \pm \sqrt{5}}{2}$;   b) $t \simeq -1{,}8166$;   c) $t = 2{,}6$;   d) $t \simeq -3{,}4264$;   e) $t > 1/3.$

2.6 1)   a) 4 ;   b) 4 ;   c) -4 ;   d) 3 ;   e) -1 ;   f) 0,25 ;   g) $\dfrac{4}{3}$;   h) -2 ;

i) 1/3.

2)   a) 625 ;   b) -4 ;   c) 2 ;   d) 8 ;   e) 0,6 ;   f) $\dfrac{1}{64}$;   g) $\dfrac{8}{27}$;

h) 27 ;   i) $-\dfrac{3}{2}.$

3) $\dfrac{0{,}6021}{0{,}4343}.$

4)   a) $3 \ln 1{,}87 \simeq 1{,}87782$;   b) $\ln 58 - \ln 513 \simeq -2{,}17983$;   c) $3{,}2 \ln 2{,}56 \simeq 3{,}00802$;

d) $3 + \ln 4{,}13 \simeq 4{,}41828$;   e) $\ln (\ln 3) \simeq 0{,}09405$;   f) $\ln (\log 3{,}14) \simeq -0{,}69931$;

g) $(\ln 2)(\ln 417) \simeq 4{,}18182$;   h) $3 (\ln 312 + \ln 427 - \ln 47) \simeq 23{,}84892$;   i) non défini.

5. $\simeq 0{,}34657$; $\simeq 0{,}54931.$

6.   a) $\simeq 4{,}29497$;   b) $\simeq 2{,}89279$;   c) $\simeq 3{,}45934$;   d) $\simeq 4{,}06744$;   e) $\simeq 2{,}79367$;

f) $\simeq 0{,}4142$ (la 2e racine ne convient pas) ;   g) 5 ;   h) e et $\dfrac{1}{e}.$

7.   Dom $f =]-\infty, 0 [\cup] 1, + \infty.$

8.   a)

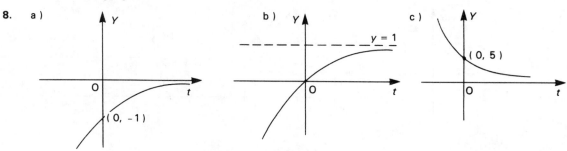

9.   ii)   la population augmente ; la population diminue.

iii)   32 millions ; 1 milliard 24 millions.

iv)

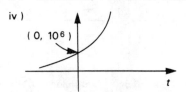

10.   a)   59 460 356 ;   b) en 2010.

11. a) ≃ 3967 ; ≃ 656 ; ≃ 108 ; ≃ 18 ;   b) 18 jours.

12. a) 14000 ; ≃ 10703 ; ≃ 8493 ; ≃ 4273 ;

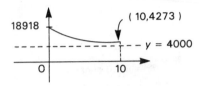

b) 4000.

13. a) 4000 ;   b) ≃ 93344 ;   c) 1940.

14. a) 500 ;   b) ≃ 531 ;   c) après ≃ 34,7 mois ;   d) après ≃ 54,9 mois.

15. $1,7 \times 10^{19}$.

16. $80 \times 1,12^4$.

17. a) ≃ 322,10 $;   b) ≃ 124,18 $.

18. 6573,75 $.

19. 722,22 $.

20. 10,44 % et 10,95 %.

21. 2430,55 $.

22. 7,468 années ; 11,837 années. (En fait, après 7 ans et demi et après 12 ans.)

23. Après 10,51 ans, on aura dans chaque cas accumulé 4085 $.

24. 11,89 %.

25. 2304 $.

26. ≃ 0,003 118 962.

27. 2^{24}.

28. a) ≃ 118,42 ;   b) ≃ 251,43°C.

29. i) 0 ; 38,07 ; 252,85 ; 399,98 ; ≃ 400 ;   ii) 400.

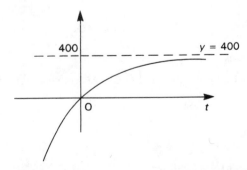

30. i) ≃ 0,109792 ohm•mètre ;   ii) ≃ 302 degrés Kelvin.

31. a) $\simeq 0,022$ A ;   b) $\simeq 2,3$ s.

32. a) $i = \dfrac{E}{R} e^{-t/RC}$;   b) $\simeq 0,3826$ ampère.

33. a) $\simeq 3221$;   b) $\simeq 9,61$ heures.

34. $\simeq 17,6$ années.

35. $\simeq 0,154 \times 10^{-9}$.

36. a) $\simeq 22\ 900$ années ;   b) $\simeq 57\ 000$ années ;   c) $\simeq 5700$ années.

37. a) $y \simeq 3\sqrt{x}$;   b) $y \simeq e^{0,8x}$;   c) $y \simeq 4e^{x/2}$;   d) $y = 2x + 3$;   e) $y \simeq 2x^3$.

CHAPITRE 3 : ÉLÉMENTS DE GÉOMÉTRIE PLANE

3.1 (a)   (1)   65°40′14′′ et 31°13′46′′.   (2)   62°59′42′′ et 152°59′42′′.   (3) $\hat{BOA} = 50°$.

3.3 (c)   (7)   Non.

      (d)   (3) $6 < r < 7$ (en réalité, $r \simeq 6,6202$).   (4) $\sqrt{2,75}$ et $2,75\ \pi$; $\simeq 4,53$ et $\simeq 64,26$.

      (e)   (1)   Oui. Non. Oui.

3.4 (f)   (2) $\simeq 2,7$.

            (3) $x \simeq 2,292$ et $y = \dfrac{8}{3}$.

3.5   **1.**   a)   66°26′24′′ ;   b)   71°46′04′′ ;   c)   40°59′36′′ ;   d)   33°45′43,92′′.

      2.   a)   156,44° ;   b)   101,767 77...° ;   c)   49,4322′′ ;   d)   156,993 611 1...°.

      5.   a) $\hat{C} = 60°$;   b) $\hat{B} = 105°32′53′′$;   c)   26°55′04′′ ;   d)   114°48′55,5′′.

      7. $\hat{B} = \hat{C} = 67°16′51,5′′$.

      11. $r = 3$.

      13.   (Pour calculer R, le rayon du cercle circonscrit, il faut connaître A, l'aire du triangle : pour calculer A, il faut trouver la valeur d'une hauteur. On peut aussi utiliser la formule simple : $A = rs$.)

      15.   50°, 50° et 80°.

      16.   Au pied de la hauteur : 90° et 90°. Au pied de la bissectrice : 108° et 72°.

      17.   Le rayon correspond à une moitié d'hypoténuse.

      18.   28.

      19.   a)   Les triangles ABC et ADE sont semblables.

            b)   Les triangles ACD et BCE sont semblables.

            c)   Les triangles ABC et ADE sont semblables ($\hat{A}$ est commun, $\hat{ABC} = \hat{AED}$ et donc $\hat{ACB} = \hat{ADE}$).

      20. $|AD| = 37,5$. $|DE| = 25$.

      21. $\simeq 3494$ km.

CHAPITRE 4 : TRIGONOMÉTRIE

4.1 (a)   (1)   a) $\dfrac{\pi}{9}$ rad;   b) $\simeq 0,6144$ rad;   c) $\simeq 0,7943$ rad.

(2)   a)   60°;   b)   ≃ 229° 10′ 59″;   c)   ≃ 22° 55′ 6″.

(b)   a)   2,5 m ; 6,25 m² ;   b)   ≃ 23,56 m ; ≃ 58,9 m2 ;   c)   ≃ 12,65 m ; ≃ 31,625 m² ;

d)   ≃ 2,13 m ; 5,325 m².

4.2   **1.**   a)   ≃ 0,4059 rad;   b)   ≃ 0,0423 rad;   c)   ≃ 8,0285 rad;   d)   ≃ 9,0844 rad.

2.   a)   120°;   b)   ≃ 359° 49′ 3″;   c)   ≃ 572° 57′ 28″.

3.   a)   ≃ 1667 m;   b)   ≃ 212,2 tours;   c)   ≃ 1,11 rad/s; ≃ 10,6 tours/min;   d)   ≃ 1,11 rad.

4.   30 rad/s; ≃ 286,48 tours/min.

5.   ≃ 393,91 m.

6.   i)   ≃ 226,19 rad/min; 12960°/min; ≃ 3,77 rad/s;   ii)   ≃ 565,49 m.

7.   a)   600 π cm/s ≃ 18,85 m/s;   b)   125 tours/seconde.

4.3   (c)   c) $\dfrac{2\pi}{3}$;   d) $\dfrac{\pi}{4}$, $\dfrac{5\pi}{4}$;   e) $\dfrac{\pi}{3}$, $\dfrac{5\pi}{6}$, $\dfrac{4\pi}{3}$; $\dfrac{11\pi}{6}$.

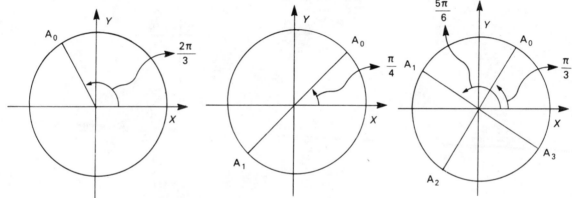

4.4   (e)   (1) $c \simeq 42{,}7; \hat{C} \simeq 60°40′22″ ; \hat{B} \simeq 29°19′38″$.

4.6   **1.**   i) $c \simeq 12{,}33; \hat{B} \simeq 54{,}05°; \hat{C} \simeq 35{,}95°$;

ii) $a = 13; \hat{B} \simeq 67{,}38°; \hat{C} \simeq 22{,}62°$;

iii) $b \simeq 11{,}33; c \simeq 8{,}23; \hat{B} \simeq 54°$;

iv) $a \simeq 94{,}54; c \simeq 91{,}18; \hat{C} \simeq 74° 40′$.

2.   i) $a \simeq 23{,}41; b \simeq 11{,}32; \hat{C} = 115°$;   v)   aucune solution ;

ii) $c \simeq 21{,}4; \hat{B} \simeq 28°; \hat{C} \simeq 42°$ (solution unique);   vi)   2 solutions :

iii) $c \simeq 38{,}26; \hat{B} \simeq 85° 34′ 12″; \hat{A} \simeq 21° 57′ 18″$; $\begin{cases} \hat{C} \simeq 49°53′11″ \\ \hat{A} \simeq 95°6′49″ \\ a \simeq 26 \end{cases}$ et $\begin{cases} \hat{C} \simeq 130°6′49″ \\ \hat{A} \simeq 14°53′11″ \\ a \simeq 6{,}7. \end{cases}$

iv) $\hat{A} \simeq 38° 54′ 7″; \hat{B} \simeq 27° 33′ 14″; \hat{C} \simeq 113°32′39″$;

3.   ≃ 113 m.

4.   ≃ 53,39 m.

5.   ≃ 8887 m.

6. ≃ 430 m.

7. ≃ 69,08 m et ≃ 37,76 m.

8. ≃ 17,58 m.

9. ≃ 17,14 m.

10. ≃ 113,46 m.

11. ≃ |AB| ≃ 97,14 m et |AD| ≃ 72,32 m.

12. ≃ 614 m.

4.8 **(h)** a) $-\dfrac{\pi}{6}$ et $\dfrac{7\pi}{6}$

b) $\dfrac{\pi}{4}$ et $-\dfrac{\pi}{4}$.

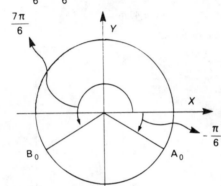

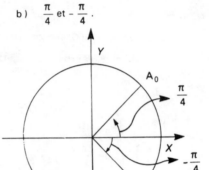

c) $\dfrac{\pi}{16}, \dfrac{5\pi}{16}, \dfrac{9\pi}{16}, \dfrac{13\pi}{16}, \dfrac{17\pi}{16}, \dfrac{21\pi}{16}, \dfrac{25\pi}{16}, \dfrac{29\pi}{16}$.

d) $\dfrac{\pi}{8}, \dfrac{9\pi}{8}$ et $-\dfrac{\pi}{16}, \dfrac{7\pi}{16}, \dfrac{15\pi}{16}, \dfrac{23\pi}{16}$.

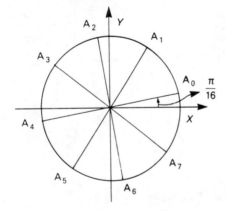

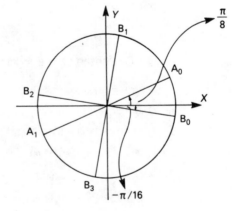

4.9 **(i)** **(2)** a) $-\dfrac{\sqrt{3}}{2}$; b) $\dfrac{\sqrt{2}}{2}$; c) $\cos 3t = \cos t \cos 2t - \sin t \sin 2t$.

(j) **(1)** a) $-2 \sin \dfrac{7x}{2} \sin \dfrac{3x}{2}$; b) $-2 \sin x \cos 4x$.

(2) a) $-\dfrac{1}{2} (\cos 3x + \cos x)$; b) $\sin 3x - \sin x$; c) $\dfrac{3}{2} (\cos 5x + \cos 3x)$.

4.10 **2.** a) $\dfrac{\pi}{6}$, $\dfrac{17\pi}{30}$, $\dfrac{29\pi}{30}$, $\dfrac{41\pi}{30}$, $\dfrac{53\pi}{30}$

et $-\dfrac{\pi}{6}$, $\dfrac{7\pi}{30}$, $\dfrac{19\pi}{30}$, $\dfrac{31\pi}{30}$, $\dfrac{43\pi}{30}$.

b) $\dfrac{2\pi}{9}$, $\dfrac{8\pi}{9}$, $\dfrac{14\pi}{9}$

et 0, $\dfrac{2\pi}{3}$, $\dfrac{4\pi}{3}$.

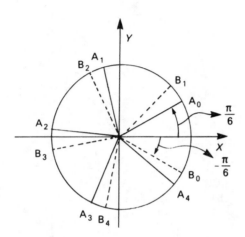

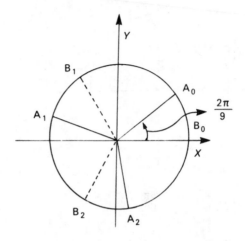

c) $\dfrac{11\pi}{24}$, $\dfrac{35\pi}{24}$

et $-\dfrac{5\pi}{24}$, $\dfrac{19\pi}{24}$.

d) $\dfrac{\pi}{9}$, $\dfrac{7\pi}{9}$, $\dfrac{10\pi}{9}$, $\dfrac{13\pi}{9}$, $\dfrac{16\pi}{9}$, $\dfrac{4\pi}{9}$.

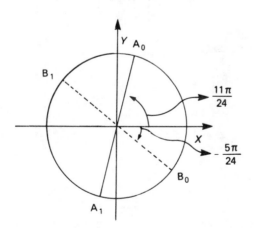

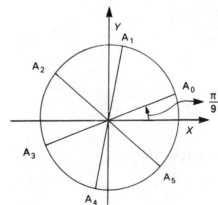

e) $\dfrac{\pi}{6}$, $\dfrac{5\pi}{6}$, $\dfrac{3\pi}{2}$.

f) $\dfrac{\pi}{8}$, $\dfrac{5\pi}{8}$, $\dfrac{9\pi}{8}$, $\dfrac{13\pi}{8}$

et $\dfrac{\pi}{4}$, $\dfrac{5\pi}{4}$.

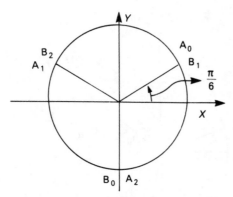

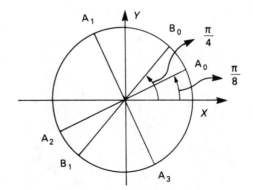

g) $\dfrac{\pi}{18}$, $\dfrac{13\pi}{18}$, $\dfrac{25\pi}{18}$

et $\dfrac{\pi}{6}$.

h) $\left.\begin{array}{l} x = \pi + 2k\pi \end{array}\right\}$ $\cos x = -1$

$\left.\begin{array}{l} x = \dfrac{2\pi}{3} + 2k\pi \\[2mm] x = \dfrac{4\pi}{3} + 2k\pi \end{array}\right\}$ $\cos x = -\dfrac{1}{2}$.

i) $\left.\begin{array}{l} \dfrac{\pi}{4} \text{ et } \dfrac{5\pi}{4} \end{array}\right\}$ $\tan x = 1$

$\left.\begin{array}{l} \dfrac{\pi}{3} \text{ et } \dfrac{4\pi}{3} \end{array}\right\}$ $\tan x = \sqrt{3}$.

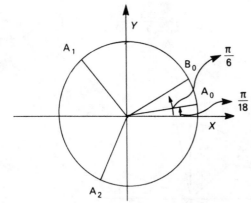

4.   a) $2 \sin \dfrac{11x}{2} \cos \dfrac{5x}{2}$;   b) $-2 \sin \dfrac{7x}{2} \sin \dfrac{3x}{2}$;

c) $2 \sin \dfrac{7x}{2} \cos \dfrac{x}{2}$;   d) $2 \cos \dfrac{3x}{2} \cos \dfrac{x}{2}$;

e) $2 \sin \dfrac{4x + \pi}{4} \cos \dfrac{8x - \pi}{4}$.

5.   a) $-\dfrac{1}{2} \left[\cos 5x - \cos 3x \right]$;   b) $\dfrac{1}{2} (\cos 3x + \cos x)$;

c) $\sin 3x - \sin x$;   d) $\dfrac{3}{2} (\cos 5x + \cos 3x)$;   e) $-\dfrac{1}{8} \left[\sin 2x + \sin x \right]$.

4.11 (k)   (1) a)

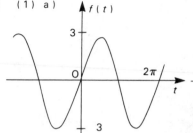

b)

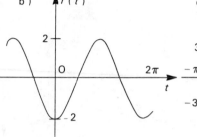

c)

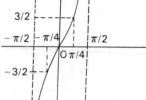

d)

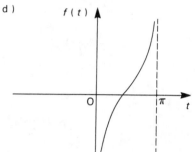

e)

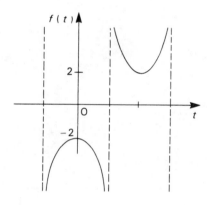

(2) a) $\frac{1}{2}$;   b) $\simeq 0{,}4339$;   c) $\simeq 1{,}2679$;   d) $\simeq 0{,}3640$;   e) $\simeq 1{,}4238$;

f) $\sqrt{2}$;   g) $\simeq 5{,}7588$;   h) 2.

4.12 (l)   (1) a) $60°$;   b) $60°$;   c) $\frac{\pi}{4}$;   d) $\simeq 54{,}74°$;   e) $\simeq 110{,}61°$;   f) $\simeq 63{,}43°$;

g) $\simeq 66{,}42°$;   h) $\simeq 0{,}9165$;   i) $\frac{\sqrt{3}}{3}$.

(2) a) $\simeq 63{,}43°$;   b) $\simeq 78{,}46°$;   c) $30°$.

Avec la calculatrice, on obtient une seule valeur pour l'angle t. Si nous voulions connaître toutes les valeurs de t, solutions de l'équation, il faudrait, à partir de la valeur trouvée avec la calculatrice, procéder comme on l'a vu lors de la résolution d'une équation.

4.13 (m)   (1)

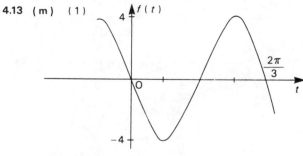

(2)

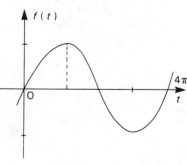

4.13 **(n)**   (1)

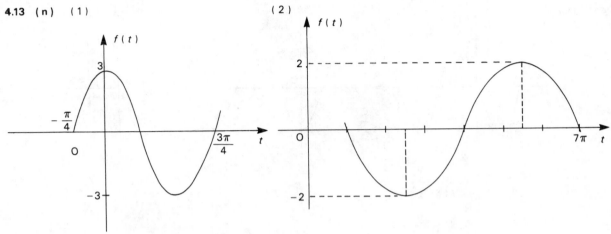

(2)

(3)

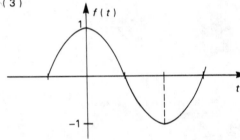

(4) $-\dfrac{\pi}{4}$.

4.14 **(o)**   a) $\omega = 3$; $f = \dfrac{3}{2\pi}$; $\phi_1 = \dfrac{\pi}{4}$; $\phi_2 = -\dfrac{\pi}{2}$.

b) $\dfrac{3\pi}{4}$ (intensité)

c) $\dfrac{\pi}{4}$.

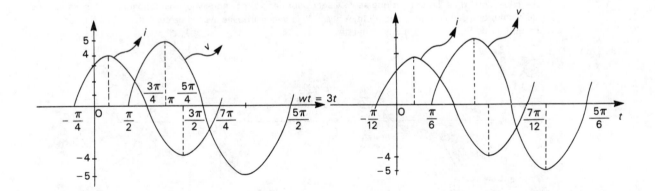

4.15   1)   a) $p = 4\pi$ $A = 2$ Dom $f = \mathbb{R}$ Im $f = [\,-2, 2\,]$

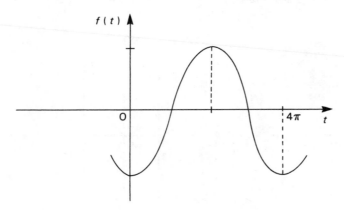

b) $p = 4\pi$ $A = 3$ Dom $f = \mathbb{R}$ Im $f = [\,-3, 3\,]$

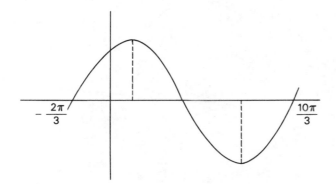

c) $p = \dfrac{\pi}{3}$ Dom $f = \left\{\, \theta \in \mathbb{R} \,/\, \theta \neq (2k + 1)\dfrac{\pi}{6} \text{ et } k \in Z \,\right\}$ Im $f = \mathbb{R}$

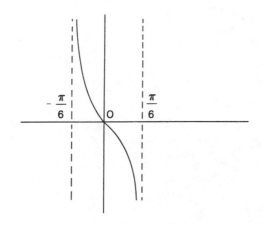

d) $p = \dfrac{\pi}{5}$ Dom $f = \left\{ t \in \mathbb{R} \mid t \neq k\,\dfrac{\pi}{10} \text{ et } k \in \mathbb{Z} \right\}$ $p = \dfrac{\pi}{5}$ Dom $g = \left\{ t \in \mathbb{R} \mid t \neq (2k + 1)\,\dfrac{\pi}{10} \text{ et } k \in \mathbb{Z} \right\}$

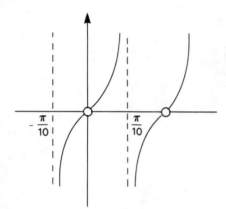
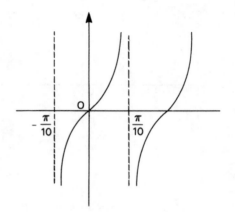

e) $p = 2\pi$ $A = 3$ Dom $f = \mathbb{R}$ Im $f = [-3, 3]$

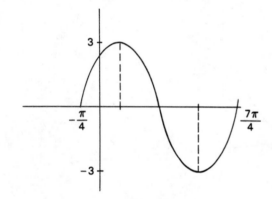

f) $p = \pi$ Dom $f = \left\{ x \in \mathbb{R} \mid x \neq (2k + 1)\,\dfrac{\pi}{4} \right\}$ Im $f = \mathbb{R} \setminus\,] -3, 3 [$

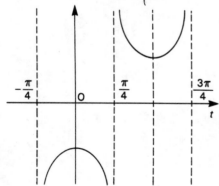

g) $p = 2\pi$ $A = 3$ Im $f = [\,0, 3\,]$ Dom $f = \mathbb{R}$

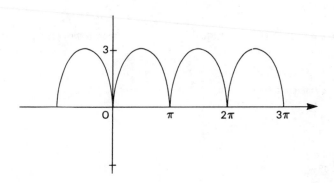

h) $p = \pi$ $A = 3$ Dom $f = \mathbb{R}$ Im $f = [\,4, -2\,]$

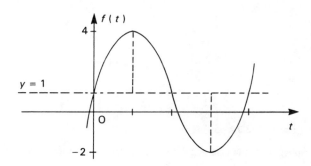

i) $p = \dfrac{4\pi}{3}$ $A = 3$ Dom $f = \mathbb{R}$ Im $f = [\,-3, 3\,]$

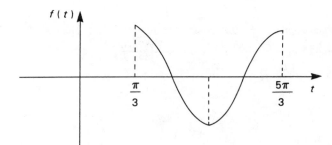

2. $T = \dfrac{1}{30}$; $\omega = 60\,\pi$; $v(t) = 80 \sin 60\,\pi\,t$; $v\left(\dfrac{1}{100}\right) = 76{,}08$; $t = \dfrac{1}{360} + \dfrac{k}{30}$, $k \in \mathbb{N}$.

3. $60 ; 120\pi ; f = 60 ; \omega = 120\pi ; T = \dfrac{1}{60} ; i(t) = \sin 120\pi t ; v(t) = 120 \sin \left(120\pi t + \dfrac{\pi}{4} \right) ; \phi = \dfrac{\pi}{4}$ rad ;

$\dfrac{\phi}{\omega} = \dfrac{1}{480}$ s.

4.   a) $\omega = 50 ; f = \dfrac{50}{2\pi} ; T = \dfrac{2\pi}{50} ; i_1(0) = \sqrt{3} ; i_2(0,25) \simeq 1,976 ;$ c) $\dfrac{\pi}{12} \; i_1$ est en avance sur i_2 ;

d) $I_m \simeq 5$ et $\phi \simeq 50°$.

5.   a) $\dfrac{\pi}{30}$: i en avance sur v ;   b) $\dfrac{-11\pi}{24}$: i en retard sur v ;   c) $-\dfrac{\pi}{8}$: i en retard sur v.

6.   a) $0, -4, \simeq -1,1177, 2\sqrt{2}$;   b) $0, \dfrac{2\pi}{3}, \dfrac{4\pi}{3}$ et $\dfrac{\pi}{3}, \pi, \dfrac{5\pi}{3}$;

c) $\left(\dfrac{\pi}{18}, 2 \right), \left(\dfrac{13\pi}{18}, 2 \right), \left(\dfrac{25\pi}{18}, 2 \right)$ et $\left(\dfrac{5\pi}{18}, 2 \right), \left(\dfrac{17\pi}{18}, 2 \right), \left(\dfrac{29\pi}{18}, 2 \right)$.

7.   a) 10 cm ;   b) $\omega = 30 ; T = \dfrac{2\pi}{30} ; f = \dfrac{30}{2\pi}$;   c) $0 ; \simeq 9,88$ cm ; $\simeq -3,05$ cm ;

d) $0 ; \simeq -3,63$ cm ; $\simeq -0,41 ; \simeq -0,005$ cm ;   e) $T = \dfrac{2\pi}{30} ; \omega = 30 ; f = \dfrac{30}{2\pi} ; A_1 = 9,49$ cm ;

$A_2 = -8,55$ cm ; $A_3 = 7,70$ cm.

8.   a) 4 cm ; 10 Hertz ; 0,1 seconde.

b) 0 cm ; $\simeq 3,46$ cm.

c) $\dfrac{1}{120}$ seconde.

CHAPITRE 5 : AIRES ET VOLUMES

5.1   **(a)**   (1) 39,37 pouces ; 1550,003 pouces carrés ; 61023,74 pouces cubes.

(3) 4 020 821 485. (Selon des démographes américains, la population de la planète a atteint le cap de 5 milliards en juillet 1986 !)

(4) $\simeq 1,54$ m^2.

(5) 35,2 onces.

(6) 350 000 m^3.

5.3   **1.**   Carré : 16. Rectangle : $4\sqrt{4,25}$. Parallélogrammes : 9,2 sin 60° et 8. Cerf-volant : 15,71735513. Trapèze : $\dfrac{h}{2} (10 + r_1 + r_2)$ où $h = 2\sqrt{2} \sin 42°$, $r_1 = \dfrac{2\sqrt{2} \sin 42°}{\tan 42°}$ et $r_2 = \dfrac{2\sqrt{2} \sin 42°}{\tan 21°}$, d'où 16,1175458. Quadrilatère : 17,15470054. Polygones : 61,2 et 5500.

2. $\simeq 43,46$.

3.   R $\simeq 6,81$.

4.   1,5.

5. $\simeq 14,93$.

5.4   **(b)**   i) $\simeq 6,14$ a^2 ;   ii) $\simeq 17,91$;   iii) $\simeq 5,96$.

(c)   (1)   119,2.   (2)   118,1$\overline{3}$.

5.5   (d)   (1)   ≃ 2,29.   (2)   162.   (3)   ≃ 153,5.   (4)   112.   (5)   ≃ 18,48.

(e)   (1)   ≃ 194,86 ; 90 ; ≃ 219,9.

(2)   ≃ 88,27.

5.7   **1.**   285.

2.   ≃ 0,415.

3.   a)   ≃ 180,4 ;   b)   ≃ 227,56.

4.   ≃ 21,91.

5.   ≃ 10377,88.

6.   2316.

7.   2312.

8.   303,   279 et ≃ 346,3.

9.   ≃ 168,33.

12.   a) $A = 4a^2$

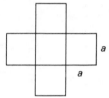

b)   c $A = 2a\,(\,c + b\,)$

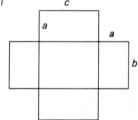

c) $A = (\,a + b + c\,)\,d$

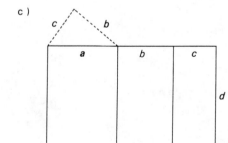

d)

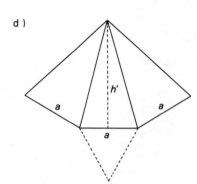

$$A = \frac{3a}{2} h'$$

avec $h' = \sqrt{h^2 + \frac{a^2}{4}}$

(h est la hauteur de la pyramide)

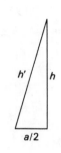

e)

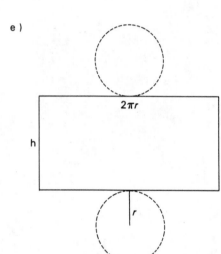

$A = 2\pi rh$

f)

$A = \pi Ra$

CHAPITRE 6 : MATRICES ET DÉTERMINANTS

6.3 **1.** a) $x = 1$ et $y = 2$.

b) $z = 8$ et $w = 9$.

c)   (2, 4, – 2, 8).

d)   Non défini.

e) $t = 0$.

f) $\begin{pmatrix} -3 & -2 & 1 & -4 \\ -6 & -7 & -8 & -9 \\ 2 & -1 & -4 & -5 \end{pmatrix}$.

2.   a)   Dans l'ordre : $\begin{pmatrix} 4 & 1 & 2 \\ 3 & 7 & 8 \\ -5 & 9 & 4 \end{pmatrix}, \begin{pmatrix} 4 & -2 & 5 \\ -3 & 4 & -1 \\ -2 & -3 & -2 \end{pmatrix}, \begin{pmatrix} 10 & 9 & -3 \\ 4 & 12 & 17 \\ -7 & 8 & 2 \end{pmatrix}$.

b) $D = \begin{pmatrix} 2 & 6 & -5 \\ 7 & 5 & 13 \\ -4 & 13 & 6 \end{pmatrix}$.   d)$\begin{pmatrix} 0 & -1 & 1 \\ -2 & -1 & -3 \\ 1 & -4 & -2 \end{pmatrix}$.

3.   a) $0,15A_1 + 0,2A_2 + 0,3A_3 + 0,15A_4 + 0,2A_5$.

b) $64,75 ; 73 ; 84,5$.

6.4   (a)

a) $\begin{pmatrix} -7 & 11 & 11 \\ 16 & 2 & 11 \\ 12 & -3 & 11 \end{pmatrix}$;   b) $\begin{pmatrix} 2 & 10 & 0 \\ 4 & -2 & 8 \\ 10 & 6 & 4 \end{pmatrix}$;   c) $\begin{pmatrix} 8 & 4 \\ -12 & -16 \\ -20 & -24 \end{pmatrix}$;   d) $\begin{pmatrix} -14 \\ 9 \\ -2 \end{pmatrix}$;

e)   (30 7 30 5);   f) $\begin{pmatrix} 14 & -6 & 12 \\ 15 & 18 & 29 \\ 14 & 18 & 46 \end{pmatrix}$;   g) $\begin{pmatrix} 42 & 12 & 30 \\ 4 & 20 & -6 \\ 29 & 35 & 16 \end{pmatrix}$

h) $\begin{pmatrix} 31 & 113 \\ 71 & 23 \\ 234 & 269 \end{pmatrix}$;   i)   non défini;   j) $\begin{pmatrix} 11 & 0 & 20 \\ 20 & 23 & 4 \\ 21 & 28 & 16 \end{pmatrix}$;

k)   non défini.

6.5   1.   a) $A + B = \begin{pmatrix} 2 & 8 \\ 2 & 8 \end{pmatrix}$; $A - B \begin{pmatrix} 0 & -4 \\ 4 & 0 \end{pmatrix}$; $2A + \dfrac{1}{2} B = \begin{pmatrix} 2,5 & 7 \\ 5,5 & 10 \end{pmatrix}$.

b) $A + B = \begin{pmatrix} 4 & 2 & 8 & 5 \\ 0 & 4 & 3 & 7 \\ 9 & 3 & 9 & 4 \end{pmatrix}$; $A - B = \begin{pmatrix} 0 & 0 & -10 & -1 \\ 2 & 4 & 3 & -1 \\ 3 & -1 & 7 & 4 \end{pmatrix}$;

$2A + \dfrac{1}{2} B = \begin{pmatrix} 5 & 2,5 & 2,5 & 5,5 \\ 1,5 & 8 & 6 & 8 \\ 13,5 & 3 & 16,5 & 8 \end{pmatrix}$

2. a) (6951, 13300, 2112, 7921, 1944). Ses éléments représentent les coûts totaux en transport, en logement, en repas, etc.

b) Pour S_1 : 110,50 \$. Pour S_2 : 24,10 \$. Pour S_3 : 85,5 \$. Coût pour le collège: 24 816,90 \$.

3. a) $\begin{pmatrix} 1 & 0 \\ 0 & 1 \end{pmatrix}$.   b) Il suffit de trouver une matrice de dimension $2 \times p$, où ses deux lignes sont identiques.

4. $BAC = \begin{pmatrix} -14 & 5 & -11 & -22 \\ 44 & 44 & 110 & 154 \\ -30 & 6 & -11 & -33 \end{pmatrix}$.

8. a) (60, 20, 40). A = (1100, 8100, 2700, 4800);

b) 340,42, 647,50 et 47,08;

c) 399,17, 787,33 et 60,25.

9. b) 5250, 2000 et 13 750;   c) 0,56, 0,29 et 0,5; 695 \$; 805 \$.

6.6 **(b)** a) 14;   b) 12;   c) 70.

6.7 **(c)** a) 6;   b) 15;   c) −12;   d) 0;   e) 0;   f) 0;   g) −12;   h) 0;

i) −36;   j) −18;   k) 0;   l) 109.

6.8 a) −1;   b) −5;   c) −2;   d) −20;   e) −1;   f) −615.

CHAPITRE 7 : SYSTÈMES D'ÉQUATIONS LINÉAIRES ET INVERSION DE MATRICES

7.1 **(a)**

a) S_2 $\begin{cases} x_1 & + x_3 & x_4 = 5 \\ x_1 + x_2 & - x_3 & = 2 \\ 3x_1 - 2x_2 & + x_3 & - x_4 = 0 \end{cases}$;

b) S_3 $\begin{cases} x_1 & + x_3 & - x_4 = 5 \\ 3x_1 + 3x_2 & - 3x_3 & = 6 \\ 3x_1 - 2x_2 & + x_3 & - x_4 = 0 \end{cases}$;

c) S_4 $\begin{cases} x_1 & + x_3 & - x_4 = 5 \\ 6x_1 + 3x_2 & & - 3x_4 = 21 \\ 3x_1 - 2x_2 & + x_3 & - x_4 = 0 \end{cases}$;

d) S_5 $\begin{cases} x_1 & + x_3 & - x_4 = 5 \\ 6x_1 + 3x_2 & & - 3x_4 = 21 \\ -9x_1 - 8x_2 & + x_3 & + 5x_4 = -42 \end{cases}$;

e) S_8 $\begin{cases} \dfrac{1}{4}x_1 & + \dfrac{1}{4}x_3 & - \dfrac{1}{4}x_4 = \dfrac{5}{4} \\ 3x_1 - 2x_2 & + x_3 & - x_4 = 0 \\ -3x_1 + 9x_2 & - 3x_3 & = 21 \end{cases}$

7.3 **(b)**

a) $(-1, 2, -3)$;   b) $\left(\dfrac{5-8a}{3}, \dfrac{2+a}{6}, a\right)$ où $a \in \mathbb{R}$;

c) $(1, 0, -1)$;   d) aucune solution;

e) $(-3, -1, 2, 1)$.

7.4 **(c)** **(1)** a) $(-3, -7, 5)$;   b) $(2, 0, -2)$;   c) $\left(\dfrac{2-11a}{4}, \dfrac{-6+a}{8}, a\right)$ où $a \in \mathbb{R}$;

d) $\left(\dfrac{5-8a}{3}, \dfrac{2+a}{6}, a\right)$ où $a \in \mathbb{R}$;

e) aucune solution;   f) $(0, -4, 5)$;   g) $(1, 2, 3)$;

h) $(3, -2, 1, -1)$;   i) $\left(\dfrac{9}{41}, \dfrac{2}{41}, \dfrac{34}{41}\right)$;   j) $\left(\dfrac{2}{3}, -\dfrac{10}{3}, \dfrac{10}{3}\right)$.

(2) $(15, 16, -9)$ et $(-1, -10, 10)$.

7.5 **(d)**

a) $(3, -2, 2)$;   b) une infinité de solutions;

c) $(5, -6, 3)$;   d) $(-1, 2, -1)$;   e) aucune solution;

f) $\left(-\dfrac{2}{3}, \dfrac{25}{3}\right)$.

7.6 **(e)**

a) $\begin{pmatrix} \dfrac{2}{5} & \dfrac{1}{5} \\[2mm] \dfrac{3}{10} & -\dfrac{1}{10} \end{pmatrix}$;   b) $\dfrac{1}{18}\begin{pmatrix} -5 & 1 & 7 \\ 1 & 7 & -5 \\ 7 & -5 & 1 \end{pmatrix}$;   c) $\begin{pmatrix} -18 & -11 & 4 \\ -14 & -8 & 3 \\ 5 & 3 & -1 \end{pmatrix}$;   d) $\begin{pmatrix} -1 & 3 & 2 \\ 1 & -2 & -1 \\ 0 & 1 & 0 \end{pmatrix}$.

(f)

a) $\begin{pmatrix} -3 & 2 \\ 2 & -1 \end{pmatrix}$;   b) $\dfrac{1}{9}\begin{pmatrix} 1 & 3 \\ 2 & -3 \end{pmatrix}$;   c) $\begin{pmatrix} -1 & 1 & -1 \\ -1 & 1 & -2 \\ 1 & -1/2 & 1/2 \end{pmatrix}$;

d) $\dfrac{1}{20}\begin{pmatrix} -24 & -16 & 6 \\ -16 & -4 & 4 \\ 14 & 6 & -1 \end{pmatrix}$;   e) $\begin{pmatrix} -7 & -5 & 6 \\ 13 & 10 & -11 \\ -1 & -1 & 1 \end{pmatrix}$.

7.7 **(g)** **(1)**

a) $\dfrac{1}{18}\begin{pmatrix} 8 & 2 & -14 \\ -2 & 4 & -1 \\ 0 & 0 & 9 \end{pmatrix}$;   b) $\dfrac{1}{54}\begin{pmatrix} 6 & -6 & 12 \\ 3 & 6 & -3 \\ -12 & 30 & 12 \end{pmatrix}$.

(2) a) $(-5, 0, 4)$;   b) $\left(\dfrac{10}{9}, -\dfrac{5}{18}, \dfrac{1}{9}\right)$.

7.9 **1.** a) $(-1, 2, -3)$;   b) $(4, -4)$;   c) $(5, 2, 1)$;

d) $\left(\dfrac{13}{12}, \dfrac{1}{2}, \dfrac{23}{30}, \dfrac{1}{20}\right)$;   e) $\left(a, \dfrac{-2-a}{2}, 6-2a\right)$ où $a \in \mathbb{R}$.

2. 12 pièces de 0,25 $, 12 pièces de 0,10 $, 24 pièces de 0,05 $; 48 pièces en tout.

3.   Pierre a 16 ans et les 2 autres, 4 ans.

4. $f(x) = -2x^2 + 4x + 1$.

5. $\dfrac{19}{2}$ et $\dfrac{5}{2}$.

6.   5 l de A, 8 l de B et 7 l de C.

7. $i_1 \simeq 1,451$ ampère, $i_2 \simeq 2,591$ ampères et $i_3 \simeq 0,187$ ampère.

8.   a) $\begin{pmatrix} 1 & 1 & 1 \\ 0,05 & 0,1 & 0,15 \\ 0,18 & 0,27 & 0,25 \end{pmatrix} \begin{pmatrix} x \\ y \\ z \end{pmatrix} = \begin{pmatrix} 100 \\ 11,5 \\ 24,2 \end{pmatrix}$

    b) $x = 20$; $y = 30$; $z = 50$.

9.   23,70 \$ et 10,50 \$.

10. $2\,KMnO_4 + 5\,SO_2 + 2\,H_2O \rightarrow 2\,MnSO_4 + K_2SO_4 + 2\,H_2SO_4$.

11.   a) $y = \dfrac{5}{2}x - 8$;   b) $y = -\dfrac{6}{7}x - \dfrac{17}{7}$;   c) $y = 2$.

12. $z = -\dfrac{5}{3}x + \dfrac{4}{3}y + 5$.

CHAPITRE 8 : VECTEURS GÉOMÉTRIQUES

8.8 (b)   (2) a) $\sqrt{17}$;   b) $3\sqrt{5}$;   c) $\sqrt{66}$;   d) $\sqrt{85}$.

    (3) a) (6, 15) ;   b) (7, 1) ;   c) (−1/2, 3/4) ;   d) (1, 11).

    (4) (−3, −11, 10) ;   (5) $\vec{a}$ = (0,5) et $\vec{b}$ = ($2\sqrt{2}$, $2\sqrt{2}$).

8.9   **1.**   a) $\vec{u} + \vec{v}$ = (2, 2, 0) ; $2\vec{u} - 3\vec{v}$ = (−6, −1, 0) ; $\dfrac{3}{4}\vec{v}$ = $\left(\dfrac{3}{2}, \dfrac{3}{4}, 0 \right)$;

            $\vec{u} + \dfrac{1}{3}\vec{v}$ = $\left(\dfrac{2}{3}, \dfrac{4}{3}, 0 \right)$;

        b) $\vec{u} + \vec{v}$ = (−6, 9) ; $2\vec{u} - 3\vec{v}$ = (8, −7) ;

            $\dfrac{3}{4}\vec{v}$ = $\left(−3, \dfrac{15}{4} \right)$; $\vec{u} + \dfrac{1}{3}\vec{v}$ = $\left(−\dfrac{10}{3}, \dfrac{17}{3} \right)$;

        c) $\vec{u} + \vec{v}$ = (−1, 5, −8) ; $2\vec{u} - 3\vec{v}$ = (8, −5, 19) ;

            $\dfrac{3}{4}\vec{v}$ = $\left(−\dfrac{3}{2}, \dfrac{9}{4}, −\dfrac{21}{4} \right)$; $\vec{u} + \dfrac{1}{3}\vec{v}$ = $\left(\dfrac{1}{3}, 3, −\dfrac{10}{3} \right)$.

    2.   a)   (−5, 10, −15) ;   b) $\left(\dfrac{1}{3}, \dfrac{4}{3}, \dfrac{5}{3} \right)$;

        c)   ($−\sqrt{3}$, $3\sqrt{3}$, $4\sqrt{3}$).

    3.   a) $a = -2$, $b = 6$ et $c = 4$;   b) $a = 2$, $b = 4$ et $c = 6$;

        c) $a = \dfrac{1}{2}$, $b = 1$ et $c = \dfrac{1}{25}$.

    4.   a)   (−7, −13, 6).   b) $p = \dfrac{10}{9}$ et $q = −\dfrac{2}{9}$.   c) $\sqrt{14}$; $\sqrt{38}$; $\sqrt{20}$.

5. a)   38,5 N ; ≃ 66,68 N ;

b) $\beta = 74°37'7''$; $\gamma = 65°22'53''$; $|\vec{R}|$ ≃ 41,66 N ;

c) $|\vec{R}|$ ≃ 572,7 N ; 118°21'28''.

6. a)   i) $\begin{cases} \text{AB : 30° ; BC : 70° ; CD : 115° ; DE : 185° ;} \\ \text{EF : 355°, FA : 305°;} \end{cases}$ ii) $\begin{cases} \text{GH : 26°30' ; HI : 79°11'' ; IJ : 137°21' ;} \\ \text{JK : 203°29' ; KL : 273°19' ; LG : 324°50' ;} \end{cases}$

b)   AB : 70° ; BC : 20° ; CD : 40° ; DE : 10° ; EF : 310° ; FG : 230° ; GH : 210° ;

c) $\hat{A}$ = 90° ; $\hat{B}$ = 130° ; $\hat{C}$ = 140° ; $\hat{D}$ = 150° ; $\hat{E}$ = 120° ; $\hat{F}$ = 90°.

8.12 (c)   (1)   −10 ; 22 ; n'existe pas.

(2)   ≃ 171,03°.

(3) $a = -\dfrac{2}{5}$.

(4)   a)   ≃ 20,78 ; −12.   b)   ≃ 3,46 ; −2.

(5)   Les vecteurs seront de la forme : ($p \in \mathbb{R}$)

a) $p\,(\,1, 1\,)$;   b) $p\,(\,1, 8\,)$;   c) $p\,(\,23, 1\,)$;   d) $p\,(\,1, 4\,)$.

(6)   45°.

8.13 1)   a)   5 ;   b)   0 ;   c)   −22.

2) $a = -\dfrac{2}{5}$.

3)   a)   (1, 1, 7) ; (1, −1, 15) ; (5, 14, −1) ; 10 ; 60 ;   b)   ≃ 2,43 ;   c)   ≃ 2,67 ;   d)   ≃ 49°35'37''.

4)   b)   45° ; ≃ 123°41'24'' ; ≃ 228°21'59''.

5)   ≃ 71°33'54''.

6) $x = 3$ et $y = 2$.

7)   a)   86°49'13'' ;   b)   56°30'52'' ;   c)   45°.

8)   Non.

9) $\vec{F} = -\,(\,\vec{F_1} + \vec{F_2}\,)$ où $\vec{F_1}$ = (2, 0) et $\vec{F_2}$ = (3 cos 75°, 3 sin 75°).

10)   À une vitesse de $\sqrt{112,25}$ faisant avec la verticale un angle de 70°42'36''.

11)   À une vitesse de ≃ 22,32 km/h à 72°28'57'' du cap Est (ou 17°31'3'' du cap Nord).

12) $|\vec{F_1}|$ ≃ 96,49 et $|\vec{F_2}|$ ≃ 51,34.

13)   ≃ 475,99 km et ≃ 36,46°.

14)   7068 joules.

15)   ≃ 9,90 N ; ≃ 12°18'16''.

16)   ≃ 4,83 km du départ et faisant un angle de 8°25'5'' avec le cap Nord.

8.14 (d)   (1) a)   ≃ 19,75 ; ≃ 78°34'21'' ;   b)   ≃ 12,3693 ; 90° ;   c)   0 ; 0° ;   d)   1 ; 90°.

(2)   ≃ 3,84.

8.15 (e) (1) a) −28 ;   b) −56.

(2) 2.

8.16 1) a) (−9, −3, 5) ;   b) (7, 4, −5) ;   c) (6, 2, −5) ;   d) (−2, 1, 0) ;   e) (−2, 1, 0) ;

f) (−1, 28, 15).

3) ≃ 4,39.

4) a) 13 ;   b) −13 ;   c) 13 ;   d) 0 ;   e) −13 ;   f) 390.

5) 1.

6) 24.

CHAPITRE 9 : INITIATION À LA PROGRAMMATION LINÉAIRE

9.2 (b) (2) a) Les droites se rencontrent en (2, −1).

b) Les droites se rencontrent en $\left(0, -\frac{1}{2} \right)$, $\left(\frac{3}{10}, \frac{1}{10} \right)$ et en (0,1).

c) Les droites se rencontrent en (5, −4), (−3, 4) et en (−3, −4).

d) Les droites se rencontrent en $\left(-\frac{1}{5}, \frac{1}{5} \right)$, (4, −4) et en (4, 3).

e) Les droites se rencontrent en $\left(-\frac{2}{5}, \frac{11}{5} \right)$, $\left(-\frac{4}{3}, 5 \right)$, $\left(\frac{1}{3}, 0 \right)$, (1, 5) et $\left(-\frac{3}{2}, 0 \right)$.

f) Les droites se rencontrent en (0, 2), (2, 0), (0, 2), (4, −2 , (0, 0), (0, 2), (4, 2) et (4, 0).

9.3 (c) (2) b) (0, 4), $\left(\frac{3}{2}, \frac{5}{2} \right)$ et (3, 4).

c) Polygone convexe non borné.

d) (0, 4) et (3, 4).

9.4 (d) a) a) $f(A) = -6, f(B) = -1$ et $f(C) = 5$.

b) $f(D) = -\frac{7}{2}$ et $f(E) = 2$.

c) Par exemple, $f(0, 2) = -2$ et $f\left(\frac{1}{2}, \frac{11}{10} \right) = \frac{4}{10}$.

d) En C.

9.5 (e) (1) a) Les coordonnées sont (0, −3), (2, −3), (0, −2) et (1, −1).

c) En (2, −3). En (0, −2).

(2) Les sommets sont (0, 5), $\left(\frac{3}{4}, \frac{5}{4} \right)$ et (2, 0). Le maximum est atteint en (2, 0). Le minimum est atteint en

(0, 5).

9.6 1. a) −11, 2 et $-\frac{9}{2}$

b) En B; en A.

c) $-x + 6y = 8$.

2.   a)   1 et 1.

b) $3x - 2y = 1$.

3.   a)   14, 15 et 1.

b)   Par AB : $x + 3y = 11$.

Par AC : $-2x + 5y = 11$.

Par BC : $-3x + 2y = 11$.

c) $\begin{cases} -2x + 5y \geqslant 11 \\ x + 3y \leqslant 11 \\ -3x + 2y \leqslant 11 \end{cases}$

4.   b)   (0, 0), (5, 0), (0, 3), (2, 4) et (4, 3). Borné.

c)   Maximale en (4, 3). Minimale en (0, 0).

9.8   1.   30 bulldozers et 15 tracteurs; 36 000 $.

2.   Premier entrepôt : $\dfrac{6}{11}$ jours.

Deuxième entrepôt : $\dfrac{40}{11}$ jours.

Coût : 1 382 $.

3.   2 capsules de Siel et 8 capsules de Siel-Plus. (Il s'agit d'une solution minimisant le nombre de capsules à ingurgiter.)

4.   Coût minimal : 7 250 $, selon le tableau suivant

	vers A	vers B	vers C
α	300	300	0
ω	0	200	500

donnant le nombre de fauteuils vers chaque magasin.

5.   20 % de A; 70 % de B et 10 % de C.

6.   214 du modèle A et 51 du modèle B.

7.   Coût minimal : 933,75 $ en organisant ses expéditions selon le tableau suivant

	entrepôt I	entrepôt II	entrepôt III
usine A	10,5 t	4,5 t	0 t
usine B	0 t	1,5 t	3 t

CHAPITRE 10 : GÉOMÉTRIE ANALYTIQUE : LES CONIQUES

10.2   (a)   1) $(x - 1)^2 + (y + 3)^2 = 4$.

2)   (1, -2) et $r = 3$.

3) (1, 2) et $\left(\dfrac{3}{5}, \dfrac{6}{5} \right)$.

4) $(x - 1)^2 + (y - 1)^2 = 2$.

10.3 (b)   (1) a) $x = \dfrac{13}{4}$; $F (19/4, 1)$;   b) $y = -\dfrac{17}{4}$; $F (2, -7/4)$.

(2) $(y - 4)^2 = \pm 6 (x - 2)$.

(3) $F \left(-2, \dfrac{3}{4} \right)$; $S \left(-\dfrac{17}{8}, -\dfrac{3}{4} \right)$; $b = \dfrac{1}{4}$; $x = -\dfrac{9}{4}$.

10.4 (c)   (1) $\dfrac{(x - 2)^2}{25} + \dfrac{(y - 5)^2}{9} = 1$; $F' (-2, 5)$; $F (6, 5)$.

(2) $F' (8 - \sqrt{3}, -2)$; $F (8 + \sqrt{3}, -2)$; $S' (6 - 2)$; $S (10 - 2)$.

(3) $\dfrac{(x - 3)^2}{16} + \dfrac{(y - 4)^2}{12} = 1$.

10.5 (d)   (1) $\dfrac{(y - 4)^2}{9} - \dfrac{(x - 3)^2}{25} = 1$.

(2) $F' (-1, 2)$; $F (7, 2)$.

(3) $\dfrac{(x - 3)^2}{25} - \dfrac{(y - 3)^2}{11} = 1$.

10.7 (e)   (1) $x'^2 + y'^2 = 4$.

(2) $y' = 5x'$.

(3) $y' = 6x'^2 - 30x' + 38$.

10.8   **1.**   a) $C (-2, 1/2)$; $r = \sqrt{7}$;   b) $C (3, 4)$; $r = 2$.

2. $(x - 3)^2 + (y - 2)^2 = 8$.

3. $(x - 4)^2 + (y - 3)^2 = 2$.

4.   a) $(1 + \sqrt{7}, -1 + \sqrt{7})$ et $(1 - \sqrt{7}, -1 - \sqrt{7})$;   b) $(0, 2)$ et $(1, 3)$;

c) Aucun point d'intersection.

5. $\left(x - \dfrac{11}{4} \right)^2 + (y - 7/4)^2 = \dfrac{25}{8}$.

6.   a) $S (2, 6)$; $F (2, 5)$; $y = 7$;   b) $S \left(-\dfrac{25}{16}, -5/2 \right)$; $F (-9/16, -5/2)$; $x = -41/16$;

c) $S (0, 0)$; $F (3/32, 0)$; $x = -3/32$;   d) $S (6/5, 4)$; $F (-1/20, 4)$; $x = \dfrac{49}{20}$.

7.   a) $(y - 3)^2 = 4 (x - 2)$;   b) $(y - 2)^2 = 4 (x - 2)$;   c) $(x - 3)^2 = 2 (y - 4)$;

d) $y = \dfrac{2}{5} x^2 - \dfrac{6}{5} x - 12$.

8.   À 0,104 cm du fond.

9. $y = \dfrac{373}{36}$; $F\left(0, \dfrac{275}{36}\right)$; $x^2 = -\dfrac{49}{9}(y-9)$; $\simeq 8,26$ m.

10. $-4(x-5) = (y-3)^2$.

11. a) $\dfrac{x^2}{4} + \dfrac{y^2}{9} = 1$; b) $\dfrac{(x-1)^2}{4} + \dfrac{(y+3)^2}{16} = 1$; c) $\dfrac{x^2}{9} + \dfrac{y^2}{5} = 1$;

   d) $\dfrac{(x-2)^2}{16} + \dfrac{(y-1)^2}{6} = 1$.

12. a) $\dfrac{(x-2)^2}{9} + \dfrac{(y-3)^2}{25} = 1$; b) $\dfrac{(x-1)^2}{49} + \dfrac{(y-2)^2}{24} = 1$. c) $\dfrac{(x-4)^2}{16} + \dfrac{y^2}{9} = 1$.

13. $\simeq 150,4 \times 10^6$ km pour l'apogée, $\simeq 145,6 \times 10^6$ pour le périgée. L'orbite terrestre est presque un cercle.

14. a) $F'(0, -4\sqrt{2})$; $F(0, 4\sqrt{2})$; b) $F'(-\sqrt{41}, 0)$; $F(\sqrt{41}, 0)$;

   c) $F'(-1-\sqrt{20}, -1)$; $F(-1+\sqrt{20}, -1)$.

15. a) $\dfrac{x^2}{9} - \dfrac{16y^2}{81} = 1$; b) $\dfrac{(x-2)^2}{36} - \dfrac{(y-3)^2}{28} = 1$.

16. a) $A = C$, cercle de rayon 2 et de centre $(-2, 1)$;

   b) $C = 0$, parabole de sommet $(-3, -2)$ et $p = 2$;

   c) A et C de même signe, ellipse avec $2a = 6$ et $2b = 2\sqrt{7}$ centrée en $(-2, 2)$;

   d) $A = C$, cercle dégénéré de rayon 0. C'est le point $(-1/2, 2/3)$;

   e) $C = 0$ et $E = 0$. Deux droites parallèles $x = -1/2$ et $x = -7/2$;

   f) $A = C$, cercle imaginaire car $r^2 < 0$;

   g) A et C de signes contraires, hyperbole dont l'axe de symétrie est parallèle à OY, de centre $(-1, 4)$ avec $a = \sqrt{7}$ et $b = \sqrt{3}$;

   h) A et C de même signe, ellipse dégénérée en un point $(-3, -2)$;

   i) A et C de signe contraire, hyperbole dégénérée en deux droites concourantes, $y = \dfrac{3}{2}x + \dfrac{3}{2}$ et $y = -\dfrac{3}{2}x + 9/2$.

17. $\dfrac{x'^2}{4} + \dfrac{y'^2}{5} = 1$.

18. $\dfrac{y'^2}{3} - \dfrac{y'^2}{5} = 1$.

19. $O'\left(-\dfrac{1}{2}, -1\right)$.

CHAPITRE 11 : ANALYSE COMBINATOIRE ET PROBABILITÉS

11.1 (a) a) 40200 ; b) $\dfrac{1}{47520}$; c) $\dfrac{1}{n+2}$; d) 1296 ; e) $\simeq 2,0835612 \times 10^{13}$;

   f) $(n-2)(n-1)n$.

11.2 (b) (1) a) 14; b) 10; c) $2 \# (A)$.

   (2) 42, 76 et 49.

(**c**)   (1)   10 000 000.   (2)   1 600 000.

(3)   216 (en supposant qu'on ne mélange pas les dés, connaissant le résultat de chaque personne).

(4)   216 – 56 = 160 (en interprétant la question comme précédemment).

(**d**)   (1) $2^5 = 32$.

(2)   Dans l'ordre : non, oui (n = 5, k = 2), non, non.

11.3 (**e**)   (1)   6 840.   (2)   504.   (3) $\dfrac{26!}{20!}$ = 165 765 600.

(4)   5! = 120.   (5)   En 4.   (6)   6! = 720 et 5! = 120.

11.4 (**f**)   (1) $\dbinom{25}{3}$ = 2 300.   (2)   220 et 28.

(3)   56.   (4)   Dans l'ordre : $\dbinom{48}{5}$, $\dbinom{52}{5} - \dbinom{48}{5}$, $\dbinom{44}{5}$, $\dbinom{8}{5}$ et $\dbinom{4}{1}\dbinom{4}{1}\dbinom{44}{3} + \dbinom{4}{2}\dbinom{4}{2}\dbinom{44}{1}$.

(Dans ce dernier cas, on pourrait ajouter les cas où on n'a ni as, ni roi.)

11.5 (**g**)   (1)   Dans l'ordre : 560, 252 et 270 725.

(2) $(a - b)^5 = a^5 - 5a^4b + 10a^3b^2 - 10a^2b^3 + 5ab^4 - b^5$,

$(a + 2b)^4 = a^4 + 8a^3b + 24a^2b^2 + 32ab^3 + 16b^4$,

$(1 - 2x)^7 = 1 - 14x + 84x^2 - 280x^3 + 560x^4 - 672x^5 + 448x^6 - 128x^7$.

(3)   Dans la règle 5, il suffit de faire $a = 1$ et $b = 1$.

11.6   **1.**   1092.

2.   125.

3.   90.

4.   406 586 (on considère ici les mots d'une lettre).

5.   276 746 (on considère ici les mots d'une lettre).

6. $\dfrac{7!}{(2!)^2}$, $\dfrac{8!}{2!}$ et 6!.

7.   9 000.

8. $\dbinom{20}{10}$ si on ne s'intéresse qu'aux sièges occupés ou

$\dfrac{20!}{10!}$ si on s'intéresse au siège occupé par chaque personne.

9.   5!

10.   4! (on choisit une personne comme repère).

11. $\dfrac{4!}{2}$ (on ne change pas le collier en le retournant).

12.   a) $\dbinom{1}{1}\dbinom{51}{4}$ = 249 900.

b) $\dbinom{4}{2}\dbinom{48}{3} + \dbinom{4}{3}\dbinom{48}{2} + \dbinom{4}{4}\dbinom{48}{1}$ = 108 336.

(Ne pas commettre l'erreur de répondre $\dbinom{4}{2}\dbinom{52}{3}$.) On pourrait aussi répondre

$\dbinom{52}{5} - \dbinom{4}{0}\dbinom{48}{5} - \dbinom{4}{1}\dbinom{48}{4}$ = 108 336.

c) $\binom{51}{5} = 2\,349\,060.$

d) $13 \times 48 = 624.$

e) $\binom{26}{5} = 65\,780.$

f) $13 \times 12 \times \binom{4}{2} \times \binom{4}{3} = 3\,744.$

13. $\binom{36}{6} = 1\,947\,792.$

14. $5!$ (si on exclut les cas d'égalité).

15. $\binom{16}{9}.$

16. $\binom{10}{5}.$

17. $\binom{14}{5} + \binom{14}{4}\binom{12}{1} + \binom{14}{3}\binom{12}{2} = 38\,038.$

18. $\binom{14}{4}\binom{12}{1} + \binom{14}{3}\binom{12}{2} = 36\,036.$

19. $11\,040.$

20. $\binom{5}{3} 20^3\,6^2$ (les lettres peuvent se répéter).

21. $3\,200\,000.$

22. a) $(n-r)(n-r+1)$;   b) 560;   c) $22\,100.$

23. $\dfrac{103\,776}{2\,598\,960}.$

24. $\dfrac{(r+n-1)!}{n!\,(r-1)!}.$

25. $15.$

26. $\binom{6}{4}\binom{30}{2} + \binom{6}{5}\binom{29}{1} + \binom{6}{5}\binom{1}{1} + \binom{6}{6} = 6706.$

27. $36.$

28. $\binom{5}{1} + \binom{5}{2} + \binom{5}{3} + \binom{5}{4} + \binom{5}{5}.$

29. $\binom{3}{1} + \binom{2}{2} + \binom{3}{2} + \binom{2}{2}\binom{3}{1} + \binom{3}{3} + \binom{2}{2}\binom{3}{2} + \binom{5}{5}.$

30. $\binom{5}{1} + \binom{2}{1}\binom{3}{1} + \binom{3}{2} + \binom{2}{1}\binom{3}{2} + \binom{3}{3} + \binom{2}{1}\binom{3}{3}.$

31. $\binom{2}{1}\binom{28}{5} + \binom{28}{6}.$

32. $\binom{15}{3}\binom{2}{1}\binom{13}{1} + \binom{15}{3}\binom{13}{2} + \binom{2}{1}\binom{13}{1}\binom{15}{2} + \binom{13}{3}\binom{15}{2}.$

33. $\binom{10}{3}\binom{2}{1}\binom{13}{1} + \binom{10}{3}\binom{13}{2} + \binom{2}{1}\binom{13}{1}\binom{10}{2} + \binom{13}{3}\binom{10}{2}.$

34. a) $5^{20}.$

b) $\binom{20}{12} 4^8 + \binom{20}{13} 4^7 + \binom{20}{14} 4^6 + \cdots + \binom{20}{20} 4^0.$

c) $5^{15}.$

35.   45 et 45.

36.   147.

37.   864.

38.   240.

39.   Il s'agit d'additionner la colonne des unités, des dizaines, des centaines, etc. On obtiendra 902 768 750.

40. $\simeq 3,8919 \times 10^8$; $\simeq 7,4803 \times 10^{18}$.

41. $\binom{15}{7} x^8 k^7 = 6\ 435\ x^8 k^7$.

42.   a) $1120\ x^4 y^4$;   b) $326\ 592\ x^5 y^4$.

11.8 (h)   (1)   a) $\{\ 3, 4, 5, 6, 7, ..., 18\ \}$;

b) $\{\ 0, 1, 2, 3, 4, 5\ \}$;

c) $\{\ 0, 1, 2, 3, 4\ \}$;

d) $\{\ 0, 1, 2, 3, 4, 5\ \}$;

e) $\{\ 0, 1, 2, 3, ..., 10\ \}$;

f) $[\ 0, 10\ ]$;

g) $\{\ 0, 1, 2, 3\ \}$.

(2)   Il y a plusieurs façons de noter l'ensemble fondamental. La réponse n'est donc pas unique.

a) $\{\ RRR, RRN, RNR, NRR, RNN, NRN, NNR\ \}$;

b) $\{\ RRR, RRN, RNR, NRR, RNN, NRN, NNR, NNN\ \}$;

c) $\{\ (\ 1, 2\ ), (\ 2, 1\ ), (\ 0, 3\ )\ \}$ où le premier élément du couple désigne le nombre de boules noires et le deuxième, le nombre de boules rouges. On peut également obtenir le même ensemble que a).

11.9 (i)   (1)   a) $0,5$;   b) $\dfrac{1}{13}$;   c) $\dfrac{7}{8}$;   d) $\dfrac{1}{6}$;

e) $\dfrac{33}{45}$;   f) $\dfrac{341}{1331}$.

(2)   a) $0,6$;   b) $0,15$;   c) $0,75$;   d) $0,35$;

e) $0,85$;   f) $0,1$;   g) $0,10$.

11.10   1.   a) $\simeq 0,2813$;   b) $\simeq 0,7187$;   c) $\simeq 3,69 \times 10^{-6}$;

d) $\simeq 1,3298 \times 10^{-4}$;   e) $\simeq 0,0225$.

2.   a) $\simeq 0,2512$;   b) $\simeq 0,2217$;   c) $\simeq 0,0296$.

3.   a) $\dfrac{1}{64}$;   b) $\dfrac{1}{64}$;   c) $\dfrac{1}{32}$;   d) $\dfrac{1}{2}$;   e) $\dfrac{22}{64}$.

4.   50 000 \$: $1 \div 10^6 = 0,000001$;

5 000 \$: $9 \div 10^6 = 0,000009$;

250 \$: $90 \div 10^6 = 0,00009$;

50 \$: $900 \div 10^6 = 0,0009$;

$$5\ \$:\quad 9000 \div 10^6 = 0,009;$$

$$0\ \$: 990000 \div 10^6 = 0,99.$$

(En fait, les chances de gagner sont plus fortes puisque plusieurs séries de billets sont imprimées chaque semaine.)

5. a) $1 \div \binom{36}{6}$; b) $\binom{6}{5}\binom{1}{1} \div \binom{36}{6}$;

c) $\binom{6}{5}\binom{29}{1}\binom{1}{0} \div \binom{36}{6}$; d) $\binom{6}{4}\binom{30}{2} \div \binom{36}{6}$.

6. a) $1 \div \binom{49}{6}$; b) $\binom{6}{5}\binom{1}{1} \div \binom{49}{6}$;

c) $\binom{6}{5}\binom{42}{1}\binom{1}{0} \div \binom{49}{6}$; d) $\binom{6}{4}\binom{43}{2} \div \binom{49}{6}$;

e) $\binom{6}{3}\binom{43}{3} \div \binom{46}{6}$.

11.11 (j) (1) a) Dans l'ordre : $p(A)p(B)$, $p(A) + p(B) - p(A)p(B)$,

$p(A), p(A)(1 - p(B)), p(A)(1 - p(B))$;

b) $0, P(A) + p(B), 0, p(A), p(A)$;

d) $0, 1, 0, p(A), p(A)$;

e) $p(A), p(B), \dfrac{p(A)}{p(B)}, 0, 0$;

(2) a) $\simeq 0,1034$; b) $\simeq 0,1155$.

(3) a) $\simeq 0,7934$;

b) $\simeq 0,0701$.

11.12 1. a) $\dfrac{4}{30}$; b) $\dfrac{1}{5}$; c) $\dfrac{1}{3}$; d) $\dfrac{24}{30}$; c) $\dfrac{1}{5}$.

2. a) $\dfrac{3}{4}$; b) $\dfrac{1}{2}$; c) $\dfrac{7}{12}$; d) $\dfrac{1}{12}$; e) $\dfrac{1}{6}$.

3. i) $\dfrac{13}{15}$; ii) $\dfrac{13}{22}$; iii) $0,24$.

4. $\dfrac{3}{13}$

5. $1 - 0,99^{52} \simeq 0,4070$.

6. $\dfrac{5}{8}$ ou $\dfrac{25}{41}$. (Selon que les 2 nombres sont ou non distincts.)

7. 1) $1 - \dfrac{\binom{35}{13}}{\binom{39}{13}}$. 2) $\dfrac{\binom{4}{2}\binom{22}{11}}{\binom{26}{13}}$

8. a) $\dfrac{1}{6}$. b) $\dfrac{1}{6}$. c) $\dfrac{2}{5}$.

9. $\simeq 0,7619$, $\simeq 0,2222$ et $\simeq 0,0158$.

10. $\simeq 63,83\ \%$, $\simeq 31,91\ \%$ et $\simeq 4,26\ \%$.

CHAPITRE 12 : ERREURS ET INCERTITUDES

12.1 (a) a) 4; b) 2; c) 5; d) 5; e) 3; f) 6.

12.2 (b) (1) a) 57,0; b) −243,14; c) 6; d) 21,451; e) 1,22; f) 1,732.

(2) a) −0,05 ;   b) −0,005 ;   c) 0,36 ;   d) −0,00005 ;   e) −0,00$\overline{2}$;

f) impossible, car on ne peut pas connaître complètement la valeur de $\sqrt{3}$: elle est sûrement inférieure à 0,000051.

(3) a) −0,09 % ;   b) négligeable ;   c) 6,38 % ;   d) négligeable ;   e) 0,18 % ;

f) non calculable.

(c)   (1) a) ε = 5000 et] 8295000, 8305000 [;

b) ε = 5 × 10^{-9} et] 0,000037445, 0,000037455 [;

c) ε = 0,5 et] 2507,5, 2508,5 [;

d) ε = 5 × 10^6 et] 495000000, 505000000 [;

e) ε = 0,5 et] 295999,5, 296000,5 [;

f) ε = 0,05 et] 345,25, 345,35 [.

(2) a) 0,06 % ;   b) 0,01 % ;   c) 0,02 % ;   d) 1 % ;   e) négligeable ;   f) 0,01 %.

(d)   a) 48,35 ± 0,105 ;   b) 42,85 ± 0,105 ;   c) 46,07 ± 0,105 ;   d) 8,25 ± 0,015 ;

e) 0,88 ± 0,02 ;   f) 3,55 ± 0,065 ;   g) 125,4 ± 0,503 ;   h) 21,432 ± 0,275 ;

i) −226,7075 ± 0,5161 ;   j) 7,5625 ± 0,0275 ;   k) 21618690 ± 189637,632 ;

l) 46,222938 ± 0,11988.

(e)   (1) a) 1,6 cm   b) 5 cm^2 ;

(2) a) 6 m^2 ;   b) 9,7 m^3.

(f)   a) 4,42 ;   b) 18,94 ;   c) 6,641.

12.5   **1.**   a) 5 ;   b) 5 ;   c) 5 ;   d) 6 ;   e) 3 ;   f) 7.

2.   a) 49 ;   b) 136 ;   c) −2,48 ;   d) 0,044 ;   e) 5 ;   f) −144,0 ;

g) 4 × 10^2 ;   h) 24 × 10^3 ;   i) 5,56 ;   j) −5,57.

3.   a) 0,4 et 0,82 % ;   b) −0,5 et −0,37 % ;   c) 0,004 et −0,16 % ;   d) 0,0005 et 1,15 % ;

e) 0,49999 et 11,11 % ;   f) −0,05 et 0,03 % ;   g) 32 et 8,70 % ;   h) −448 et −1,83 % ;

i) −0,005 et −0,09 % ;   j) −0,00499 et 0,09 %.

4.   a) 1,33 ;   b) 1,245 ;   c) −31,568.

L' erreur absolue est respectivement de −0,00$\overline{3}$, −0,000$\overline{245}$ et −0,000$\overline{432}$.

d) Non, car le développement de $\sqrt{2}$ n'est pas périodique ; on pourrait prendre par exemple ε = 4,3 × 10^{-3} et on aurait alors $|\Delta a| < \varepsilon$.

5.   a) −338,2 ± 0,31 ;   b) 46,05 ± 0,155 ;   c) 395 ± 0,51 ;   d) 2381,19 ± 5,521 ;

e) 127701,124 ± 297,823 ;   f) ≃ 1,857417 ± 1,345 × 10^{-3} ;   g) ≃ 0,123442 ± 5,41 × 10^{-4}.

6.   5π cm^3.

7.   88,2 cm^3.

8.   2 cm.

9.   1 cm^2.

10. $0,3\pi + 0,25$ cm^3 $\simeq$ 1,19 cm^3.

11. $10,4\pi$ cm^2 $\simeq$ 32,67 cm^2.

12.   a) $2,8 \times 10^2$;   b) 178,9 ;   c) $1,70 \times 10^5$;   d) 42,5 ;   e) 29,5 ;

f) $5,50 \times 10^{-3}$;   g) 11,54 ;   h) 245,0 ;   i) $4,86 \times 10^8$;   j) $2,1 \times 10^7$.

INDEX

NOTES

NOTES

NOTES

NOTES

NOTES

NOTES

Achevé   Imprimerie
d'imprimer   Gagné Ltée
au Canada   Louiseville